P9-DSZ-420

Manierismo y Barroco

Emilio Orozco Díaz

Manierismo y Barroco

EDICIONES CÁTEDRA, S. A. Madrid

Ediciones Cátedra, S. A., 1975
Cid, 4. Madrid-1
Depósito legal: M. 16.508 - 1975
ISBN: 84-376-0044-8
Printed in Spain
Impreso en VELOGRAF - Tracia, 17 - Madrid-27

Índice

A mi hijo José Luis

Prólogo a la segunda edición

Al revisar el presente libro para hacer esta segunda edición ampliada hemos querido mantener en lo esencial el mismo criterio que mantuvimos al hacer la primera. Si entonces recogimos en él una serie de trabajos ya publicados —salvo el último incluido que se editaba por primera vez—, reimprimiéndolos íntegramente, sin rehacer ni retocar el texto de ninguno de ellos, aunque introduciendo algunas adiciones en las notas —en forma que el lector pudiera distinguir claramente lo añadido—, hoy, al preparar esta nueva edición, procedemos de igual manera. En consecuencia, el presente volumen no es una simple reimpresión del publicado en 1970. El principal cambio introducido consiste en la adición de un nuevo trabajo, «El retrato *a lo divino,* su influencia y unas obras desconoci das de Risueño», artículo publicado en la revista *Goya* el pasado año de 1974 y que está constituido por unos fragmentos de un ensayo extenso sobre *Lo profano y lo divino en el retrato del Manierismo y el Barroco,* cuya síntesis fue expuesta como comunicación en el Congreso Internacional de Historia del Arte celebrado en Granada en 1973. El dicho artículo se reproduce aquí sólo revisado, pero ampliado en sus notas con la adición de una serie de textos poéticos que refuerzan, con su valor artístico y documental, la tesis que en el trabajo mantenemos, al mismo tiempo que constituye una breve antología del tema que interesa por sí misma.

De idéntica manera a como procedimos en la primera edición, con los distintos trabajos que la integraban, volvemos a hacer ahora; introduciendo nuevas notas y ampliación de las anteriores, de distinto carácter, aunque, preferentemente, añaden indicaciones crítico-bibliográficas o referencias a otros estudios y también a trabajos nuestros que completan o desarrollan los puntos de vista aquí expuestos. Todas esas notas, pues, no obedecen a un criterio sistemático de revisión o puesta al día de alguna de las cuestiones tratadas. Hemos procedido en esta labor con el libre carácter de ensayo que mantenemos en todo el volumen, y, así, lo que se añade es lo que, de una manera espontánea, nos fue sugiriendo o recordando la misma lectura de los textos, cuando los revisábamos para hacer esta segunda edición. Queremos —según hemos pretendido en todos nuestros trabajos sobre Manierismo y Barroco— que nuestro libro siga manteniendo una libre estructura abierta que ofrezca al lector sugerencias y posibles direcciones a desarrollar, e incluso suscite distintas y hasta contrarias interpretaciones a las nuestras respecto a los temas que tratamos. Todo ello responde a la intención que nos propusimos al escribir estos ensayos; y, por otra parte, responde a la variedad de la estructura abierta —*desintegrante* o *integradora* en la trabazón o composición de sus elementos y temas— que entraña toda obra manierista y barroca. El libro por sí mismo, por su concepción estructural, puede representar para la mente del posible lector una introducción al Manierismo y al Barroco en Arte y Literatura.

Granada, enero 1975.

Prólogo

De entre los varios ensayos sobre arte y literatura que con posterioridad a nuestro libro *Temas del Barroco* hemos ido escribiendo, elegimos hoy para formar volumen un grupo de cuatro que estimamos pueden ser expresivos de los móviles esenciales que han centrado nuestros estudios barroquistas en estos últimos años. Porque aunque no sean todos de un mismo carácter y reúnan, así, desde la consideración más general al análisis y comentario concreto, sin embargo, entrañan en cuanto a sus fundamentos teóricos y a su intención crítica unas preocupaciones comunes que, progresivamente, han ido tendiendo hacia la caracterización y delimitación estética y psicológica entre Manierismo y Barroco dentro de su común sentido anticlásico.

Cuando redactamos los ensayos reunidos en nuestro citado libro —1940 a 1946— y trazamos un ensayo de introducción general a la interpretación del Barroco, en consideración y enfoque simultáneo en Arte y Literatura, nuestra intención se encaminaba a la caracterización del estilo en su morfología y fundamento psicológico, dentro del concepto historicista, mantenido en general por la crítica, aunque sin olvidar la valoración de lo barroco como una constante en el desarrollo de las artes a través de los siglos. Nuestro principal intento y postura crítica, se dirigía a la simultánea caracterización del fenómeno estilístico en arte y literatura —especialmente en poesía y pintura— procurando iluminar recíprocamente los rasgos de lo artístico y lo literario y, asimismo, haciendo consideraciones temáticas paralelas y comentando fenómenos que entrañan la relación o desbordamiento de unas artes en otras. Y procedíamos con este enfoque, movidos no sólo por una intención metodológica iluminadora de hechos y rasgos del Barroco, sino también partiendo de la concepción de este estilo como debido a una general orientación plástico-visual de todas las artes que buscan como medio de expresión y comunicación la vía sensorial, especialmente del sentido de la vista. De aquí que comen táramos aspectos de la psicología del estilo, de la temática y de sus recursos expresivos.

Prescindimos entonces, casi totalmente, de un problema estilístico temporal que a su vez entraña otro de delimitación espiritual y morfológico, cual es la distinción de Barroco y Manierismo. Entonces el concepto y término manierismo era de casi exclusiva aplicación a las artes y sólo en pocas ocasiones con carácter general, ya que lo normal era utilizar el término en su originaria significación relativa sólo a la pintura. Incluso en la fundamentación psicológica y dependencia en lo espiritual y religioso que había planteado la conexión del Manierismo y el Barroco con el movimiento de la Contrarreforma había sido en especial la pintura, el arte tenido en cuenta para establecer dicha relación. ¿Era el Barroco o el Manierismo el arte de Trento y de la Contrarreforma?

Así, pues, era ya general la caracterización del Barroco como fenómeno estilístico común a las artes, a las letras y el pensamiento, incluso refiriéndose a artistas y fenómenos literarios considerados tradicionalmente como contrarios a lo barroco; tal, por ejemplo, la tragedia francesa o la pintura de Velázquez. Se comenzaba a tener conciencia de que el Barroco no constituye sólo una exacerbación de lo morfológico hacia lo agitado y recargado, sino algo más profundo que, si bien se manifiesta con ese desbordamiento de lo apariencial sensorial, sin embargo, los determinantes psicológico-espirituales de esa general transformación constituyen algo complejo y profundo que afecta igualmente al pensamiento y a la vida en general y cuya exteriorización en las manifestaciones artísticas y literarias no siempre supone dinamismo, complicación y recargamiento ornamental.

Pero, precisamente, por una consideración predominantemente externa o morfológica se llegó a una general consideración de lo barroco que abarcaba lo que estética e históricamente suponía, en general, desbordamiento de sus propios límites. Toda complicación o alteración de las formas artísticas y literarias de la tradición clásica renacentista se estimaba como rasgo barroco. De ahí que el mismo Wölfflin, cuando en 1888 en su primer gran libro de caracterización del Barroco señalaba el arranque de dicha transformación estilística, adelantaba su fecha hasta un momento en que predominantemente —pues no puede marcarse en esto una regular periodización— se produce el fenómeno que en general hoy se considera como Manierismo. Las complicaciones y general sentido anticlásico que representan éste y el Barroco es lo que favoreció su confusión e identificación. De ahí que cuando el término Manierismo se hizo general en su referencia a todas las artes se iniciara y extendiera su aplicación a las letras y de ahí la actitud confusionista de Curtius que en su famoso libro *Literatura europea y Edad Media latina,* aplica el término Manierismo para designar en literatura todo lo que hasta entonces se había llamado Barroco; esto es todo lo anticlásico. En realidad las cosas quedaron como estaban, pues la crítica en general no ha podido aceptar esa sustitución de términos; salvo la postura de Hocke, en quien se continúa, así, el empleo del término Manierismo con el sentido que el Barroco tenía para Eugenio d'Ors, esto es como una constante en la historia de los estilos. Así se ha seguido hablando de Barroco y de Manierismo en arte y en literatura, si bien en su distinción y límites no se está muchas veces de acuerdo. En general se tiende a extender el concepto Manierismo prolongándolo hasta abarcar fenómenos y artistas considerados como barrocos. La confusión, pues, es muy frecuente y los términos se manejan con distinto valor, según los críticos: sobre todo en lo que respecta al concepto de Manierismo referido al fenómeno literario. Aunque se trate de abstracciones, conviene intentar una fijación de conceptos que permita el empleo de los términos para una caracterización estilística; aun dándole un valor puramente metodológico. Por esto si bien contamos con muy importantes estudios, sobre todo en Historia del Arte, se hace necesario procurar su delimitación y caracterización —y en especial desde el campo español— y en un enfoque simultáneo que favorezca por mutuo reflejo la comprensión del fenómeno artístico y el literario.

Estos ensayos que hoy ofrecemos formando un libro marcan precisamente en la evolución de nuestros estudios barroquistas una progresiva preocupación por la caracterización del fenómeno manierista y su delimitación del fenómeno barroco; sobre todo por buscar sus determinantes estéticos y psicológicos a través de su morfología.

Así, en el primer ensayo que incluimos en este volumen, donde intentamos trazar una breve introducción al Barroco —atendiendo simultáneamente a su morfología y a su espíritu—, se nos hizo necesario apuntar unos rasgos de delimitación del fenómeno manierista. Partíamos y reafirmábamos puntos de vista asentados en la introducción de nuestros anteriores *temas del Barroco.* El trabajo se redactó para ser dictado

—en forma algo extractada— como conferencia, en un curso celebrado en el Ateneo de Madrid el año 1951. Por eso nuestro intento fue ofrecer una consideración general del Barroco visto en ese momento desde España. Ese enfoque nos llevó, de una parte, a hacer la delimitación caracterizadora del Manierismo; porque entonces el creciente intelectualismo de la orientación artística estaba llevando a la mejor comprensión e interés por este estilo, aunque en ese tiempo se hablaba poco de Manierismo con respecto a lo literario. Dentro de nuestra acostumbrada actitud crítica de considerar simultáneamente el fenómeno artístico y el literario centrábamos todavía nuestro ensayo en el análisis del Barroco, ahondando en su sentido temporal trascendente de fondo vital y religioso. Y dada la orientación de nuestra conferencia, de actualización del arte del pasado, subrayamos como conclusión final la profunda lección moralizadora, de vigencia actual, que puede ofrecer el Barroco para el hombre de hoy ante la angustiosa inquietud del futuro. Este trabajo —agotado hace años en sus dos ediciones (1952, 1956) en la colección «O crece o muere»—, hemos estimado podía constituir, por la variedad de cuestiones que en él se plantean, el capítulo inicial que introduzca y dé cierta trabazón de libro a los ensayos que siguen.

El segundo trabajo que incluimos —publicado en la *Revista de la Universidad de Madrid* en 1963, en un volumen dedicado al Barroco— constituye el desarrollo, con cierta amplitud, de algunas de las cuestiones apuntadas en el anterior ensayo de caracterización general y en parte también de puntos centrales del que con el título *De lo aparente a lo profundo* ofrecimos como *introducción* de nuestro libro *Temas del Barroco.* Como sugiere su título, *La Literatura religiosa y el Barroco,* se plantea en él la caracterización del estilo de nuestros escritores ascéticos y místicos en su relación de paralelismo e influencia con respecto a la literatura y el arte de dicho período. Por esto se trata, inicialmente, de la *adecuación del arte barroco a la espiritualidad de una época* y de cómo una exaltada religiosidad busca su expresión a través de formas y recursos estilísticos de dicha tendencia. Por ello consideramos la distinción de Barroco y Manierismo, subrayando cómo en general éste fue expresión del movimiento tridentino sólo en lo que en él había de limitación y norma, mientras que las formas del Barroco fueron las que verdaderamente expresaron lo positivo y más elocuente del nuevo sentimiento religioso. Como rasgo general de la estética del Barroco y de la estética de los escritores místicos nos detenemos en el sentido de expresión desbordante y comunicativa que en el fondo responde a una nueva visión y valoración de la realidad y a una nueva concepción y sentimiento del espacio y, en consecuencia, del tiempo. Sobre ese coincidir de punto de vista y de sentido expresivo realista, desbordante y comunicativo, se hacen amplios comentarios y se aducen ejemplos de nuestra rica literatura religiosa correspondiente al siglo XVI y al período posterior propiamente barroco. Dejamos planteada al final, como conclusión, una interrogante: la pregunta de si fue el influjo de la espiritualidad española —condensada y exaltada en su literatura ascético mística— un influjo esencial en la formación del Barroco europeo.

El trabajo que figura en tercer lugar sobre *Espíritu y vida en la creación de las Soledades de Góngora,* se propone una doble intención; de una parte, se ofrecen nuevos datos referentes a la creación del poema y al comienzo de la polémica que determinó al difundirse en la corte; de otra, planteamos unas consideraciones de introducción al mismo, haciendo ver el cambio que psicológica y estéticamente representa —como la más expresiva manifestación de una actitud— con respecto a su obra anterior a 1610. Insistimos en cómo los determinantes de *Las Soledades* hay que buscarlos, no sólo en motivaciones y afanes exclusivamente artísticos, sino también en íntimas realidades humanas que afectan a la vida espiritual. El hecho, estilísticamente, supone la superación de una postura predominantemente manierista, de intelectualismo estético, por otra de mayor libertad y exaltación sensorial en la que se impone sobre aquélla su creciente barroquismo. El ensayo se redactó como síntesis de otros trabajos —hoy reunidos en nuestro reciente libro *En torno a las «Soledades» de Góngora*—, para ser expuesto como conferencia en el Instituto alemán de cultura de Madrid, en el curso de conferencias organizado para conmemorar el cuarto centenario del nacimiento del gran poeta andaluz. (Se publicó como artículo en *Romanistiches Jahrbuch,* número XII, Hamburgo, 1962.)

El último trabajo aquí incluido, hasta hoy inédito —*Estructura manierista y estructura barroca en poesía*—, responde a un enfoque de delimitación estilística centrado esencialmente en el aspecto concreto de la estructura, procurando aclarar la morfología del poema con las manifestaciones paralelas de la pintura. Así, esbozamos en la primera parte del ensayo unas generales consideraciones sobre Manierismo y Barroco en arte y literatura, orientadas, sobre todo, a un aspecto estructural que estimamos esencial, cual es lo que llamamos pluritematismo, muestra de una muy pensada y buscada desintegración compositiva. Se completa éste con el comentario de cinco sonetos de Góngora correspondientes a su época de predominio manierista; con ellos se intenta dar el ejemplo expresivo de las afirmaciones iniciales de carácter teórico sobre la concepción del Manierismo. El texto de este trabajo constituye una versión ampliada —con adiciones y notas— de la comunicación leída en unos Coloquios sobre la *estructura e historia de la obra literaria,* celebrados en Madrid la primavera de 1967, en acto organizado por el Consejo Superior de Investigaciones Científicas. Es además este ensayo, breve y apresurado anticipo de otros dos trabajos en preparación: de uno general de caracterización y límites del Manierismo; y de una edición comentada de los sonetos de Góngora.

El presente volumen constituye, pues, en su conjunto, la muestra de una etapa de la trayectoria de nuestros estudios barroquistas en la que, como podrá verse, se ha ido marcando, progresivamente, como espontánea necesidad, el afán por delimitar en Arte y en Literatura ambas manifestaciones estilísticas de sentido anticlásico, Manierismo y Barroco.

Lección permanente
del Barroco español

I. Introducción al Barroco: De lo aparente a lo profundo

No hace mucho que intentábamos trazar un camino de introducción al Barroco siguiendo una actitud y dirección de fuera a dentro; *de lo aparente a lo profundo*[1]. Así titulábamos nuestro trabajo que preludiábamos con estos versos de Antonio Machado:

El pensamiento barroco
pinta virutas de fuego,
hincha y complica el decoro.

* * *

Sin embargo,
—Oh, sin embargo,
hay siempre un ascua de veras
en su incendio de teatro.

La intuición del poeta andaluz, aunque sin poder evitar el tono peyorativo con que hablaban muchos del Barroco en el momento en que escribía estos versos, acertaba en algo esencial de la caracterización del estilo; del porqué nos deslumbra y atrae y del porqué nos detiene y sujeta: de su fuerza de seducción sobre los sentidos y del poder de penetración en el espíritu. Porque la auténtica creación del Barroco llega esencialmente al espíritu, no por una inmediata y directa comunicación, ni menos aún por los medios y caminos de lo racional, sino impresionando sensorialmente, incluso asombrando y deslumbrando. Superficialidad, recargamiento ornamental y deco-

[1] En *Temas del Barroco,* Granada, 1947.

rativismo, junto a la profundidad, gravedad y trascendencia. Incluso la más terrible lección moral y ascética cumple su fin y consigue su plena eficacia a través de esa vía de los sentidos. Ese halago de ojos y oídos, que en España extrema la lírica en el movimiento gongorino, supone la consciente búsqueda de sus efectos de impresión y asombro —en la sensación de color, incluso el hallazgo de una técnica pictórica— que hace posible el que los mismos contemporáneos satiricen y califiquen esta poesía de *oropel y cascabeles.* Para Enríquez

> Estos versos siempre son
> oropel que desde lejos
> engaña con la color [2].

Y un personaje de Lope le reprenderá a otro el *deslizarse en culto,* por *hablar con cascabeles* [3].

Y, sin embargo, aunque Góngora —como los culteranos— fuese esencialmente un poeta de los sentidos, aunque las armas con que realiza la renovación poética fueran, como decía Alfonso Reyes, las *armas de la sensualidad* [4], sin embargo, podía con razón otro contemporáneo referirse a la fuerza del sentimiento y gravedad moral de sus versos, diciendo que le *persuadían más que un sermón de Castroverde* [5]. Porque había también en Góngora, como en todo el Barroco, que él ejemplifica, un poeta del espíritu, un poeta de intensa vitalidad y de encendido sentimiento. La dificultad está en penetrar esa dura *corteza* del estilo que lo envuelve y que además nos envuelve sensorialmente.

No es extraño, así, que el movimiento de revalorización y comprensión del estilo Barroco se desarrollara siguiendo el mismo paso de lo estilístico formal a lo interno, vital y psicológico. Primero se analiza y caracteriza su morfología, se fijan las categorías o símbolos de la visión, los conceptos fundamentales wölfflinianos que establecen su contraposición con lo clásico; después —todavía— se ahonda en la psicología del estilo, se busca su espíritu. Y no es extraño tampoco que en

---

[2] Antonio Enríquez Gómez: *Academias morales de las musas,* Madrid, 1660. Introducción a la III Academia, «Romance de los cultos».

[3] *Amar, servir y esperar.* Citado por Herrero García en *Estimaciones literarias del siglo XVII,* Madrid, 1930, pág. 279.

[4] *Sabor de Góngora,* en *Capítulos de literatura española,* segunda serie, Méjico, 1945, pág. 171.

[5] *Escrutinio sobre las impresiones de las obras poéticas de don Luis de Góngora,* Madrid (s. a.), ed. Millé, pág. 1.292.

esta progresiva comprensión del Barroco se partiera de las artes plásticas y se trasladara después la atención al campo de la poesía y de la música. El porqué de esto último, y que luego veremos, es bien claro: es lo visual y pictórico lo que preside el desarrollo y vida de las formas en el Barroco. Así, la previa comprensión del fenómeno en las artes plásticas fue lo que hizo posible iluminar el análisis de la obra poética, incluso intentando trasladar a ella los mismos símbolos de la visión.

Y subrayemos además otro hecho: esa vuelta hacia el Barroco era estimulada consciente e inconscientemente por una apetencia que arrancaba de las inquietudes artísticas del momento. Más de una vez, especialmente por Cerny en su último e importante trabajo sobre los estudios barroquistas en Europa, se ha puesto en relación el origen y desarrollo de dichos estudios en Alemania con el movimiento del expresionismo en la pintura. El paralelismo que se podía señalar entre la actividad creadora y la estudiosa en un foco concreto, como Munich, era bien expresivo [6].

También en Italia el gusto difundido por la obra de D'Annunzio, pudo ejercer una enorme influencia en los revalorizadores de la edad barroca, haciendo incluso hablar a Bottari a este respecto de «danunzianismo crítico» [7]. Por otra parte, los simbolistas se volvieron al más grande poeta barroco, a nuestro Góngora, sintiendo vagas afinidades y atracción en su estilo y la seducción del poeta oscuro, condenado e incomprendido [8].

Pero lo interesante de observar en la trayectoria de los estudios alemanes es cómo esos impulsos que le prestan las aspiraciones artísticas de la época, llevan progresiva y obsesivamente a buscar la más íntima aproximación. El expresionismo de los años siguientes a la primera guerra, no ya como pasajera tendencia o moda artística, sino cargado de violentas y exageradas inquietudes del alma angustiada de la época, se vuelve hacia el más exaltado Barroco, no tanto seducido por la atracción puramente artístico-formal, sino más aún por encontrar también bajo él el alma atormentada de otro momento de angustia de la vida de su país. Así, esa atmósfera en la que cuenta con lo artístico, lo racial, lo social e incluso lo político, ven-

---

6 «Les origines européennes des études baroquistes», en *Revue de Litterature comparée,* 1950, pág. 26 y ss.

7 Bottari: *I miti della critica figurativa,* Milán, 1936, pág. 71.

8 Véase especialmente Dámaso Alonso: *Góngora y la literatura contemporánea,* en *Homenaje a don Miguel Artigas,* Santander, 1932, t. II.

drá a coadyuvar con su impulso a que algunos teorizantes e historiadores fijen el concepto del Barroco identificándolo con lo germánico. La conclusión es clara: también en estos impulsos que proyectaba la sensibilidad y tendencias artísticas del presente sobre el pasado, se buscó primero la aproximación al mundo Barroco de las formas, adentrándose después en su psicología. Lo que interesa en último término es ese fuego interior, ese ascua de que hablaba Machado, ese ascua cuyo calor sentimos al acercarnos a todo gran artista del Barroco.

II. La revalorización del Barroco: Del formalismo a la búsqueda del alma barroca

Es bien conocido de todos que la revalorización del Barroco se inicia desde el campo filosófico-histórico-artístico del formalismo. La teoría de la *visualidad pura,* cargada de un fondo polémico —tanto contra el racionalismo preconizado por los neoclásicos, como frente a las efusiones idealistas del *contenutismo* postulado por los románticos— es la que en su momento culminante con Wölfflin, fijando los símbolos de la visión, logra derribar el juicio peyorativo impuesto por la estética normativa. El Barroco no es una degeneración, sino un cambio violento de las formas del estilo renacentista [9]. Pero dicho fondo polémico llevaba ya a otra abstracción, a la abstracción de las formas, en la valoración del estilo. Según ella, el desarrollo de la historia de los estilos obedecía a un proceso inmanente, a una fuerza interna o vida de las formas que necesariamente las va cambiando. Así se llegó a la *Historia del arte sin nombres.* Había en esta concepción algo de lo que se daba en la consideración positivista del lenguaje, cuando lo veía como cosa independiente, con vida propia, regido por sus leyes; olvidando la parte creadora del individuo, del hablante, del escritor, verdadero modelador de ese material que recibe.

No obstante, es indiscutible que la morfología del Barroco se iluminó maravillosamente bajo el resplandor de los conceptos fundamentales wölfflinianos y que, en gran parte, esa luz

[9] *Renaissance und Barock,* 1888. *Conceptos fundamentales para la historia del arte,* Madrid, 1924.

puede seguir iluminando el obligado análisis de formas. Se comprendió, pues, el lenguaje de formas del Barroco e incluso por el mismo Wölfflin se proyectó sobre la literatura, ejemplificando la contraposición clásico-barroca con el *Orlando furioso,* de Ariosto, y la *Jerusalén,* del Tasso [10].

---

[10] Esta contraposición la señaló ya en su primer libro *Renaissance und Barock.* Véase la edición de Peter Murray, Londres, 1964, pág. 83 y ss.

[El desarrollo de los estudios barroquistas en el campo de lo literario se recoge con gran riqueza de información bibliográfica y exactitud crítica en los trabajos de Hatzfeld contenidos en sus *Estudios sobre el Barroco,* Madrid, 1964 —especialmente en el dedicado al *Examen crítico del desarrollo de las teorías del Barroco*— y en el denso estudio de René Wellek que citamos en el texto, que ha sido adicionado en 1962 al incluirlo su autor en el volumen *Concepts of Criticism* —Yale, University Press, 1963— y que ha sido traducido en 1968 en las Ediciones de la Universidad Central de Venezuela. Junto a esos trabajos fundamentales puede añadirse, aunque ya resulte incompleto, el de exclusiva referencia a lo español debido al profesor Oreste Macri, *La historiografía del Barroco literario español,* Instituto Caro y Cuervo, Bogotá, 1961. Como era natural —dadas las indicaciones de Wölfflin, y el más frecuente empleo de la palabra *barroco* con sentido caracterizador en Alemania— fueron críticos de este país los primeros en aplicar este concepto como denominación estilística a la historia literaria e incluso con un sentido más general —y como *costante* estilística— que algunos ligaban a lo nórdico. Pero no solamente consideraron los alemanes su propia literatura del siglo XVII, sino también otras literaturas europeas; así será entre ellos donde se destaquen ,como ejemplos expresivos del estilo, los nombres de Gracián, Góngora y Calderón. Aunque con casos aislados anteriores —alguno importante, e incluso con los intentos de aplicación a la literatura de los *conceptos fundamentales* de Wölfflin— subraya Wellek cómo «la avasallante moda del Barroco como término literario surgió en Alemania alrededor de 1921-1922». La influencia de *La Decadencia de Occidente,* de Oswald Spengler —1923—, fue decisiva en ese desarrollo de la crítica artística, literaria y musical dirigida a la época del Barroco. El citado crítico Wellek ha ido pasando revista a cuándo y cómo fueron los demás países europeos, adoptando el término *barroco,* comenzado por Italia, en la que destaca la gran obra de Croce, aunque sea de sentido negativo en cuanto a valoración. Señala cómo llegó tarde a Inglaterra y a Norteamérica, y subrayaba —en la primera edición de su trabajo en 1946— el hecho de que Francia fuese «el único país de importancia que casi ha rechazado por completo adoptar el término». En su *Postcripto,* en 1962, se rectificaría afirmando que «en Francia y en el francés, ha habido un verdadero montón de escritos sobre el barroco y sobre la literatura barroca». Entre esa bibliografía merece destacarse por su carácter más general el libro de Jean Rousset, *La Littérature de l'Age baroque en France. Circe et le Paon.* Nouvell édition, París, 1954. Traducción española, sin ilustraciones, Barcelona, 1972. Parte de la consideración de que el Barroco es un movimiento europeo y que «sus fuentes y sus centros de actividades están en el extranjero», principalmente en Italia. El autor centra la caracterización del estilo en esos dos símbolos, *Circe* y el *Pavo real,* «es decir, la metamorfosis y la ostentación, el movimiento y el

La insuficiencia del formalismo la percibía ya el mismo Wölfflin y, precisamente, porque en ningún caso es más insuficiente la visión formalista del arte, que en éste de la consideración del estilo Barroco. Como muy bien acaba de subrayar Lafuente Ferrari, cuando Wölfflin indicaba «que en las formas artísticas debemos ver símbolos materiales de lo que el hombre quisiera ser, expresiones aproximadas de los sentimientos que al hombre le parecen en cada momento más valiosos, estaba dando una explicación que puede servir de puente entre formalismo y psicologismo» [11]. En fecha más reciente, al hacer *una revisión* de sus conceptos fundamentales, ha acentuado una tendencia a evitar la separación o distinción entre forma y contenido [12]: «en todo nuevo estilo visual —dice— se cristaliza un nuevo contenido del mundo. No sólo se ve de otro modo, sino que se ve también *otra cosa*». Y si no habla *simplemente de «expresión»* es, «porque se trata de desarrollos posibles sólo en el curso del proceso figurativo, que pertenecen a la historia del espíritu, pero quedarían inexplicables sin el factor interno, la influencia continua de la imagen, de la forma en la forma». Queda, pues, un fondo irreductible de formalismo contra el que con acierto ha objetado Venturi: «Wölfflin —dice— no tiene en cuenta que el origen de la obra está en la vida, y no en una obra de arte precedente» [13].

Quedan aquí nombradas dos direcciones esenciales de las surgidas frente a la corriente formalista y de las que, sin exclusivismos, pueden ayudar a la mejor comprensión del Barroco: *la historia del arte como historia del espíritu;* la dirección que, aunque partiendo del formalismo, representa Dvorak —pero contando con el general impulso de Dilthey—, y que busca la interpretación de la obra de arte en relación con la creación individual y con todos los aspectos ideológicos de la

---

ornamento». Al establecer la cronología limita la extensión de esta floración barroca, respetando en parte la concepción tradicional del período llamado «clásico» que queda «menos homogéneo y lineal». Quedaría abarcado el estilo, a su juicio, entre 1580 y 1670. Dentro de un período que establece una primera etapa *prebarroca,* de 1580 a 1625; un *pleno-barroco,* de 1625 a 1665, y tras de esta etapa vendría «un *largo clasicismo* de coloración barroca». *Ob. cit.,* págs. 8, 9, 233 y ss.]

[11] *La fundamentación y los problemas de la historia del arte,* Madrid, 1951, pág. 103.

[12] «Kuntgeschichtliche: Eine Revisión», en *Logos,* XXII, 1933.

[13] *Storia della critica d'Arte.* Seconda edizione, Florencia, 1948, páginas 443 y 44.

cultura de su época [14]. Venturi insiste, como decíamos, en el carácter individual de la obra de arte, en verla en relación con la personalidad del artista. Estas direcciones hacia el espíritu de la época, hacia la vida y hacia la intimidad del artista son las que han abierto las más interesantes perspectivas en el estudio del Barroco [15].

---

[14] Véase la acertada exposición hecha por Lafuente en su citado libro.

[15] [Recordemos que, en este proceso de extensión del concepto de lo barroco, desde las artes plásticas, a las demás artes literarias y musicales, se llega a una consideración general que alcanza a todas las formas de la cultura y de la vida, hasta hablarse de una *Edad barroca.* Así lo hace Croce en 1925 al dar título a la reunión de una serie de trabajos centrados en aspectos literarios que le hacen *advertir* en el comienzo que «su trabajo debería ser proseguido por las artes figurativas y arquitectónicas, por la música y por otros aspectos y manifestaciones de la vida *secentesca*». Con esa visión su obra se ofrece como *Storia della Età Barocca in Italia. Pensiero. Poesia e Letteratura. Vita morale.* Así, dada su concepción categóricamente negativa en la valoración del Barroco —pues *no pierde nunca la conciencia* «de que, en rigor de los términos, lo que es verdaderamente arte no es nunca barroco y lo que es barroco no es arte»—, habla de *alma barroca* y afirma, con el carácter más general, peyorativo —que abarca el Barroco como época histórica y también como etapa recurrente o *costante*— que «el barroco se encuentra en todo lugar y tiempo, espaciadamente y más o menos realzado. Es un pecado estético —añade—, pero también un pecado humano y universal y perpetuo como todos los pecados humanos...» Ed. cit., págs. 33 y 37. Pero esa doble concepción del Barroco, como período histórico y como *costante* —según la tesis de Eugenio d'Ors— había sido ya aceptada y empleada en Alemania —aparte lo que ya queda dicho en el texto de este ensayo—, incluso desde antes que Wölfflin revalorizara el estilo y aplicara el término barroco a la literatura; pues está —1878— en Nietzsche —según, entre otros, recuerda Wellek en 1962, rectificándose en lo dicho en 1946—, quien ya considera lo barroco como un período de la evolución artística que en el final de un ciclo, como decadencia, tiende a la expresión aparatosa y retórica; pero refiriéndose, sobre todo, a la etapa subsiguiente al clasicismo renacentista. No obstante, es más tarde, con Spengler —1925—, donde las ideas de Nietzsche se desarrollan en su gran libro *La decadencia de Occidente.* Partiendo de su concepción de las artes formando un todo —pues «si las artes tienen límites —límites de su *alma* convertida en forma— habrán de ser *históricos,* pero no técnicos o psicológicos. Un arte es un organismo, no un sistema» —y dentro de su concepción de las culturas y de la contraposición de lo *apolíneo* y lo *fáustico*— que le sirve para contrastar lo clásico renacentista y lo barroco—, Spengler, en su visión de un ciclo o cultura, incluirá las artes, el pensamiento y la ciencia. Para él *no será paradójico hablar del estilo barroco y hasta del estilo jesuita en la psicología, en la matemática y en la física teórica.* (Trad. esp., vol. II, págs. 15-42 y ss. y 150.) No extrañará que esta concepción del Barroco como espíritu y determinante de lo histórico en toda su amplitud haya sido aceptada incluso en la historiografía francesa, la que más tarde dio acogida al término aplicado a fenómenos ajenos a las artes plásticas. Así, en un libro im-

Conforme la crítica se ha ido adentrando en el campo de la psicología del estilo, no sólo se ha ido viendo cómo quedaban plenamente abarcados artistas y poetas que antes incluso se veían como clásicos, sino que, además, ha hecho vaya creciendo apasionadamente el interés por el Barroco [16]. Si antes

---

portante de la bibliografía barroquista francesa, el de Víctor L. Tapié, *Baroque et Classicisme* —París, 1957—, recordando a Croce y recogiendo la tesis de Weisbach de la consideración del Barroco como el arte de la Contrarreforma, afirma, al preguntar si se trata verdaderamente de un estilo: «Cuando se emplee esta palabra, se debe entender, más allá de simples técnicas que podrían no ser más que modas pasajeras, una concepción general de la vida, la intención de traducir verdades generales, sino aquellas que permanecen valederas para todos los tiempos y todos los hombres, al menos aquellas adoptadas por una época como otras tantas respuestas a sus aspiraciones y a sus necesidades. De suerte que un estilo se encuentra ligado a formas económicas, políticas y religiosas. También se une a una etapa de los conocimientos humanos, a un estado determinado de las técnicas y del trabajo, a las condiciones de los diferentes grupos sociales en la sociedad en conjunto que los reúne, incluso opuestos a veces los unos a los otros.» *Ob. cit.,* pág. 19. El artículo de Jan Bialostocki —1958—, «Barroco: Estilo, Época, Actitud» —incluido en su libro *Estilo e Iconografía. Contribución a una ciencia de las artes,* Barcelona, 1973, págs. 79-107— aplicará al Barroco la concepción de *estilo* de Meyer Shapiro —«*Style*», en *Anthropology Today,* Chicago, 1953— «un conjunto de formas de expresión con propiedades características que ponen de manifiesto la naturaleza del artista y la mentalidad de un grupo. También es el medio de transmitir ciertos valores dentro de los límites de un grupo, haciendo visibles y conservando los que se refieren a la vida religiosa, social y moral a través de las insinuaciones emocionales de las formas». Su pregunta y problema será: «¿representa toda la cultura europea del siglo XVII una unidad homogénea»?

[16] La extensión de la palabra y concepto de lo barroco a la caracterización de la música se produjo cuando ya era casi general su empleo referido a lo literario. Sin embargo, la aplicación del término para caracterizar una obra y estilo musical es muy temprana, pues Rousseau, en 1764, en su *Diccionario de la Música,* ya lo empleó con cierta precisión de sentido: «Una Música Barroca es aquella cuya Harmonía es confusa, cargada de Modulaciones y Disonancias, el Canto duro y poco natural y el Movimiento forzado.» Según Wellek, el primer historiador de la Música que empleó el término para caracterizar una *época* fue el checo August W. Ambos en su *Geschichte der Music,* 4 —Breslau, 1878, páginas 8-86—. Desde el comienzo —aunque con discusiones— se viene considerando en general como época barroca el período comprendido desde Monteverdi y Schütz hasta Bach y Händel. Como ocurrió en lo artístico y, por extensión, en lo literario es en Alemania donde se inician los estudios de caracterización del Barroco musical; y partiendo también de los *principios* o *conceptos fundamentales* de Wölfflin. Así, aparte las obras generales, es el crítico C. Sachs quien en un artículo, «Barockmusik» —incluido en *Peters-Jahrbuch,* 1919 (1920), pág. 7 y ss.— intenta primeramente definir y caracterizar los rasgos del Barroco musi-

las artes figurativas guiaron en la comprensión del fenómeno poético, ahora la investigación crítica literaria amplía considerablemente las posibilidades de penetración en el alma barroca, objeto hacia el que van a confluir los esenciales afanes de los estudios barroquistas. Porque, como concluía el profesor Wellek,

---

cal —contraponiéndolo al Renacimiento— y viendo en el conjunto de todas las artes, plásticas, literarias y musicales, la expresión de un estado de alma único. Sigue a él —aparte la visión general de Spengler— otro trabajo de Th. Kroyer, «Zwischen Renaissance und Barock» —también en *Peters Jahrbuch,* 1927, pág. 45 y ss.— que como aquél mantiene la visión wölffliniana, aunque subrayando que la evolución de la música obedece a leyes propias. Obra importante de la bibliografía musical alemana es el volumen consagrado a la época por R. Haas, «Die Musik des Baroks» —en el *Handbuch der Musikwissenchaft,* Postdam, 1928—. Nuevo enfoque en estos estudios marca E. Shenk con su estudio «Ueber Begriff und Wesen des musikalischen Baroks» —en *Zeitschrift f. Musikwissenschaft,* t. XVII, 1935, pág. 377 y ss.—, que propugna la consideración del Barroco como una concepción de estilo y no como un fenómeno humano, y, así, delimitando el análisis e investigación musicológica, se propone señalar la evolución y distinguir tres grandes etapas en el desarrollo del Barroco musical. En esos momentos la crítica musical italiana hace su presencia con los escritos de Andrea Della Corte, quien ha continuado hasta ahora atraído por los estudios del barroquismo musical. Su primer artículo, «Il Barocco e la Musica», en *Melanges L. de La Laurencie* —París, 1933, pág. 165 y ss.—, pretende rectificar las opiniones alemanas en cuanto éstas tendían a caracterizar y unir la música en relación con las artes plásticas. Para él, las manifestaciones artísticas barrocas son expresión de un estado de espíritu que surge inicialmente de la Literatura que, extrañamente, él retrasa en su aparición hasta el *Adonis,* de Marino, de 1620. Él destaca, sobre todo, la riqueza de lo descriptivo y de las figuras y la tendencia a impresionar los sentidos. Dentro de los estudios barroquistas europeos hay que destacar el libro de Suzanne Clercx, *Le Baroque et la Musique. Essai d'Esthetique musicale* —Bruselas, 1948—. Aunque con la ausencia de España, interesa el estudio histórico de la música europea de los siglos XVII y XVIII, y en concreto de las formas y géneros musicales. Hemos de destacar para nuestros puntos de vista el capítulo IV —«Límites y proposiciones del Barroco musical»—, donde la autora sintetiza los rasgos del estilo en Música. A su juicio, «es en la Música donde, en verdad, el Barroco muestra su encarnación ideal». Junto a este libro interesa destacar como revisión crítica de todas las teorías musicales sobre el estilo, el extenso ensayo de Luigi Ronga, «Un problema culturale di moda: Il barocco e la musica» —incluido en el vol. *L'esperienza storica della musica,* Laterza, Bari, 1960, págs. 144-216—. Y dejando aparte estudios generales y algunos concretos de la época como el de Bukofzer, *Music in the Baroque Era* —1947—, de conclusiones análogas a las de Clercx, son de señalar, como estudios de carácter crítico informativo, el del citado profesor Della Corte, «Il Barocco e la Musica» —incluido en *Manierismo, Barocco, Rococo: Conceti e Termini* (Convegno internazionale, Roma, 21-24 abril, 1960), Roma, 1962, págs. 361-375—, y el de Friedrich Blume, «Begriff und grenzen des Barock in der Musik» —incluido en el mismo volumen,

en interesante artículo de síntesis, al tratar del concepto del Barroco en el campo literario, lo realmente importante no es el estilo, sino discriminar un estado de espíritu, esto es, encontrar la expresión de un «alma barroca» [17].

---

páginas 377-386—. A ellos hay que unir en esta misma publicación el trabajo de Luigi Ronga, «Il Rococo Musicale», págs. 387-393. Dentro de la bibliografía italiana podemos también recordar, por ser de carácter análogo, el ensayo de Guglielmo Barblan, «Il término "Barocco" e la musica» —escrito en 1957, e incluido en *Miscelánea en homenaje a monseñor Higinio Angles,* C. S. I. C., Barcelona, 1958-1961— donde sintetiza teorías y polémicas que le llevan a concluir afirmando la legítima posibilidad de hablar de una música barroca. Un breve ensayo interesante encaminado a señalar la adecuación del sentido dinámico temporal del Barroco a la música es el del profesor William Fleming, «The element of motion in Baroque art and Music» —en *The Journal of Aesthetics et Art Criticism. Special issue on Baroque style in various arts.,* vol. V, dic. 1946, núm. 7, págs. 121-128—. Su conclusión es que, «es sobre todo en la Música donde el estilo Barroco encuentra, finalmente, su natural medio espiritual. Los movimientos de la Música —agrega— que actúan a través de la dimensión temporal, libres de las limitaciones del espacio, son el ideal para transmitir la esencia del espíritu barroco». En cuanto a la tendencia a lo visual de la Música barroca lo tocamos en nuestra obra *Temas del Barroco* —p. XIV— y en lo referente a la espacialización y desbordamiento expresivo lo consideramos en nuestro libro *El Teatro y la teatralidad del Barroco* —Barcelona, 1969, págs. 161-168.

[17] «The concept of baroque in literary scholarship», en *The Journal of Aesthetics and Art criticism,* 1946, vol. V, núm. 2, págs. 77-109. [Tras una cuidada y completa información crítica de la trayectoria de los estudios barroquistas, especialmente centrados en el campo de lo literario, Wellek se plantea el *importante problema* de precisar el contenido de la palabra *barroco,* esto es, de su caracterización y definición. Así, concreta en el punto 5.º de su estudio: «Dos tendencias en su descripción completamente diferentes pueden ser determinadas; una que lo describe en términos de estilo y otra que prefiere las categorías ideológicas o las actitudes emocionales», pero el autor anticipa ya una conclusión: «Las dos —dice— pueden combinarse para mostrar cómo algunos artificios estilísticos manifiestan una definida visión del mundo.» Reconoce Wellek más abajo lo *útil* y *prometedor* de los esfuerzos por reducir el repertorio de artificios estilísticos del barroco a unas cuantas figuras específicas o tipos de esquemas específicos. Artificios éstos que con carácter individual «pueden ser definidos... con bastante claridad —dice Wellek— para algunos autores o escuelas barrocas». La conclusión que expresa el gran crítico en el punto 6.º de su estudio es que «probablemente sea necesario abandonar los intentos de definición del barroco en términos puramente estilísticos. Hay que reconocer —agrega— que todos los artificios estilísticos pueden aparecer en casi todas las épocas. Su presencia es sólo importante si puede ser considerada como síntoma de un estado espiritual específico, si manifiestan un «alma barroca». Por esto ve con *mejores perspectivas de éxito* «los intentos por definir el barroco en términos más generales como una filosofía o una visión del

No obstante, hay amplios sectores de la crítica que siguen sin llegar a ese punto de visión integral. El extraordinario desarrollo de todo lo externo y apariencial de las artes figurativas, así como la paralela intensificación de artificios y figuras en la poesía, esto es, todo lo que sorprende a la primera mirada, fue, así, lo que primero se atendió, siguiendo un criterio puramente estilístico formal, en la caracterización y valoración de dicha época. Por ser ésta una parcial y unilateral visión del estilo, se ha podido llegar en esos sectores retrasados, en los que además pesaba el tradicional juicio peyorativo, no ya al error de caracterización, sino a olvidarse incluso de rasgos esenciales de la psicología del Barroco. Claro es que a ello contribuía también el intentar caracterizar el estilo sin mirar el cuadro del Barroco español, en donde, entre otras razones, por su más alto sentido trascendente, queda más descubierto, no sólo su auténtico espíritu, sino también el cómo y hacia dónde fluye la potente savia que le da vida. Así, las conclusiones del profesor Mogliano —que hace suyas Viscardi— demuestran esa parcial visión y, en consecuencia, incomprensión del fenómeno barroco, o «secentismo», para emplear el término a la italiana. Según él, el estilo nace de dos hechos concordes y conjuntos: el distanciamiento o la sofistificación de la realidad, y el estudio del arte sobre «poéticas». Y así puede llegar a la consecuencia de afirmar que *el arte del seiscientos no es una cosa seria, una necesidad* del espíritu, sino un desahogo exterior y artificioso [18].

Es verdad que, en parte, considerando externamente sectores de los que marcan la nota extrema del barroquismo literario y asimismo del desbordamiento ornamental de la plástica, no puede negarse el que no obedezcan en muchos casos a dicha actitud. Pero ello supone olvidar las más importantes

mundo o hasta como una simple actitud emocional hacia el mundo». Como última conclusión metodológica práctica afirma Wellek en el punto 7.º que «El camino más promisorio para llegar a una descripción del barroco más exacta es procurar un análisis que pueda correlacionar los criterios estilísticos e ideológicos». El referido trabajo de Wellek fue recogido en segunda edición en su libro *Concepts of Criticism,* en 1965, añadiéndole un *Postcripto 1962,* y ha sido traducido —*Conceptos de Crítica literaria,* Caracas, 1968— en las Ediciones de la Universidad Central de Venezuela. Por esta edición citamos.]

[18] *Secentismo,* en «Dizionario Letterario Bompiani delle Opere e dei personaggi...», Milán, 1947, vol. I. [Esta postura crítica se produce en parte por abarcarse en el concepto de barroco una actitud y etapa de la evolución estilística que corresponde al Manierismo. Véase el penúltimo trabajo de este volumen.]

figuras de la época. Aun dejando aparte a Rembrandt, Velázquez, Ribera y Zurbarán, aun deteniéndonos sólo en aquellos pintores que tradicionalmente se consideran como barrocos, en un Rubens o en Valdés Leal, ¿podemos considerar su arte como alejado de la vida, poco serio y superficial? Y si en lo literario consideramos sólo el caso de Góngora, el caso más representativo del estilo, el que por eso precisamente la crítica tradicional condenaba, en el fondo, igualmente contradice esa equivocada visión del Barroco. Su arte, sí, arranca de la tradición de las poéticas clasicistas; se dirige sólo a los doctos; se entrega a la más alta y pura elaboración artística que se realiza en su tiempo; y, sin embargo, aun por debajo de la dura corteza de los complicados planos verbales de las *Soledades,* la vida fluye impetuosa, actuando como impulso desmesurador de la realidad, en metáforas e hipérboles, que se exalta en todos sus halagos sensoriales; como corresponde a un poeta que nunca se volvió de espaldas a la vida, sino que la amó y escuchó de cerca y, así, lo mismo gozó de lo íntimo y elemental que de la seducción de lo rico y externo; *del color, de la luz y el oro*[19].

He aquí expresada en el verso de Góngora la idea central que estilísticamente orienta a las artes del Barroco en su desarrollo. El brillo, la luz, el color, esto es, lo visual y pictórico es lo que se busca y el sentido que se impone, no sólo como se viene reconociendo en las artes plásticas, sino también, como mantenemos desde hace tiempo, en la poesía y en la música[20].

La concepción de la obra poética, como la pictórica, se apoya esencialmente en lo visual, ese sentido que ya Herrera en sus *Anotaciones* proclamaba como el *más amado de todos los sentidos*[21]. La tendencia descriptiva hay que reconocerla como dominante en la poesía de la época; es entonces cuando aparece el poema descriptivo, con las preocupaciones de profundidad, de primeros términos, de claroscuro y de color. También

---

[19] [Véase el trabajo que figura en tercer lugar en este volumen y el ensayo «Espíritu y vida en la creación de las *Soledades* gongorinas», en *Papeles de Son Armadans,* núm. LXXXVII, 1963.] Incluido en nuestro libro *En torno a las «Soledades» de Góngora,* Granada, 1969.]

[20] Véase nuestro libro citado *Temas del Barroco.* [Sobre este aspecto de la interrelación de las artes interesa recordar el libro de Wylie Sypher, *Four Stages of Renaissance style,* Nueva York, 1955. Con un sentido más general, también interesa hoy citar el de Mario Praz, *Mnemosine. Parallelo fra la Letteratura e le artivisive,* 1971.]

[21] Sobre este aspecto de la psicología y estética del poeta sevillano, véase nuestro trabajo «Realidad y espíritu en la lírica de Herrera», *Boletín de la Universidad de Granada,* Letras, 1951.

es entonces cuando aparece el poeta-pintor, cuando se gusta de repetir la identificación de poesía y pintura. Y en la tendencia a la síntesis de las artes que se produce en la época, es la pintura la que preside este apretado coro. Bien expresivo es que Calderón, el que mejor logró en sus autos sacramentales este colectivismo estético, reconociera a la pintura como «el arte de las artes que a todas domina» [22].

III. El Barroco y la estética clásica renacentista

La primera conclusión, decíamos, a que llegaron los estudios barroquistas fue a considerar el Barroco, no como una degeneración, sino como una transformación y término del estilo renacentista. Inicialmente, la materia, la sustancia, las formas a través de las cuales se expresa el nuevo estilo, son las mismas renacentistas, sólo que, progresivamente, se desmesuran, se agitan y se retuercen, al mismo tiempo que lo ornamental rompe sus cauces e incluso llega a ocultar lo constructivo. Parece como si en este mundo de *formas que vuelan* todo gravitara en lo ornamental, en lo sensorial. El Barroco, pues,

[22] [Sobre lo visual y pictórico puede verse la *Introducción* de nuestro libro *Temas del Barroco,* Granada, 1947. Es fundamental en cuanto a las ideas de Calderón el trabajo de Ernst Robert Curtius, «La Teoría del Arte en Calderón y las Artes liberales». Incluido en *Literatura europea y Edad Media latina,* México, 1959 (1.ª ed. alemana, 1948), vol. II, páginas 776-790. Sobre lo pictórico en el teatro de Calderón interesa la tesis doctoral del profesor M. Ruiz Lagos de la que proceden sus trabajos: «Una técnica dramática de Calderón: la pintura y el centro escénico», en *Segismundo,* núm. 3, 1966, págs. 90-104, y «Algunas relaciones pictóricas y literarias en el teatro alegórico de Calderón», en *Cuadernos de Arte y Literatura,* Granada, 1965. La cita de este ensayo procede del conocido escrito de Calderón, «Deposición a favor de los profesores de la Pintura». La edición de Curtius en el trabajo citado —publicado inicialmente en *Romanische Forschungen* —1936— procede del texto editado por Mariano Nipho en «Caxon de sastres», 1781. Hoy contamos con la edición y estudio textual del ilustre calderonista Edward M. Wilson: «El texto de la *Deposición a favor de los profesores de la Pintura,* de don Pedro Calderón de la Barca», en *Rev. de Arch. Bibl. y Museos,* t. LXXVII, 2 julio-diciembre 1974, págs. 709-727. Calderón destaca en este pasaje que si la Pintura no figura entre las siete artes «que comúnmente se llaman liberales» ello «no fue omisión, sino cuidado, respecto de ser tan arte de los artes que a todos los domina, sirviéndose de todos».]

se expresa con formas ajenas entablando una lucha con ellas, que es la base de ese gran drama que supone siempre el barroquismo, acabando con el equilibrio, la armonía, la claridad racional del clasicismo, haciéndole decir así a esas formas lo contrario de lo que por sí mismas representaban. Habrá que sorprender, pues, el arranque del estilo observando esas formas y el pensamiento modelador de ellas, la doctrina artística de ese momento inicial.

En un reciente e importante trabajo de Hatzfeld se señala el redescubrimiento de la *Poética* de Aristóteles por los escritores barrocos como el hallazgo de un lazo perdido entre el aristotelismo y el tomismo. «Esto —dice— llega a ser su título estético, a la vez que su prisión estética.» Así, dicha interpretación dada por la sensibilidad barroca, vino a dar una trabazón, un fondo común teórico a franceses, españoles e italianos [23]. Aunque hay que aceptar la importancia de este rasgo esencial de la doctrina literaria de la época, creemos, no obstante, que en el Barroco no lo explica todo; ello es especialmente dominante en la etapa o actitudes manieristas. Los ejemplos que concretamente destaca, como los *Discursos* del Tasso, los prefacios de Racine y las declaraciones del canónigo de Toledo en el *Quijote* cervantino, corresponden, precisamente, a figuras cuyo pensamiento artístico no suponen sólo barroquismo. Bien claramente confesó poco después el propio Cervantes en su comedia *El Rufián dichoso,* al seguir el modelo lopista, cómo aquella doctrina no correspondía a su época, sino al pasado: «Porque los tiempos cambian y perfeccionan las Artes.» El hecho de seguir lo nuevo en sus comedias confirma la sinceridad de sus palabras, aunque no pueda borrar su fondo de nostalgia, como la sentía por todo el pasado heroico y literario del Renacimiento.

Encontramos, pues, como rasgos dominantes de época esa elaboración y apoyo de la doctrina literaria en la poética aristotélica, pero precisamente, lo esencial y característico es algo que, arrancando de lo más hondo de la realidad de la época, de la naturaleza y de la vida, se enfrenta con violencia con ese cuerpo doctrinal. Se enfrenta y lucha desgarrando, como el nuevo espíritu lucha y retuerce en la arquitectura las formas clásicas renacentistas y como en la poesía formas petrarquistas se sustancializan, hinchan o deshacen por el ímpetu de la in-

---

[23] *A clarification of the baroque problem in the romance literatures,* en «Comparative Literature», 1949, pág. 119.

contenible necesidad expresiva de lo humano individual y de época. Y fijémonos bien cómo esos arranques de vida y naturaleza brotan desde dentro del campo de los doctos teorizantes, incluso de los mismos que, especialmente, teorizan apoyándose en esa tradición clasicista aristotélica. Y además, la declaración de este nuevo impulso es cosa que se hace con plena conciencia de su novedad. Pero, aclaremos también, no es un fenómeno que se produce como cambio o evolución intelectual o artística, sino como una irrupción desbordante de la vida.

Este fenómeno igualmente lo sorprendemos en los tratadistas de las artes plásticas, sobre todo de la pintura, que al iniciarse la época barroca inicia también su hegemonía. Aunque, en general, no hagan más que mantener una doctrina clasicista, cada vez más desligada del derrotero que sigue en la práctica el pintor —incluso el mismo que teoriza—, sin embargo, el reconocimiento de esa fuerza con que se impone la realidad, *el natural,* también se declara como expresión del cambio de época. Esta voz que brota de lo más soterráneo de la vida, pero dentro del mundo del pensamiento y del arte, nos descubre algo esencial del estilo. Diríamos con palabras de Eugenio d'Ors que es el *grito de lo barroco,* que es «el grito de la desordenada naturaleza» [24].

No nos detenemos, por ser de sobra conocido, en el caso de la dramática de Lope, con la que se impone el barroquismo en el teatro. Que aquí se produjera la rebelión frente a los preceptistas aristotélicos era un hecho necesario, ya que en realidad se trataba de la creación de un género nuevo: por lo menos, nueva era esa concepción del teatro como espectáculo que entonces se impone. Y los puntos de apoyo de la renovación son los mismos: la *naturaleza,* la *cólera del español,* el *gusto,* los *nuevos tiempos:* esto, es la vida.

Lo más interesante y revelador es observar el fenómeno en los teorizantes y comentaristas del gongorismo. Defienden y explican los grandes poemas del poeta cordobés viéndolos como el término o, mejor aún, la coronación de la poesía culta renacentista. Casi todos los recursos estilísticos del gongorismo pueden explicarlos, y los explican, con la teoría o el ejemplo del preceptista y del poeta clásico y renacentista. Pero cuando han de explicar aquellos rasgos de espontánea y briosa expresión del temperamento barroco del gran cordobés, sin in-

---

[24] *Lo Barroco,* Madrid, s. a., pág. 176.

tentar buscar apoyo en los clásicos o en los italianos, señalan su raíz y razón en la originalidad del autor, en la naturaleza, en el gusto de la época. Así, en este punto, no sólo coinciden los defensores de Góngora y los de Lope, sino que han de apoyarse en idénticas razones. Categóricamente declara el Abad de Rute, en el *Examen del Antídoto,* refiriéndose al teatro, que el hecho de que se *hallara un modo mejor para deleitar que el que usaron* los griegos y latinos en sus comedias —que hoy cansarían— justifica sobradamente se prefiera este nuevo teatro al antiguo. A ello une la defensa de lo nuevo que entrañaban las *Soledades* gongorinas: «el ser más largo este Poema, que los que en género de lyrica dexaron los antiguos y no ser de una sola acción sino de muchas». Y, pese a su postura de humanista, contesta valientemente con gesto anticlásico. «O señor que no le conocieron los que dieron preceptos del arte, ¿qué importa si le a hallado como el medio más eficaz para deleytar la agudeza y gusto de los modernos?» E insiste más abajo: «a quien dize o dixese que no puede el poema lyrico ser continuadamente largo y contener acciones diversas: esto no lo dixo ningún antiguo, y quando lo hubiera dicho, para sus tiempos pudo correr, ya corren otros y otros gustos» [25]. Y atendamos a las razones en que se apoya; a la psicología de la época y a la naturaleza: «A la variedad y la novedad —dice— que engendran el deleyte, atiende el gusto, pero qué mucho él, pues aun la misma naturaleza por atender a ella para más embellecerse, produce a veces cosas contrarias a su particular intento, como son los monstruos.» Fijémonos ya cómo en la defensa de esos rasgos de *novedad* y *variedad* típicos de la psicología del Barroco se recurre insistentemente a ese término *monstruo* indicador de la extremada expresión del libre impulso creador de la naturaleza. Este mismo argumento recoge Salazar y Mardones, el comentador de la fábula de *Píramo y Tisbe,* la obra gongorina que lleva al extremo todos los contrastes. Para fundamentar las variaciones de estilo y voces, razona: No hizo más en esto que seguir a la naturaleza «que cansada tal vez del común natural de las cosas, las produce y cría diferentes de lo

[25] Editado por Artigas en *Don Luis de Góngora. Biografía y estudio crítico,* Madrid, 1925, pág. 426. [Véase nuestro trabajo, «El Abad de Rute y el gongorismo. Breve anotación a sus escritos sobre las *Soledades*», en *Atenea,* Santiago de Chile, 1961, donde se comenta dicho *Examen* y un *Parecer* que encontramos en un Manuscrito de Varia, de la Biblioteca del duque de Gor, en Granada, núm. 66.]

que acostumbra, manifestando partos y prodijios monstruosos» [26].

Recordemos ahora en la dramática cómo frente a la mezcla de lo noble y lo plebeyo, de lo cómico y de lo serio los tratadistas lanzaban su condena calificando la obra en que ello se daba de *monstruo hermafrodita;* lo que Lope recogía entre serio e irónico refiriéndose a su comedia al proclamar

> que el vulgo con sus leyes establezca
> la vil quimera deste monstruo cómico [27].

Y *monstruo de naturaleza* se le llamará a él mismo por Cervantes, como poco después el padre Guerra llamará a Calderón *monstruo del ingenio.*

Y si con esa expresión, monstruo, se referían a lo no natural de la naturaleza, también en Tirso, al defender a Lope, se acude a otro símil de la vida de la naturaleza, el *injerto,* al plantear la variedad como encuentro de naturaleza y artificio. En las frutas no sólo la «diversidad del terruño y la diferente influencia del cielo y clima a que están sujetas, las saca muchas veces de su misma especie y casi constituye en otras diversas», sino que incluso «se producen, por medio de los injertos, cada día diferentes frutos» [28]. Si ponemos la atención ahora en nuestros tratados de pintura de comienzos del Barroco, nos encontramos —como ya observó Lafuente [29]— con análogo fenómeno: sus doctrinas, en lo esencial, no son más que la repetición de las italianas del Renacimiento; pero, instintivamente, tienen que aceptar y hasta admirarse de ese nuevo impulso, de ese furor naturalista. Ello es algo que lucha, pues, dentro de un sistema clasicista. Carducho, aunque quiera considerar al Caravaggio como un *anticristo* de la pintura, tiene que reconocer y preguntarse admirado: «¿Quién pintó jamás y llegó a hacer tan bien como ese monstruo de ingenio y natural, casi hizo

---

[26] *Ilustración y defensa de la fábula de Píramo y Tisbe,* Madrid, 1636, folio 87 v.

[27] *Arte nuevo de hacer comedias.* Véase sobre este aspecto el trabajo de don Ramón Menéndez Pidal, *El arte nuevo y la nueva biografía,* en *De Cervantes y Lope de Vega,* Buenos Aires, 1940. [Véase también nuestro libro *El Teatro y la teatralidad del Barroco,* Barcelona, 1969.]

[28] Epílogo a *El vergonzoso en palacio,* Madrid, ed. Clásicos castellanos, 1922, pág. 183.

[29] *El realismo en la pintura del siglo XVII,* en «Historia del arte», Barcelona, Labor.

sin preceptos, sin doctrina, sin estudio, mas sólo con la fuerza de su genio, y con el natural delante?» Y más abajo, sin querer nombrarlo, tiene que aceptar el arte de otro, Velázquez, «tan osado como favorecido de la pintura, de quien podíamos decir había nacido pintor..., obrando más el furor natural que los estudios» [30]. Y como confirmación de esa enorme fuerza que le atraía recordemos el hecho de que Carducho, que defendía el corregir el natural, y que rechazaba el retrato, por no corresponder a los grandes pintores, fue a buscar no sólo el arte de Ribalta, sino que, incluso, bajó a la Cartuja de Granada para conocer el de Sánchez Cotán, quien había hecho tema central de su arte, no ya las más modestas figuras humanas, sino la más humilde criatura de la naturaleza, las coles, los cardos o las zanahorias.

Por otro lado, Pacheco nos descubre también el reconocimiento, no ya de una nueva manera o técnica, como ocurre con la *pintura a borrones,* que —aunque fuese contrario a su aprobación— señala como dominante, sino de una nueva estética, de un distinto concepto del objeto artístico radicalmente contrario al ideal clasicista de belleza. El *relieve* es algo —y ya lo subrayó Lafuente— que considera sobre la *hermosura y suavidad,* y junto a ello elogia el que las cosas parezcan *vivas.* Por él pone entre los valientes y *mayores* de los pintores al Caravaggio, a Ribera y al Greco, pero reconociendo que, junto con otros muchos, «no sólo no pintan cosas hermosas, mas antes ponen su principal cuidado en afectar la fealdad, la fiereza» [31]. Y, unas páginas después, todo su clasicismo se le viene abajo al confesar sinceramente que él se *atiene al natural* «para todo; si pudiese tenerlo delante siempre —dice— i en todo tiempo... sería lo mejor» [32]. El ejemplo de su yerno era muy fuerte; incluso le hizo pintar bodegones. Fijémonos en lo que la comprensión y la experiencia de Pacheco ha dejado penetrar en su *Arte de la pintura,* aun a costa de su ciencia clasicista, que en algún momento —con motivo de la pintura acabada y *a borrones*— le hemos visto defender. Fijémonos en lo nuevo: *relieve, cosas vivas, natural, furor y fealdad.* Es el mismo ímpetu de la vida, con toda la fuerza, contrastes y deformidad que veíamos

---

[30] *Diálogos de la pintura,* Madrid, ed. Cruzada Villaamil, 1865, páginas 203 y 206.

[31] *Arte de la pintura. Su antigüedad y grandeza,* Madrid, ed. Cruzada Villaamil, 1866, t. I, págs. 393-394.

[32] *Íd.,* t. II, pág. 45.

penetrar en los humanistas y eruditos comentaristas de Góngora.

Si destacamos en el pensamiento artístico y literario, como algo básico para la comprensión de la psicología del estilo, este fenómeno de la consciente penetración de la vida en la racional doctrina clasicista, es para explicarnos mejor los esenciales cambios que ofrecen los géneros y temas renacentistas en la poesía y arte del Barroco, como asimismo para descubrir el fundamento de los nuevos géneros que surgen, como el teatro y la picaresca en la literatura y el nuevo sentido del retrato, cuadro de paisajes y el bodegón en la pintura [33].

Así, en el desarrollo del cuadro mitológico, comprendemos ese fuerte tirón de la vida que lo descompone y hasta vacía de su ideal contenido, de sus bellas formas y de su sentido íntimo. El tono doméstico y humorístico que pone Rembrandt en su Ganimedes, un niño embargado por el susto; la vitalidad y sensualidad desbordante de las ninfas, sátiros y faunos rubenescos, entre la más frondosa y exuberante naturaleza; el sentido dramático y hasta patético, como atraído hacia el cuadro de martirio con que Ribera ofrece la muerte de Adonis, y, sobre todo, la visión de ironía, de burla o de tono picaresco y familiar con que las divinidades clásicas, incluso el heroico Marte, se ofrecen en los lienzos de Velázquez. Todos estos casos suponen como un fuerte empuje o tirón a un plano, ya moral, ya estética, ya socialmente, no sólo por bajo del plano ideal de la visión clásica literaria, sino, incluso, de la visión natural. Y el sentido íntimo y familiar con que se transforma la escena bíblica en Rembrandt o en los españoles responde a ese mismo arranque e invasión de lo humano. La forma típica de representación de una sibila, Velázquez —también Rembrandt— la convertirá en retrato, y no de modelo indeterminado, sino de su propia mujer.

Cuando se analizan las formas, géneros y temas de la lírica barroca, procedentes de la tradición renacentista, sorprende aún más la violencia de la irrupción de lo real, humano y afectivo, que queda incluso subrayado con la palabra vulgar e iliteraria que contrasta con la construcción e imágenes de origen culto.

Las formas irónico-burlescas de los temas renacentistas, co-

---

[33] [Véase nuestro trabajo «Evolución de la temática en las Artes (Consideraciones en torno al Manierismo y el Barroco)». En *Tercer Programa.* «La Crítica en las Artes», núm. 13, Madrid, 1969, págs. 67-94.]

mo de la idealización pastoril, caballeresca y mitológica, así como los motivos de la poesía petrarquista, surgen tempranas y violentas. El ejemplo de Góngora es suficiente: ya en completas visiones negativas, descendentes o paródicas, ya en impensadas salidas de realismo y humor que ridiculizan la visión idealista. Este fenómeno es a lo que se extrema en su violencia en la tan densa como caliente poesía de Quevedo, algo que, con su poderoso instinto de crítico y de poeta, descubría no hace mucho Dámaso Alonso. Porque esa vitalidad exaltada dominante en la actitud artística de la época se produce en Quevedo, no en un fluir general ni como un tono envolvente, no; como dice el citado crítico, «su vitalidad es eruptiva. Es una carga de afectividad que, de repente, se acumula y rompe un mundo tradicional de valores estéticos, una explosión cuya onda —tres siglos después— aún nos sacude» [34]. Con acierto habla de *desgarrones* en las formas poéticas, en las ideales representaciones del mundo de la mitología y de la leyenda.

Y fenómenos análogos ofrece la obra de Góngora; la poesía más culta y de más ambiciosa aspiración de universalidad que se produce en la literatura europea, por todas partes deja asomar el borboteo de esa savia popular y casera: el tufillo de la vida de barrio, de patios, sacristía y rebotica se cuela entre el mundo culto e ideal de las letras grecolatinas. Así, el comentarista Salazar y Mardones, junto a la más encumbrada alusión erudita, tendrá que explicar el fundamento de otra acudiendo «a lo que dicen las comadres» [35]. La conclusión ante estos dos geniales ejemplos del barroquismo literario es clara: las raíces de estas creaciones artísticas están en la vida toda.

[34] *Poesía española. Ensayo de métodos y límites estilísticos,* Madrid, 1950, pág. 610.

[35] *Ob. cit.,* fol. 39 v.

IV. Barroco y Manierismo

Precisamente, partiendo del fondo del alma barroca, de esos humanos y violentos arranques de vida y naturaleza, es como comprendemos mejor lo que separa el Barroco del Manierismo [36].

Si se ha llegado por la crítica a confundir ambos fenómenos, e incluso, referido a lo literario, se ha querido identificarlos —Curtius sólo habla de Manierismo [37]—, esa identificación se debe, sobre todo, a haber partido en su análisis desde zonas estilísticas puramente morfológicas. Las semejanzas externas y las coincidencias en algunos artistas —como el Greco o Góngora— de recursos barrocos y recursos manieristas ha podido también contribuir a esta confusión. No es extraño que el criterio formalista exaltado en la teoría de la pura visibilidad haya contribuido, por la necesidad de marcar una etapa de la evolución del Renacimiento al Barroco, a considerar el Manierismo sólo como un paso entre ambos estilos. La abstracta consideración de los estilos clásico y barroco encontraba cómoda la inclusión de esta tendencia en un estado intermedio con el que, en parte —sólo en parte, venía a coincidir cronológicamente. Por razón de esa preponderante coincidencia de época y por la inquietud paralela pudo también intentar Pevsner presentar el Manierismo como el arte de la contrarreforma [38].

Las conclusiones cronológicas a que ha llegado Briganti en su interesante libro, haciendo ver cómo tempranamente coinciden arranques manieristas con obras de la plenitud del cla-

---

[36] Véase el capítulo sobre el Manierismo en el trabajo siguiente y la introducción del último.

[37] *Europäische Literatur und lateinisches Mittealter,* Berna, 1948, página 275. Dámaso Alonso, que precisamente ha sido el que ha recordado esta actitud de Curtius, aunque ve el peligro de la generalización de la palabra «Barroco», la considera, «sin embargo, insustituible para designar una época del arte europeo que en la literatura española tiene su máximo florecimiento en la primera mitad del siglo XVII» *(Ob. cit.,* pág. 471). [Véase el penúltimo trabajo de este volumen.]

[38] «Gegenreformation und Manierismus, en *Repertorium f. Kunstwissenchaf,* 1925, pág. 243.

sicismo, obliga a rechazar toda simple caracterización del fenómeno sólo como un *después* cronológico o estético en sentido causal de lo clásico [39]. Y también se podría señalar análogo coincidir con respecto a lo barroco.

Pero, aunque no participemos de todas las consecuencias de dicho estudio, hay una en la que conviene insistir. Pese a encontrar Briganti en el arte manierista valores expresivos de la atmósfera cultural e influencias de la sociedad y de las costumbres del *quinientos,* reconoce que, frente a lo que ocurre con el Barroco o el Renacentismo, *no es posible hablar de una edad manierista;* precisamente porque no es posible señalar las coincidencias de rasgos entre el arte, la literatura, el pensamiento y la vida, en general, que se da en el Barroco. Para él, el Manierismo es un hecho exclusivamente artístico, ligado solamente a la historia de las artes figurativas [40]. «El Manierismo —concluye— quedará siempre como una cuestión de expresividad exclusivamente figurativa, una actitud espiritual que no encuentra otro camino que aquel de la expresión figurativa.» El fenómeno es comprobable —sin embargo— en el campo literario, pero igualmente descubriendo su arranque u origen en la cristalización de los ideales humanistas renacentistas, en necesidades expresivas de sutileza, rebuscamiento y complicación, de raíz pura y propiamente artísticos.

María Luisa Caturla —a quien se deben las más penetrantes páginas que en España se han escrito sobre el Manierismo— comentaba bien la certera distinción hecha por Pevsner de los complicados ademanes de las composiciones manieristas, que no se *responden,* sino que *se repiten.* Y nuestra fina escritora subrayaba esa *antivital reiteración,* concluyendo: «Mas toda forma reiterada es rigor impuesto: la vida en libertad no se repite» [41]. Al distinguir Barroquismo y Manierismo sentimos el deseo de iluminar el sentido de su arte de componer y construir con la famosa distinción que Klages hiciera entre ritmo y compás [42].

Así, las complicaciones constructivas, como los movimientos violentos de los lienzos manieristas y barrocos, no se pueden considerar como iguales; en realidad, por su sentido, pese a la apariencia, representan lo contrario. En los dos, es ver-

[39] Giuliano Briganti: *Il Manierismo e Pellegrino Tibaldi,* Roma, 1945.
[40] *Ob. cit.,* pág. 99.
[41] *Arte de épocas inciertas,* Madrid, 1944, pág. 114.
[42] *Von Wesen des Rhythmus,* Kampem auf Sylt, 1933. Citado por Mariano Ibérico, en *El sentimiento de la vida cósmica,* Buenos Aires, 1946, pág. 93 y ss.

dad, vemos una alteración de las formas clasicistas, tanto en lo literario como en la plástica, pero esa alteración se produce en el cuadro manierista como algo que le sobreviene a los cuerpos y formas desde fuera, como algo racional, previo e impuesto. Porque las figuras movidas de los cuadros manieristas son esencialmente figuras *puestas, colocadas* en posturas difíciles, incómodas, en las que, incluso, podrían mantenerse algún tiempo —aunque sea unos instantes—, sin más dificultad que el soportar esa incomodidad. La figura barroca, en cambio, es la figura sorprendida en un momento de su transitorio y agitado moverse, algo pasajero, imposible de mantenerse, como es imposible detener ese tiempo fugitivo que simboliza el antes y después que nos sugiere toda figura plasmada en un movimiento apasionado.

Igualmente, en la lírica de fines del siglo XVI se intensifican los artificios de correlación de poemas y plurimembración de versos; esto es, la fijación de unos cauces rígidos por entre los cuales ha de fluir retenidamente el pensamiento poético; ello no es lo mismo que la libre y complicada construcción sintáctica impuesta desde dentro como una necesidad expresiva de la más íntima agitación del poeta. Pensemos en Góngora, en el cambio desde las primeras canciones a las *Soledades.* Cuando Dámaso Alonso inició sus estudios sobre los versos plurimembres hablaba con acierto de *petrarquismo hecho geometría,* y con frase expresiva decía cómo Góngora, en su canción *A San Hermenegildo* —cerrada con un verso tripartito en cada estrofa—, «nos hace salir de cada estrofa por un pórtico frío, matemático, de tres marmóreas columnas», y muy bien subrayaba cómo este genial representante del Barroco se desengañó bien pronto de este recurso y cómo también nunca llegó a emplear en toda su pureza el sistema correlativo [43]. El irresistible impulso vital del cordobés —diríamos, remedando a uno de los antiguos comentaristas— no *consentía márgenes.* ¿Y no es dicho fenómeno estilístico de la lírica el mismo que sorprendía María Luisa Caturla en la pintura manierista?: «esa tendencia a encajar formas dentro de espacios geométricos previamente dispuestos» [44].

El fenómeno manierista no es, pues, un fenómeno que arranque de lo humano todo; por esto, en sus esenciales expresiones no tiende tampoco a actuar en el espíritu a través

---

[43] *Versos plurimembres y poemas correlativos,* Madrid, 1944, página 187.

[44] *Ob. cit.,* pág. 116.

de los sentidos —recordemos cómo falta el sentimiento sensualista del color—; tiende a actuar sobre el intelecto, a recrear racionalmente; no se dirige a la vida en su integridad. Y no olvidemos en este punto que en la manera de ser del español hay algo que, pese a su apoyo en lo tradicional, le impide aceptar una postura manierista en el arte. En primer lugar, la falta de una concepción del arte por el arte, de una preocupación de expresividad puramente artística. En consecuencia, nunca se acomodará a esquemas o formas configuradas previa y externamente. Así, aun en el Renacimiento, Juan de Valdés proclama esa renuncia a acomodarse a un formalismo vacío: «quando me pongo a escrivir en castellano, no es mi intento conformarme con el latín, sino explicar el concepto de mi ánimo» [45]. Por esto, de conservar algo previamente hecho es para llenarlo o, si queremos, sustancializarlo con vida, pasión o religiosidad.

V. Barroquismo y realismo

Pero volvamos al Barroco. Si antes subrayábamos algunas expresiones es porque sería fácil caer tras la palabra natural en un error: en interpretar lo Barroco sólo como la imposición de la naturaleza. Así se podría pasar también erróneamente a la simple identificación de barroquismo y realismo, como se ha proclamado más de una vez. El ejemplo de España puede aclararlo como ninguno. Lo que se impone y lucha dentro del pensamiento y formas clasicistas no es lo natural de la naturaleza, sino, precisamente, lo no natural, lo vario, lo injertado, lo fiero, incluso lo feo y lo monstruoso; lo contrario a lo armónico, equilibrado e igual.

Con este fondo de especial sentido de la naturaleza y de lo humano comprenderemos también mejor esas deformaciones monstruosas de la poesía satírico-burlesca de la época y de figuras de la picaresca, de ese realismo con acierto llamado descendente, que extrema sus rasgos en Quevedo. E igualmente se aclara de otra parte la deformación que la tendencia estilizadora y metafórica realiza con el gongorismo en la poesía de

[45] *Diálogo de la lengua,* Zaragoza, ed. R. Lapesa, 1940, pág. 76.

tradición renacentista. Recordemos la fábula de *Polifemo,* de Góngora; ningún fundamento mejor a la visión desmesurada descriptiva de lo humano y de la naturaleza que aquel sentido de monstruosidad antes destacado. Nada más monstruoso que aquella naturaleza que se vivifica y humaniza, *bostezando* por la boca de la cueva de Polifemo y dejándose *peinar por los arados,* y aquella humanidad que se petrifica en un inmenso cuadro de paisaje: un *monte de miembros eminente,* por el que corre el torrente de las barbas y el cabello como las *oscuras aguas del Leteo,* cuyo *zurrón* es todo un *cercado* y el cayado el *pino más valiente.*

El Barroco pierde la confianza en lo natural incluso en la experiencia de los sentidos. Recordemos una vez más la expresión, tan bien repetida más de una vez en nuestro Barroco, de que ese cielo azul que todos vemos *ni es cielo ni es azul.* Pero es que además en España, aun en el Renacimiento, el momento de exaltación de lo natural —según señaló Vossler— *tibiamente o nada* se confió en la naturaleza[46]. De ella, al español, como dice él mismo en otra parte, «lo que más le interesa es lo maravilloso que hay en ella, mucho más que lo natural. Por ello ama y busca en el hombre menos lo que hay en él de natural y humano que el elemento específico, tal como lo aventurero, lo excepcional o sorprendente, lo anormal, lo supra e infrahumano... de este humanismo español —concluía—, que consideraba al hombre como un prodigio incomprensible, y lo admiraba y reverenciaba como tal, salió la gran poesía y el gran arte del Barroco[47].

Ese humanismo de sentido anticlásico es el que nos explica los grandes caracteres que crea nuestra novelística y nuestra dramática, incluyendo a Tirso, el más realista de todos; el que nos explica se asomen a nuestros lienzos ese interminable cortejo de Vírgenes y santos místicos junto a monstruosidades de lo humano, como los bufones de Velázquez, las enanas de Carreño y la barbuda de Ribera. Podríamos decir que el español exalta este ansia de captación de la vida íntegra, del fluir de lo anímico y vital que caracteriza al Barroco: la vida interesa sobre todas las bellezas y perfecciones formales. He aquí por qué en España, aunque se detengan pintores y escritores en

---

[46] *Realismo en la literatura española del Siglo de Oro,* en *Algunos caracteres de la cultura española,* Madrid, 1941, pág. 83.

[47] *Trascendencia europea de la cultura española.* En obra citada, página 125.

toda clase de detalles y anécdotas, se tiende a resaltar no sólo el valor expresivo, sino a descubrir un aliento vital, un alma que, por encima de todo, une al individuo con su Creador. Bell lo anotó: «Tras estas figuras y escenas (de Velázquez, Goya, Cervantes, la novela picaresca y Quevedo) alienta el supremo sentimiento de que esto no es todo, de que existe un alma de las cosas, un alma preciosa en cada individuo, y tras la envoltura material descrita de modo tan realista, queda algo incorrupto e intangible: el alma individual y la relación con su Creador»[48]. Coincidiendo con estos mismos pensamientos, Lafuente habló con acierto de una estética de *salvación del individuo:* «Los mártires y apóstoles de Ribera —escribía—, los monjes de Zurbarán, los cortesanos o los idiotas de Velázquez están en sus lienzos para hacernos sentir su eternidad de criaturas, su insobornable autonomía espiritual, el derecho perenne a su propio yo y a su definitiva salvación personal»[49].

VI. El Barroco y el catolicismo contrarreformista

El que la poesía y, sobre todo, el arte no sólo se abra a la irrupción de lo humano y vital, sino que, incluso, busque apasionadamente a través de lo humano lo individual único, refuerza el natural y obligado asiento que toda obra de arte tiene en el alma del artista. Como veíamos, aún los temas recibidos de la tradición renacentista se atan por delgados o por muy gruesos amarres a la realidad concreta y contemporánea y a la intimidad del artista. No cabe, pues, ver el desarrollo artístico en esta época, y menos aún en España, con independencia del vivir, de la existencia; sin que ello sea negar el que existan problemas específicamente artísticos, ya de doctrina, ya de técnica, con apoyo concreto en lo intelectual y práctico. Pero la obra de arte —no lo olvidemos—, como ya recordaba Maritain, es producto del alma entera del artista, «con toda su plenitud humana, con todas sus adoraciones y sus amores, con todas las intenciones de orden extra-artístico, humano, moral, religioso que ella puede perseguir». Ella es,

[48] *Literatura castellana,* Barcelona, 1947, pág. 137.
[49] En *ob. cit.,* en la nota 24.

pues, «la causa principal que usa de la virtud del arte como de instrumento»[50]. Por esto interesará buscar el sentido de la vida del hombre del Barroco, la espiritualidad que lo alienta y le guía, sobre todo en el momento de arranque del estilo, de concretar y fijar las formas expresivas que quedan como elementos generales del lenguaje artístico de la época.

De aquí el interés fundamental de adentrarse en campos de lo espiritual religioso como se planteó en el libro de Weisbach, «El Barroco como arte de la contrarreforma», y en el estupendo prólogo que a su edición española puso Lafuente. No ya porque pueda ofrecerse, aun sobre el absolutismo, como determinante espiritual del estilo, sino porque integra, encauza y estimula la esencial preocupación y búsqueda religiosa que los países del Barroco sienten en común en esa época. Porque sabemos, sí, y así lo presenta Weisbach, que el Barroco no es sólo el arte de la Contrarreforma; que en este gran acontecimiento por sí no está toda la explicación del estilo; pero no es menos cierto que no se puede explicar el Barroco sin la Contrarreforma. Son muchas las cosas del arte Barroco que se pueden explicar partiendo de Trento. Basta leer los citados estudios y el famoso libro de Mâle[51]. Por nuestra parte, sólo quisiéramos subrayar otra vez aquel deseo que se expresó en la sesión XXV del famoso Concilio: que el artista, con las imágenes y pinturas, no sólo *instruya y confirme al pueblo, recordándole los artículos de la fe,* sino que además le mueva a la gratitud ante el milagro y beneficios recibidos, ofreciéndole el ejemplo a seguir, y, sobre todo, *excitándole a adorar y aun a amar a Dios.* Esta aspiración —que, por cierto, nunca olvidó la Compañía de Jesús— había de forzar al artista en todos sus recursos expresivos. Esta dirección había de llevar, de una parte, a un arte alegórico, didáctico y seductor, y de otra, había de lanzar necesariamente hacia un arte en el que se impusiera la sobrevaloración de lo expresivo, a un arte desequilibrado, deformador, no sólo de módulos y tipos, sino de la misma realidad[52].

No olvidemos que aspectos importantes del sentimiento religioso contrarreformista penetraron también, como señala

---

[50] «Discurso sobre el arte», en *Arte y escolástica,* Buenos Aires, 1945, página 125.

[51] *L'Art religieux après le Concile de Trent,* París, 1932.

[52] Véase nuestro citado libro, págs. XIV a XXXVI. Ahí destacamos y comentamos estas conclusiones que no había resaltado la crítica. [Véase la nota 11 del trabajo siguiente.]

Watkin, en países protestantes [53]. Como tampoco debemos olvidar que España, la que concretó y fijó los ideales de la Contrarreforma, y la que sensibilizó con sus místicos la religiosidad de la época, ejerció en esos momentos una influencia decisiva en toda Europa. Y no falte aquí el recuerdo, por otra parte, que Hatzfeld ha podidor dar como origen del Barroco europeo, o mejor dicho, identificarlo con «el influjo que el espíritu y el estilo españoles ejercieron en todas partes, suplantando el carácter italiano y clásico-antiguo de la literatura europea del siglo XVII» [54].

No deja de ser simbólico que los afilados golpes asestados a la religión católica por la fría y acerada picota de la razón no sólo sean paralelos con los que el arte Barroco recibe del neoclasicismo, sino que, incluso, sean a veces unos mismos golpes los que causan la doble herida. A un mismo tiempo que se agrisan y enfrían los colores y luces del arte y de la poesía se intenta apagar la gran llamarada de la religiosidad católica de la Contrarreforma. Por esto, esa doble lucha en España fue

---

[53] E. I. Watkin: *Catholic Art and Culture,* Londres, 1942.

[54] «El predominio del espíritu español en la literatura europea del siglo XVII», en *Revista de Filología Hispánica,* año III, núm. 1, pág. 10. [Sobre la importancia de España en el Barroco y la posible participación de la misma en los orígenes y difusión del estilo, puede verse también el *capítulo I* del libro del mismo profesor Helmut Hatzfeld, *Estudios sobre el Barroco,* Madrid, 1964, dedicado al *Examen crítico del desarrollo de las teorías del Barroco.* Lo esencial de sus opiniones se condensa en este párrafo correspondiente a una conferencia dada en la Universidad de Bruselas en 1940, un año antes del artículo arriba citado. «No es la Contrarreforma —decía—, sino España como tal, la responsable de la difusión del Barroco histórico en Europa; como lo es también de esa misma Contrarreforma, tanto la jesuítica como la de Trento. Existía en España un gusto barroco permanente y eterno, que daba preferencia a lo raro, a lo complicado y a lo divino sobre lo terreno, bello y mundano. Este gusto resistió la influencia clásica greco-romana del Renacimiento italiano modificándolo "a la española", y propagó este gusto renacentista modificando a la propia Italia. Fue allí, entonces, en Nápoles y en Roma particularmente, donde se originó el Barroco histórico. Se extendió éste por Francia, Alemania o Inglaterra, y regresó a la misma España, donde sobrepujó sus peculiares tendencias en fenómenos tan exorbitantes como el "conceptismo" y el "churriguerismo". Antes de que esto ocurriera sin embargo, ya había España moderado este estilo en artistas como Cervantes y Velázquez. En Francia esa moderación se hizo por principio. Si España no llegó a hacer lo mismo en toda la línea, de nuevo hay que atribuirlo a su tradicional gusto arábigo y oriental. En otras palabras: tanto el origen como la exageración del Barroco en España están en razón directa de este espíritu mozárabe que, en tiempos pasados, creó el arte "mudejar" y la literatura "aljamiada".» Véase *ob. cit.,* pág. 29 y siguientes.]

más violenta y más larga. Porque defendían una actitud irracional ante la vida, la religión y el arte consustancial con lo eterno español. No deja de ser sintomático, repetimos, que en tiempos de Carlos III, en fecha muy temprana el pensamiento y gusto neoclásico, oficialmente, suspendiera la representación de los autos sacramentales, prohibiera la construcción de los retablos de madera dorados y policromados y expulsara a la Compañía de Jesús, la Orden que más había pesado en la educación de la mentalidad y del gusto, y que había sido, así, la gran propagadora del barroquismo; la que había impulsado, creado o dado albergue en sus templos a las obras más apasionadas del Barroco, y la que había hecho aprender y comentar en sus colegios los poemas de máxima exaltación del estilo, como las *Soledades* gongorinas. Fijémonos que la condenación y supresión de los autos sacramentales, el género que representaba la más completa síntesis de las artes y del pensamiento teológico contrarreformista, se hacía por obra de la razón, pero en nombre de la religión y del arte. A esto se había llegado tras la derrota del misticismo católico, fondo y sentido último de la inspiración de la cultura barroca. Como muy bien ha dicho el citado crítico inglés, «aquellos eclesiásticos bien intencionados que se opusieron al misticismo a causa de que el excesivo quietismo amenazaba a los aspectos sustanciales y sacramentales necesarios de la religión, estaban poniendo, inconscientemente, la religión católica, y con ella la cultura católica del Barroco, en manos de sus enemigos» [55]. El hecho es, pues, bien claro: cuando el misticismo católico se apaga, se apagan también los últimos rescoldos de la gran hoguera del barroquismo artístico y literario.

Al poner en relación el Barroco con la espiritualidad católica no olvidemos una conclusión esencial a la que, desde distintos puntos de vista, se ha llegado una y otra vez, y que viene a explicar el porqué de la transformación de las formas renacentistas en barrocas. Nos referimos a la consideración del Barroco como el resurgir del espíritu del gótico.

La esencial lucha de contrarios que supone el fenómeno barroco se produce como consecuencia de penetrar el espíritu del gótico en un mundo de formas ajenas. Las viejas energías góticas se apoderan de las formas clásicas y conquistas del Renacimiento, que, como un *movimiento de oposición* —según veía Spengler—, había venido a cortar su desarrollo. De aquí

[55] *Ob. cit.*, pág. 134.

lo más intenso de la reacción y lo más violento de la lucha en países como España, cuyo desarrollo artístico y cultural está presidido por un sentido tradicional.

VII. El doble impulso del alma barroca

El hombre del Barroco se encuentra así entre dos fuerzas o impulsos que le mueven, no en esa sola línea ascensional, que le levanta, como se sintió mover el hombre de la Edad Media. Su ansia de lo infinito se la ha avivado la espiritualidad contrarreformista, las próximas y abundantes experiencias de los místicos, los vivientes ejemplos de santidad. Pero al mismo tiempo se siente animado de otro impulso que le mueve en sentido horizontal hacia lo terreno, hacia la concreta realidad que le rodea: hacia lo humano y hacia la naturaleza, cuyas bellezas externas y algo de sus secretos ha descubierto el Renacimiento. Esa atracción de la realidad toda —hacia todo en lo que alienta la vida o se proyecta lo humano—, le hace recrearse sensorial y hasta sensualmente en la concretez y finitud de todos sus halagos corporales. No es extraño, aunque sí paradójico, el que el artista resalte con vigor lo finito y concreto de toda la realidad visible, al mismo tiempo que descubre, como nunca, su relación y depender de lo eterno. Ve la realidad con ese sentido cristiano que tan bien concretaba Watkin: *sin confundirla con el infinito como la confunde el panteísmo;* pero, en cambio, se la ve como situada dentro de lo infinito, completamente dependiente de lo infinito, existente sólo por y a través de lo infinito» [56].

El artista cambia su punto de vista, se aproxima a las cosas, se aproxima sobre todo a donde hay vida, sin atender a preocupación de belleza formal ni de jerarquía social. Todos los elementos de la naturaleza, cobran no sólo independencia, sino que, además, se exaltan en su individualidad; incluso los más modestos objetos de uso cotidiano.

Pero esa atracción de la realidad que contempla y goza de cerca y que intenta profundizar, le descubre lo efímero y transitorio, y le refuerza para que otro impulso ascensional hacia

[56] *Ob. cit.,* pág. 99.

lo infinito le descubra la diferencia entre *lo temporal y lo eterno.* Se origina así otro movimiento de huida; *el impulso hacia el mundo y la fuga de él* que descubría Ermatinger en el alma de la poesía barroca alemana; el *anhelo realista del mundo, y la fuga ascética de él* que señalaba Spitzer en el arte de Quevedo; *el no saber lo que quiere* de que hablaba Eugenio d'Ors [57].

Ese doble impulso de atracción apasionada hacia la realidad concreta y de huida ascética hacia lo infinito, explica la doble tendencia del Barroco: a profundizar y espiritualizar todo lo sensible, de una parte, y hacer sensible de otra por medio de la alegoría todo lo espiritual. Pensemos en el auto sacramental —*sermón en representable idea,* como le llamó Calderón—, y pensemos en el emblema, género preferido para la expresión del pensamiento filosófico, político y moral del Barroco. Este doble impulso nos explica el sentido trascendente del realismo del Barroco que España extrema por identificarse con su sentido de la vida: el descubrir tras de todo, su existir y depender del Creador. Porque la explicación última de esa doble tendencia está en la sustancia misma del cristianismo. Como ha dicho Watkin, «con la fe católica la religión barroca se mueve de un lado a otro entre sus dos polos: Divinidad pura y Divinidad encarnada en su creación, entre Dios y Dios hecho Hombre» [58].

---

[57] Se destacan las dos primeras opiniones en el trabajo de Raimundo Lida, *Un estudio sobre Quevedo,* comentario del estudio de Spitzer, «Zur Kunst Quevedos in seinem Buscon» (*Archivum Romanicum,* 1927), Buenos Aires, Sur, 1931, año I, núm. 4, págs. 166 y 170.

[58] *Ob. cit.,* pág. 115. [A análogas conclusiones llega Leo Spitzer en su ensayo «El Barroco español», publicado en el *Boletín del Instituto de Investigaciones Históricas,* t. XXVIII, año XXII, núms. 97-100, Buenos Aires, 1943-1944. He aquí algunas de sus afirmaciones: «El fenómeno humano, concreto, primordial del barroco español es la conciencia de lo carnal juntándose con la conciencia de lo eterno... el barroco español... no se olvidó nunca de la caducidad de esa belleza (sensual de la naturaleza y del hombre), de la proximidad de lo trascendente a las fiestas de la carne. Para el barroco español no hay más que un breve paso de lo rosa a lo negro, de la carne a la muerte. En él, lo eterno se mezcla con lo más efímero...; porque el tema barroco por excelencia es el *desengaño,* el sueño opuesto a la vida, la máscara opuesta a la verdad, la grandeza temporal opuesta a la caducidad... El espíritu triunfa en el arte barroco, pero el artista nos invita, a nosotros espectadores, a hacer el mismo esfuerzo que él sintió. Ése es el dinamismo interior que comunica el arte barroco; hay que extraer el principio espiritual del amontonamiento de la carne, como el Segismundo de Calderón aprende a separar la vida del sueño... No se puede concebir el arte barroco ni sin el trascendentalismo medieval, ni sin la vida sensual del Renacimiento...

VIII. Temática del Barroco: su sentido trascendente

Esa atracción por lo humano individual, por la naturaleza y por la realidad toda, es lo que nos explica el extraordinario enriquecimiento de la temática artística y literaria del Barroco.

Es el momento en que se impone como género el cuadro de paisaje. En él la naturaleza predomina sobre la figura humana que queda empequeñecida mientras que aquélla se presenta movida, haciendo sentir el latir de su fuerza interior. El artista gozará lo mismo representando el *primer témino desmesurado* que la lejanía que nos sugiere la emoción de espacio, de profundidad y hasta de infinitud.

Pero, sobre todo, es el momento en que se impone la pintura de retrato. Y, fijémonos, cómo no es una preferencia surgida sólo en el gusto artístico, sino que el ansia de retratarse se produce como un afán general de época, cual si todos quisieran contemplarse y al mismo tiempo eternizarse en un momento de su vivir. Por esto también surgirá como tema nuevo y predominante el autorretrato. En los años que preceden al Barroco, el retrato es un género que se desarrolla dentro del ámbito oficial o cortesano y que incluso se impone con rigidez y compostura de formas unificadoras; con esa monotonía que refiriéndose a los años de Felipe III tan finamente señaló María Luisa Caturla. Pero al mismo tiempo que este tipo de retrato se vitaliza y anima por obra de un Velázquez, vemos también cómo dentro de él penetra un elemento socialmente bajo. El pintor lo mismo retratará al monarca que a un enano, un idiota o un niño monstruoso. Bien sintomático del cambio de época es la actitud de Carducho que se siente ligado, más de lo que quisiera, a una formación clasicista. De una parte mirará el retrato como género secundario (así estima que los eminentes pintores no fueron retratadores, pues *el que lo ha de ser se ha de sujetar a la imitación del objeto malo o bueno*

De este modo, España supo volver a vivir uno de los aspectos fundamentales del cristianismo; la encarnación de lo divino y la renuncia a la carne de ese personaje divino...»]

sin más discurrir ni saber), de otra reprobará esa tan extendida ansia de retratarse: «ya con demasiada licencia se usa —dice— que no sólo se retratan las personas ordinarísimas, más con modo, hábito e insignias impropísimas» [59].

Pudo así muy bien Spengler presentar el retrato como una característica esencial del hombre faústico; como la más completa contraposición a la pintura del desnudo. El clasicismo persiguiendo de lo humano, lo genérico, común y finito había de exaltar el desnudo en su belleza formal; al Barroco le atrae de lo humano lo específico, lo individual único. Por esto concentra su atención en el rostro, el *espejo del alma,* en su búsqueda de lo espiritual único. El español proyectará también aquí su sentido trascendente creando un retrato de dramática emoción. El retrato, como dice Spengler, «reproduce algo único, algo que fue una vez y no torna a ser, la historia de una vida en la expresión de un instante» [60]. Y al español que vive su vida *desviviéndose,* como decía García Morente, porque la pone entera «al servicio de algo que no es la vida misma, ni está en la vida», sino en la salvación, en la gloria eterna, se le ofrece en cada *momento fugaz* como *colgada por infinitos hilos que la unen con la realidad trascendente del fin eterno* [61]. De aquí esa serie de retratos graves, moralizadores y ascéticos que nos sugieren la transitoriedad de la vida. El lienzo velazqueño de un caballero que nos mira interrogante mientras pone su mano en una calavera colocada al pie de un crucifijo; el aleccionador retrato de don Miguel de Mañara, por Valdés Leal, que se dirige hacia el espectador leyendo su *Discurso de la verdad;* el del canónigo Justino de Neve, obra de Murillo, que lo presenta ante una mesa en la que también posa la imagen del Crucificado y un reloj; el de Solís, por Alonso Cano, intenso en su absorto mirar, mientras aprieta entre sus dedos un reloj de arena; el geógrafo de Ribera, que mide con un compás la esfera terrestre mientras eleva sus ojos a lo alto. Y recordemos por último el Caballero de la mano al pecho del Greco. Para nosotros, como ya hace años dijimos, no es más que la encarnación del caballero castellano que aspira a la perfección, en el grave gesto vigilante que recomendaba San Ignacio en sus *Ejercicios,* «para más presto quitar algún pecado o defecto particular»: «ponga la mano en el pecho —aconseja el santo—

---

[59] *Ob. cit.,* pág. 127.

[60] *La decadencia de Occidente,* vol. II, Madrid, 1934, pág. 74.

[61] «Ideas para una filosofía de la Historia de España», en *Ideas de la hispanidad,* Madrid, 1947, págs. 249-346.

doliéndose de haber caído; lo que se puede hacer aun delante muchos, sin que sientan lo que hace»[62]. No es extraño, así, que en análoga actitud retratara al beato Ávila que tan próximo, o tan dentro, estuvo de la espiritualidad ignaciana.

Junto a esta preponderancia del retrato, lo que más sorprende en la temática del Barroco, es la aparición como tema independiente de individualizados trozos de naturaleza o pormenores de la realidad, incluso de lo más humilde y elemental. Ya Wölfflin señaló como síntoma de la aproximación de una nueva era, el hecho de que el *Caravaggio provocara en Roma un entusiasmo general precisamente por la pintura de un vaso de flores*[63]. Que lo inanimado se compare con lo humano y que se lo contemple de cerca con amor y hasta con admiración es algo contrario e incomprensible para la mentalidad clasicista. Si para un Carducho el retratar a un hombre no era cosa de gran pintor, ¿qué sería el retratar un cardo, una col o un pepino? Cuando un fino comentador de Virgilio, Teodoro Haecker, concreta los rasgos del arte clasicista, enuncia como el *primer principio de todo arte clásico* «el encuentro afortunado de la más grande potencia artística... con el más grande objeto real». Así, aunque admita que «un pintor que pinta bien un manojo de espárragos crea una obra de arte más valiosa que otro que pinta mal una Madonna», partiendo de que es indiscutible que una Madonna es un objeto más elevado que un manojo de espárragos, concluye afirmando «que el que sabe pintar bien una Madonna es más que aquél, no específicamente como pintor (¡aunque en realidad también!), sino como hombre»[64]. El arte español del Barroco con Zurbarán, y más aún con el cartujo Sánchez Cotán, viene a dar la negativa categórica a estos argumentos, precisamente pintando Madonnas y espárragos y verduras; demostrando que cabe ante esta humilde realidad, por la sencillez, cariño y respeto con que se contempla —con todo el respeto que merece una criatura de Dios— trascender a las zonas más altas de la espiritualidad religiosa.

Porque conviene recordar que antes que los pintores barrocos, nuestros místicos habían enseñado a mirar de cerca,

---

[62] *I.ª Addición de la Primera semana.* Texto castellano. Ed. Monumental Historica Societatis Jesus, Turín, Roma, 1928.

[63] *L'art Classique. Initiation au genie de la Renaissance italienne.* Trad. Conradt de Mandach, París, 1911, pág. 176. [Véase ensayo citado en la nota 33 y para el tema del retrato el capítulo final de este libro añadido en la presente edición.]

[64] *Virgilio, Padre de Occidente,* Madrid, 1945.Traducción V. G. Yebra, pág. 998.

morosa y amorosamente, a la naturaleza toda, desde la elegante y simbólica azucena hasta la más humilde verdura y florecilla silvestre. Porque nuestros místicos, ni negaron las obras ni negaron la realidad: sintieron la atracción y belleza de toda ella como también la sencilla alegría del vivir; pero viéndolo todo, naturaleza, cosas y hechos, como pendientes o colgados de la realidad trascendente. Recordemos con qué delectación un fray Luis de Granada contempla y describe animales, flores y frutos, o cómo fray Francisco de Osuna busca los símiles para lo espiritual en lo más humilde de la creación [65].

Cuando contemplemos bodegones como los de Sánchez Cotán y los de Zurbarán, no sólo debemos recordar la conocidísima afirmación teresiana de que *entre los pucheros anda el Señor,* sino también esas minuciosas descripciones de fray Luis y esas comparaciones de Osuna; como cuando habla de la gracia que se recibe «cerrada como melón», del hombre *como un espárrago sobre la tierra* o del bueno entre los malos como «castaña en medio del espinoso erizo» [66]; por no citar comparaciones más tardías como la del escritor místico fray Antonio Ferrer, cuando compara el alma con la amargura de la culpa, con «una cidra que ha de confitar el confitero (que), primero la tiene arremojo algunos días» [67]. Y tampoco debemos olvidar, cuando nos asombre la agudeza de penetración de aquellos ojos que exaltaron la individualidad de las cosas con tan extraordinario vigor, de lo que con respecto a los grados superiores de la vida contemplativa declaraba la Madre Cecilia del Nacimiento; le parecía que todo «lo penetraba con unos ojos de lince hasta las entrañas» [68].

Esa penetración sugieren los bodegones del verdadero creador del género en España, el citado cartujo Sánchez Cotán. Sobre un fondo negro, y bajo una violenta iluminación tenebrista, los objetos colgados o puestos en el borde de una ventana se perfilan duramente sin superponerse. Parece que surgen de la nada y se asoman a nuestro mundo para que los contemplemos. Apenas si cuenta en ellos lo artificial; sólo elementos

---

65 [Véase el trabajo que se inserta a continuación donde se desarrollan estas consideraciones.]

66 *Tercer abecedario espiritual,* ed. Nueva Biblioteca de Autores Españoles. *Escritores místicos españoles,* Madrid, 1911, págs. 375 a, 491 a, 581 b.

67 *Arte de conocer y agradar a Jesús,* Orihuela, 1631, cuarta parte, páginas 147-148.

68 Blanca Alonso Cortés: *Dos monjas vallisoletanas poetisas,* Valladolid, 1944,pág. 66.

humildes de la naturaleza, una verdadera invitación a la abstinencia. Exaltan la concretez y sugieren lo infinito; porque hasta en la técnica su camino es trascendente. La pincelada, con su grueso, forma o dirección subraya el cómo están hechas las cosas. La conclusión es clara: no se imita la apariencia y visión de la naturaleza, sino el crear de la naturaleza, porque lo que le importa y busca el artista no es lo creado, no es la materia, sino el Creador [69].

Ante esa profunda atracción sentida hacia la realidad toda y ante esa aspiración de trascendencia y búsqueda de lo infinito, comprendemos mejor por qué las artes tendieron en el Barroco hacia una expresión pictórica; aunque a primera vista este hecho pueda parecer superficialidad. Cuando, apoyándose en una posición psicológica, Wulff rectificaba a Wölfflin, distinguiendo en la actividad modeladora de la forma un primer tipo de actitud cinético-sensorial o plástico, y un segundo óptico-sensorial o pictórico, considera este sentido de la forma pictórica como un refinamiento de la inteligencia y de los ojos, como la culminación de un proceso de progresiva espiritualización. Por otra parte, Schmarsow, al contraponer también lo plástico y lo pictórico, igualmente ha de considerar en la pintura como un grado más elevado de la plasmación anímica. El cuadro no sólo puede ofrecer al hombre en su vivir, sino además, en relación con la naturaleza y con las cosas, inmerso en el espacio, dentro del aire, de la luz, en unidad con el universo todo [70].

IX. El tiempo, protagonista del drama del Barroco

La explicación de este rasgo esencial, de la visión de profundidad, de la concepción del espacio continuo, principal conquista de la pintura del Barroco, así como el rasgo más característico de la representación de las formas en todas las artes de la visión, como es el movimiento, nos puede llevar a

[69] Véase nuestro artículo «Realismo y religiosidad en la pintura de Sánchez Cotán», en *Goya,* núm. 1, Madrid, 1954.

[70] Walter Passarge: *La Filosofía de la Historia del Arte en la actualidad,* Madrid, 1932, pág. 53 y ss., trad. E. R. Sadia.

la explicación última, al sentimiento eje que muestra la profundidad espiritual y la exaltación vital de que arranca el estilo. Es ello el agudo sentimiento de la incontenible fuerza del tiempo. Porque el verdadero protagonista del drama del Barroco es el tiempo. Así, si la pintura ha buscado y hallado esa visión y sentimiento de profundidad que nos atrae y arrastra hacia el fondo del cuadro, si nos lleva hacia esos *lejos* de que tantas veces nos hablan los poetas, si nos obliga a sentirnos envueltos en ese espacio continuo, es porque esta visión espacial es la única en que puede ser representado plásticamente el tiempo. Esta visión de profundidad es la forma visual sobre la que se puede proyectar la sucesión de los actos como se desarrollan en la conciencia. Ya Spengler señalaba la equivalencia espacio-tiempo diciendo «que la profundidad del espacio es el tiempo solidificado» [71]. Y partiendo de la representación de la lejanía espacial en la pintura barroca, Klages ha insistido en esa esencial comunidad de significación. Ante la imagen de una visión del mar en reposo, en cuyo extremo límite del horizonte viéramos deshacerse la nubecilla de humo de un navío, y la que suscita el recuerdo de la irrecuperable juventud, el gran filósofo señala cómo «ambos sentimientos los encontrará confundidos quien posea el don de entrar en el reino de la interioridad» [72].

El otro rasgo externo más característico de la plástica barroca, el movimiento —que ya Buckhardt, junto con la emoción, señalaba como raíz del estilo—, igualmente es expresión de lo temporal. Como es sabido, tiempo y movimiento son dos conceptos que mutuamente se explican. La figura en movimiento nos refuerza la conciencia de que contemplamos algo que pasa, nos sugiere el antes y el después.

Bien sintomático es, como dijimos en otra ocasión —y coincidimos al hacerlo con el profesor Fleming— que sea ésta la época de esplendor del arte de la relojería; cuando, en este deseo de medir el paso del tiempo, el hombre se crea hasta el reloj de bolsillo [73]. El reloj será, no sólo elemento frecuente en la composición del pintor y término de comparación en la doctrina del filósofo, sino hasta tema independiente —y repetido— de la poesía. Basta recordar los ejemplos egregios de Quevedo y de Góngora. Ha podido muy bien decir el citado

---

[71] *Ob. cit.,* vol. I, pág. 262.

[72] *Von Kosmogonischen Eros,* Jena, 1930, pág. 135.

[73] Véase el citado ensayo de introducción a nuestro libro *Temas del Barroco,* Granada, 1947, pág. LIV y ss.

profesor americano, que el reloj mecánico se convierte en símbolo dominante de ese período. Es la forma en que el fluir del tiempo se especializa [74].

Todo se hace expresión de esta postura intelectual a que entonces llega el hombre y que comentaba Ortega: «Ni el mundo ni el hombre son: todo está en marcha... Sólo se sabe que es cambio, mudanza, peregrinación» [75]. Lo que el hombre sabe firmemente es lo que proclamaba el poeta: «Que sólo el tiempo vive.»

Toda la riqueza y minuciosidad descriptiva; todos los valores plásticos, recursos del poeta del barroco que se expresan en la nueva temática, cobran su plena emoción con este agudizarse el sentimiento de lo temporal. Y, precisamente en lo español, ese general sentimiento de desengaño, con la derrota y caída de su poder, se extrema, y caldea aún con más vívida emoción la conciencia de la fugacidad del tiempo. No sólo el melancólico tema de las ruinas, sino los seductores del jardín y de la flor descubren insistentemente esta lección moral y ascética [76]. La emoción del pasado y la inquietud del futuro penetran hasta la médula de la creación artística. ¡Cuánta antítesis entre lo pasado y lo venidero se repite en nuestra lírica!

Los poetas hablan con el tiempo como confidente y maestro preferido. A él dirige Rioja sus palabras al cantar las ruinas de Itálica. Lope le pregunta llorando en uno de los *romances a Filis:*

> ¿Quién se ha de poner contigo
> a fuerza, tiempo ligero?

y Góngora le dirá desengañado, al que parece que corre y vuela,

> «Tú eres tiempo el que te quedas
> y yo soy el que me voy» [77].

Bien significativo es que Calderón, que tanto silencia su vida en el teatro, que frente a un Lope que siempre hizo teatro de

---

[74] «El movimiento como elemento en el arte y en la música barrocos», en *The Journal of Aesthetics and Art criticism,* vol. V, núm. 2, 1946.

[75] *Vives. La mirada histórica,* ed. Obras completas, t. V., pág. 494.

[76] Véase nuestro ensayo *Ruinas y jardines. Su significación y valor en la temática del Barroco,* en *ob. cit.,* págs. 119-176.

[77] *Décimas a los relojes,* publicadas por Artigas en *Don Luis de Góngora,* Madrid, 1925, pág. 215.

su vida, él sólo hizo teatro de su muerte —pidiendo se le llevara descubierto en su entierro—, la única vez que podemos decir se puso en escena fue en un auto sacramental para dialogar y aprender la enseñanza del tiempo:

> Que las lecciones del tiempo
> Siempre doctas, siempre sabias
> Han sido, o por lo que enseñan,
> O por lo que desengañan [78].

X. La lección del Barroco

Y cerremos ya la última curva de este, también barroco, trabajo. Podremos admitir o rechazar en nuestros gustos el Barroco; podremos, como algunos, sonreír ante sus expresiones extremadas; podremos dejar a un lado, en el museo o en la biblioteca, sus lienzos y sus versos halagadores; pero no podremos quedar indiferentes, sino al contrario, sentir nostalgia de lo que significa la cultura del Barroco: de ese *último esfuerzo común de Europa en el arte y en la literatura, en la búsqueda de Dios bajo la guía de España,* que ya destacó Hatzfeld [79]. Y tampoco podemos quedar indiferentes al descubrir bajo la deslumbrante vestidura del estilo ese íntimo drama que vive el hombre de la época. Porque adentrarnos en el alma barroca supone tocar fibras que aún vibran en la sensibilidad de hoy; supone sentir en carne viva la angustia de lo humano, supone el sentir como ahora la inquietud atormentada del futuro y el deseo de aferrarse al pasado; y supone, además, para nosotros, el encontrar, no los rescoldos, sino el ascua encendida del fuego esencial que alienta en el vivir *desviviéndose* del español.

La gran lección del tiempo, que, como lección suprema, dictó el alma cristiana del hombre del Barroco, es válida para

---

[78] *El día mayor de los días,* Madrid, ed. Pando Mier, 1717, parte sexta, pág. 84.

[79] «El predominio del espíritu español en la literatura europea del siglo XVII, en *Rev. de Filología Hispánica,* año III (1941), núm. 1, página 23.

hoy. El decisivo y angustioso momento que vivimos impide al hombre la indiferente actitud ante su ser y su futuro; se encuentra forzado a sentir agudizarse en su fondo una instintiva conciencia histórica en la que la pregunta por su destino es ineludible. Porque también hoy sentimos agudizarse el sentido histórico que se extremó en el hombre de aquella época. Ante esa necesidad de forjarse una conciencia histórica, Jasper, en su intento de buscar una postura que le permita mirar hacia el mañana, tiene que acudir como verdad inevitable —*aunque no se crea en ella*— a la concepción cristiana de la historia —entre la Creación y el Juicio final—, esa concepción base de la cultura católica del Barroco. «Porque cuando se renuncia al futuro —dice—, la imagen histórica del pasado se convierte en definitiva y acabada, y, por tanto, en falsa» [80]. Por esto, repetimos, la lección del tiempo, nervio del sentimiento barroco, es valedera para hoy, incluso en el sentido próximo y práctico. Ante la participación que la voluntad humana puede tener como factor cooperante en la realización del futuro, dicho filósofo, con su atormentada inquietud, avisa tanto contra el que confía como contra el que desconfía: «Sólo quien ve el peligro —concluye— y no lo olvida en ningún momento puede comportarse razonablemente y hacer lo que es posible para conjurarlo.» Ese agudo sentimiento histórico, esa actitud vigilante es la que mantuvo con sentido cristiano el hombre del Barroco ante el poder incontenible del tiempo y ante el esencial problema de la salvación de su alma. Con sentido trascendente vivió cada momento en relación con el futuro, viéndolo como colgado de lo infinito, para poder aprovechar *la coyuntura,* según adoctrinaba Nieremberg —en su obra *Diferencia entre lo temporal y eterno*—, porque uno de esos momentos ha de convertirse en eternidad. Había que vivirlo, como hoy para lo humano pide Jasper: sin confiar ni desconfiar. Huyendo, como ejemplificó Tirso, del hombre como Paulo, *condenado por desconfiado,* y huyendo del hombre como don Juan, *condenado por confiado,* por atreverse a luchar con el tiempo.

Si sentimos con angustia el huir del tiempo y de la vida; si la sentimos resbalarse por entre las manos —*¡Cómo de entre mis manos te resbalas!*—, como con tan humana expresión se dolía, Quevedo, también hemos de palpar entre los dedos el libre albedrío, como lo sentía aquel personaje de Mira de Ames-

---

[80] *Origen y meta de la Historia,* Madrid, 1950, pág. 153 y ss.

cua[81]; pero, además, sin olvidar lo que proclamaba el citado gran ascético de la época: el *aprecio y estima de la divina gracia.*

He ahí la lección decisiva y última del Barroco español, válida como ninguna para hoy: pensando en la salvación eterna del individuo; pensando en la salvación temporal de la cultura europea.

---

[81] *Tengo en mis manos mi albedrío.* Citado por A. Valbuena en *De la imaginería sacra de Lope a la Teología sistemática de Calderón,* Murcia, 1945.

La literatura religiosa y el Barroco

(En torno al estilo de nuestros escritores místicos y ascéticos)

Sobre la adecuación del estilo Barroco a la espiritualidad de una época

Aunque aceptamos puede hablarse del Barroco y de lo barroco, esto es, del Barroco como período histórico y del barroquismo como constante o actitud estética fuera de los límites del período histórico correspondiente al dicho estilo, queremos, sin embargo, hacer una advertencia inicial a estas notas o apuntes. No pretendemos afirmar que los escritores místicos españoles del siglo XVI —y menos aún que todos los escritores místicos— sean escritores barrocos. Lo que queremos destacar —y en concreta referencia a la literatura ascético-mística española— es que en la estética de esos escritores encontramos rasgos de paralelismo con la estética del Barroco y que en algunos aspectos anticipan actitudes con respecto a la naturaleza y con respecto a la concepción y expresión artística que han de ser características del artista y del escritor de dicho período. Y subrayemos que no es sólo por participar de los rasgos generales de lo español, que en lo esencial y más característico responde a un sentido vario y contrastado, anticlásico y desequilibrado, en forma que ha permitido a Hatzfeld considerarlo como el origen de todo el Barroco europeo [1]. El hecho indiscutible de la influencia de algunos de esos escritores en la vida religiosa y, en general, en la sensibilidad de la época, acrece el interés de caracterizar y destacar estos rasgos de sentido barroco. La comprobación —hecha recientemente por más de un crítico— de este influjo en el pensamiento y poesía inglesa es una confirmación de lo extenso y profundo de esa propagación de lo español. No ya sólo se comprueba la lectu-

[1] «El predominio del espíritu español en la literatura europea del siglo XVII, en *Revista de Filología Hispánica,* año III, núm. 1.

ra de fray Luis de Granada y de fray Diego de Estella; también la forma de meditación ignaciana se descubre a través de multitud de autores [2]. Esa espiritualidad española se manifiesta precisamente en formas literarias que consideramos dentro del barroquismo. Con ello, pues, se reforzaría en buena parte la indicada tesis de Hatzfeld.

Algo de lo que apuntamos, pero con un carácter más general referido a las expresiones de los místicos de otras edades, fue manifestado ya por la crítica, aunque Croce lo discutía y consideraba como un *error propio del formalismo.* Así, rechazaba el considerar «como casi del Barroco», expresiones de los místicos y, por ejemplo, la siguiente frase de Santa Catalina de Siena: «¿Dónde nos ha enseñado esta doctrina, este dulce y amoroso Verbo? Sobre la cátedra de la Santísima Cruz. Y, en fin, nos lavó la cara del alma con su preciosa sangre.» Aunque vea esta metáfora-símil, como un *estilo opuesto* al de los predicadores barrocos, se quiera o no, nos hace pensar en el más típico conceptismo de la lírica religiosa del siglo XVII. Su postura a este respecto le hacía, en consecuencia, negar la opinión de críticos alemanes «que confunden —dice— las antítesis de los barroquistas con las de los místicos», aunque sean de la edad barroca como Bühme o Angelus Silesius. «También —añade— en algún escritor extranjero que se solía recordar como tal por redimir a los italianos de la fama de barrocos por antonomasia, en Du Bartas, hay seriedad, entusiasmo e ingenuidad y su metaforizar y prodigar epítetos es efecto no de vacuidad interior y de juego retórico, sino de fogosidad oratoria, aunque conforme a sus disposiciones y a las de su tiempo» [3]. Esta actitud de Croce, explicable en su concepto peyorativo de lo barroco —aunque acertó plenamente al establecer algunos de sus rasgos—, no puede dejar de reconocer que externamente existe un paralelismo. Su afán está en señalar la distinta causa o razón de los rasgos que determinan esos recursos, viendo sólo artificio, consciente deseo de sorprender, como finalidad de la obra barroca —algo propio del estilo, sí, como declaraba Marino de su poesía, pero no único—, como obedeciendo a

---

[2] Louis Martz: *The Poetry of Meditation,* Yale, 1956; Helen Gardner: *The Divine Poems,* Oxford, edic. de John Donne, 1952; Edward M. Wilsons: «Spanish and English Religious Poetry of the Seventeenth Century», en *The Journal of Eclesiastical History,* vol. IX, número 1, abril 1958.

[3] Benedetto Croce: *Storia della Età Barocca in Italia. Pensiero. Poesia e Letteratura. Vita morale* (terza edizione), Bari, 1953, pág. 30.

una necesidad práctica, edonista, no sólo extraartística, sino contra el arte mismo. No quería ver barroquismo en la expresión en que creía descubrir sinceridad y fuerza interior. Tampoco consideraba lo que hay de aspiración extraartística —o supraartística, podríamos decir— en la creación de los místicos y ascéticos. El paralelismo de recurso queda, pues, reconocido tácitamente, aún en esta postura negativa. Ahora bien, esos rasgos que él anota y otros de análogo sentido que nosotros queremos destacar hoy, se expresan extremados en los místicos españoles.

No es extraño que las normas y recomendaciones que un tratadista de arte religioso como Giovanni Andrea Gilio (1564) daba a los artistas sobre la forma de representar la escena religiosa, su sentido impresionante, realista y conmovedor —lo que directa o indirectamente a través del tratado de Possevino, influyó en los pintores y escultores del Barroco— esté ya realizado en lo literario en los escritores ascéticos españoles del XVI, sobre todo en algunos franciscanos y en fray Luis de Granada [4]. Aparte de la concreta recomendación y preceptos para apartar del error, el tratadista, conforme al espíritu del Concilio tridentino, tenía que recomendar en el arte el apartamiento de lo convencional, intelectualista y de pura valoración y alarde artístico propio del arte manierista, y la búsqueda de la representación animada de profundo sentimiento religioso que pudiera despertar o comunicar la devoción [5]. Sobre todo, las escenas de la Pasión de Cristo quiere el tratadista sean de un realismo impresionante, comunicativo en su emoción para que el fiel ante ellas sienta despertársele la compasión [6].

Weisbach valoró debidamente lo esencial de la significación de los *Diálogos* de Gilio; últimamente, Federico Zeri ha vuelto sobre ello en su libro *Pittura e Controriforma,* valorándolos como «la primer abierta reacción frente al Manierismo» y subrayando la nueva actitud que marca en la historia de la crítica

---

[4] *Due Dialoghi di M. Giovanni Andrea Gilio da Fabriano. Nel primo de'quali si ragiona de'la parti Morali, e Civili, appartenneti a'letterati Cortigiani ad ogni gentil'huomo, e utile, che i Prencipi cavano da i Letterati. Nel secondo si ragiona de gli errori de Pittori circa l'historie. Co' molte annotatione fatte sopra il Giuditio di Michelangelo, e altre figure, tanto de la vecchia, quanto de la nova Cappella,* Camerino, 1564.

[5] Véase Julius Schlösser Magnino: *La Letteratura Artistica. Manuale delle Fonti della Storia dell' Arte moderna,* seconda edic. aggiornata da'Otto Kurz, Florencia, 1956, pág. 425 y ss., trad. di Filippo Rossi.

[6] Werner Weisbach: *El Barroco, arte de la Contrarreforma,* Madrid, 1942, págs. 57, 58, 63 y 68, trad. Enrique Lafuente Ferrari.

de arte en cuanto juzga a la obra por su valor *devocional.* Como veremos después, ese anteponer lo devocional a lo propiamente artístico será la base de la doctrina estética de San Juan de la Cruz. En esto el Santo respondía a una tradición no sólo de la literatura religiosa, sino también del arte español. Por esto si, con acierto, el citado crítico italiano rectifica la postura de los que estiman que el Concilio de Trento marca una *repentina explosión* frente al Renacimiento, y hace ver cómo decenios antes van surgiendo en Roma pinturas religiosas «que revelan un progresivo acentuarse de motivos pietistas y devocionales» [7]; nosotros tenemos que señalar que esas aisladas actitudes fueron más frecuentes en España y, sobre todo, estuvieron alentadas y apoyadas en la espiritualidad creada por nuestros ascéticos y místicos, cuyas obras se publican algunas con anterioridad a los decretos del Concilio. Ellos quieren hacer con sus libros de meditación lo que la pintura y la imaginería harán con un carácter general en la época del Barroco.

También Gilio hacía mirar a la iconografía tradicional de la Edad Media; y no olvidemos la general persistencia de espíritu y formas medievales en el arte y en la cultura española del Renacimiento. Así, nuestra gran literatura mística, aunque acepte y asimile conquistas del pensamiento renacentista, como el resurgir del platonismo, ha podido ser considerada como un fruto tardío del cristianismo medieval.

Ya el pensamiento ignaciano, siguiendo el sentido de la meditación imaginaria que le legan algunos tratadistas medievales, especialmente las *Meditationes Vitae Christi,* atribuidas a San Buenaventura, ha realizado antes en sus *Ejercicios* ese sentido evocador de la figura y escenas de la vida de Cristo, excitando la imaginación a considerarla como una realidad presente y tangible. La composición de lugar de los *Ejercicios* recomienda al ejercitante —aunque sea sólo con la imaginación— a sentirse en un mismo ambiente, en comunicación y presencia de la viva humanidad de Cristo. Los *Ejercicios,* aunque con el esquematismo de un reglamento de la vida espiritual, apuntan hacia una realización mental, que tendrá pleno desarrollo de sentido plástico en la obra que realizan escritores posteriores. Pero no olvidemos que el sentimiento de la humanidad de Cristo, de su realidad corporal, es algo que continua y agudamente sintieron

---

[7] Federico Zeri: *Pittura e Controriforma,* Turín, 1959, págs. 24, 25 y 27.

muchos místicos, comenzando por Santa Teresa, y aun antes, en Laredo y Osuna.

El pensamiento ignaciano pesó en esos tratadistas de arte, especialmente —aunque sea en fecha posterior— en el jesuita Possevino[8]. Pero es que, además —junto con el influjo de los demás místicos— penetró en general en la sensibilidad religiosa de la época y sirvió de base y estímulo para que otros escritores posteriores desarrollaran con el detalle y morosidad propios ya del Barroco esas visiones realistas, impresionantes y conmovedoras, que habían fijado los libros de meditación del siglo XVI[9]. Nuestros escritores realizan de una manera espontánea lo que quedará como mero precepto en el tratadista de arte religioso. Y no es de extrañar —como hace años comentábamos— que la expresión de lo religioso, como la de toda exaltación espiritual y vital, reflexiva o espontáneamente, haya de buscar unos medios o recursos de sentido expresivo anticlásico[10]. Tampoco es de extrañar, por tanto, que el Barroco más que el Manierismo se ofrezca como al arte de la Contrarrefoma[11].

Un paréntesis: Sobre Manierismo y Barroco

Es difícil llegar a una clara delimitación de lo manierista y de lo barroco, en razón de que, aunque no se trata exactamente de dos tendencias o estilos de épocas distintas —ya que el Manierismo no se produce, cronológicamente, en un momento preciso en la historia de los estilos, sino con oscilaciones y variantes, y hasta puede hablarse de manierismo en otros estilos—, sin embargo, en general, el Manierismo viene a coincidir con el

---

[8] ANTONIO POSSEVINUS: *Tractatio de Poësi et Pictura ethica, humana et fabulosa collata cum vera, honesta et sacra,* Roma, 1593, Lyón, 1954, Venecia, 1603.

[9] Véanse nuestros ensayos: «Mística y plástica. Comentarios a un dibujo de San Juan de la Cruz», *Boletín de la Universidad de Granada,* año XI, 1939, y «Cómo sintieron y pintaron nuestros escritores místicos las angustias de María», Granada, 1940, número extraordinario del diario *Patria.*

[10] Véase nuestro ensayo: *De lo aparente a lo profundo.* Incluido como introducción en *Temas del Barroco,* Granada, 1947. Interesan especialmente a este respecto las páginas 25 a 33, aunque se consideran los problemas que aquí anotamos a partir de la pág. 15.

[11] Véase la nota apéndice al final de este trabajo.

momento inmediato o previo a lo barroco y en consecuencia los medios expresivos que maneja el artista o el pintor de estas fechas supone un coincidir de recursos y rasgos manieristas y barrocos [12]. Cabe darse, como se da en un artista genial, como Miguel Ángel, la trayectoria manierista y barroca; y con sentido y valoración exaltada en cada una de dichas actitudes o tendencias. En la pintura el caso del Greco quizá sea el más expresivo de la sucesión y coincidir de Manierismo y Barroco en un mismo artista. A veces, la repetición de un tema nos ofrece el cambio al interpretarse con un impulso y sentimiento barroco lo que había sido antes concebido y realizado con más decidido carácter manierista. Pensemos como caso expresivo en las varias versiones del tema de *Cristo expulsando a los mercaderes del Templo,* que se realizan en su última época con un sentido barroco del espacio, del movimiento y del punto de vista.

En nuestra poesía, el caso de Herrera, aunque en un punto medio entre lo manierista y lo barroco, entraña la misma complejidad, y tras de él Góngora arrancará desde un ambiente de franco manierismo, para desde él, y a través de sus recursos, dar el gran salto, ya pleno dueño y consciente de una técnica y con honda formación de poeta, a impulsos de un espíritu de sentido barroco. Naturalmente que no desaparecen en su estilo los rasgos y recursos de su inicial manierismo, reteniendo de ellos las posibilidades expresivas más de acuerdo con una sensibilidad barroca o empleándolos con una complicación e intensificación distinta a la que preside la concepción de la obra manierista.

Pero a pesar de la enorme complejidad que supone este problema estilístico —y la dificultad que entraña separar el recurso barroco del recurso manierista, porque a veces formalmente es el mismo, y en gran parte supone como base la forma clásico-renacentista—, queda clara la distinción de los impulsos o motores determinantes de lo barroco y de lo manierista. El Manierismo se produce como un fenómeno que arranca de lo puramente artístico y literario, en una postura —diríamos con Pevsner— *ultraconsciente,* como una búsqueda de novedad y complicación que impulsa esencialmente la inteligencia. Como señala Hauser, «tiene su origen en una experiencia de cultura y no de vida», y en consecuencia —como precisa poco después— entraña una orientación artística «que estima que la relación entre

---

[12] Véase sobre este mismo tema nuestro ensayo: *La lección permanente del Barroco español,* Madrid, 1952, págs. 29 a 34. Figura a la cabeza de este volumen.

la tradición y la innovación es tema que ha de resolverse por medio de la inteligencia» [13]. El Barroco nace a impulsos de necesidades vitales y anímicas, por exigencias expresivas de la realidad y de la vida, de la inquietud y lucha interior; y aunque, confundido en su arranque con los recursos expresivos del Manierismo, los utiliza y vitaliza, sustanciándolos de acuerdo con esos ímpetus de espíritu y vida. Y aunque llegue también a ser consciente y racional en el templo de sus recursos —incluso de lo que es pura fórmula o clisé hecho— y cuente con ellos para producir sus efectos de sorpresa —en forma que pudiéramos hablar de manierismo de lo Barroco en el arte y poesía del siglo XVIII—, sin embargo, el impulso de lo irracional, y en consecuencia la valoración de lo sensorial, será algo esencial tanto en poesía como en pintura, lo que no cuenta decididamente para la obra artística del Manierismo. Pensemos en la función esencial que desempeña el color en el arte barroco.

Por lo dicho se explica no pueda hablarse con exactitud de una cultura ni de una época del Manierismo, mientras que con toda propiedad nos referimos a la época y la cultura del Barroco. Aquél afecta a las artes y a las letras; éste a la vida, a la sociedad, al pensamiento, y, así, su realización en arte y letras es también la expresión de una época, de una sociedad, como mantiene Tapié [14].

Se comprende por lo dicho cómo el arte manierista no pudo ser el arte de la Contrarreforma; o, mejor dicho, pudo serlo sólo en su aspecto negativo, limitando los temas o rectificando la forma de representarlos. Porque ese movimiento exigía expresar no las preocupaciones estéticas, técnicas o estilísticas, sino lo que afectaba al hombre, como tal hombre, a su vida espiritual y sentimental, a su religiosidad. En consecuencia, era necesario hablar no a la inteligencia, sino a los sentidos; aunque procurase atraer y convencer, pero no por la vía de la lógica y el razonamiento, sino impresionando la imaginación, conmoviendo sensorial y sentimentalmente. Y éste fue el camino que de una manera, en parte, espontánea, y, en parte, reflexiva —y también por responder a una actitud de tradición medieval— buscaron y siguieron nuestros escritores ascéticos y místicos [15].

---

[13] Arnold Hauser: *Historia social de la Literatura y el Arte,* Madrid, s. a., tomo II, pág. 503.

[14] Víctor L. Tapié: *Baroque et classicisme,* París, 1957.

[15] En nuestro citado ensayo, *De lo aparente a lo profundo,* destacábamos —porque no se valora en el gran libro de Mâle, *L'Art religieux de la fin du XVIIe siècle et du XVIIIe siècle,* París, 1951—

Esa falta de espontaneidad y vida en la representación de la imagen es lo que —aparte las desnudeces— censuraba por primera vez Gilio, en sus citados *Diálogos,* en los artistas manieristas: el presentar unas figuras con actitudes forzadas —«pareciéndoles un gran hecho el torcerles la cabeza, los brazos, las piernas»— más con la apariencia de estar haciendo gestos que expresando espontáneamente su estado de contemplación [16]. Ahí, en ese aspecto formal está para nosotros la más clara distinción de las formas movidas y complicadas de la imagen y del cuadro manierista y las que ofrecen la escultura y la pintura barrocas. En el primer caso son figuras puestas, colocadas en posturas difíciles y retorcidas de las que ellas mismas parecen ser conscientes; mientras que el artista barroco nos da la sensación de haber sorprendido una escena ofreciéndonos la figura en movimiento, ya tranquilo, ya violento y apasionado. El escritor ascético cuando pinta algún paso de la Pasión para meditar, aunque, en parte, su visión responda a la contemplación de concretas imágenes y tablas —pues gustan de ellas y las usan con este fin, comenzando por el propio San Ignacio—, procede en general con la espontaneidad y vivacidad de una concepción realista análoga a la del pintor o imaginero barroco.

Además de lo dicho, podríamos anotar aquí lo que ya recordó Weisbach: «El elemento que contribuyó esencialmente a profundizar y sensibilizar la devoción de la Contrarreforma, que

---

un acuerdo del Concilio, correspondiente a la sesión XXV que, precisamente, por no ser negativo, de limitación ni prohibición, supone un positivo impulso o exigencia que tenía que favorecer en el arte el desarrollo de nuevos medios expresivos de carácter barroco. Comentando el texto de las actas, decíamos: «E aquí la esencial misión que confía al artista Trento...: Quiere que por medio de las imágenes y pinturas no sólo se *instruya y confirme* al pueblo, *recordándole los artículos de la fe,* sino, además, moverle a la gratitud ante el milagro y beneficios recibidos, ofrecerle el ejemplo a seguir y, sobre todo, *excitarle a adorar y aun amar a Dios.* Esta aspiración había de forzar al artista en todos sus recursos expresivos: con su obra tiene que hablar al intelecto, herir el sentimiento, mover la voluntad y hasta sugerir lo sobrenatural.» *Ob. cit.,* pág. 21, núm. 26, donde se copia el texto latino correspondiente. En dicho ensayo se hace un más amplio comentario de este aspecto de las relaciones de religiosidad y arte. En cuanto a la relación de religiosidad mística y poesía, puede verse nuestro libro *Poesía y Mística. Introducción a la lírica de San Juan de la Cruz,* Madrid, 1959.

[16] Dice Gilio: «... essi anteponendo l'arte al honestà, lasciando l'uso di far le figura vestite l'hanno fatte, e le fanno nude, lasciando l'uso di farle devote l'hanno fatte sforzate, parendoli gran fatto di torcerli il capo, le braccia, le gambe, e parer che, piú tosto rappresentino chi fa le moresche, e gli atti che chi sta in contemplazione». *Ob. cit.,* pág. 121.

influyó en toda la vida espiritual y proporcionó fuerte incentivo a la fantasía religiosa fue la mística, con el matiz que recibió en el siglo XVI, fruto también como el jesuitismo, del espíritu español... Estos místicos contribuyeron consciente o inconscientemente a dar al movimiento religioso de la Contrarreforma una definida y enérgica dirección»[17].

En lo que no insiste el gran crítico alemán es en cómo estos místicos y ascéticos en sus escritos y en el sentido y método de sus meditaciones, llegaron a ofrecer una visión de la escena religiosa animada del mismo sentido realista y la misma emoción comunicativa que alienta en la imagen y en el cuadro religioso seiscentista, acudiendo así a unos recursos expresivos, valorativos de lo sensorial, análogos a los que empleará el artista y el escritor de la época barroca.

La relación de los místicos y el arte barroco en lo que tiene de influjo de la espiritualidad por ellos creada —y con ellos expresada y encauzada en relación con un ambiente general— no es lo que ahora queremos especialmente destacar. Tampoco vamos a detenernos en la relación que supone el que sea la época del Barroco el momento a que corresponde la exaltación a los altares de muchos de estos místicos y ascetas —escritores en gran parte— que alcanzan la altura de la santidad. San Ignacio, Santa Teresa, San Francisco Javier, San Juan de Dios, San Juan de la Cruz, San Francisco de Borja, se convierten, entre otros, en figuras de la nueva iconografía religiosa de la época, con rasgos que se propagan y quedan fijados como definitivos para el arte de la posteridad. Pensemos, como casos egregios —para no hablar de la imaginería y pintura española— en las representaciones de San Ignacio debidas a Rubens o en la extraordinaria representación de Santa Teresa debida a Bernini. Todas estas creaciones vinieron a impulsar a los artistas hacia una concepción de la escena con un sentido de contraste y aproximación a la realidad mucho más fuerte que el que podían ofrecer las representaciones de figuras que quedaban lejanas en el tiempo. Era necesario presentar estos nuevos santos en un ambiente próximo, contemporáneo, como la realidad que rodeaba al mismo devoto que lo contemplaba y rezaba a sus pies. Sin querer el artista tenía que acudir a elementos que daban al cuadro un poder y emoción de viva realidad comunicativa, con el consiguiente contraste a que forzaba de unir a ellos, a esos santos, la figura o el hecho extraordinario y sobrenatural.

---

[17] *Ob. cit.,* pág. 69.

Lo anticlásico y barroco en la doctrina estética de San Juan de la Cruz

Aunque en la obra de San Juan de la Cruz no encontramos especialmente destacados estos rasgos, que podemos llamar prebarrocos, e incluso su temperamento le hace apartarse de muchos de los rasgos comunes a la generalidad de nuestros autores ascéticos, sin embargo, es de interés observar que, pese a su formación en el conocimiento y estudio de los clásicos, cuando reflexiona sobre el arte, descubre otro fundamento más en que apoyar este paralelismo entre la estética de los místicos y la estética del Barroco [18].

Su doctrina estética supone una valoración de lo vivo y expresivo —de lo que *mueve*— sobre la corrección y perfección formal, distinta o más bien contraria a una concepción clasicista e idealista, cual corresponde al pensamiento artístico del Renacimiento.

No creo, pues, esté en lo cierto Florisoone cuando interpreta el pensamiento de San Juan de la Cruz, emitido por el santo al hablar de las imágenes, considerándolo como una expresión del clasicismo [19]. A mi parecer, las palabras que le inducen a ello contienen precisamente un juicio negativo que nos permite afirmar como contrario el reconocimiento de una estética clasicista. Y las frases del santo que aduce como confirmación, son, a nuestro juicio, claramente demostrativas de una postura anticlásica, o, para decirlo mejor, barroca. Así lo afirmamos hace tiempo al comentar estos juicios del gran místico sobre las imágenes. Cuando éste condena y pide se le impida trabajar a los oficiales *cortos y toscos* «que hacen algunas tan mal talladas que antes quitan la devoción que la añaden», no creo que en manera alguna pueda deducirse el principio de que «la devoción ofrecida está en proporción directa con el valor estético». Precisamente lo que el santo quiere es distinguir el valor devocional o religioso del valor artístico y dando la preferencia a lo devocional, esto es, a lo expresivo, a la expresión religiosa

[18] Véanse nuestros dos ensayos últimamente citados.

[19] Michel Florisoone: *Esthétique et Mystique d'après Thérèse d'Avila et Saint Jean de la Croix,* París, 1956, pág. 154 y ss.

con ese sentido comunicativo que busca la imaginería barroca. Esto se deduce de las palabras que anteceden en el citado texto de la *Subida del Monte Carmelo,* por lo que conviene recogerlo completo: «El uso de las imágenes para dos principales fines lo ordenó la iglesia, es a saber: para reverenciar a los santos en ellas, y para mover la voluntad y despertar la devoción por ellas a ellos. Y cuanto sirven de esto, son provechosas, y el uso de ellas necesario; y por eso, las que más al propio y vivo están sacadas, y más mueven la voluntad a devoción, se han de escoger, poniendo los ojos en ésta más que en el valor y curiosidad de la hechura y su ornato.» (Lib. 3.º, CXXXV). Ante el hecho de *escoger las que más al propio y vivo están sacadas y más mueven la voluntad a devoción,* no creo pueda pensarse que se descubre con ello *como uno de los promotores del clasicismo.* Un escultor clasicista hubiera preferido lo que él rebaja: «El valor y curiosidad de la hechura y su ornato.» Esto es, lo que se refiere a la corrección y perfección formal.

El pensamiento se aclara y completa con sus opiniones sobre el estilo del predicador. «Poco importa —afirma— oír una música sonar mejor que otra, si no me mueve más ésta que aquélla a hacer obras» [20]. Reconoce, pues, la existencia de un valor, superior estéticamente, algo más perfecto, mejor; pero que pierde a su juicio en cuanto no *mueve* más a devoción. Una prueba de hecho la tenemos en haber preferido la versión a lo divino de los versos de Garcilaso, hecha por Sebastián de Córdoba, a la obra auténtica y perfecta original.

Por otra parte, lo que nos queda como muestra de su creación artística, su pequeño dibujo del Crucificado, es una confirmación de ese anteponer el valor emocional y expresivo al equilibrio y corrección formal. Es la patente demostración de qué entendía por *sacar más al propio y vivo.* Es el traslado de una visión que para él constituyó algo plenamente vivo y real. No se trata de un Cristo en actitud rebuscada, en postura difícil como gusta de presentar la figura el pintor manierista. Representa a Cristo en el momento de expirar, caído sobre las piernas, que se flexionan violentamente, con los brazos descoyuntados en la tensión extrema de pender de ellos y cubierto el rostro con una enorme melena caída. Es, ante todo, una visión impresionante y conmovedora. El punto de vista escorzado, desde arriba —responde a la efectiva visión experimentada, de contemplarlo sobre el altar desde una ventana del presbiterio— re-

---

[20] *Ob. cit.,* lib. 3, cap. XLV, párrafo 5.

fuerza esa impresión de figura descoyuntada y pendiente de la cruz.

Es verdad que no deja de tener cierta relación con las imágenes contorsionadas que un Berruguete y un Juni tallan en el siglo XVI; pero no olvidemos que en el dramatismo y violencia expresiva del arte de esos escultores no todo es explicable por el Manierismo. Precisamente en esa semejanza debemos ver una razón más profunda característica de lo español, especialmente extremada ante el tema religioso. Algún recuerdo puede también acudir de visiones de la pintura gótica flamenca del siglo XV, que como sabemos tan profundamente fue gustada por la sensibilidad española. Ello es abundar también en lo anticlásico de la visión de San Juan de la Cruz. Cualquiera que viera ese dibujo por primera vez no creo pensara, observando sus rasgos más expresivos, que se trataba de una obra del siglo XVI. Tendería a situarlo dentro del período del Barroco.

Por otra parte, no dejemos de observar que, aunque la orientación de su doctrina no sea la de la meditación realista, sin embargo, supone la valoración de lo plástico y figurativo, buscando el estímulo del sentido visual y el recreo, con los símiles y comparaciones, con todo el mundo, de la naturaleza visible y concreta. Por cierto que son interesantes —por reflejar la propia experiencia de sus años juveniles de trabajo en un taller de escultor y pintor— las comparaciones que hace con respecto al arte de tallar y pintar las imágenes.

La religiosidad exaltada y su necesaria expresión en el estilo Barroco

No es extraño que unos escritores religiosos que concibieron su creación artística, no como una finalidad en sí, sino como una necesidad expresiva de desbordamiento del alma o de apasionado impulso de caridad para guiar en la vida espiritual, esto es, anteponiendo la vida y la religiosidad al arte, se encaminen en su orientación estética hacia una doctrina de sentido anticlásico, de desequilibrio entre lo formal y lo espiritual expresivo [21].

Cuando el genio de Miguel Ángel subordinó su ideal artís-

[21] Véase nuestro ensayo citado, *De lo aparente a lo profundo,* en *Temas del Barroco,* pág. 25 y ss.

tico, de búsqueda de belleza, a un ideal religioso, y quiso conmover presentando a la contemplación y consideración del mundo cristiano el hecho decisivo e inevitable del Juicio Universal, dio el paso más radical y violento hacia el estilo barroco que presenta la historia del arte en el siglo XVI [22]. Era la negación de la idea de belleza que alentó todo el Renacimiento. Como muy bien afirmaba Hauser, es «la primera creación artística de la época moderna que no es bella y que apunta a aquellas obras de arte de la Edad Media que aún no son hermosas, sino sólo expresivas» [23]. El artista ofreció en aquel gran muro como viva realidad que está sucediendo —y en la que todos nosotros hemos de tomar parte— el terrible momento del Juicio, con las mismas llamadas al espectador y con los mismos rasgos impresionantes con que lo pintaban hacia las mismas fechas nuestros escritores ascéticos. Era una meditación hecha realidad visible hablando o, mejor dicho, gritando a los ojos con voz atronadora cual una predicación que suena y retumba en nosotros como la voz de un gigante. La intención extra-artística, o mejor supra-artística y religiosa, le llevó a lo Barroco. Sus recursos son los mismos que los que literariamente emplea un fray Luis de Granada en la meditación del Juicio Final. Hemos destacado este caso genial de expresión de religiosidad exaltada, porque creemos descubre bien la relación necesaria en que se encuentra un fuerte sentimiento religioso y una expresión de formas y sentido barroco [24].

Los recursos estilísticos de nuestros escritores ascéticos y místicos habían de anticipare necesariamente a los rasgos del estilo que entraña la exaltación de lo anímico y vital, del movimiento y expresividad. Hay también un paralelismo de fondo en el sentido de desequilibrio y exaltación con que se nos ofrece la expresión artística barroca y la expresión literaria del místico. La relación entre el estado natural del alma cuando se desarrolla o vive dentro de las vías o medios ordinarios y el estado del alma cuando, fuera de sí, camina en la vida espiritual impulsada por favores o medios extraordinarios, es equivalente a la rela-

---

[22] Véase nuestro ensayo, «Barroquismo y religiosidad en el *Juicio final* de Miguel Ángel», en *Revista de ideas estéticas,* Madrid, 1963.

[23] *Ob. cit.,* vol. cit., pág. 531.

[24] Ultimamos ahora para su publicación un ensayo sobre «Barroquismo y religiosidad en el *Juicio final* de Miguel Ángel». [Aparecido en *Revista de ideas estéticas,* Madrid, 1963.] Una exposición condensada de este ensayo puede verse en nuestro artículo *El «Juicio final» de Miguel Ángel, gran sermón barroco,* en revista *Goya,* núms. 74-75, Madrid, 1966.

ción entre el estado de las formas claras, ordenadas y naturales, con que se nos ofrecen en el clasicismo renacentista, y el estado de desbordamiento, complicación y agitación con que se ofrecen en la obra barroca. Por eso no es extraño que el símil empleado por un gran teórico y experimentado de la mística, venga a coincidir con el utilizado espontáneamente por un agudo teorizante del Barroco. Fray Francisco de Osuna, para expresar en su *Tercer Abecedario Espiritual* el estado de supremo goce del alma que con el favor de la gracia alcanza la ansiada unión, toma como motivo el de una «vasija que contiene agua u otro licor, el cual, prendiendo fuego, se calienta en el vaso do está; empero, cuando hierve y bulle, parece en alguna manera no caber en sí, más exceder a sí mismo el licor que antes estaba seguro y ser llevado sobre sí por la virtud del calor. Así, el alma... cuando concibe el espíritu del amor con fervor del corazón, en alguna manera sale de sí misma, saltando de sí o volando sobre sí» [25].

Wölfflin, ante la necesidad expresiva de precisar lo esencial de la relación morfológica entre el Renacimiento y el Barroco, recurrirá a la misma comparación: «Si queremos tener idea clara —nos dice— de la evolución de un fenómeno elemental, podemos representarnos el espectáculo de una vasija llena de agua que empieza a hervir. Antes y despues del hervor el elemento es el mismo; pero el elemento en reposo ha venido a ser elemento movido, y lo definible, indefinible. Sólo en este último estado quiere el Barroco reconocer lo viviente» [26].

La expresión del místico habrá de estar siempre más de acuerdo con un sentido barroco que con un sentido clasicista, tanto cuando con sus palabras quiera sólo expresar lo interior e inefable como cuando con una orientación, diríamos práctica y reflexiva, quiera enseñar una doctrina espiritual y despertar o comunicar un estado de emoción religiosa.

---

[25] *Tercera parte del libro llamado Abecedario spiritual.* Agora, nuevamente impreso et corregido... Burgos, 1544, folios 52 y 53.

[26] *Conceptos fundamentales en la Historia del Arte,* Madrid, 1924, página 69.

La actitud del místico ante la realidad y su intencionalidad y medios expresivos

Entre esos rasgos paralelos a lo barroco en general, podemos señalar en todos ellos una tendencia a lo plástico y figurativo, a lo descriptivo y pictórico, ya por la descripción en sí —aunque no sea puro fin lo material—, ya como elemento de comparación. Tanto el místico como el escritor ascético se encuentran ante la necesidad de valorar lo real y sensible y, en consecuencia, de utilizarlo o trasladarlo a sus escritos, ya como expresión de lo que ello tiene de medio, signo o huella, ya para aclarar el sentido de lo espiritual, ya para erigirlo en símbolo de su doctrina. Al escritor ascético le es necesaria la representación de lo espiritual y sobrenatural a través de lo humano y sensible; tiene que actuar dando preferencia a la vía de los sentidos. Su obra tiende, más que a enseñar a través de lo discursivo y lógico, a conmover el sentimiento, a comunicar la emoción. Siguen, pues, en lo esencial la misma orientación del artista barroco. Este coincidir, pues, de la estética de los místicos y la estética del Barroco se refiere a los más varios aspectos: abarca la temática, la concepción del espacio y el punto de vista, y el sentido de la realidad y de la expresión artística.

Si el Barroco entraña la penetración de la vida y de la realidad toda en el arte, será lógica consecuencia el amor hacia esa realidad y el afán por observarla y representar su vivir. De aquí que, aunque precisamente el pintor y el poeta barroco sientan y expresen agudamente el sentimiento de desengaño y desilusión ante lo transitorio y fugaz de esa realidad, sin embargo la buscan, se aproximan y la gozan con fruición sensorial y sensual. Pero, como decíamos hace años, de esta desconfianza y desengaño «no viene la negación de la realidad, sino, al contrario, su más intenso y apresurado goce, aunque lo sombree la melancolía de saber su fugacidad, o el detenerse aún más ante ella, para... trascendiéndola, descubrir en su concretez y finitud la presencia de lo espiritual e infinito» [27]. De aquí ese doble movimiento del alma barroca, que más de un crítico ha tenido que sub-

[27] Ensayo cit. en *ob. cit.,* pág. 51.

rayar; de aproximación sensual hacia el mundo y de huida ascética de él. Y también se ha hablado del impulso o movimiento horizontal hacia lo que nos rodea y de impulso vertical ascendente, de trascendencia de lo humano y lo terreno.

La principal consecuencia estética en cuanto a la actitud ante la realidad es el cambio del punto de vista: la aproximación a los seres y a las cosas, esto es, al asunto o tema de la obra de arte. Ello hace que en la pintura lo que fue simple detalle o parte secundaria —que en el gran maestro incluso lo cedía o encargaba al trabajo del taller— se convierta en tema independiente, en protagonista. Así surgen y se prodigan no sólo los cuadros de medias figuras, bustos y cabezas, cual corresponde a una visión próxima, sino además, los que tienen como asunto el mundo de lo inanimado y de lo artificial, el cuadro de flores y el bodegón, géneros que adquieren su plena categoría estética en la época del Barroco.

También la poesía se detendrá morosamente en estos temas, cantando o describiendo flores, árboles y obras de arte y descendiendo por igual al mundo de lo humilde de la naturaleza, en auténticos bodegones poéticos, desde la rápida caracterización plástica hasta la abrumada y amontonada visión de elementos que nos impresionan como un bodegón flamenco.

Esa valoración de la realidad, como ese deseo de contemplarla de cerca y describirla detallada y morosamente, es consecuencia, pues, en el fondo, de un general sentimiento de la transitoriedad y continuo fluir del tiempo que informa a su vez la nueva concepción y modelación del espacio, sentido y visto como un fluir o continuidad.

El sentido de continuidad espacial en el Barroco: la expresión desbordante y comunicativa

El Barroco concibe en general la obra de arte no como algo aislado e independiente, sino enlazándose clara y sutilmente con el medio ambiente y, sobre todo, con el contemplador; inmersa en un espacio continuo, conforme con esa visión de lejanías a la que aspira la pintura, que se puede dar como la expresión materializada del sentimiento del paso del tiempo; es, como se ha dicho, el *tiempo solidificado.* La reunión o síntesis de las artes será un medio más para buscar esos enlaces espaciales, ese envolver al contemplador y ese envolver la obra en el ambiente. Esa fusión o enlace con el paisaje viene a reforzar esa otra impresión que nos produce el monumento barroco de sentirnos enlazados con él, aunque sea a veces —e intencionadamente— para determinar en nosotros el asombro al comprobar nuestra pequeñez e insignificancia en medio de la grandeza de un conjunto. La importancia y riqueza de fachadas, portadas, rejas, cancelas y escaleras en los edificios de esta época es bien significativa y expresiva; no sólo se construyen escaleras complicadas y movidas, sino que incluso se le agregan a edificios ya existentes. Se trata de dar importancia a la entrada, valorando los elementos de acceso o enlace que piden nuestros pasos y nuestro pasar, testimoniando esa fusión y enlace del ámbito espacial del edificio con el correspondiente al espectador. En último término podríamos decir, en general, de la obra barroca que llega a cobrar su pleno sentido expresivo, contando con el espectador como elemento o término vivo de la composición [28]. Lógicamente, la arquitectura en su momento exaltado llegará a la concepción teatral, esto es, a una visión que no tendría sentido de no contar con los espectadores. Y no es extraño que el teatro se desarrolle especialmente en esta época y se ofrezca con unos caracteres que permite considerarlo como el *protoarte* del Barroco. La escena busca borrar los límites entre la ficción y la realidad [29]. El desarrollo del soliloquio y del aparte en el teatro calderoniano es una muestra de esa tendencia desbordante de la escena que tiende a comunicar el conflicto dramático directa-

---

[28] Véase nuestro ensayo, *Sobre el punto de vista en el Barroco,* en *ob. cit.,* pág. 1, y *Un aspecto del barroquismo de Velázquez,* en *Varia velazqueña,* Madrid, 1960. [Este ensayo, con adiciones y otros dos trabajos posteriores se incluyen en el libro *El Barroquismo de Velázquez,* Madrid, ed. Rialp, 1965.] Los puntos centrales que aquí desarrollamos fueron expuestos en una comunicación presentada en los *Coloquios internacionales* de Coimbra, celebrados en 1958, y que estuvieron dedicados al estudio del concepto del Barroco. [Sobre el aspecto de la temática, véase nuestro ensayo, *Evolución de la temática en las Artes.* En Tercer programa. Ensayo. Arte. Ciencia, núm. 13, Madrid, 1969, páginas 67-94.]

[29] Véase Hans Tintelnot: *Annotationi sull'importanza della festa teatrale per la vita artistica e dinastica nel Barocco,* en «Retorica e Barocco». Atti del III Congresso Internazionale di Studi Umanistici (1954), Roma, 1955, págs. 233-244, y nuestro artículo de inmediata publicación: «Teatro y Barroco (Notas para un ensayo)», en *Temas de Lope de Vega,* Miscelánea literaria, *Homenaje a Lope de Vega Carpio,* Granada (1962). [Estas ideas se desarrollan en nuestro libro *El Teatro y la Teatralidad del Barroco,* Barcelona, ed. Planeta, 1969.]

mente al espectador. Así lo expresó ya Lope de Vega en su *Arte nuevo de hacer comedias.*

También el surgir en España como nuevo género típicamente barroco el de la novela picaresca, es otra muestra del sentido estético paralelo que ofrece en cuanto a la expresión. Es la forma autobiográfica, esto es, la expresión directa del protagonista que cuenta al lector su vida y, asimismo, le manifiesta sus inquietudes y le hace reflexionar, a veces con advertencias moralizadoras recogidas de la literatura ascética como ocurre en el *Guzmán de Alfarache* de Mateo Alemán.

También buscará a veces esta forma y recurso expresivo la poesía religiosa de ese período, cuando no ofrece asimismo el carácter de verdadera oración que el lector ha de leer como su propia expresión. De la misma manera que algunos escritores ascéticos de comienzos del Barroco parten de las descripciones realistas de vigoroso plasticismo de los tratadistas franciscanos y de fray Luis de Granada para desarrollarlas, ahondando en detalles impresionantes, para conmover aún más, sensorialmente, en el mayor desbordamiento de aproximación y comunicación, del mismo modo la poesía religiosa del Barroco desarrollará con igual sentido la intención edificante conmovedora, extraestética, perseguida por el escritor ascético. Lope de Vega, en sus *Romances* de Pasión, llega a extremar ese recurso y forma expresiva, precisamente movido por un doble impulso: su visión de poeta-pintor barroco que tiende a lo plástico, y su intención de escritor ascético que sigue una tradición literaria, que —incluso con una inspiración directa en ella— buscaba el impresionar vivamente en una comunicación inmediata que quiere ponernos ante la escena que describe para que la consideremos o contemplemos en todos sus detalles. Por otra parte, la misma tradición del romance le ofrecía una tendencia, expresa unas veces, y otras latente, a valorar el elemento visual y a comunicar la sensación de lo inmediato y directo. Esas llamadas al alma para que considere una escena, se avivan e intensifican insistentemente en los romances dedicados al *poner y al clavar* a Cristo en la cruz. Son precisamente los pasajes de más fuerte emoción y realismo los que interesaba destacar para conmover más hondamente. Así, el momento, escalofriante en su morosidad, de clavarle las manos —donde recuerda tratados ascéticos al mismo tiempo que algún auto de pasión de tradición medieval— lo aprovecha para una de estas llamadas:

Con una soga doblada
atan la mano derecha
del que a desatar venía
tantos esclavos con ella.
De su delicado brazo
tiran juntos con tal fuerza
que todas las coyunturas
le desencajan y quiebran.
Alma, lleguemos ahora
en coyuntura tan buena,
que no la hallamos mejor
aunque está Cristo sin ellas.

Al final de este romance subrayará, incluso con su palabra, esta intención de hacernos parar la vista en lo que sucede:

Poner los ojos en Cristo,
alma, este tiempo que os queda
y con la Virgen María
estad a su muerte atenta.

Este caso del *Romancero* de Lope lo creemos especialmente expresivo porque une un sentimiento y visión de época con el concreto influjo de una corriente literaria ascético-moral.

Recordemos que ese sentido comunicativo de la expresión, esa llamada y exhortación al lector o al auditorio, lo había del mismo modo buscado y alcanzado la poesía moralizadora en los fines de la Edad Media y aún antes en los libros ascéticos, como la ya citada *Contemplación de la vida de Cristo,* atribuida a San Buenaventura, que, como dijimos, pesa en las meditaciones realistas de nuestros escritores franciscanos, iniciadores de nuestra literatura mística. En la poesía del siglo XV, sobre todo, las consideraciones ascéticas en torno al tema de la muerte se habían expresado en este tono de admonición o llamada. Basta recordar los ejemplos que se inician con el *decir* de fray Migir a la muerte del rey don Enrique el Doliente, y tras el acierto magistral del atribuido a Ferrant Sánchez de Talavera se cierra con el logro perfecto y definitivo de la coplas de Jorge Manrique [30]. Las llamadas y preguntas del Rey Doliente desde su ataúd son una muestra ya de esa tendencia a impresionar directa y sensorialmente, que busca el escritor ascético y, asimismo, el artista barroco. Aún más intensa y plástica en su expresión es la

[30] *Cancionero de Baena,* ed. 1851, composiciones núms. 38 y 530.

voz de Ferrant Sánchez de Talavera. Recordemos la más expresiva de sus estrofas:

> Todos aquestos que aquí son nombrados,
> Los unos son fechos, çeniza é nada,
> Los otros son huesos, la carne quitada,
> E son derramados por los fonsados;
> Los otros están ya descoyuntados,
> Cabeças syn cuerpos, syn pies é syn manos;
> Los otros comiençan comer los gusanos,
> Los otros acaban de ser enterrados.

Estos recursos que emplea Talavera para buscar la comunicación directa con los sentidos e imaginación y repercutir con fuerza en el alma del oyente, a fin de hacerle considerar y contemplar el horror de la realidad de la muerte, sólo tiene equivalencia en la pintura exaltadamente barroca de un Valdés Leal. Incluso la gradación con que pinta el cuadro macabro, desde *los cadáveres que acaban de ser enterrados* hasta los que son *ceniza y nada* —pasando por los que *son huesos, la carne quitada* y los que *están ya descoyuntados*—, responde al mismo sentido plástico compositivo de la obra del pintor barroco. Como en este caso, se llama al contemplador para impresionarle sensorialmente y hacerle sentirse como incorporado —en espera—, cual término vivo de la composición [31]. Si Valdés Leal presenta en primer término unos cadáveres en descomposición, tras de ellos otro reducido al esqueleto y tras de éste un montón de huesos que se pierde en la sombra, el poeta del siglo XV compone igualmente su cuadro macabro, siguiendo esa gradación temporal de progresiva descomposición hasta la ceniza y la nada. El alma que escucha o contempla es el elemento o término vivo con que se cierra el sentido de la composición.

No olvidemos cómo Góngora, en la misma visión moralizadora del deshacerse de toda humana belleza, procura —también en llamada directa, de segunda persona, que repercute en el lector—, con su maestría verbal, sugerir el mismo efecto con las ideas, con las sensaciones y con la pura materialidad de los sonidos. Nos referimos al último verso de su famoso soneto *Mientras por competir con tu cabello,* tan unido a los modelos re-

---

[31] Véase nuestro ensayo citado *Sobre el punto de vista en el Barroco.* [Otros aspectos de este desbordamiento expresivo e incorporación del espectador a la obra de arte lo consideramos en nuestro libro, *El Teatro y la teatralidad del Barroco,* Barcelona, 1969.]

nacentistas, en los que se repiten los temas del «Collige virgo rosas», invitando al goce de la belleza y de la juventud. El tema se quiebra en él —apartándose de Garcilaso y del más cercano modelo del Tasso, *Mentre che l'auro crin v'ondegia intorno*— para valorar en contraste con la desbordante belleza sensorial, sugerida con las metáforas *oro, lirio, clavel, cristal luciente,* la grave fuerza de la realidad destructora, oscura y sombría de la muerte, contenida en la gradación: *en tierra, en humo, en polvo, en sombra, en nada.* Subrayemos cómo en este actuar sensorialmente con el refuerzo de los elementos materiales del verso, Góngora contrapone al verso plurimembre, *oro, lirio, clavel, cristal luciente* —en el que las realidades nombradas se aíslan en su misma sonoridad como bellas cosas independientes que nos impresionan la vista con su luminosidad y color— el verso final correlativo en que, por el contrario, las palabras —con sonidos cerrados que sugieren oscuridad—, se unen en insistente sinalefa con la preposición siguiente, de tal forma que viene a sugerirnos, no ya sólo por la gradación de las realidades que representa y por los sonidos aislados de cada una, desde *tierra,* con articulación que suscita la idea de concretez y dureza, hasta *nada,* abierta y deshecha —y más en un andaluz— en su sonoridad, el continuo y progresivo deshacerse, cual si una sola materia fuese cambiando hasta llegar a ser nada.

Aunque toda esa poesía medieval aludida responde a la estética de un momento que podemos llamar barroco de la Edad Media, sin embargo, en general, no llega muchas veces a la plena fuerza expresiva de la comunicación directa con el yo del lector o contemplador. A veces se expresa con la imprecisión de la tercera persona o la interrogación indeterminada. Claro es que la forma de primera persona del plural, más obligada del moralista, se prefiere también haciendo igualmente que nos unamos al autor en sus reflexiones y consideraciones.

Si consideramos la escultura barroca, igualmente sorprenderemos esos rasgos de desbordamiento formal y expresivo. La imaginería se hace exenta, surge la imagen procesional invadiendo y confundiéndose en el mismo espacio en que se mueve el contemplador. Porque no sólo las figuras se agitan desbordantes e impetuosas en el retablo, rebasando y saliendo de sus nichos y encuadramientos, esto es, renunciando a su ámbito espacial para penetrar en el nuestro. No es sólo que la imagen del Crucificado descienda desde lo alto del retablo para acercarse al fiel y entablar con él su íntimo coloquio, como en el famoso Cristo de Montañés —que según se estipuló en el contrato había de representarse como si estuviese mirando y hablando con la persona que se hallase orando a sus pies—; es, además, el surgir del paso de procesión, del grupo escultórico con figuras en acción, que desfila y se mueve entre la masa de fieles. Y es, como expresión suma, la aparición de esos ángeles que ascienden, se reclinan o revolotean por los retablos y, más aún, que vuelan hacia el altar o hacia el centro de la nave, lanzados por el más violento ímpetu que revuelve telas y cabelleras, portando lámparas o faroles cual si realmente fueran bellos seres que pueblan ese mismo aire que respiramos nosotros.

El hecho de que en la escultura española del siglo XVI encontremos muestras de esa expresividad comunicativa es una prueba no sólo de supervivencia medieval, sino también de la íntima relación con el ambiente religioso en el que se crea la imagen de devoción. Así se realiza ya a veces la directa llamada al alma del contemplador para que considere alguno de los más emocionantes pasos de la Pasión de Cristo. Como se desarrollará en el siglo XVII, se busca el acompañamiento o refuerzo de lo literario, en un ansia de darle palabras al grupo escultórico cual si fuese una representación dramática. El *Cristo tendido* de la catedral de Toledo, esto es, la representación de las Angustias de María, con el acompañamiento de San Juan, Nicodemus, Arimatea y las Tres Marías —obra de comienzos del siglo XVI, quizá de Copin de Holanda—, es una expresiva muestra de ese sentido desbordante, comunicativo, en la representación de la escena de Pasión. El impresionante grupo —colocado, además, a una altura que lo sitúa próximo al contemplador—, hace la llamada concreta al devoto que pasa con una cartela que sostiene un ángel, donde se lee:

> Tú que pasas, mírame;
> contempla un poco en mis llagas
> y verás qué mal me pagas
> la sangre que derramé [32].

La pintura barroca llevará a su extremo, con sus posibilidades de ficción, este ansia de desbordamiento y enlace con el espectador, haciendo aparecer el plano del lienzo como un ámbito abierto que el marco encuadra, como si fuese una ventana o puerta que une con el ámbito espacial en el que se encuentra quien lo mira, pues no es la llamada hacia el espacio irreal que

---

[32] Véase Ángel Vegue y Goldoni: *Temas de Arte y de Literatura,* Madrid, 1928, pág. 45 y ss.

nos ofrece el cuadro manierista, donde las figuras parece tienen conciencia de lo que hacen para llamar nuestra atención.

Velázquez, precisamente, ofrecerá la extrema realización de ese ideal barroco —aspirando a que el cuadro no sea cuadro— haciendo que la realidad existente en el plano anterior al lienzo esté incorporada al cuadro como si sus personajes tuvieran conciencia de que hay alguien que está en ese plano del contemplador [33]. Son cuadros que, como tal abertura, nos ofrecen la posibilidad o impulso a penetrar en ellos, al mismo tiempo que nos dan la sensación de que sus personajes pueden salir y acercarse a nosotros. Los espejos, en lo cuadros *Cristo en casa de Marta* y *Las Meninas,* reflejando lo que queda en ese plano o ámbito de delante del lienzo, son un elemento que refuerza hasta el extremo ese enlace con el contemplador. Las figuras que nos miran e incluso llaman la atención, constituyen importantes medios de enlace que nos obligan a sentirnos interesados o llamados no sólo a ser testigos, sino incluso, a contestar o intervenir en lo que está sucediendo. La concepción realista y el sentido de momento sorprendido, cual visión de instantánea, que predomina en la pintura de esa época, se refuerza y repercute más hondamente sobre nosotros con esa expresión de tendencia comunicativa.

No solamente se acudirá al gesto, movimiento y miradas de los personajes del cuadro para llamar la atención. Recordemos aquí cómo la pintura barroca, especialmente la religiosa moralizadora, busca incluso como un medio más de comunicarse con el espectador, la llamada a través de una inscripción o cartela cual si se tratase del complemento y refuerzo de la expresión hablada. Dejando aparte los innumerables casos de obras ocasionales que se incluían en la decoración de túmulos o catafalcos, en altares y arcos triunfales levantados para desfiles, procesiones y actos solemnes —como en las canonizaciones y beatificaciones de santos—, pensemos en obras extremas de la tendencia moralizadora y devocional, como son los lienzos de las postrimerías de Valdés Leal y aún antes, en algunos otros como aquel de Roelas —que existió en el Real Monasterio de la Encarnación de Madrid— que representaba «un Christo azotado en carnes, muy llagado, con las manos atadas, echado en el suelo, con un ángel y un alma al lado de la columna y que en lo

[33] Véase nuestro ensayo ya citado y el que lo complementa: «La función compositiva del color en la pintura de Velázquez», *Revista de ideas estéticas,* Madrid, 1961. [Incluidos en el libro citado, *El Barroquismo de Velázquez.]*

alto tenía un letrero que decía: «Alma, duélete de mí / que tú me pusiste así» [34]. Cuando Velázquez repita este tema, aunque sin acudir a ese complemento, lo hará con un fuerte sentido barroco de búsqueda de comunicar la emoción; de hacer al espectador cómplice o autor del estado en que se encuentra Cristo; pues es a nosotros a quien busca su mirada suplicante y no a ese alma que acerca el ángel, ya compadecida de Él. Y pensemos que cuando Velázquez acude a este recurso no sólo responde a un sentido compositivo preferido por él —según ya hemos referido— para dar fuerza de realidad a una escena sino, además, porque conoce la concreta recomendación de su maestro Pacheco —tan empapado del espíritu de la Contrarreforma—, que exactamente dice, con respecto a la forma de representar a Cristo en este caso, el que dirija su mirada al contemplador [35]. Es, pues, el sentido de la emoción comunicativa logrado por la pintura y buscado por los escritores ascéticos en fecha anterior.

También como caso extremo de la pintura que refuerza su expresión comunicativa con el contemplador por medio de las palabras escritas para hablarle no sólo con el gesto y los ojos, sino a la vez con la palabra precisa, podemos recordar la *Virgen del Anillo,* de Sánchez Cotán, el pintor ya citado, que realiza en la pintura lo que se propuso con sus libros el escritor místico y ascético. Cuadro indudablemente pintado para el convento de religiosas franciscanas de la Encarnación de Granada, donde hoy se conserva, representando a la Virgen con el Niño en los brazos que está ofreciendo al espectador un anillo de bodas. Lienzo lleno de seducción y atractivo, síntesis de bellezas excitadoras y halagadoras de los sentidos, pues tras del grupo se enreda un frondoso jazminero en el que se posan varios pajarillos y en un ángulo pende una rama de naranjo. Todo refuerza la llamada del Niño que se ofrece como esposo al alma. La Madre nos mira fijamente como esperando la respuesta. Esta proyección hacia fuera, este gesto comunicativo, se refuerza con las palabras escritas junto al Niño: Veni electa mea et ponam in te tronum meum» [36].

En los bodegones —y no sólo en esas grandes composicio-

---

[34] Citado ya por Sánchez Cantón en «La espiritualidad de Velázquez», *Revista de la Universidad de Oviedo,* año IV, núms. 13 y 14, 1943. [El lienzo hemos comprobado existe todavía en el citado Monasterio.]

[35] Ver Karl Justi: *Velázquez y su siglo,* Madrid, 1953.

[36] Ver nuestro artículo «Realismo y religiosidad en la pintura de Sánchez Cotán», revista *Goya,* núm. 1, Madrid, 1954.

nes citadas de Valdés Leal donde las inscripciones *In ictu oculi* y *Finis gloriae* mundi refuerzan el sentido desbordante de la composición— de la misma manera se encuentra el recurso de la cartela o inscripción, a veces una serie de versos o composición moralizadora que se unen en sincretismo estético muy barroco, completándose mutuamente su expresividad. Un ejemplo de interés nos ofrece un bodegón de Juan Francisco Carrión (fechado en 167...), publicado no hace mucho por el profesor Ángulo [37]. Se trata de un típico *Vanitas* o *Memento mori* —con los expresivos elementos tópicos del reloj y la calavera, que nos avisan el paso del tiempo y la inevitable realidad de la muerte— en el que se nos habla no con la concisión de la frase de una cartela, sino con toda una composición poética en el metro tradicional octosilábico —el que mejor podía resonar en el oído de todos— que nos dirige el autor a los que lo contemplamos. Es una llamada al contemplador que se inicia con el grito de una interjección:

> Oh, tú, que me estás mirando,
> mira bien y vivas bien,
> que no sabes cómo, cuándo
> te verás así también.
> Mira bien con atención
> este retrato o figura,
> todo para en sepultura
> ... ...

Otro ejemplo, en lo francés, nos lo ofrece Jacques Linard en su *Vanité*: una calavera, un libro y un jarro con flores, y saliendo del libro un papel donde se lee: «Voilla comment tous noz beaux iours deviennent çe XXe ianvier 1644» [38].

Todos esos casos citados tienden a hacer que la palabra acompañe a la visión plástica para atraer a ella aún con más fuerza. Es una tendencia que vemos hacerse realidad en la oratoria ascética de ese período. Un caso expresivo dentro del siglo XVII lo ofrece el padre Honorato de Camús: «quien gigantesco, fogoso, tonante, lograba imponer durante el curso de las Misiones un silencio claustral y comparecía en el púlpito con una calavera a la cual aplicaba, según el asunto, ahora una peluca

---

[37] *Archivo Español de Arte,* t. XXXII, 1959, pág. 260.

[38] *La Nature morte de l'Antiquité a nos jours.* Catalogue par Charles Sterling, abril-junio, 1952, núm. 57, París, 1952, pág. 77 y Pl. XXII.

de médico, ahora un birrete de juez, ahora un yelmo, ahora una corona» [39].

Un estudioso de nuestra oratoria sagrada, Soria Ortega, al caracterizar la figura del gran predicador barroco fray Manuel Guerra recoge nuestra tesis de la tendencia a lo plástico y pictórico —de ese afán por la expresión viva y desbordante— y la refuerza con importantes y reveladores textos de este género que —no lo olvidemos— tan decisivo papel jugó en la vida religiosa de la época.

Aparte de que, de acuerdo con esa tendencia, los predicadores procuraban con la palabra excitar la imaginación visual, «haciendo pincel en su lengua... pintando lo que dice con colores de vocablos varios», vemos que la utilización de la imagen escultórica fue un recurso más general de lo que pensamos hoy. El predicador veía en ello el mejor medio para emocionar al auditorio. Un texto del gran orador barroco portugués, el padre Vieyra —correspondiente a un sermón de Sexagésima predicado en 1655—, es iluminador para comprender esa eficacia del complemento visual de la imagen, para conseguir emocionar en las consideraciones y meditaciones de la Pasión de Cristo:

> «... Va un predicador predicando la Pasión, llega al Pretorio de Pilato, cuenta cómo a Cristo le hicieron rey de burlas, dice que tomaron una púrpura y se la pusieron sobre los hombros, oye aquello el auditorio muy atento; dice que tejieron una corona de espinas y que se la clavaron en la cabeza óyenlo todos con la misma atención; dice más, que le ataron manos y le pusieron en ellas una caña por cetro, prosigue el mismo silencio y la misma suspensión en los oyentes. Córrese en este caso una cortina, aparece la imagen del Ecce-Homo, y veis aquí a todos postrados por tierra, veis aquí a todos herirse los pechos, aquí las lágrimas, aquí los gritos, aquí los alaridos, aquí las bofetadas... Todo lo que descubrió aquella cortina lo había ya dicho el predicador. Pues si esto entonces no hizo estruendo alguno, ¿cómo hace ahora tanto?
>
> Porque antes era Ecce-Homo oído y ahora es Ecce-Homo visto...»

Prueba de la importancia y gusto por el recurso es que el jesuita Juan Bautista Escarlo en su *Retórica Cristiana* —publicada en 1674— da normas al predicador en el capítulo 76 para cuando «se sacan en el púlpito imágenes devotas para mover a

---

[39] Fray Agustín Gemelli, O. F. M.: *El franciscanismo,* Barcelona, 1940, pág. 183.

lágrimas». En esta combinación de retórica y plástica, cita un sermón suyo predicado en Valencia en la Cuaresma de 1643, donde buscó el efecto de la más impresionante realidad presentando el Crucificado y una calavera. El sermón era sobre la muerte y, así, mostró esta calavera como si fuera la de una mujer deshonesta que había vivido con gran fama en la ciudad y salía en el púlpito «por voluntad de Dios». Como vemos, para conmover más en la visión realista comunicativa, procuraba remover en el recuerdo de cada cual haciéndole pensar en la imagen de aquella conocida mujer mientras les hacía mirar la calavera.

También recuerda el citado profesor sermones del padre Guerra que claramente nos muestran eran desarrollados como comentarios vivos a imágenes que se iban presentando a la consideración de los fieles [40].

En el fondo de esa manera de predicar, enlazando la palabra y la imagen escultórica, se descubre la tendencia a la representación dramática, al teatro, al arte síntesis con el que se extrema y realiza de hecho ese desbordamiento expresivo y enlace del mundo de la ficción y del mundo de la realidad.

El escritor místico y su valoración de la naturaleza y de la realidad cotidiana

La amplitud temática que supone el Barroco en la pintura, la entrada con un valor independiente, como protagonista, del paisaje, los animales, las flores, las frutas y, en general de todos los elementos de la naturaleza, está ya realizado en algunos de nuestros escritores ascéticos y místicos. Y en una forma que no puede explicarse sólo por la visión simbólica de la naturaleza que ofrecía la tradición literaria medieval, porque va unida a una concepción del espacio y a una situación de punto de vista que supone muchas veces algo nuevo de sentido barroco y otras presupone el conocimiento que de la naturaleza ha conseguido el pensamiento y saber renacentista.

[40] Andrés Soria Ortega: *El maestro fray Manuel Guerra y la oratoria sagrada de su tiempo,* Granada, 1950, págs. 105-112. [Sobre los efectos de teatralización en las artes, véase nuestro libro ya citado, *El Teatro y la teatralidad del Barroco,* Barcelona, 1969.]

Es, pues, un rasgo común a nuestra mística, junto a su activismo y valoración de las obras, una valoración de la naturaleza y de la realidad toda. De aquí la insistencia en la contemplación próxima y detenida de cualquiera de las criaturas y el llegar incluso al arrebato observando sus bellezas y perfecciones, considerándolas en su vivir. San Juan de la Cruz llega al arrobo místico contemplando unos pececillos en las aguas del Genil en Granada. *Este sacar de las criaturas movimiento de amor a Dios,* lo vemos reconocido y expresado como experiencia por fray Francisco de Osuna: «Conocí yo uno —escribe en su *Tercer abecedario espiritual*— que viendo una vez un gallo que abría las alas y las sacudía para cantar, sintió verdaderamente que sus entrañas se movieron y se abrieron a Dios para lo amar dulcísimamente y, cosas semejantes le acaecían muchas veces con otras criaturas, ca sacaba de toda cosa movimiento de amor a Dios» [41]. No es extraño que quien escribe esto acuda a todas esas humildes criaturas que contempla para tomar un término de la realidad como comparación con lo espiritual. Como en toda comparación o metáfora, la mirada se detiene en ese término real, haciéndole cobrar una mayor fuerza. Así, en ese mismo libro encontramos el destacar esos elementos humildes de la naturaleza que luego veremos en nuestros bodegones barrocos, especialmente en Sánchez Cotán; los espárragos, la castaña, el melón o el huevo le servirán para explicar la debilidad del hombre o el conocimiento cerrado de la fe y de los misterios del amor [42]. Más tarde, fray Antonio Ferrer se detendrá hablándonos de la cidra «que ha de confitar el confitero», puesta a remojar para quitarle el amargor, para compararla con el estado del alma con la amargura de la culpa [43].

Por esa vía de comparación el escritor místico, aún considerando las más y elevadas cuestiones de la vida espiritual, se entrega a la observación y descripción con objetividad y minuciosi-

---

[41] *Tercera parte del libro llamado Abecedario spiritual.* Agora nuevamente impreso e corregido. Burgos, 1544. Trar. XVI, cap. IX, fol. 159.

[42] *Ed. cit.,* tratado V, cap. IV, fol. 59 («...el cual, aunque no recibiera el conocimiento de la mesma gracia, sino que se la dieran cerrada como melón... y se la metiera Dios en la boca de su ánima»); trat. XV, cap. VI, fol. 142 («...hay muchos que... están entre los malos como rosa entre espinas y como castaña en medio del espinoso erizo sin tener ellos en sí mesmos alguna espina de pecado»); *La cuarta parte del Abecedario spiritual y ley de amor,* Medina del Campo, 1551, prólogo, folio 5 v. («...hallarás aquí algunos misterios secretos como en huevo cerrado que no basta ingenio para desatar sus sellos»).

[43] *Arte de conocer y agradar a Jesús,* Orihuela, 1631, cuarta parte, páginas 147-148.

dad, introduciendo en el cauce de lo literario elementos realistas de la vida corriente tanto del mundo de la naturaleza como de la realidad de lo artificial del mundo cotidiano: los animales y las flores, los más humildes frutos de la naturaleza y las cosas de uso. Una actitud en violento contraste con la general idealización de la prosa literaria del siglo XVI, pues aunque en el *Lazarillo* haga irrupción, rompiendo todas las jerarquías estético-sociales, la vida del humilde y de lo bajo y grosero —también de pleno sentido barroco y en perfecta correspondencia con este fenómeno que anotamos—, sin embargo, lo humano centra con fuerza y no deja detenerse en las cosas con la misma morosidad; aunque *el jarro desbocado y la cama del hidalgo* o *la ristra de cebollas* y *el arca de los panes del clérigo,* cuenten con una fuerza de realidad incluso en la motivación de la acción, cual no cuenta en la novelística hasta que comencemos a adentrarnos en el Barroco con el *Quijote* y las posteriores novelas cervantinas y la picaresca. Si bien parece paradójico, estos escritores, sin miras artísticas y entregados a la vida contemplativa y procurando arrastrar hacia ella, valoran la realidad circundante, aunque sea como medio, descubriendo ese doble impulso de verticalidad o elevación sobrenatural y de horizontalidad o aproximación hacia la naturaleza y el mundo, que tantas veces se ha subrayado, como característico del doble movimiento que agita el alma del hombre del Barroco.

No es extraño que esa actitud se manifieste especialmente en los escritores místicos franciscanos, que a su vez son los que inician nuestra escuela de literatura mística, según anotamos, y concretamente el modo de meditación imaginaria realista. Para los autores místicos, como para nuestros pintores del Barroco, la aproximación a la realidad, aunque sea la más humilde —y asimismo la humana deforme—, no supondrá el detenerse en ella ni el sentirla como en oposición o lucha con lo sobrenatural; hay un sentido transcendente en la realista y minuciosa pintura de lo material que hace que, a pesar de ello —o por ello— se eleve con más fuerza tras de lo espiritual anímico y sobrenatural. Esa conciencia de la presencia de lo infinito en lo finito que se testimonia en las tantas veces repetida afirmación teresiana —de que también *entre los pucheros anda el Señor*— cuenta igualmente para nuestra mejor pintura de bodegones, para Sánchez Cotán y Zurbarán y no sólo por esa luz metafísica de que hablaba Sterling [44], sino sobre todo, y esencialmente,

[44] Charles Sterling: *La nature morte. De l'Antiquité a nos Jours,* París, 1952, pág. 61 y ss.

por su actitud humilde reverencial ante las más modestas cosas de la naturaleza o de la vida doméstica, sintiendo la pequeñez de su poder de artista ante cualquier elemento de la creación por humilde que sea.

El escritor místico y ascético, ya utilizando el término de la realidad como símbolo, ya utilizándolo como elemento de comparación, ya como escalón o medio en el que considerar las perfecciones y bellezas del Creador, en todos los casos se detiene y ahonda buscando rasgos y cualidades, valorando, en consecuencia, también la realidad de lo no humano, sin consideraciones a la jerarquía temática literaria que le ofrece la tradición clásica renacentista. Y esas comparaciones con el mundo de la realidad cotidiana, vulgar y rural, hechas con la más espontánea tosquedad, contribuyen a dar al relato una especial fuerza, sobre todo cuando se enlazan a la descripción realista de los pasos de la Pasión de Cristo o de los dolores de María. En algunos casos esas comparaciones nos hacen pensar, por lo ingenioso y violento de la asociación de palabras y conceptos, en los juegos de palabras y de ideas de la poesía conceptista religiosa tal como se extrema en el arranque del Barroco con Ledesma. Constituyen, quizá, su más importante antecedente, y su principal fuente e impulso.

Esas comparaciones realistas con lo común y trivial de la vida las encontramos en casi todos nuestros escritores místicos. Así, junto a los casos citados antes, lo podemos ver igualmente en fray Bernardino de Laredo en su famoso libro *Subida del Monte Sión.* He aquí un trozo en que se extrema esta asociación de lo espiritual y de lo material cotidiano: «Cierto está, que los que corren la posta menester es descargarse de cuanto no han menester... ¿Quién no sabe que a los que la posta corren no les conviene llevar guisados hechos de carne, los cuales los convidan no solamente a pararse a los comer, más aún, después de comidos, les suelen mucho dañar y aún les hacen caer en penosa enfermedad, y perderse en su camino?..., todo guisado de carne serán mis vanos deseos... Y la razón y experiencia de los que corren la posta por tan sospechosa tierra les ha mostrado a llevar para su mantenimiento más ordinario y común pasas, que pueden ir en el seno y comerse sin parar y siempre hacen buen cuerpo y algunos tragones de agua pura, porque las pasas tienen gusto que a las veces causan sed.

Las pasas en mi propósito son un nunca caerse del seno del corazón nuestras miserias pasadas...

Y cierto es que las pasadas y el agua son de poca substancia y no es manjar suficiente a pasar todo el camino; por lo cual algunas veces pan y vino ha de tomar.»

Después de desarrollar este más claro símil del pan concluye: «Así que este caminante aunque lleva pasas y agua, éstas son para probarse y comer de aqueste pan de trigo, sembrado en campo nazareno en la tierra virginal.» Con una prosa reiterativa metrificada, incluso con predominio de rimas, sigue desarrollando el símil del trigo hasta lo insospechado (parte 1.ª, capítulo XVII)[45]. Y tras de ello desarrolla con la misma prolijidad el símil del vino y de la vid. Vemos claro cómo todo el mundo de la más humilde realidad se incorpora al caudal literario junto a la más encumbrada y profunda cuestión de la vida espiritual.

De esta forma, hasta para explicar lo que es el reposo en la oración del alma que está desposada con Cristo, acude a la comparación con la silla para montar sobre las bestias: «Cosa es clara que la bestia que para caminar ha de llevar freno y riendas, que no ha de pasar sin silla, porque el que camina en ella por jornada tan desierta pase con menor trabajo. El ánima es caminante, y jumento es esta bestia de mi carne, y freno requiere y riendas, y no conviene osarla llevar sin silla: y la silla con su nombre muestra su significado. La silla es para sentar y asentar; y no basta estar sentado, sino estar asentado; y otro segundo romance tiene esta dicción, que es estar *posado,* y no basta estar *posado* sino que está *reposado.* En nuestro propósito es la silla el reposo en la oración, y en esta silla se posa y toma reposo el ánima que es desposada con Cristo, su dulce esposo» (parte 1.ª, cap. XXI)[46]. Dejando aparte el comentario estilístico del último trozo cuyas aliteraciones y el juego de palabras nos llevaría a buscar relaciones con la poesía de San Juan de la Cruz y el conceptismo, subrayemos sólo cómo el realismo de la expresión aclara lo espiritual con esas referencias que actúan sobre los sentidos hasta en sus resonancias más materiales. Indirectamente todo está conduciendo a una valoración de la realidad sensible y material.

Análogas comparaciones podemos ver en fray Diego de Estella ya refiriéndose a objetos, ya a animales, y aludiendo incluso en este caso al mismo Jesucristo: «¿Qué le falta a esa tu cruz —escribe— para ser una espiritual ballesta, pues así hiere

[45] *Subida del Monte Sión. Contiene el conocimiento nuestro y el seguimiento de Cristo, y el reverenciar a Dios en la contemplación quieta...* Alcalá, 1617, pág. 53 y ss.
[46] *Ibídem,* págs. 67 y 68.

los corazones? La ballesta se hace de madera y una cuerda estirada y una nuez al medio de ella, donde sale la cuerda para disparar la saeta con furia y hacer mayor herida. Así, estando tu sacratísimo cuerpo extendido en el madero de la cruz, así como cuerda y los brazos tan estirados, veo que en la abertura de ese costado se pone como nuez la saeta de tu amor, para que de allí salga a herir el corazón». Aún con más fuerza nos impresiona esta comparación que hace de Cristo con un toro bravo: «Cuando un toro bravo anda suelto y libre en el coso pocos osan llegar a él; pero si fuera después uncido y atado, quien quiera se llega a él sin miedo. Antes que encarnases, Señor, y te vistieses de nuestra mortalidad, como a otro toro bravo no osaba nadie llegar a Ti... Pero después que te uniste con nuestra humana naturaleza y te sometiste al yugo de la mortalidad haciéndote hombre, dice el Evangelio que se llegaban a Ti publicanos y pecadores y que comías con ellos... No huyas, pues, alma mía, no huyas de tu esposo Jesucristo, porque aunque estés fea y ensuciada con pecado, para lavar tus inmundicias y perdonar tus culpas, viene el Señor del cielo a la tierra en semejanza de carne de pecado...» [47].

Esta utilización del símil para la expresión de la doctrina mística y, en general, de lo espiritual, buscando los términos de comparación en la realidad toda, alcanza un punto extremo —de una extremosidad que podemos asegurar no se da otro caso análogo en toda nuestra literatura religiosa—, en un breve escrito de otro franciscano: una carta del Beato Nicolás Factor dedicada a exponer toda la doctrina mística relativa a las tres vías, purgativa, iluminativa y unitiva. Las comparaciones con elementos de todo orden, lo mismo humanos que de la naturaleza y del mundo material de lo inanimado y artificial, se suceden eslabonándose en tal forma que se nos impone como un abigarrado amontonamiento de cosas donde la figura humana, los animales, los elementos naturales y los objetos ricos o pobres se nos vienen encima con toda su fuerza de realidad concreta y material, haciendo que se nos confunda y aleje el significado espiritual que se intenta comunicar de esa forma tan sencilla y gráfica. Aunque sea cortando el apretado encadenamiento, merece desprender y citar un trozo como expresión suma de esas ingeniosas comparaciones que llegan aun más lejos en este sentido del punto alcanzado por la lírica religiosa conceptista

---

[47] Fray Diego de Estella: *Meditaciones devotísimas del amor de Dios,* Salamanca, 1576. Meditaciones 18 y 26, fols. 48 v. y 73 v. y 74.

IN DIE VISITATIONIS.

Luc. 1. 2 cxlix

A. Nazareth, vbi repræsentatur Annuntiatio, post quam Virgo Mater statuit Elisabetham inuisere.
B. Iter habet Maria festinanter cum Ioseph ad montana Iudææ.
C. Domus Zachariæ in tribu Iuda in montibus.
D. Ad quam cum peruenisset Maria festinauit ad Elisabeth.
E. Sedula illi Anus occurrit, sed eam tamen prior salutat Maria.
F. Audita Matris Dei salutatione, ecce exultat in vtero Elisabeth Filius, & repletur Spiritu sancto Mater, & prædicat Mariæ diuina encomia.
G. Zacharias & Ioseph laudant Deum.
H. Nascitur Ioannes.
I. Post eius ortum, redit Nazareth Maria Virgo Mater cum Ioseph.

LA VISITACIÓN

Grabado de la obra *Evangelicae Historiae Imagines,* del padre Jerónimo Nadal, publicado en Amberes por Martín Nutios —quizá su mejor impresión—, en 1594, base de otro libro del mismo escritor jesuita, *Adnotationes et Meditationes in Evangelia* —1596—. Inspirado por el propio San Ignacio, se buscó con ello ayudar en el arte de meditar —en especial para la *composición de lugar* de la técnica ignaciana— que además favorecía el mover la devoción. Con esta intención el característico pluritematismo de la composición manierista, se lleva a una de sus extremas consecuencias, ya que junto a una escena principal de un hecho evangélico se ofrecen toda una serie de escenas precedentes y subsiguientes, señalando así los distintos pasos o puntos a meditar, que incluso se concretan con referencias —por medio de letras— a los asuntos o motivos representados que ordenadamente están escritos al pie de la lámina.

EL GRECO: *EL MARTIRIO DE SAN MAURICIO Y LA LEGIÓN TEBANA.*

El asunto a representar era la escena culminante del martirio del santo y sus soldados; pero el artista estructura la composición en forma que hace relegar dicho momento principal a una estrecha zona lateral y de último término, mientras que destaca en violento primer término central y predominante en extensión la escena previa secundaria que ofrece al santo persuadiendo a sus subordinados para sufrir el martirio por Cristo. La visión celestial —último momento— se valora también —por tamaño de las figuras, extensión e intensidad colorista— sobre la dicha escena principal. He aquí, pues, un claro pluritematismo compositivo manierista: de las tres escenas representadas la principal se relega a un último término e igualmente se reduce en extensión y valoración plástica y cromática.

TINTORETTO: *BODAS DE CANÁ*

Los elementos fundamentales de la composición no sólo se desvían ilógicamente a un lado, sino que, además, se coloca la mesa del banquete en visión de profundidad, muy escorzada, quedando así las figuras de Cristo y la Virgen a lo lejos y en pequeño tamaño. En cambio, el primer término lo llenan plenamente las figuras secundarias de mujeres y criados que llevan o traen las ánforas. Por su tamaño, movimiento y sentido plástico se nos imponen estas figuras como lo más importante; aunque las líneas de la perspectiva de la gran sala y mesa nos encauce la mirada hacia los pequeños bustos de Cristo y la Virgen, cuyas cabezas se destacan con nimbo luminoso. Es ello como la intensidad acentual y la forma lógica de la suspensión sintáctica que nos lleva hacia el tema principal relegado al final en el soneto manierista.

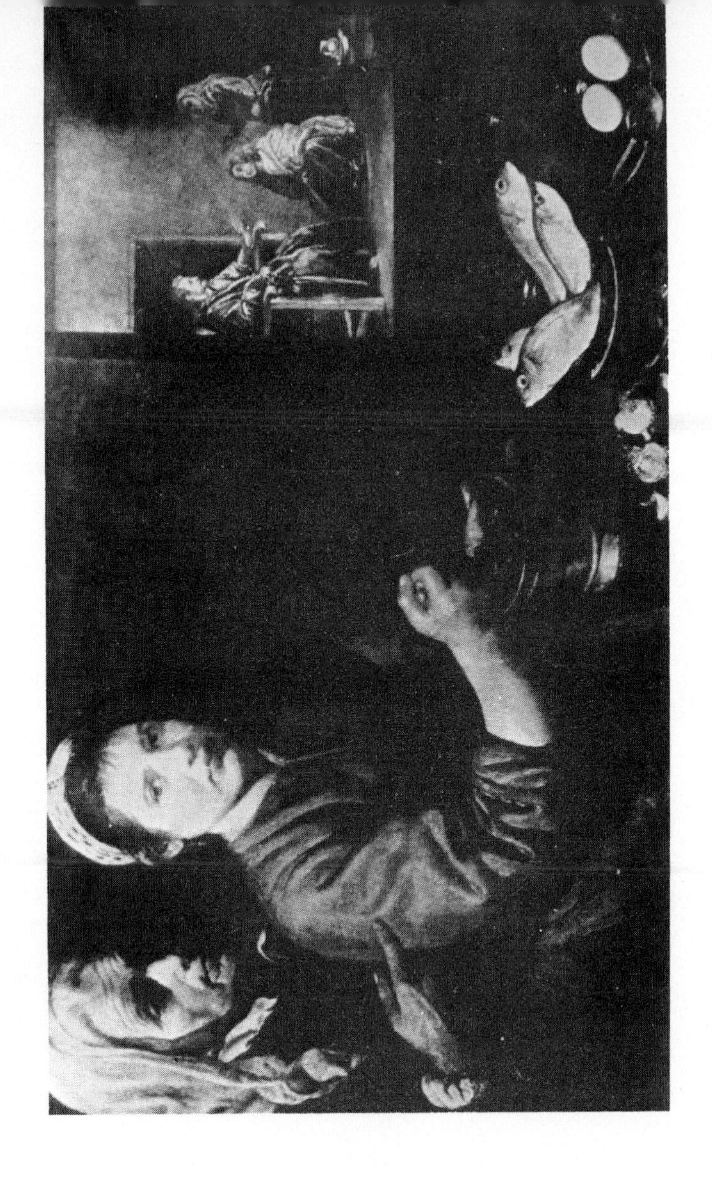

VELÁZQUEZ: *CRISTO EN CASA DE MARTA*

Considerado este cuadro desde un punto de vista abstracto meramente formal, obedece su composición a una estructura manierista politemática —dos escenas de figuras y bodegón— desintegradora, según vio en su maestro Pacheco; pero atendiendo a la cualidad del asunto representado, aunque persista el relegar y distanciar las figuras principales, vemos que obedece a una visión integradora de sentido unitivo y desbordante típicamente barroco. Nos presenta el interior de una cocina en cuyo fondo un espejo está reflejando el diálogo de Cristo con Marta y María, que tiene lugar en un ámbito espacial que queda situado precisamente dentro del ambiente del espectador, de acuerdo con un sentido de continuidad espacial. Es, pues, la supervivencia formal de una estructura pluritemática resuelta en una visión realista integradora.

TINTORETO: *SANTA MARÍA EGIPCIACA*

La imagen de la santa, que debería ser la figura central a representar, se desvía y aleja violentamente del eje de la composición, mientras que el tema secundario paisajístico lo invade todo, al mismo tiempo que atrae poderosamente con la fuerza dinámica de sus movidos elementos y los vibrantes y contrastados efectos de luz. El sentido compositivo manierista, de preterición o desviación del tema principal, se refuerza además por el hecho de colocar de espaldas la figura de la Santa. El toque luminoso del nimbo que perfila la cabeza es lo único que la valora y hace atraer la atención, creando así una tensión entre ella y el paisaje que la envuelve. Es la equivalencia pictórica del bitematismo —amada, paisaje— que nos ofrece el soneto de Góngora, *Cosas, Celalva mía, he visto extrañas.*

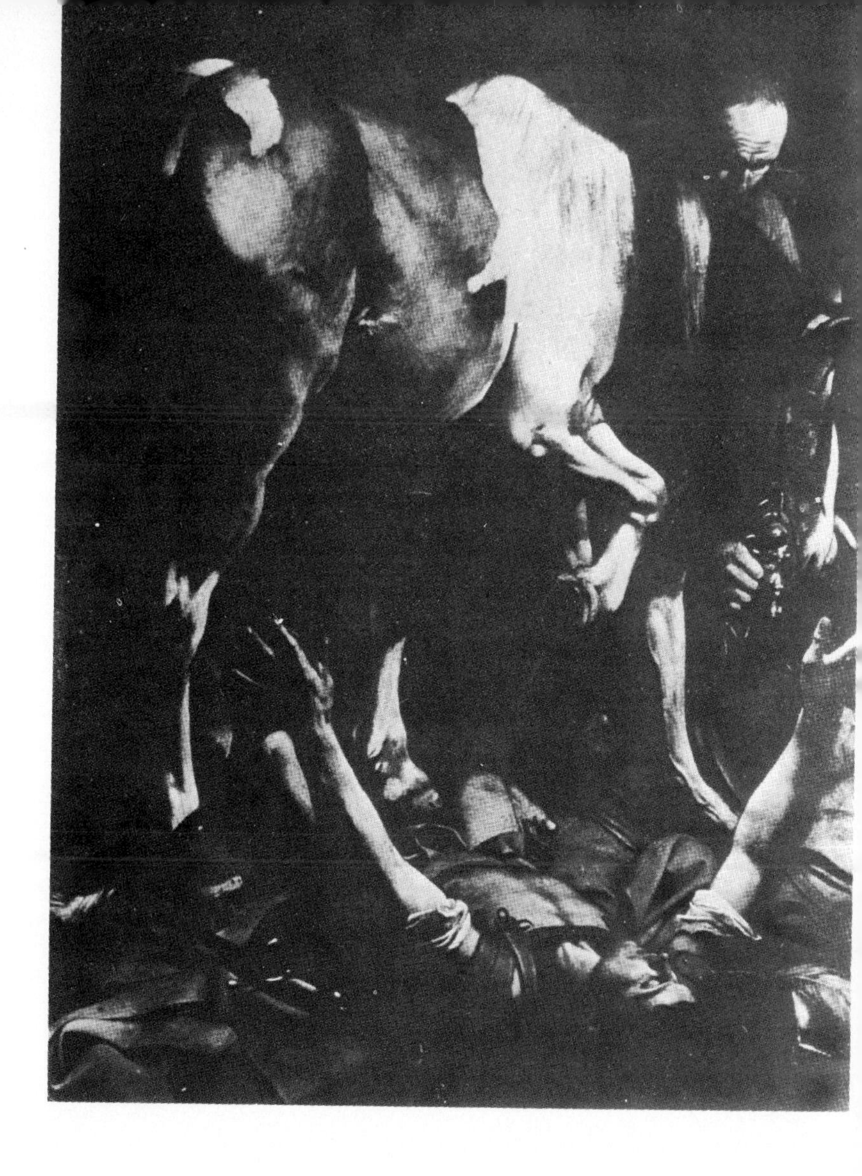

CARAVAGGIO: *CAÍDA DE SAN PABLO*

Aunque las figuras de este lienzo estén representadas de acuerdo con un punto de vista y un vigoroso plasticismo naturalista propio del Barroco, sin embargo persiste en su sentido compositivo la huella de una estructura manierista. La figura principal, esto es, la de San Pablo —cuya milagrosa caída constituye el asunto—, aunque en violento primer término, queda reducida en el total de la composición a una pequeña parte, en sorprendente desproporción con la secundaria del caballo que se nos impone como elemento central, llenando casi todo el lienzo; y con su gran masa —que valora la iluminación tenebrista— y su actitud indiferente, atrae hacia sí la atención del espectador. Cuantitativa y plásticamente, lo secundario se hace fundamental.

AERTSEN: *CRISTO EN CASA DE MARTA*

La complejidad de la estructura politemática de la composición manierista se extrema con violencia en este lienzo. Cuantitativamente, por tamaño, cuidado y fuerza plástica, lo que esencialmente llena el cuadro, invadiendo todo el primer término, es una grande y variada naturaleza muerta. Tras de ella, a la izquierda, unas figuras de sirvientes quedan en cierto modo ligadas —por ambiente sólo— al primer término. Al otro lado, en plano más retrasado, una escena de varias figuras que beben y comen ante una chimenea. Y, por último, en el fondo, en pequeño tamaño, el asunto principal. Sólo por estar en el centro y por la luminosidad —que resaltada por el oscuro del ambiente de arquitectura de los planos anteriores— hace que nos fijemos en la escena religiosa; pero los demás temas, de figuras y naturaleza muerta, reclaman una preminencia y atención que nos fuerza a la visión tensa y desintegradora de los elementos compositivos.

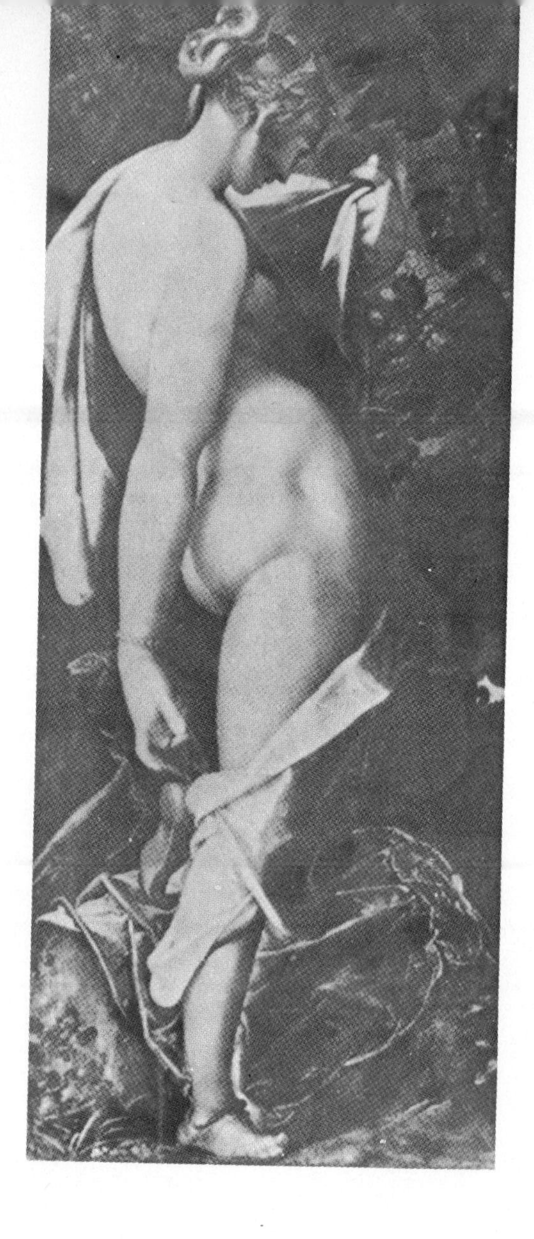

SPRANGER: *LA NINFA SALMACIS Y TROCO*
(Mitad lateral)

He aquí en este desnudo una típica actitud y movimiento de complicación manierista. La figura, netamente destacada en sus perfiles y volúmenes, está colocada en una difícil y violentísima postura que exalta la belleza de su cuerpo desnudo. Obedece, así, en su movimiento a un sentido compositivo rígido, a una colocación impuesta —no natural ni transitoria— como sometida a un esquema previo; lo más contrario a la visión realista barroca que sorprende un instante, sereno o agitado del vivir.

RUBENS: *ELENA FOURMENT CON ABRIGO DE PIELES*

En contraposición con la ninfa de Spranger, esta figura de Rubens —no una belleza ideal, sino el exacto retrato de la persona de su esposa— se ofrece movida, diríamos, con una espontánea complicación y bajo un efecto de luz que envuelve y hace contrastar los efectos pictóricos del transparente desnudo y el abrigo de pieles. El artista la representa cual si fuera la visión real de la figura sorprendida en un instante en que se medio cubría su cuerpo desnudo y se vuelve mirando al espectador.

ZURBARÁN: *SANTA CASILDA*

Como en otros muchos casos de estas series de santas, la figura se ofrece como la de una dama ricamente ataviada que desfila y se detiene un momento para mirarnos. Si la comparamos con la Santa Casilda niña de la Colección Plandiura veremos cómo el artista no obedece a una visión o tipo iconográfico, dado que, lógicamente, la representaría joven, sino que es el modelo real femenino el que se impone sobre la imagen religiosa tradicional.

ZURBARÁN: *SANTA MARINA*

Esta representación de santa zurbaranezca, a pesar del ambiente de austeridad que la rodea y la luz tenebrista que la destaca de la sombra, parece sorprendida como si al cruzar ante una puerta se volviera para mirar y ser mirada. Sus vestidos resultan ambiguos, entre lo correspondiente a una dama y a una pastora. Con su ancho sombrero, sus alforjas y con el pequeño libro —de devoción o de romances— en la mano —con un dedo entre sus páginas como si hubiese interrumpido la lectura—, nos da una sensación equívoca entre dama elegante y personaje de una comedia de santos. Su postura y gesto, mirando al espectador, nada tiene de devoto; más bien parece actitud de presunción de bella joven consciente de su teatral indumentaria y atributos. Aunque Zurbarán pintara esta figura como cuadro religioso, lo hizo consciente de que pintaba a la santa con la apariencia realista de una dama retratada *a lo divino*.

ZURBARÁN: *SANTA ÁGUEDA*

En este caso por su actitud vemos la clara intención del pintor de ofrecer un cuadro de devoción; pero no puede evitar el recuerdo de los lienzos concebidos como retratos *a lo divino,* tales como las dos medias figuras de santas mártires del Museo de Bilbao. La enorme diferencia que ofrece con respecto a la Santa Águeda del Museo Montpellier indica cómo el artista no se atenía a un tipo iconográfico religioso, sino más aún a la sugestión de figuras femeninas reales.

JUAN DE SEVILLA: *DESPOSORIOS MÍSTICOS DE SANTA CATALINA*

(Obra probable)

En esta *sacra conversación* el artista granadino logra la más plena integración del retrato en la composición religiosa. Con gracia y ternura, acorde con la sensibilidad devota de fines del barroco, nos ofrece la escena, representando a la santa como niña, sosteniendo con una mano la espada, mientras levanta la otra para que el Niño coloque el anillo en el dedito que ella le extiende. Otra santa, también con rasgos de retrato, que podría ser la madre de la niña, se descubre detrás, sosteniendo la palma de mártir, mientras apoya la otra mano en la pequeña santa cual si quisiera invitarle a aproximarse a recibir el anillo del desposorio; pero su mirada se dirige al espectador como si quisiera descubrir el efecto que nos produce la escena. Esa expresión desbordante, comunicativa, típica del sentido compositivo barroco, refuerza aún más el efecto realista de doble retrato *a lo divino,* que ha hecho al pintor —eligiendo como Santa Catalina a una niña— alterar la forma tradicional de representar este tema.

JOSÉ RISUEÑO: *SANTA MARÍA MAGDALENA*

Esta representación de la Magdalena como niña, ostentosamente ataviada y alhajada —con ricos zarcillos y collar de perlas, precioso broche y adornos del cabello, con corpiño bordado de pedrería— que nos mira fijamente, mientras sostiene entre sus manos, y nos muestra, el tarro de perfumes, creemos confirma bien nuestra tesis sobre el retrato *a lo divino* y su decisiva influencia en la pintura religiosa. Así, se explica la falta de sentido lógico y realista representando a la famosa pecadora arrepentida en una inocente figura infantil que nos mira tranquila con serio gesto presumido —pero no triste—, como satisfecha de que la retraten tan ricamente vestida y demostrando en su actitud la rigidez de quien está posando ante el pintor.

JOSÉ RISUEÑO: *SANTA JUSTA*

Aunque con una cierta tendencia idealizadora que la aproxima a la Santa Inés de la misma serie, la figura de la santa se nos enfrenta en actitud de estar colocada para ser pintada, luciendo sus atributos y su propia belleza. Alhajada, como todas sus compañeras, resalta, igualmente, en todo su feminidad; y con su mirada dirigida al que la contempla parece exigir la atención, con suave, pero insinuante gesto no exento de coquetería mundana, cual si se tratara de un auténtico retrato.

JOSÉ RISUEÑO: *SANTA RUFINA*

En más violenta postura que su compañera, cual si cuidara tanto de lucir sus manos como las vasijas de barro que sostiene, la joven, ricamente vestida y adornada de joyas, se vuelve para mirar al espectador como si quisiera sorprender el efecto que en él produce. De no portar los atributos de santa afirmaríamos se trata de un retrato de época.

que seguidamente —apoyada en esta tendencia de los escritores ascéticos y místicos— ha de producirse: «...Y con esta presteza me asenté sobre una piedra llamada Quietud deseable. Y estando mirando y contemplando la serenidad de aquel claro cielo, vi venir un pastor llamado Cudicioso, y según la pasión le tenía cercado, él, sin duda, era enamorado de Dios; el camino que traía es llamado Menosprecio de sí mismo y los pasos que daba eran Aborrecimiento de sí mismo. Venía tañendo un suave rabelete, llamado Despertador del alma adormida, con las consonancias de los suaves requiebros del amor. El Arquillo era el solicitador del espíritu con frecuentados gemidos; las tres Cuerdas son un Velar continuo, Recato discreto y Andar sobre sí. La Flor del rabelete es el derramamiento del alma dentro de sí misma. Las tres Clavijas son un continuo despertamiento y miramiento ocultísimo del alma dentro de sí misma. El Puentecillo es un mirar a Dios continuamente con simple y sencilla fe. El Cayado de este pastor es un virtuoso aprovechamiento en las virtudes... El Zurrón se llama un sustento limitado y el Pan, templanza prudente y discreta. Las Abarcas son mortificación de los afectos y sentimientos. El Sayo, de pellejos de carneros muertos, es la negación de sí mismo. Las Ovejas que delante traía con mucho cuidado y celo, son las potencias del alma. Los Cabritillos son los cinco sentidos corporales inquietos pero bien regidos del discreto pastor. El Perro que andaba alrededor guardando este ganado es el pensamiento y memoria de los juicios divinos...» [48].

Fray Luis de Granada y la visión realista y próxima de la naturaleza

La observación directa, concreta y detallada de la naturaleza, alcanza con fray Luis de Granada un punto extremo sólo equiparable precisamente al que ofrecen nuestros artistas del Barroco. Animales, plantas, flores y frutas han sido observados en su vivir y cambiar, no con fría mirada de naturalista, sino con amor y regocijo, demostrándonos cuántas horas debió de

[48] Edición según el texto de Mayáns: *Cartas morales,* tomo II, carta 5, págs. 11-23. Reproducida en B. A. C.: *Místicos franciscanos españoles,* Madrid, 1948, tomo II, págs. 833-834.

pasar en la huerta de su convento parándose a observar lo mismo el juego y habilidades de un pajarillo, que la astucia de los gatos para cazar por tapias y sembrados, o que el madurar de la fruta y el abrir de la flor, y hasta el cómo la hoja de un árbol se va perforando por obra de un gusanillo. Nos referimos a la parte primera de la *Introducción al Símbolo de la Fe,* obra que —como todas las suyas—, aunque revela innumerables lecturas, sin embargo, acusa y declara insistentemente esta observación personal que en forma directa quiere poner ante el lector.

Con respecto a los animales es extraordinaria la riqueza de observación del religioso y la satisfacción que demuestra en esa próxima contemplación de su vivir. Nota, por ejemplo, «viendo echar de comer a una gallina con sus pollos, que si llegaban los de otra madre a comer de su ración, a picadas los echaba de allí, porque no le menoscabasen la comida de sus hijos» (Capítulo XIV). También *ve* en la huerta las habilidades de los gatos para cazar. Así, el que «se extendía... entre los árboles y las legumbres y se estiraba y tendía de tal manera que parecía muerto», o aquella otra astucia de la que *fue testigo,* cuando otro que perseguía a una lagartija por el borde de una tapia, al meterse ésta bajo una teja «puso la una mano a la boca de la teja más estrecha, y por la más ancha metió la otra... y desta manera alcanzó la caza que buscaba» (Cap. XIV, p. 11). Igualmente recuerda de otro monasterio de su orden a una perra a la que le habían matado los tres o cuatro perrillos de una cría y «viéndose sin hijos, andaba todo el día oliscando por toda la huerta hasta que, finalmente, los halló, y así muertos los volvió al mismo lugar donde los criaba» (Cap. XII). La ternura con que recuerda su observación de las habilidades de los animales pequeños es aún mayor, sobre todo de los pájaros. Su extraordinaria capacidad para el empleo del diminutivo, se descubre al anotarlo. Así, ve al pajarillo en la jaula cómo «sube con el piquillo» el *cubo pequeñito* en que tiene la comida o el agua. «Mas otra cosa vi yo —agrega— más artificiosa que ésta, porque el cubo del agua estaba vacío, mas en lo bajo está una arquilla llena de agua y, cuando él quiere beber, mete el cubillo en esta arquilla y tantas y tantas vueltas le da con el pico, que finalmente coge agua y entonces la sube a lo alto y bebe» (Cap. XIV, p. 3)[49]. El extremo de visión de lo pequeño, de

[49] Citamos por la edición *Primera parte de la Introducción del Símbolo de la Fe...* Madrid, 1926. Repite la del padre Cuervo de 1908 y la príncipe de Salamanca de 1583. Caps. cits., págs. 63, 80,81, 86 y 89.

minuciosidad de miniaturista, que nos hace pensar en la pintura de insectos y animalillos, tan abundante en los floreros flamencos, lo vemos en la observación que demuestra del mosquito. Así, recuerda de este *animalillo* que un día se le *asentó uno junto a la uña del dedo pulgar y se puso en orden para herir la carne*. El religioso escritor se contuvo observando qué hacía al *no poder penetrar aquella parte del dedo*: «Tomó el aguijón —dice— entre las dos manecillas delanteras, y a gran priesa comienza a aguzarlo y adelgazarlo con la una y con la otra, como hace el que aguza un cuchillo con otro» (Cap. XVIII) [50].

La misma exactitud descriptiva en visión de primer término encontramos al describir plantas y flores. Piñas, castañas, nueces, membrillos o cidras, son recordadas con algún rasgo de su especial estructura; pero el artista se detiene y recrea morosa y amorosamente pintando la granada; *no puede dejar de representarla por lo mucho que declara su artificio*: «Pues primeramente el (Creador) la vistió por defuera con una ropa hecha a su medida que la cerca toda, y la defiende de la destemplanza de los soles y aires: la cual por defuera es algo tiesa y dura, más por dentro más blanda, porque no exaspere el fruto que en ella se encierra, que es muy tierno: más dentro della están repartidos y asentados los granos por tal orden que ningún lugar, por pequeño que sea, queda desocupado y vacío.

Está toda ella repartida en diversos cascos, y entre casco y casco se extiende una tela más delicada que un cendal, la cual los divide entre sí. Porque como estos granos sean tan tiernos, consérvanse mejor divididos con esta tela que si todos estuvieran juntos. Y allende desto, si uno destos cascos se pudre, esta tela defiende a su vecino para que no le alcance parte de su daño. Porque por esta causa el criador repartió los sesos de nuestra cabeza en dos senos o bolsas, divididos con sus telas, para que el golpe o daño que recibiese la una parte del cerebro no llegase a la otra. Cada uno destos granos tiene dentro de sí un osecico blanco, para que así se sustente mejor lo blando sobre lo duro, y al pie tiene un pezoncico tan delgado como un hilo, por el cual sube la virtud y jugo dende lo bajo de la raíz hasta lo alto del grano; porque por este pezoncico se ceba él y cresce, y se mantiene, así como el niño en las entrañas de la madre por el ombliguillo. Y todos estos granos están asentados en una cama blanda, hecha de la misma materia de que es lo interior de la bolsa que viste toda la granada. Y para que nada

---

[50] *Edit. cit.*, págs. 145-146.

faltase a la gracia desta fruta, remátase toda ella en lo alto con una corona real, de donde paresce que los reyes tomaron la forma de la suya. En lo cual paresce haber querido el Criador mostrar que era ésta reina de las frutas. A lo menos en el color de sus granos, tan vivos como el de unos corales, y en el sabor y sanidad desta fruta, ninguna le hace ventaja. Porque ella es alegre a la vista, dulce al paladar, sabrosa a los sanos, y saludable a los enfermos, y de cualidad que todo el año se puede guardar» (Cap. X).

Merece destacarse de entre sus visiones de flores la preciosa y precisa pintura que hace de la azucena, que nos la presenta, llamando nuestra atención cual si quisiera ponérnosla ante la vista: «Poned los ojos en el azucena y mirad cuánta sea la blancura desta flor y de la manera que el pie della sube a lo alto acompañado con sus hojicas pequeñas, y después viene a hacer en lo alto una forma de copa, y dentro tiene unos granos como de oro, de tal manera cercados que de nadie puedan recibir daño» (Cap. X).

Y anotemos, por último, otro extremo de su observación analítica en que se detiene al describir las hojas de los vegetales, con el enrejado de venas que la cruzan: «Lo cual noté yo en unas hojas de un peral, de las cuales se mantienen unos gusanillos que comían lo más delicado de la sobreaz de la hoja, y así quedaba clara aquella maravillosa red y tejedura de venas muy menudas que allí se descubrían» [51] (Cap. X). Ante esa observación pensamos en la complacencia de algunos pintores del Barroco, en el mismo Caravaggio —*Cesta con frutas,* de la Ambrosiana— y, antes, en Boschaert, que gustan perfilar cuidadosamente las hojas picadas, dejando ver el fondo tras los irregulares huecos de las picaduras. En conjunto, todas esas descripciones, que tan morosa y amorosamente nos ofrece fray Luis, constituyen el anticipo en la literatura de los bodegones ascéticos del pintor cartujo Sánchez Cotán, quien, seguro lector de fray Luis, se acerca con el mismo amor y espíritu trascendente a la más humilde de las criaturas —verduras, flores y frutas— para erigirla en tema independiente en grandiosa visión de primer término y bajo una luz violenta, tenebrista, que realza la estructura y calidad de su ser hasta sus más minúsculos detalles. Recuerda tanto a fray Luis que, como decíamos, es necesario pensar lo leería más de una vez; y no sólo en la Cartuja —donde tanto se leyó al dominico—, sino incluso antes de su

---

[51] *Edit. cit.,* págs. 33, 41, 45 y 50.

ingreso en ella durante su virtuosa vida de pintor en Toledo. En el hecho de esta influencia nos demuestra no sólo cuán general y profundamente penetraron los escritos de nuestros místicos en el sentimiento de los españoles, sino, además, cómo la sensibilidad de algunos artistas descubrían en ellos un sentido expresivo, acorde o idéntico al que sentían como impulso y determinante de su arte.

Visión realista y emoción comunicativa en el libro de meditación: la llamada al lector

Como rasgo de sentido barroco —y general en los libros de meditación tanto de ascética como de mística— es de señalar la expresión en estilo y forma directa buscando la inmediata comunicación con el lector. Se necesita mover e impulsar a éste en la vida de devoción. Es algo que viene ya orientado desde la Edad Media; pero diríamos que en nuestra literatura mística esa técnica se matiza y refuerza en una viva y sentida reexperimentación como algo necesario en el sistema de meditación imaginaria. No olvidemos el papel decisivo de la influencia de las contemplaciones *vitae Christi,* atribuidas falsamente a San Buenaventura —aunque parte sí parece corresponderle—, cuya huella en nuestros escritores ascéticos es patente, sobre todo en los franciscanos, verdaderos iniciadores de nuestra gran literatura mística. También el tratado sobre el *Duelo de la Virgen,* que se atribuyó a San Bernardo, expuesto en estilo directo, como contado por María, ofrecía otra serie de visiones realistas en el tono apasionado y comunicativo que sería especialmente gustado por los españoles. Prueba de ello es cómo ya en el siglo XIII Berceo lo siguió, ahondó y desarrolló lo que de humano e impresionante habían en el relato.

Si repasamos la forma de expresión de los libros de meditación de nuestros escritores del siglo XVI, encontraremos en unos casos el empleo de las formas verbales en primera persona del plural, cual corresponde al predicador y moralista, fundiéndose autor y lector. Otras veces la expresión directa se dirige con apóstrofes y exclamaciones a Dios Padre o a Cristo, como una manera de oración, en forma que el lector pueda repetir como suyas las palabras del texto. El autor, con plena conciencia de intención, ofrece esta forma para dar totalmente hecha la meditación al lector. También en otros casos el autor se dirige o llama a su propia alma, pero en forma que llega a la confusión e identificación con los que leemos o meditamos con su libro. Así, lo más general es esta llamada a los lectores, a nuestra alma, para hacernos considerar o reflexionar en una comunicación directa que tiende, esencialmente, a conmovernos y actuar sobre nuestra imaginación, llevándonos a considerar un hecho o escena cual si la tuviésemos delante. Esta forma de expresión se matiza de acuerdo con el temperamento del escritor; encendiéndose en un tono arrebatado, oratorio, en un fray Luis de Granada; haciéndose más duro y objetivo, con realistas comparaciones, como en Osuna; prolongándose morosa y casi morbosamente con detalles realistas en un fray Antonio de Molina, o adquiriendo el más sencillo tono íntimo y familiar de espontáneo realismo en Santa Teresa. La Santa se dirige en concreto a sus monjas, expresándose cual si estuviera conversando con ellas: haciéndoles llamadas, advertencias o reflexiones como si las tuviera delante; interrumpiéndose con espontaneidad, con exclamaciones y reflexiones para dirigirse a Cristo o incluso para declarar con humor la dificultad que le representa con su falta de memoria, mala salud o mucho quehacer, el seguir discurriendo en cosas tan difíciles de explicar: «Válgame Dios en lo que me he metido», exclama al comenzar el capítulo II de la *Morada* Cuarta. Es el tono antiliterario, vivo, como si estuviera hablando por escrito; escribe, pues, pensando en un auditorio en concreto: el formado por sus hijas en religión. Incluso cabe pensar se imaginaría la vida y fuerza persuasiva que adquirirían sus palabras, no sólo cuando cada religiosa las repitiera en la soledad de su celda, sino cuando se oyesen, vivas, habladas por una lectora ante una comunidad. Por eso se dirige a las *hermanas* o *hijas,* en plural, e incluso les pregunta y les responde con espontáneas interrupciones, cual si de verdad estuviera exponiéndolo todo ante ellas. No cabe una más viva, natural y directa comunicación.

Asimismo, nos interesa comentar, especialmente dentro de esta forma y tono de expresión, los casos de meditación en que estas llamadas se hacen, especialmente para aproximar e incluso introducir en una escena, esto es, para arrastrar o impulsar a la composición de lugar y para evitar que el espíritu del lector quede ausente; para ponernos sobre todo ante la viva realidad del juicio final, de la muerte y, sobre todo, de la

Pasión de Cristo y Dolores de la Virgen, puntos centrales de la meditación realista, iniciada especialmente en el siglo XVI por los escritores franciscanos. Caso de interés podemos ver en fray Francisco de Osuna, a la cabeza de ese grupo, en su *Primer Abecedario Espiritual.*

En la meditación del paso de los *Azotes* se entrega a esas insistentes llamadas con que va removiendo a través de los distintos pecados la conciencia del lector. Pero es interesante también observar cómo en esa búsqueda de comunicación con el lector procura confundir el estilo directo de las palabras de Pilato, dirigiéndose al pueblo de Jerusalén, cual si estuvieran también dirigidas a nosotros: «No pensó Pilato que Cristo si fuera Rey o Dios sufriera tales cosas, y por eso dice Ecce Homo. Si sois hombres y no fieras bravas, mirad al hombre; compadeceos, hombres, del hombre: Ecce Homo. Miradlo de pies a cabeza.» El autor toma la palabra para que el lector la vaya repitiendo como suya y va parando su vista en observación lenta y detallada en la lastimosa figura destrozada de Cristo, recorriéndola desde el cabello hasta las uñas de los pies. El recurso de la llamada y la tendencia descriptiva realista, que nos presenta la escena como teniéndola delante, comunican con vigor la sensación de lo inmediato y próximo: «¡Oh Señor Jesús, que todo lo quiero mirar, pues para esto haces que te enseñen a todos tan desconsolado. Veo en las espinillas señalados los cordeles con que te azotaron a la columna; veo muy duras tus rodillas de la prolija oración en que trasnochar solías; veo muy bien tu vientre hambriento; tu estómago doliendo de hambre; tus brazos ligados con duros cordeles; tus dientes movidos de la bofetada y golpes que han sufrido tus mejillas; tu cara escupida; arrancados tus cabellos; tus ojos desvelados y llorosos; tu cuerpo lleno de llagas; comido de los azotes, y la cabeza y cerebro agujereado con las espinas; justiciado te veo sin justicia, y tratado como si no fueses hombre.» Pero aún se ahondará más acudiendo a las características comparaciones con otros elementos de la realidad. En este caso es la visión realista del toro herido con las garrochas, que sabiamente le servirá a su vez para pasar, en contraste, a la tierna visión simbólica del cordero divino y terminar por último, con la realista visión profética del Cristo como gusano. «Y por esto —agrega— veo que no dice bien Pilato entre sí, Ecce Homo, pues que a los toros hechan púas y desuellan los animales. Tus azotes, Señor, peor fueron que el desollar al carnero, y tus espinas se dicen ser como las púas que ponen en las garrochas para correr los toros, salvo que a ellos se las reparten por todo el cuerpo y a Ti las ponen muy hincadas en la cabeza. A los toros corren sueltos y a Ti muy atado te acosan y cansan con los multiplicados tormentos; el toro vuelve por sí y no da a todos lugar que lo hieran, mas tú no abres tu boca ni desechas a nadie. Si Pilato mira, Señor, tu paciencia, díganos *ecce agnus Dei;* y si por menosprecio te llama hombre olvidando tu divina y real dignidad, mire que Tú mismo dices: yo soy gusano y no hombre» [52].

Si leemos el *Libro de la Oración y Meditación,* de fray Luis de Granada, veremos cómo en lo esencial de su manera de exponer —como rasgo destacado de su técnica para la meditación— el autor busca el enlace, la comunicación directa con el lector. Es verdad que, como decíamos antes, esa técnica está ya plenamente lograda en la contemplación de la vida de Cristo, que se atribuyó a San Buenaventura y que en concreto también le sirvió de modelo para este libro; pero tanto en este recurso como en su tendencia al realismo descriptivo fray Luis extrema e insiste acusando la conciencia y complacencia en el empleo de estos recursos. Prodiga, así, esas expresiones en estilo directo con la exhortación o llamada al alma para que se detenga a contemplar la escena que le presenta y pinta con sentido realista y en visión próxima y detallada. La intención es, pues, poner al lector en comunicación con la escena o hecho representado, meterlo en su ámbito espacial como si fuese elemento o persona que participa en lo que sucede. Es, pues, aspirar y concebir con el sentido de composición y expresividad de la imaginería y de la pintura barroca. Resulta, pues, que su intención es, sobre todo, conmover, esto es, la misma visión próxima y detallada del cuadro, principalmente la misma proyección hacia fuera de la composición, buscando el enlace con el contemplador, haciéndole término vivo de ella. Este recurso, que especialmente emplea fray Luis, es equivalente a las figuras que nos miran, llaman la atención o señalan a lo que sucede, o bien nos muestran algo que —aunque se dan en el manierismo— tan frecuentes se hacen en cuadros barrocos. Esas llamadas a introducirnos en el cuadro o escena que nos presenta a la consideración y meditación se ofrecen a través de todo el libro. La visión del Juicio Final, y

---

[52] *Primera parte del libro llamado Abecedario spiritual, que trata de las circunstancias de la Sagrada Pasión,* Medina del Campo, 1544. (Trat. XII, cap. V, fol. LXXXIV, v.)

de las señales que a él precederán, se presentan ya buscando este enlace directo con el lector. Pero cuando especialmente se repiten y cobran mayor fuerza es al meditar sobre la Pasión de Cristo. Al llegar la consideración de la Oración del Huerto nos lleva a introducirnos en la escena, nos sacude con llamadas e interrogantes:

«¿Qué haces, ánima mía? ¿Qué piensas? No es ahora tiempo de dormir. Ven conmigo al huerto de Gethsemaní y allí oirás y verás grandes misterios.» Las consideraciones se refieren, es claro, a todos los órdenes de sufrimientos, sin olvidar los morales; pero insiste sobre todo en lo externo, en la visión concreta de la figura humana y de la realidad ambiente: «Mira, pues, al Señor en su agonía —dice—, y considera no sólo las angustias de su ánima, sino también la figura de este sagrado rostro. Suele el sudor acudir a la frente y a la cara; pues si salía por todo el cuerpo de Jesús la sangre y corría hasta el suelo, ¿qué tal estaría aquella tan clara frente que alumbra la luz, y aquella cara tan reverenciada del cielo, estando como estaba toda goteada y cubierta de sudor de sangre?» [53].

Estas llamadas a considerar la escena o paso de la Pasión se hacen más insistentes y clamorosas aún al llegar los momentos de dolor más impresionante. Es hacernos participar en la escena, ser testigos, y en cierto modo parte con todas esas gentes que sin piedad hieren y ofenden a Jesús. Así, nos hace entrar en el pretorio, nos coloca ante Cristo y nos hace observar morosamente cosa tras cosa —llamándonos una y otra vez para que no nos distraigamos— todo lo que está sucediendo ante nosotros. «Entra, pues, ahora —nos dice— con el espíritu en el pretorio de Pilato y lleva consigo las lágrimas aparejadas, que serán bien menester para lo que allí verás y oirás. Mira cómo aquellos crueles y viles carniceros desnudan al Salvador de sus vestiduras con tanta inhumanidad, y cómo Él se deja desnudar de ellos con tanta humildad, sin abrir la boca ni responder palabra a tantas descortesías como allí le dirían. Mira cómo luego atan aquel santo cuerpo a una columna para que allí lo pudiesen herir más a su placer donde y como ellos quisiesen. Mira cuán solo estaba allí el Señor de los ángeles entre tan crueles verdugos... Mira cómo luego comienzan con grandísima crueldad a descargar sus látigos y discipli-

---

[53] *Libro de la oración y meditación. Meditación para el martes por la mañana,* Biblioteca Autores Españoles, págs. 68 y 69.

nas sobre aquellas delicadísimas carnes, y cómo se añaden azotes sobre azotes, llagas sobre llagas y heridas sobre heridas. Allí verás luego ceñirse aquel sacratísimo cuerpo de cardenales, rasgarse los cueros, reventar la sangre y correr a hilo por todas partes.» Ese afán de aproximarnos le lleva al extremo de hacernos observar en primer plano, con detalles y punto de vista cercano auténticamente barroco: «¿Qué sería ver aquella tan grande llaga, que enmedio de las espaldas estaría abierta, adonde principalmente caían todos los golpes? Creo sin duda, que estaría tan abierta, y tan ahondada que, si un poco pasaran más adelante, llegaran a descubrir los huesos blancos entre la carne colorada...» Y tras de hacernos considerar que con tantas heridas y llagas «ya tenía rendida la figura de quien era, y aún apenas parecía hombre», vuelve a llamar: «Mira, ánima mía, cuál estaría allí aquel mancebo hermoso y vergonzoso... tan maltratado y tan avergonzado y desnudo. Mira cómo aquella carne tan delicada, tan hermosa y como una flor de toda carne, es allí por todas partes abierta y despedazada» [54].

No puede darse una expresión de más intensa tendencia a lo plástico-pictórico y de más fuerte emoción comunicativa. No es sólo dejarnos ante la figura de Cristo para que la contemplemos, ni el impulsarnos a hacer la composición de lugar; es mucho más, es llamarnos a formar parte o integrarnos en un ambiente con la llamada repetida para que miremos con detalle y fijeza a ese Cristo que precisamente por nosotros está como está. En el fondo se busca producir esa resonancia: el que seamos parte de la escena, pero más que como testigos como cómplices. Forzoso es recordar ante ese trozo la realización plástica del tema que ofrecerá más tarde Velázquez en su *Cristo flagelado y el alma cristiana.*

Refuerzo de la expresión desbordante

Podría creerse tras de esos trozos de fray Luis de Granada que habíamos llegado a un punto límite tanto de la visión realista —que ahonda en la descripción de lo feroz y cruel del

---

[54] *Meditación para el miércoles por la mañana,* punto quinto, ed. cit., páginas 73 y 74.

martirio— como de esa tendencia desbordante de la expresión que intenta por todos los medios comunicar la emoción, poner ante la escena —y cerca, en primer término— para sacudir hasta lo más hondo de nuestra sensibilidad. Pero si avanzamos en el tiempo dentro de nuestra literatura ascética y consideramos un tratado de la oración correspondiente a los primeros años del siglo XVII, encontramos cómo esa tendencia realista y esos recursos expresivos para aproximar al lector y hacerle meditar ante un paso de la pasión de Cristo, se desarrolla en intensidad, número y extensión. Todo se hace más moroso, intenso e insistente. Es una prueba de cómo se trata de rasgos típicos de la sensibilidad del Barroco. El hecho de que demuestre la clara influencia de fray Luis no puede explicar la extremosidad de la morosa visión realista con que se presenta y desarrolla la escena, sino el perpetuarse de una tendencia que afectaba a lo más íntimo de la técnica de la meditación imaginaria realista, que se refuerza, además, al coincidir con un cambio de la sensibilidad artística. Nos referimos a los ejercicios espirituales del cartujo fray Antonio de Molina, publicados en 1613, y que fueron objeto de varias reediciones [55]. Construye su tratado sobre una amplia base doctrinal procedente de los Santos Padres y tratadistas medievales, pero demostrando el conocimiento y asimilación de las doctrinas de nuestros grandes místicos del siglo XVI; así se recuerda la técnica de composición de lugar de los ejercicios ignacianos y doctrinas y pasajes de Santa Teresa y de fray Luis de Granada.

Si consideramos el mismo paso de los Azotes en este libro, y lo comparamos con el pasaje de fray Luis que le sirve de fuente, veremos cómo se suprimen algunos de los párrafos de reiteradas interrogaciones de arrebatado tono oratorio, pero, como por otra parte se desarrolla y amplía el pasaje con nuevos puntos de vista, con más detalles y circunstancias e insistiendo en el llamar al lector para aproximarlo y conmoverlo, estimulando no ya sólo la vista, sino el tacto; llamándolo no sólo a mirar, sino a tocar, a abrazarse y sostener a Cristo, a sentirse teñido de su sangre.

Ya inicialmente se detiene llamándonos a considerar en el acto mismo de atarle a la columna, en lo que insiste con circunstancias y detalles para impresionarnos sensorialmente, esto es, no sólo con la visión, sino además con las sensaciones del

---

[55] Citamos por la edición de Barcelona de 1776: *Exercicios Espirituales de las excelencias, provecho y necesidad de la oración mental...*

tacto: del frío de la columna y de la opresión de las ataduras. «Pondera lo tercero —nos dice— cómo así desnudo le atan a un poste de aquel patio, apretándole fuertemente con cordeles las muñecas, hasta hacerle reventar la sangre, con otra atadura a los pies. Mírale bien, cómo está abrazado con aquella piedra fría, pegados en ella sus pechos y el rostro, sintiendo gran tormento del frío, así de la columna como del aire que penetraba el delicado cuerpo desnudo. Considérale cómo tiene el rostro demudado y amarillo por el temor natural del tormento y por ver los verdugos orgullosos y diligentes en aparejar los instrumentos con que le habían de azotar... ¡Oh, Señor mío, y si yo fuera tan dichoso que mereciera servir de columna, para que Vos arrimárades y en quien estuviérades tan fuertemente abrazado y ligado. Y por lo menos estuviera atado de la otra parte de esa dichosa columna para que me cupiera parte de los azotes que recibísteis, y fuera teñido con vuestra sangre, y derramara juntamente la mía por vos! Considera, alma mía, aquel sagrado y virginal Cuerpo, el más noble, elegante y hermoso de cuanto Dios ha criado; mírale ahora con atención, porque de aquí a un rato no le conocerás» [56]. A continuación vuelve a llamar a considerar para que fijemos la atención lentamente en todos los preparativos de los verdugos y seguidamente pinta el momento de azotarlo: «Considera cómo aquellos rústicos y feroces verdugos en teniendo al Señor atado a su contento, de manera que no se pudiese mover ni defender o encubrir alguna parte de su cuerpo, sino que libremente y a su placer le podían herir en todo él, comenzaron dos de ellos a descargar azotes desatinadamente y con toda fuerza por todo aquel sacrosanto y hermosísimo cuerpo, sin perdonar a parte ninguna que no la hiriesen y lastimasen muchas veces.» Como fray Luis, tras de ese momento, vuelve a llamar para llevarnos —como en «travelling» cinematográfico— a aproximarnos a las espaldas de Cristo en el más violento primer término para ver el destrozo que en ellas producen los azotes: «Mira cómo a los primeros golpes se cubre todo de ronchas y cardenales, y luego revienta la sangre y se cubre de llagas y después, añadiendo azotes sobre azotes, y llagas sobre llagas, y heridas sobre heridas, se pone todo enconado, hecho viva carne y una sola llaga, destilando sangre por todo él, y corriendo hilo a hilo hasta regar la tierra y tener salpicadas las manos, rostro y vestidos de los verdugos, indignos de tan gran tesoro.» La

[56] *Ed. cit.*, segunda parte, tratado III, pág. 529 y ss.

insistente llamada al alma empujándole a mirar y aproximarse, llega a concretarse con pleno sentido de realidad. No es que dirijamos la mirada, sino que corporalmente avancemos hasta tocarlo. Nos pide que nos acerquemos, aunque sea arrastrándonos por el suelo bajo los pies de los sayones que lo están azotando; que abracemos y adoremos sus pies, que los reguemos de lágrimas, que cojamos los azotes, que por deshechos de golpear con ellos han arrojado al suelo los verdugos, y que los guardemos como reliquias y para castigar nuestras culpas. Incluso nos pide que nos pongamos delante de los verdugos, contigo, porque los estorbas, descarguen en ti los azotes!» pues somos los que los merecemos. No se puede llegar a más en este romper los límites de la visión que se nos ofrece por escrito y la realidad viva y concreta del lector. Se nos hace intervenir en los hechos; somos parte de la escena; se nos obliga a sentirnos dentro del grupo que forma Cristo y sus verdugos. «¡Oh, alma mía —escribe—, date prisa y llega por entre los pies de aquellos sayones aunque te pisen y hasta te den coces: besa devotamente aquella tierra santa bañada y empañada con la sangre de tu Criador; adora aquellos divinos pies y abrázate con ellos y riégalos con lágrimas; toma los azotes que han dejado los verdugos, ensangrentados y casi deshechos, para tomar otros nuevos, y guárdalos en tu corazón por reliquia para castigar tus culpas; y si pudieres, atrévete a ponerte delante de aquellos bárbaros e inhumanos para que enojados contigo, porque los estorbas, descarguen en ti los azotes!» Volverá a llamar para que miremos cómo cansados los verdugos *vienen otros dos de refresco con nuevos látigos y azotes.* La insistencia es aún más cruel en esta lenta y detallada descripción: «Viendo que ya el Señor tenía todas las espaldas molidas y desangradas, hecha de todo el cuerpo una gran llaga, le desatan y vuelven a atar del otro lado, pegadas las espaldas a la columna y le azotan de nuevo en todas partes que antes habían estado defendidas con ella, hasta no dejar en todo el cuerpo ni una pequeña parte sana, sin su particular llaga» [57]. Seguirá insistiendo y llamando al lector para mirar una y otra vez, hasta que llegado el momento en que los verdugos, *por temor a que se le acabara la vida,* cesan de azotar y le desatan. Entonces nos hace considerar cómo «quedó todo entumecido y quebrantado y los brazos envarados sin poderlos manejar; y cómo del gran cansancio y flaqueza de haber derramado tanta

[57] *Ed. cit.,* pág. 531 y ss.

sangre, con gran dificultad se podía tener en los pies, y le fue forzoso arrimarse a la columna». Es el momento que aprovecha el autor para llamar con prisa, para que nos acerquemos otra vez: «Llega tú, pues, pecador, no pierdas tan buena ocasión; que por malísimo que seas, estando como está el Señor tan necesitado, serás bien recibido. Suplícale que descanse sobre tus hombros y eche sobre ellos sus brazos sangrientos y atormentados y recline su divino rostro sobre el tuyo, y pegue alguna de aquellas lágrimas y sangre de que está bañado; y ya que de hecho no puedas, desea poder llegar a hacerle algún servicio y darle algún alivio; pero míralo cuan solo está, todo bañado en sangre, cercado de dolores, y temblando de frío, sin tener quien le lavase las llagas, ni restañase la sangre, ni diese otro algún refrigerio.»

La sensibilidad de este monje escritor, respondiendo a una tendencia propia del género de la meditación y a su propia sensibilidad de escritor barroco, cual corresponde al momento en que escribe, extrema, no ya sólo la visión realista —lenta y detallada, bordeando lo morboso—, sino igualmente ese sentido de visión próxima, de acercamiento y de llamada a meternos en la escena; a romper la delimitación de espacio; a confundir la visión o pintura literaria y la concreta y viva realidad de nuestra persona.

Sus recursos expresivos han logrado con eficacia que podamos hacer la composición de lugar para meditar en este paso de la Pasión y no nos quedemos ausentes del sitio y hechos que nos presenta. Como el artista barroco, ha buscado actuar sobre nuestra imaginación y excitando los sentidos para resonar en nuestra sensibilidad y conmovernos, sin apenas acudir a la vía discursiva del razonamiento.

Avanzando en nuestras letras, a mediados del siglo XVII, podemos ver cómo al paso de los azotes se le siguen agregando rasgos o anécdotas, nuevas visiones, para impresionarnos y conmovernos con las crueldades en lo que podríamos llamar nuevos cuadros en una sucesión cambiante de puntos de vista. Así, el famoso franciscano fray José de Villalva en su *Antorcha Espiritual y farol divino,* ofrece otros momentos y aspectos del paso de la columna. Tras de señalar cómo escogen seis sayones de los más valientes y crueles, va pormenorizando: «Los dos primeros que comienzan a herir con unas varas llenas de espinas y abrojos que dexaron en el sacratísimo cuerpo lleno de heridas. Los segundos le atormentaron con unos ramales de sogas fuertes, que tenían a los remates unos hierros como garfios, con que no sólo maltrataban la carne, sino que la arrancaban de su lugar. Los terceros con mayor crueldad juzgando que moriría en sus manos llevan unas cadenas de hierro con que hasta los huesos descoyuntaron, sin dejar en aquella sacratísima humanidad partes sanas; todo el cuerpo era una llaga.»

«Cansados ya los soldados, y habiendo probado las fuerzas en azotar como tiranos a nuestro divino Jesús, le desatan de la columna, y como estaba tan desangrado y fatigado con más de cinco mil azotes, cayó en tierra en su misma sangre, que como balsa estaba en el suelo: y cuando verle así compadeciera al más enfurecido, un soldado que le vio en tierra, en lugar de ayudarle a levantar le puso el pie en la garganta y comenzó segunda vez a herirlo y azotarlo en la parte que había estado pegado a la columna y donde no habían llegado los azotes» [58]. Como vemos, se ha añadido la visión del Cristo caído sobre la balsa que ha formado su propia sangre. Es la escena que el arte barroco español —pintura e imaginería— también gustó de representar: el Cristo falto de fuerzas que se arrastra para buscar y recoger sus vestiduras; pero a la que en este lugar el escritor añade esa nueva visión de ensañamiento y ferocidad del soldado que le pisa el cuello y le vuelve a herir y azotar.

Mâle, comentando el cuadro de Murillo representando ese momento de Cristo ensangrentado recogiendo la túnica, recordó un trozo —que podríamos agregar a los aquí anotados— de las *Meditaciones* del toledano Álvarez de Paz, publicadas en 1620, señalando cómo no sólo coincide con el místico sevillano, sino también con un grabado de Cornelius Galle, que confirma la difusión del libro del místico catalán [59].

---

[58] *Antorcha espiritual y farol divino que alumbra al alma y la guía por el camino de la verdad a la patria de la gloria...* Madrid, 1673, folios 149 y 149 v.

[59] *Ob. cit.*, pág. 265. [Las interpretaciones de más interés del tema del Cristo recogiendo la túnica nos la ofrece la escuela granadina. Ya en los comienzos del siglo XVII, Alonso de Mena lo realiza en obra —destruida en nuestra guerra civil— que existía en Alcalá la Real (Jaén), aunque no era el Cristo arrastrándose que ofrecen los artistas posteriores. Las de más intensidad expresiva son las debidas a José de Mora y a sus continuadores, como su hermano Diego, de fines del siglo XVII y comienzos del siguiente. Así, eran del primero la que existió en la iglesia del Salvador, de Granada, y otra mayor, de tamaño natural que se veneraba en la iglesia de la Merced, de Jaén —ambas destruidas—. Otra de pequeño tamaño, al parecer del segundo, se conserva en la clausura del convento de Carmelitas Calzadas de Granada. El tipo iconográfico se repite en el siglo XVIII en la obra de Andrés de Carvajal, conservada en la iglesia de San Sebastián, de Antequera. En relación con este tema de la Pasión y de idéntico patetismo y realista expresión desbordante comuni-

Recordemos que ese sentido de visión impresionante y lastimosa —de Jesús caído en la balsa de su sangre— quedará incluso en la visión concentrada, de expresión concisa del Gracián ascético quien nos pinta a Cristo «al pie de la columna, caído, revolcándose en la balsa de su sangre» [60]. La meditación la centra, pues, una visión realista que busca repercutir sensorialmente en nuestra imaginación con esa emoción desbordante, comunicativa que nos hace ser testigos y hasta parte de esas escenas de la Pasión de Cristo. Como veíamos antes, Velázquez dio plena expresión pictórica a ese sentido de la meditación imaginaria. Pero mucho antes, según luego se anota, místicos como el beato Nicolás Factor —escritor, poeta y pintor— realizaron la pintura de pasos de la Pasión de Cristo acompañados de versos al pie para conmover más vivamente al espectador al considerar estos misterios dolorosos de la vida de Jesús.

Tendencia a lo visual, plástico y pictórico, en los escritores místicos y ascéticos

Una muestra importante de esos paralelismos o antecedentes entre los místicos y el Barroco lo constituyen, como vemos, las descripciones realistas de los pasos de la Pasión de Cristo, tema central de los libros de meditación. La mejor ilustración, o realización, de ellos serían las imágenes y lienzos de la época barroca. Como ya hace años destacábamos, el escritor ascético al componer su meditación de acuerdo con ese sentido imaginario, realista, de composición de lugar, ha de adoptar la ac-

---

cativa, es el del paso del *Cristo de la caída,* también representado desnudo casi arrastrándose bajo el peso de la Cruz. La mejor interpretación la ofrecía la imagen debida a José de Mora, que se veneraba en el convento de Carmelitas Descalzas de Úbeda, que igualmente fue destruida en 1936. En competencia con ella, puede destacarse la debida a José Risueño, existente en el Convento de monjas de la misma Orden, en Baeza. Posiblemente, la inspiración del pensamiento teresiano explique esta relación del tema con la vida espiritual de dichos conventos. Sobre estas imágenes y el sentido estético religioso barroco que las inspira, véase nuestro trabajo: «Unas obras de Risueño y de Mora desconocidas», en *Arch. Esp. de Arte,* t. XLIV, núm. 175, 1971, págs. 233-257.]

[60] *Meditaciones para antes y después de la Comunión.* Meditación XLI, punto tercero.

titud descriptiva del pintor para ofrecer al lector un auténtico cuadro que actúe o viva ante él como la misma realidad. La tendencia se presenta en los tratados de meditación en la Edad Media pero se desarrolla y extrema en los escritores españoles del siglo XVI. La imaginación del que escribe ha de trabajar como la del artista, cual si concibiera la composición de un lienzo, del relieve de un retablo o de un grupo de imaginería procesional. «El obligado detenerse en una representación imaginaria —escribíamos— lleva necesariamente a la creación de una verdadera imaginería mental que, al ser ofrecida al lector, cobra animación con perfil y color para hacérsela sentir como presente. Además, como estos escritos responden, de una parte, por su creador, a una religiosidad experimentada, y de otra, están destinados como la imagen a despertar y mover la devoción del lector, se necesita que éste sienta la imagen tan presente que olvide por completo que está leyendo» [61].

Se comprende que la imaginería española contemporánea de estos escritos coincida en muchos de sus rasgos expresivos con estas descripciones; el mismo realismo y la misma emoción comunicativa las alienta. Podrá descubrirse en esas imágenes y retablos rasgos característicos del Manierismo, pero forzoso es reconocer que esa violencia de movimiento y ese dramatismo que las agita no puede explicarse totalmente por una pura preocupación formal o de convencionalismo que busca el esquema previo de composición complicada. Hay un brío e impetuosidad en esos movimientos que no obedece sólo a las posturas difíciles y rebuscadas de la concepción manierista, sino, más aún, a la agitación sentimental —esto es barroquismo— imponiéndose sobre el rebuscamiento artístico intelectual que busca sólo la complicación y extrañeza. Más que el sorprender, lo que buscaban esos escultores —especialmente Juni— era conmover, despertar y mover a devoción a los fieles que habían de contemplar sus imágenes. La misma intención, pues, que la que guiaba a los escritores ascéticos; lo que —como veíamos antes— pedía de las imágenes San Juan de la Cruz. El paralelismo es evidente, pero se hace aún más estrecho si pensamos en la imaginería de pleno barroco, en el arte de Gregorio Fernández. Estos escritores conciben, pues, con pleno sentido plástico o pictórico, componiendo y moviendo las figuras con gestos y detalles de pormenores que se dirigen sólo a actuar sobre nuestra imaginación.

---

[61] «Mística y plástica». Comentarios a un dibujo de San Juan de la Cruz. *Boletín de la Universidad de Granada,* año XI, 1939.

Ya hace años, al señalar esa tendencia a lo plástico y pictórico de nuestros escritores místicos recordábamos una serie de pasajes de distintos autores y momentos en los que se ve cómo se recoge con insistencia la visión realista de uno de los pasos centrales de la tragedia del Calvario. Se trata de la meditación sobre los dolores y angustias de María al descender a Cristo de la cruz y recibirlo en sus brazos; pero que, ya como concreta meditación, ya como consideración introducida al exponer la Pasión de Cristo, lleva al escritor a detenerse en la visión de conjunto y de pormenores, destacando lo impresionante y conmovedor de la escena [62]. Es verdad que, como decíamos, se inicia esta visión realista en las *Contemplaciones de la Vida de Cristo* atribuidas a San Buenaventura, y que también el realismo en la pintura de los dolores de María se había extremado en un tratado atribuido a San Bernardo, que por cierto desarrolló nuestro poeta Berceo, demostrando con ello cómo encontraba en él la visión humana que él buscaba como ideal de expresión. Por otra parte, quedó como visión preferida en los escritores místicos españoles, lo mismo que en los artistas, pese a que algunos teólogos intentaron evitar esa representación de María tan profundamente humana —que parecía negar su papel de corredentora— [63] y que incluso la censura inquisitorial tachó en algún caso —como en el *Primer Abecedario* de fray Francisco de Osuna— alguna de esas expresiones tan profundamente humanas.

Aunque reconozcamos que la persistencia de la imagen o visión recogida por alguno de esos escritores en concreto pueda explicarse —como en el caso del *Libro de la oración y meditación* de fray Luis de Granada y, en parte también, por el compendio que de él hizo San Pedro Alcántara— la insistencia con que se repite en los tratados de meditación, sin embargo, obliga a reconocer que se acogían a un cliché por encontrar en

[62] En *ob. cit.*

[63] Recordemos el caso del famoso pedagogo jesuita del siglo XVI, padre Bonifacio, quien en su *Historia Virginal* dice, refiriéndose a esta visión humana y realista de los dolores de María: «Lo otro de los desmayos hay que interpretarlo piadosamente diciendo que son meras hipérboles, que no tienen otro fin que exagerar la grandeza del dolor de la Virgen para que los niños y gente ruda puedan entender de alguna manera lo que padeció al pie de la cruz... Lejos de nosotros ese intolerable barbarismo del *espasmo* o del *estupor* de la Virgen, aunque lo usen algunos autores piadosos para declarar de algún modo la acerbidad de sus dolores, a los cuales no quiero refutar aquí...» Ver Félix G. Olmedo, S. J.: *Juan Bonifacio* (1538-1606) *y la cultura literaria del siglo de Oro,* Santander, 1938, págs. 123 y 124.

él realizado lo esencial de una visión buscada y gustada. Por análoga razón es natural que en la fijación de estas escenas o cuadros actuara la influencia de la pintura y de la escultura. Así, no es raro que se nos trasluzca en algunas de estas descripciones el recuerdo de la concepción realista, pródiga en detalles, del arte flamenco e hispano-flamenco de fines de la Edad Media. Pensemos en la valoración de las imágenes que en general hacen todos los escritores místicos; ya por estimarlas necesarias en su vida de devoción, ya, además, por responder a un espíritu de época y a una actitud característica de la lucha contrarreformista frente al luterarismo. Lienzos e imágenes han contado de manera decisiva en la vida espiritual de muchos de ellos; incluyendo a Santa Teresa, al Beato Juan de Ávila e incluso a San Juan de la Cruz [64]. Si recomendaban la devoción de las imágenes era natural que los rasgos de ellas acudieran a su mente cuando intentaban fijar en su imaginación una escena de la vida de Cristo. Incluso se interpone en sus visiones sobrenaturales. Así, Santa Teresa, al recordar una de sus visiones de Cristo —en las que con tanta fuerza sensorial se le presenta— en que sintió lo tenía en sus brazos, lo explica con sentido plástico diciendo que fue «a la manera como pintan la Quinta Angustia», y un día de San Pablo —en 1560— se le «representó toda esta humanidad sacratísima como se pinta resucitado» [65]. En un escrito de una monja de fecha poco posterior sobre *su modo de oración* y *mercedes que en ella recibía* también se nos dice al referirse a la oración de unión que algunas veces se le «representaba la visión de Dios en la persona del Padre Eterno, como le pintan, con grande magestad y amor» [66]. De San Ignacio sabemos, por el padre Bartolomé Ricci, que «siempre que iba a meditar de estos misterios de Cristo N. Señor, miraba poco antes de la oración las imágenes que para este objeto tenía colgadas y expuestas cerca de su aposento» [67].

Prueba patente de esa tendencia y necesidad sentida por el escritor místico, por expresar a través de la pintura, del grabado y de la imagen, ya la doctrina, ya la emoción o sentimiento que se desea comunicar o despertar, es el hecho de que ellos mismos realicen o intervengan en la realización de imágenes,

---

[64] Ver nuestro ensayo citado: *Mística y plástica.*

[65] *Vida,* cap. XXVIII, pág. 3.

[66] Citado por Serrano y Sanz, en *Apuntes para una biblioteca de escritoras españolas,* Madrid, 1903, pág. 139.

[67] Citado por el padre Miguel Nicolau, S. J.: *Jerónimo Nadal. Obras y doctrinas espirituales,* Madrid, 1949, pág. 168.

pinturas y dibujos que constituye el complemento o realización gráfica sensible de lo más íntimo de su tendencia de escritores. Ya en otra ocasión anotamos este aspecto refiriéndonos especialmente a los testimonios y obras que se relacionan con Santa Teresa y San Juan de la Cruz. Recordemos hoy el caso de la monja carmelita Cecilia del Nacimiento, discípula del gran Santo poeta, cuyos versos tanto tiempo han corrido confundidos con los suyos, que también como él practicó el arte de la pintura. El Ecce-Homo ya publicado es una típica imagen de devoción en la que alienta ese espíritu del escritor ascético que quiere despertar el sentimiento devocional [68].

Como caso aún de más interés, recordemos también al Beato Nicolás Factor, franciscano contemporáneo de San Juan de la Cruz, e igualmente poeta y pintor, que extremó la utilización simultánea de la expresión pictórica y poética para conseguir su aspiración de adoctrinar y conmover. Sabemos cómo ambas actividades las desarrolló en gran parte impulsadas por el deseo de favorecer la devoción a la Pasión del Señor. Es interesante a este respecto lo que nos relata un antiguo biógrafo. «No omitía diligencia —nos cuenta— para gravar en los corazones de los fieles esta tierna memoria. Como poesía la habilidad de pintar, se dedicaba muchas veces a pintar en las paredes imágenes devotas, que representasen algún pasage de la sagrada pasión de nuestro Salvador, para que dispertasen la memoria de sus dolores. En efecto —agrega— se conserva hoy una en el convento de San Francisco de Chelva, y otra en el de Jesús, que manifiestan bien la perfecta idea que tenía el pintor de aquellos tiernos y dolorosos pasos. Al pie de aquellas sagradas imágenes ponía siempre versos devotos que excitasen en los que lo leyesen afectos de ternura y compasión» [69].

Otra muestra de gran interés de esa tendencia a la plástica y meterse en la escena a meditar, que siente como necesidad expresiva el escritor religioso amante del método de la meditación imaginaria, la ofrece una gran obra del jesuita del siglo XVI Jerónimo Nadal. Respondía éste al sentido ignaciano de la composición de lugar que a su vez coincide y se apoya en el sentido general que venía de la tradición franciscana y que también se recomienda —como ya hace años recordába-

---

[68] Se reproduce en el libro de Blanca Alonso Cortés: *Dos monjas vallisoletanas poetisas,* Valladolid, 1944, pág. 69.

[69] *Vida del B. Nicolás Factor. Hijo de la Provincia de Menores observantes de N. P. S. Francisco de Valencia...,* por el M. R. P. Fr. Joaquín Compañy, Valencia, 1787, págs. 191-192.

mos— por el beato Juan de Ávila. Éste en su tratado de *Audi, filia,* al hablar de la meditación de los pasos de la Pasión de Cristo recomienda: «Hacer cuenta que lo tenéis allí presente y poner los ojos de vuestra ánima en los pies de él, o en el suelo cercano a él, y con toda reverencia, mirar lo que entonces pasaba, como si a ello presente estuvierades» [70]. De forma análoga nos dice el padre Nadal: «No hemos de meditar o contemplar los misterios de Cristo como ausentes, cual si sucedieran en otra parte, y allá en otra parte nos ocuparemos de ellos, sino que conviene que con el espíritu y el pensamiento estemos allí donde los misterios se realizan, para que saquemos espíritu y devoción de todas las circunstancias de lugar, personas y acciones. Vayamos, pues, hermanos —concluye—, con los apóstoles, mezclémonos con los discípulos y con la multitud o ya que somos indignos, sigamos más bien aquella santa compañía» [71].

De acuerdo con esa intención y advertencia —y conforme a una aspiración de San Ignacio que expresó el deseo de que alguien propusiera puntos para la meditación de los escolares de la Compañía y que los ilustrara con imágenes yuxtapuestas y comentarios— [72], se hace bajo su orientación y concreta designación de puntos y escenas a meditar, la edición de un gran libro de imágenes para las meditaciones. Se trata de una colección de grabados, en tamaño folio, de espléndidas planchas y edición de Martín Nucius, para ser utilizadas siguiendo su *Adnotationes et Meditationes* sobre los Evangelios. Por esto muchas veces se editaron juntas ambas obras. El padre Nicolau, S. J. —a quien se debe un gran estudio sobre la figura y obras del padre Nadal— señala el extraordinario éxito y difusión de esa obra, cuyas primeras ediciones se agotaron rápidamente [73]. Ello es prueba de cómo este género de meditación imaginaria, de hacer plenamente viva como realidad presente las escenas a meditar, era una necesidad sentida no sólo dentro del ámbito de las órdenes religiosas, sino por los fieles en general. Es verdad que los textos latinos pudieron ser una limitación con respecto al pueblo, pero, por otra parte, permitió su difusión fuera de lo español, de acuerdo con un sentimiento que respondía a la sensibilidad y sentido del Barroco. Por otra

---

[70] Cap. LXXV, *Obras espirituales del Padre Maestro Beato Juan de Ávila,* Madrid, 1941, pág. 233.
[71] Citado por el padre Nicolau, en *ob. cit.,* pág. 217.
[72] *Ídem,* pág. 168 y ss.
[73] *Ibídem,* págs. 166 a 188.

parte, lo esencial, importante y numeroso de las imágenes bastaba por sí para hacer la práctica de la meditación realista. En ellas se indican y precisan con letras y llamadas al pie los distintos puntos a considerar. Es, pues, la sistematización de una técnica buscada y sentida por la mayoría de los religiosos, sacerdotes y fieles. Era el complemento, y a la vez la consecuencia, de esa necesidad sentida por el escritor de pintar con palabras.

Esta valoración de lo visual y pictórico por parte del escritor religioso que representa el libro del padre Nadal, se acrece si consideramos el enorme influjo que sus *Adnotationes* y, sobre todo, su *Evangelicam historiam,* tienen seguidamente en el arte y, concretamente, en la pintura española. El padre Feliciano Delgado ha subrayado lo decisivo de su influjo en *El Arte de la Pintura* de Francisco Pacheco [74]; y no olvidemos que éste fue el libro de más interés para la iconografía religiosa que se creó en España en el momento de comienzos del Barroco y, por otra parte, el influjo directo que Pacheco ejerció sobre el mayor número de los grandes pintores españoles de entonces como Velázquez, Zurbarán y Alonso Cano.

Esta necesidad de la imagen como medio visual de reforzar la enseñanza y comunicación doctrinal, lleva, pues, al desarrollo y multiplicación de esos libros con grabados. Era la manera de hacer más completa la repercusión sensorial sobre el lector. Un aspecto importante de este género de libro espiritual, fue el desarrollo de la literatura emblemática. Contando con ese sentido ignaciano de la meditación que pesó en su origen, no es extraño el hecho señalado por Herrero García: «Este género —dice— de literatura aliada con el arte del grabado tuvo en el siglo XVII sus principales cultivadores en los jesuitas» [75].

Aunque el libro de Emblemas sea una creación del Renacimiento, es innegable su gran importancia en la época barroca y su amplísimo desarrollo en los géneros religiosos. Refiriéndose a los jesuitas dice el citado crítico: «Empezaron, naturalmente, a cultivar el género apegados al original, en que prevaleció lo filosófico-moral... Muy pronto derivaron a *lo divino*» y aparecieron las ideas religiosas vertidas en *Emblemas.* Aunque

[74] Feliciano Delgado, S. J.: «El Padre Jerónimo Nadal y la pintura sevillana del siglo XVII», en *Archivum Historicum Societatis Jesu,* vol. XXVIII, 1959, págs. 354-363.

[75] Miguel Herrero García: «El grabado al servicio de la Mística», en *Revista de ideas estéticas,* núm. I, Madrid, 1945, pág. 342.

el género se cultivó también fuera de España, fue aquí donde se extremó y produjo en abundancia ese tipo de *Empresas espirituales*, comenzando por las así llamadas de Francisco de Villava (1613). Caso extremo de trasmutación a lo visual de lo espiritual místico lo ofrece el libro del mercedario fray Juan de Roxas y Ausa, comentado por el citado crítico, en el que se representan en grabados la doctrina mística de *Las Moradas* de Santa Teresa. Corresponde a una fecha ya tardía (1671); nos permite ver un conjunto en el grabado de lo que eran los jeroglíficos y emblemas tan gustados en las festividades religiosas españolas del siglo XVII, otra realización extrema de esa tendencia a la expresión figurativa y sensible que impulsaba la literatura religiosa ascética y mística [76].

---

[76] En un importante libro de Julián Gallego, *Vision et Symboles dans la Peinture espagnole du Siècle d'or,* París, 1968, se dedica al tema de las empresas un extenso y documentado capítulo que constituye la mejor exposición que sobre ello contamos, haciendo ver la importancia de la floración de este género de literatura ilustrada y su enorme influencia en el arte y en la vida. [Junto a este libro es de interés recordar el trabajo de J. A. Maravall, *La Literatura de Emblemas en el contexto de la Sociedad barroca,* en «Teatro y Literatura en la Sociedad barroca», Madrid, 1972, en el que reelabora un ensayo anterior y las ideas que expuso sobre el tema en su libro *Teoría española del Estado en siglo XVII,* Madrid, 1944.

Aparte estudiar los antecedentes medievales del género, subrayando el paralelismo que ello supone con otros aspectos de la literatura del siglo XVII, destaca —coincidiendo con nuestros puntos de vista— la importancia de lo sensible y, concretamente, de lo plástico visual, precisando, como «en toda la pedagogía del siglo XVII, juega un gran papel la utilización de lo sensible. Hasta en el sector protestante —agrega— observamos esto, y marca una fecha clave en la historia de los métodos pedagógicos la aparición de la obra de Comenio, *Orbis sensibilium pictus*». Ante los emblemas políticos, señala cómo los escritores utilizan los medios sensibles de carácter visual para «producir una acción directa sobre el ánimo». La razón, pues, está en que el *hombre del siglo XVII piensa* que «la incorporación de un elemento plástico a un contenido didáctico refuerza grandemente las posibilidades de asimilación de este último». Por esta misma razón se estiman los *valores estéticos* de los emblemas y empresas por considerar que así «incrementan la eficacia educativa de éstas». A estos factores se unen el psicológico, que a su vez produce un placer —tanto en los emblemas y más aún en los análogos enigmas y jeroglíficos— y es el de la *dificultad.* Al placer de ir descubriendo el sentido oculto, se une el hecho de que «el concepto quede más honda y persistentemente grabado en la mente». Maravall aduce a este propósito la doctrina estética de Gracián: «A más dificul-

Un ejemplo de meditación realista a través de varios autores

De las primeras descripciones del paso de las Angustias de María que podemos destacar en los libros de nuestros místicos —de acuerdo con ese sentido realista que tiende a lo pictórico y a comunicar la emoción— es la que nos ofrece fray Bernardino de Laredo en su *Subida del Monte Sión,* una de las obras que más pesaron en la formación espiritual de Santa Teresa. Como ya hemos visto en algún pasaje citado en estas notas, y como ocurre también en otros muchos trozos de este famoso libro, refuerza la emocionada expresión de la escena imponiendo un ritmo métrico a su prosa, como para ahondar más, en la buscada comunicación con el lector, con la resonan-

---

tad —decía éste— más fruición del discurso en topar con el significado cuando está más oscuro.» Podría haber aducido también el pensamiento de Góngora que se expresa igualmente, alegando el mismo fundamento estético psicológico, al contestar la carta que encubiertamente le dirigió Lope atacando, sobre todo, la oscuridad de las *Soledades.* Vistas las opiniones análogas de preceptistas con respecto al emblema, concluye Maravall que, teniendo en cuenta el público al que se la dirige y la *necesidad de contar con sus aspiraciones de participación* «y atendiendo la finalidad que se persigue de educar y dirigir a ese público que opina, sirviéndose para ello de resortes psicológicos eficaces, nos será fácil comprender que el emblema, con su ejemplarismo y su plasticidad, haya de juntar una dosis de dificultad que satisfaga la afición al ingenio de esos nuevos grupos cultos». Era la manera completa de hacer *atender, fijar y hacer calar la doctrina.* Era el medio de distribuir un saber tradicional para *alimentar las mentes de una sociedad estática* atendiendo ya *grupos sociales mayores en masa.* Con ello, en forma análoga al teatro, según Maravall, se tendía a «comunicar y socializar unos conocimientos o modos de pensar de carácter estático, en correspondencia con la estructura tradicional de la sociedad que se pretende salvaguardar».

Como libro de interés general y fundamental para el estudio de los emblemas hay que citar el de Mario Praz —pero en su última edición—, *Studies in Seventeenth - Century Imagery. Second edition considerably increased,* Roma, 1964. En él se reúne al final —págs. 233-576— la más importante *Bibliografía de libros de Emblemas* —aunque sea ampliable— publicada hasta ahora. También hay que citar el libro de Robert J. Clement: *Picta Poesis. Literary and Humanistic Theory in Renaissance Emblem Books,* Roma, 1960. En cuanto a los principios teóricos del género en nuestros escritores, véase K. L. Selig: «La Teoría dell'Emblema in Spagna», en *Convivium,* 1955.]

cia acompasada de sus palabras. Todo supone el refuerzo de los recursos de repercusión sensorial como medio de actuar más eficazmente en el alma del lector.

He aquí el comienzo del capítulo XXVIII dedicado a la meditación de los *agudos dolores de la Virgen en la cruz y lanza:* «Estando [en] los lastimados brazos de la mesmísima Madre el cuerpo hecho pedazos del Hijo de Dios y suyo, ¿cuál dolor esforzaba a privar más su sentido con más intensa aflicción, ver la sagrada cabeza muy penetrada de espinas, la frente tensa extendida ensangretada, o los ojos ya submersos y sin luz, o la nariz afilada, o los labios amarillos, o el paladar de la hiel atormentado, o la boca un poco abierta, como quien perdió la vida; o la barba más que medio repelada? ¿O si era compasiva aflicción ver la garganta ser de la soga gravemente lastimada? ¿O ver los brazos caídos, los huesos descoyuntados, ver evacuadas las venas, o los nervios contraídos, o las manos enclavadas, o trasijados los pechos, o partido el corazón, o rompidas las entrañas, o el cuerpo todo llagado, o si era todo una llaga? ¿Qué aflicción era mirar las descoyuntadas piernas o ambos los pies de un tal clavo penetrados que entrase en el corazón de esta ánima desterrada? Cierto está que de la planta del pie hasta sobre la cabeza no había alguna cosa sana. Pues si no había sanidad en toda la carne y cuerpo del desollado cordero, ¿podríala haber por ventura en las entrañas de su oveja lastimada? Sé que no; porque la inocentísima carne del mansuetísimo Cristo, parte era no apartada de las muy puras entrañas de su amantísima Madre, y aún de lo más puro de ellas; y si más pura, más tierna; y cuan tierna, tan sensible; y cuan sensible, tan cruelmente lastimada en última extremidad» [77].

La visión que de este grupo de las angustias de María nos ofrece el Beato Juan de Ávila responde plenamente a los rasgos característicos de esta tendencia a la plástica que comentamos y, asimismo, de ese sentido de composición desbordante, de expresión comunicativa que impulsa al lector para que se acerque a contemplar la escena como si estuviera todo sucediendo en ese momento [78]. Tras de hacer el relato de los preparativos hechos por José de Arimatea para el descendimiento de Cristo, y una vez reunidos con María, Juan y Nicodemus,

---

[77] *Ob. cit., ed. cit.,* págs. 202 y 203.

[78] En *Libro del Espíritu Santo,* trat. 8, punto 10. *Descendimiento,* en *Obras Espirituales del Padre Maestro Beato Juan de Ávila* (segunda edición), 1941, tomo II, pág. 778 y ss.

se detiene para llamarnos a presenciar de cerca la escena: «Alleguémonos todos ahora a ver cómo pasa esto. No es razón que el cristiano se halle ausente al entierro de Jesucristo. Quienquiera se llega a la cama de uno que se quiere morir; cuanto más que nosotros somos los que ganamos, y sacaremos, grande provecho, si con devoción y atención miráremos lo que allí se hizo. Ahora mirar cómo pasó.» Aunque con ese tono más reposado y sereno, el relato del desclavar a Cristo se hace impresionante en su sobria y objetiva descripción, pero ante el grupo de María, ya con el hijo en los brazos, su tono se aviva y enciende pintándonoslo con los rasgos que la pintura y la imaginería castellana tantas veces dio a su representación. Como en otra ocasión decíamos, nos hace pensar en una tabla flamenca o hispano-flamenca de fines de la Edad Media. Nos lo va contando en forma de realidad presente, empleando los verbos en este tiempo para reforzar la sensación de real acontecer ante nosotros. Además, a veces, le da la palabra a María para impresionar más, como en diálogo dramático: «Llégase la Virgen para tomar a Jesucristo en sus brazos; con el dolor no podía reposar; ni descansar en pie, ni descansar asentada: "¡Dádmelo acá!" "¡Oh, Señora! ¿Sabéis lo que pedís? Mirad que no descansaréis con eso, antes se doblará vuestro dolor". Toman el cuerpo y pónenlo en sus brazos; toma San Juan de la cabeza y la Magdalena de los pies; comienzan todos a llorar con tanto sentimiento, de ver por una parte aquel bendito cuerpo tan atormentado, por otra parte de ver las lástimas que la Santísima Virgen hacía. ¡Oh, gran dolor! ¿A quién te compararé?» Los detalles realistas se suceden tras esa descripción general del grupo: «Comienza la Virgen de allegarle las manos a la cabeza, y topaba con las espinas que le habían quedado hincadas al quitar de la corona; todos los cabellos llenos de sangre. No hacía sino rodear aquel cuerpo; no se hartaba de mirarlo, y por otra parte desfallecía del gran dolor; tómale las manos, las ve hechas pedazos; pone los ojos en el rostro de su hijo, abre aquella boca y comienza de hablar: quebraba el corazón al que la oía.» Las exclamaciones e interrogaciones —verdaderos gritos— dirigidas al cuerpo del hijo se acumulan reiterativas como en fray Luis de Granada, para ahondar, con estas palabras que se nos trasladan en estilo directo, en la expresión del sentimiento de dolor ante el grupo que nos ha puesto delante. Nos obliga a ver a María y a oír su llanto.

Forzoso es considerar, tras de este pasaje, la visión que

nos ofrece fray Luis de Granada —lector de los escritos del Beato Ávila— en su famosísimo *Libro de la Oración y Meditación,* aparecido en 1554, pero —como ha precisado el padre Álvaro Huerga— iniciado ya en 1539 [79]. Precisamente, en el conjunto de meditaciones realistas que ofrece en torno a los pasos de la Pasión de Cristo sigue la tendencia de la tradición franciscana. Esto explica en parte el hecho de que San Pedro Alcántara, *pareciéndole el mejor de los que en nuestra lengua había leído, se determinara a ponerlo brevemente y lo más claro que supo, para que todos lo pudiesen mejor tomar y retener en la memoria.* El éxito del libro de fray Luis fue asombroso. Alcanzó a todos los sectores. Dice muy bien el gran conocedor de fray Luis ya citado— recogiendo con expresivo acierto el dicho despectivo del inquisidor Valdés—, que «su mensaje conmovedor llegó a todos los rincones, aun a las almas de las mujeres de carpinteros» [80]. Su capacidad para evocar en forma plástica la escena es extraordinaria, aunque el trozo descriptivo sea breve. Ya en otra parte anotamos sus dotes expresivas para comunicar la emoción, para conmover, con lo que consigue detenernos la imaginación aún con más fuerza en la dolorosa escena que ha pintado. Tras de ello las exclamaciones y las consideraciones de María extremarán la eficacia de la Virgen de las Angustias con el mismo movimiento y agrupación con que la pintó Van der Weyden, aunque se nos agranda en el tono de sus palabras a la escala humana de paso procesional o representación dramática: «Apretándole fuertemente en sus pechos, mete su cara entre las espinas de la sagrada cabeza, júntase rostro con rostro, tíñese la cara de la Santísima Madre con la sangre del Hijo, y riégase la del Hijo con las lágrimas de la Madre» [81].

La influencia de este libro y el responder a la sensibilidad religiosa de la época hizo que este pasaje, como las demás meditaciones realistas que en él figuran, se recordasen por muchos escritores inmediatos y del siglo siguiente. El caso de más interés lo constituye el resumen aludido de San Pedro Alcán-

---

[79] Álvaro Huerga: «Génesis y autenticidad del Libro de la Oración y Meditación , *Revista de Archivos, Bibliotecas y Museos,* Madrid, 1953. En él se llegan a las más claras conclusiones respecto al problema de la relación del libro de fray Luis y el atribuido a San Pedro de Alcántara, extracto de la obra del gran dominico.

[80] *Ob. cit.,* pág. 27.

[81] Cap. XXV: *Meditación para el sábado por la mañana.* Punto II del *Descendimiento de la cruz y llanto de la Virgen.*

tara, aunque el que conocemos como obra suya sea debido al mismo fray Luis.

El más importante desarrollo de dicha visión, y respondiendo a un sentido realista y expresivo más desbordante e intenso cual corresponde a la sensibilidad del Barroco que le hace deleitarse, morosamente, en todos los detalles que suponen ahondar en el sentimiento del dolor, lo ofrece el cartujo fray Antonio de Molina en sus *Ejercicios espirituales.* Así, por ejemplo, insiste en la descripción detallada del cadáver de Cristo; en lo que sentiría la Madre «cuando viese el Sagrado Cuerpo denegrido de golpes y cardenales, desollado y todo cubierto de llagas. Cuando viese las manos y pies tan desgarrados, con tan grandes agujeros, tentase los huesos y los hallase todos descoyuntados y fuera de sus lugares, especialmente el hombro izquierdo; cuando le viese todo molido con el gran peso de la cruz; la cabeza taladrada y llena de llagas de las espinas, y sacase algunas que se habían quedado quebradas; el rostro lleno de salivas y sangre seca y cuajada; la garganta desollada, y, finalmente, todo Él tan maltratado, que solamente lastimara el corazón de quien no le conociera» [82].

Anotemos el hecho de que aun escritores que no tienden por temperamento al tipo de meditación realista —como ocurre con fray Juan de los Ángeles— siguen la misma técnica de describir con sentido plástico y de llamar al alma para colocarnos ante la escena lastimosa. Así, nos coloca ante Cristo muerto en el momento del descendimiento. No oculta su admiración por fray Luis y no extrañará, pues, quede bajo este recuerdo lo esencial de la visión plástica del grupo que forma la Madre abrazando al hijo que tan vigorosamente nos pinta en la Meditación del Sábado: «Bajaron con gran reverencia el sagrado cuerpo a donde hubo millares de ángeles que quisieran llevársele al cielo; mas no se atrevieron porque en su testamento le mandó a los hombres. Sube con ellos, alma contemplativa, y mira el quitar de la corona, el enderezar de los clavos doblados, sustentar el cuerpo en una toalla limpia, la entrega que se hace de esta reliquia y sagrados despojos a la Santa Madre y lo que ella hace con cada uno de ellos.» Y tras las exclamaciones en que la Virgen prorrumpe —en las que sigue el recuerdo del gran dominico— describe el grupo con fuerza y concisión: «Bajan el cuerpo, pónenle en los brazos de la Madre, abrázase con él, asiéntase en tierra, junta rostro

[82] *Ob. cit.,* trat. 3.º de la segunda parte, *ed. cit.,* pág. 573.

con rostro y riégale con lágrimas de sus ojos.» El llanto e interrogaciones de María vuelven a cortar la descripción hasta cerrar la meditación, recordándonos: «Aquí, silencio y soledad» [83].

La tendencia realista desbordante de la meditación ascética y su realización extremada en el estilo Barroco

Es interesante observar cómo en el período de plena exaltación barroca vienen a confluir esos rasgos estilísticos de la literatura ascética con la extremada expresión de barroquismo de la pintura. Realismo y objetividad descriptiva, sentido desbordante, comunicativo, de la composición, utilización alegórica de los elementos de la realidad y un sentido general de valoración de lo sensorial e irracional —colores, luces, sombras—, a fin de actuar sobre los sentidos con una intención o finalidad extraartística; todo esto, que se nos ofrece como una aspiración y logro del ideal del Barroco en la pintura de Valdés Leal está impulsado y apoyado en la literatura ascética más próxima al gran pintor. No sólo sus dos grandes lienzos del Hospital de la Caridad, también las otras dos composiciones alegóricas moralizadoras dadas a conocer en estos últimos años, responden —y realizan— la aspiración de la literatura ascética, en su búsqueda de elementos sensoriales de distinto orden para actuar con más fuerza sobre el lector.

Una y otra vez la crítica, al estudiar los *jeroglíficos* de las postrimerías, ha tenido que ponerlos en relación con pasajes del *Discurso de la Verdad,* de don Miguel de Mañara [84]. El gran arrepentido había encontrado en Valdés el temperamento capaz de dar plena expresión a lo que él había procurado expresar en su escrito, en apasionado afán de conmover e impresionar a sus lectores. Mañara, apoyado en la gran tradición as-

---

[83] *Manuel de Vida perfecta.* Diálogo VI. Quinquenario. Meditación quinta, Madrid, ed. B. A. C, 1608:*Místicos franciscanos españoles,* tomo 3.°, Madrid, 1949, pág. 678.

[84] *Discurso de la Verdad compuesto por el Venerable Siervo de Dios Don Miguel Mañara y Viecentelo de Leca* (texto correspondiente al aprobado por la Sagrada Congregación de Ritos en la causa de su beatificación, en 17 de septiembre de 1776), Sevilla, 1917.

cética española y en la propia experiencia, quiso darnos en un breve discurso la lección fundamental que ha de aprender el cristiano en esta vida: *hacer reinar en nuestros corazones la terrible verdad de lo que somos: polvo, ceniza, corrupción, gusanos, sepulcro y olvido.* El hecho de llamarlo *discurso* está indicando cómo su autor lo concibió como aviso oral o sermón, como palabras vivas que tenemos que escuchar, pues se nos dictan directamente a todos los hombres. Con acierto, Valdés Leal lo retrató leyendo ese discurso y mirando al espectador, a quien, además, un niño en primer término le indica guarde silencio para escuchar las graves y aleccionadoras palabras que está pronunciando el cristiano caballero. Es la expresión plástica que busca el acompañamiento sonoro; la completa expresión sería oír simultáneamente los avisos y reflexiones que nos hace en su *discurso de la verdad.*

Las llamadas a los ojos y oídos que el asceta escritor nos hace en su tratado —breve, pero intenso—, queriendo ponernos ante la horrible realidad de la muerte, el pintor la realizó en todo lo que tenía de fuerte estímulo visual, pero dejando también insinuada la sugerencia de la sensación auditiva, aunque, esencialmente, fuese ésta la del silencio. La sensibilidad barroca de Mañara extrema los recursos y formas expresivas que le ofrecen los escritores ascéticos en un coincidir de sentido de expresión que busca la comunicación directa, para conmover e impresionar sensorialmente y ponernos ante la concreta realidad cual si la tuviésemos delante de nosotros.

En general, todo el escrito se expone en segunda persona del singular, en llamada concreta dirigida al lector, cambiando sólo a veces para hacerlo en segunda persona del plural —cuando llama a los hombres cual si estuviesen más distantes—, o como moralista, en primera persona del plural, al hacer algunas consideraciones generales. Las exclamaciones e interrogaciones que avivan el tono de llamada, grito o lamento, inician con acierto el comienzo de algunos de los puntos de meditación: «¿Qué importa, hermano —nos dice en el punto XIV—, que seas grande en el mundo si la muerte ha de hacer igual con los pequeños?» Tras de esta llamada nos empuja y coloca ante el macabro espectáculo de un osario: «Llega a un osario, que está lleno de huesos de difuntos, distingue entre ellos el rico del pobre, el sabio del necio y el chico del grande; todos son huesos, todos calaveras, todos guardan una igual figura. La señora que ocupaba las telas y brocados en sus estrados, cuya cabeza era adornada de diamantes, acompaña las calaveras de los mendigos. Las cabezas, que vestían penachos de plumas en las fiestas y saraos en las Cortes, acompañan la calaveras que traían caperuzas en los campos. ¡Oh justicia de Dios, cómo igualas con la muerte a la desigualdad de la vida! ¿Qué cosa hay tan horrible como el hombre muerto? Fantasmas a la ilusión de quien lo conocía, horror a los ojos de quien lo amaba. ¡Oh instante, que mudas las cosas! ¡Oh instante del ser al no ser...! [85].

Esta consideración de la muerte en la terrible visión sepulcral de los cadáveres descompuestos, descoyuntados y comidos de los gusanos es lo que se repite insistentemente y con la concreta y directa comunicación con el lector, llamándole a considerar lo que ha de ser de sus ojos que están leyendo, de sus manos y de sus trajes. Es un ahondar y remover morosamente que nos estimula y sugiere sensaciones visuales, táctiles y olfativas para hacernos sentir en nosotros mismos el comer de la miseria y podredumbre; nos encamina a contemplar, a penetrar en una bóveda entre muertos y haciéndonos pensar en nuestros muertos. «Si tuviéramos delante la verdad —ésta es, no hay otra —, la mortaja que hemos de llevar, viéndola todos los días, por lo menos con la consideración de que has de ser cubierto de tierra y pisado de todos, con facilidad olvidarías las honras y estados de este siglo; y si consideraras los viles gusanos que han de comer ese cuerpo y cuán feo y abominable ha de estar en la sepultura, y cómo esos ojos que están leyendo estas letras han de ser comidos de la tierra, y esas manos han de ser comidas y secas, y las sedas y galas que hoy tuviste se convertirán en una mortaja podrida, los ámbares en hedor, tu hermosura y gentileza en gusanos, tu familia y grandeza en la mayor soledad que es imaginable. Mira un bóveda; entra en ella con la consideración, y ponte a mirar tus padres o tu mujer (si los has perdido), o a los amigos que conocías; mira qué silencio. No se oye ruido; sólo el roer de las carcomas y gusanos tan solamente se percibe. Y el estruendo de pajes y lacayos, ¿dónde está? Acá se queda todo: repara las alhajas del palacio de los muertos, algunas telarañas son. ¿Y la mitra y la corona? También acá la dejaron. Repara, hermano mío, que esto sin duda has de pasar, y toda tu compostura ha de ser deshecha en huesos áridos, horribles y espantosos; tanto, que la persona que hoy juzgas más te quiere, sea tu mujer, tu hijo o tu marido, al instante que expires se ha

---

[85] *Ob. cit.*, pág. 24.

de asombrar de verte, y a quien hacías compañía has de servir de asombro» [86].

Si Mañara hubiera sido pintor hubiera intentado hacer lo que encargó a Valdés Leal. La extraordinaria potencia de pintor realista, con su agudo sentido del color y de la luz para dar la sensación de calidades, logró esa cima de la expresión barroca que consigue todo el efecto de contraste de riqueza y podredumbre en la visión macabra del sepulcro, pero llegando aún más lejos en ese sentido desbordante comunicativo de enlace con el espectador. Nos sentimos término vivo de la composición. En el fondo lo que hizo fue desarrollar esas tendencias que expresas o latentes alentaban en los escritos ascéticos, incluso —como vemos— con el viejo recurso retórico del *ubi sunt.* Era reforzar unos medios expresivos con una natural —y a la vez consciente— tendencia barroca. La expresión del asceta y la expresión del artista barroco obedecían a un mismo sentido e impulso: buscaba la misma vía de los sentidos para impresionar y conmover.

Una conclusión al margen

Tras de estas anotaciones y citas comprendemos mejor cómo fue el influjo de la espiritualidad española, a través de sus escritores místicos y ascéticos, uno de los elementos esenciales del ambiente y actitud espiritual y, en general, de la sensibilidad características de la época del Barroco.

Hatzfeld ha podido presentar el Barroco literario europeo como un fenómeno determinado por la general influencia española. Con nuestras notas hemos querido señalar cómo dentro de lo que podemos llamar constante barroca de las letras españolas, el caso de los escritores místicos y ascéticos ofrece un especial interés por el esencial sentido de este carácter que entraña su estética. Cuando se plantea, pues, el problema de las relaciones e influjos de nuestro arte y de nuestras letras del dicho período con los distintos países europeos y, concretamente, con Italia, creemos que lo más importante y decisivo es considerar los contactos e influjos que se producen con anterioridad

---

[86] *Ob. cit.,* punto IV, págs. 8 y 9.

—aun dentro del siglo XVI—, que nos llevan a concluir que el pensamiento y la espiritualidad española habían penetrado en todos esos países, y muy especialmente los escritos y doctrinas de nuestros místicos. Pero ese influjo alcanzó también a los países separados por la Reforma. Ya Watkin señaló en su bello libro *Catholic Art and Culture* algunos rasgos de interés del influjo de la espiritualidad católica en los países protestantes [87]. Pero recordemos como dato expresivo que la moderna investigación está descubriendo profundas huellas de la doctrina de nuestros escritores místicos y ascéticos en los poetas ingleses del período que estimamos como expresivo del barroquismo literario inglés, cual es el caso de los poetas metafísicos, especialmente en la gran figura de Donne. Lo más importante a este respecto es el influjo de los métodos de meditación ignacianos. Louis L. Martz y Helen Gardner han señalado cada uno por su parte concretas huellas de esta índole en la poesía del gran poeta y predicador inglés, y el primero se ha referido también a análogos influjos en otros escritores ingleses de la misma época, incluso en el puritano Richard Baxter. Al mismo tiempo ha señalado cómo se divulgaron tratados de devoción procedentes del continente y, en concreto, obras de fray Luis de Granada y de fray Diego de Estella. Wilson, que ha abordado análogo tema en un interesante artículo sobre la poesía religiosa española e inglesa en el siglo XVII, recuerda dichos testimonios y aporta nuevo material —con datos tan expresivos como la donación de libros españoles hecha por el arzobispo Sancroft, en el siglo XVII, a la biblioteca del Emmanuel College, algunos de ellos anotados por el propio prelado— llega a la convincente conclusión —al observar las relaciones entre la poesía religiosa española y la inglesa de dicho siglo— de que sus semejanzas no obedecen a que se produzcan en un clima común de opinión o a la común herencia medieval, sino a que «ambas son el resultado de la misma tradición de meditación religiosa que en gran parte deriva de los *Ejercicios espirituales de San Ignacio*» [88].

Lo español, pues, estaba en el pensamiento, en la espiritualidad, en el sentimiento, en la vida en suma; por eso cuando se produce el movimiento Barroco, cuando es la vida toda en

---

[87] E. I. Watkin: *Ob. cit.,* Londres, 1942. Véase especialmente página 129 y ss. Hay traducción española, aunque deficiente.

[88] Edward M. Wilson: «Spanish and english Religious poetry of the Seventeenth Century», en *The Journal of Ecclesiastical History,* vol. IX, núm. 1, abril 1958, pág. 49.

su complejidad y variedad —pensamiento y sentimiento— lo que penetra en las formas artísticas y literarias de la tradición clásico-renacentista, lo que aflora y rompe estructuras, al mismo tiempo que sustancializa géneros y formas literarias, es un espíritu y sentido de la vida que lleva prendido mucho de español.

No puede negarse que Italia consigue en su arte y en su poesía una expresión extremada e independiente de barroquismo, pero no es menos verdad que los artistas y poetas que dan la nota extrema y exaltada proceden de aquellas zonas de Italia donde el influjo del espíritu y formas de vida españolas eran más profundas.

Estos rasgos del estilo e intencionalidad expresiva de nuestros místicos que hemos anotado pueden ser una explicación de lo que acabamos de señalar, al mismo tiempo que nos dan otro punto de apoyo que nos permite apuntar hacia otra doble conclusión: si la exaltación religiosa ha de expresarse necesariamente con un sentido barroco y, por otra parte, si la esencial y constante tendencia de lo artístico literario español responde al mismo espíritu y estilo. Ello nos explicará por qué —como dice el título del libro de Weisbach —el Barroco es el arte de la Contrarreforma y por qué —como decía Vossler— los españoles se expresan mejor en el estilo barroco.

NOTA APÉNDICE SOBRE MANIERISMO, BARROCO Y CONTRARREFORMA

Sobre la relación, dependencia o paralelismo del Manierismo y el Barroco con respecto a los movimientos religiosos del siglo XVI, especialmente como expresión del espíritu del Concilio de Trento y la Contrarreforma, se han hecho en estos últimos años comenarios y precisiones de interés. A la postura aludida de Weisbach de considerar el Barroco como el arte de la Contrarreforma —opinión en general aceptada por la crítica, expresa o tácitamente— y a la, en cierto modo contraria, de Nicolaus Pevsner que señalaba el Manierismo como la más propia expresión de la Contrarreforma, han seguido opiniones y consideraciones que será preciso tener en cuenta. Artz, en un general enfoque de las artes y las letras —*From the Renaissance to Romanticism. Trends in style in Art, Lierature and Music,* 1300-1830, Chicago, 1965, pág. 147 y ss.— coincidiendo con Pevsner sitúa la tendencia a las normas y reglamentación típica del Manierismo dentro del marco de normas, cánones y definiciones que se producen, entonces, tanto en el mundo católico como en el protestante. Los capítulos que Hauser le dedica a esa cuestión en su gran libro sobre el Manierismo —Madrid, 1965— son de positivo interés señalando la complejidad del problema, pues como apunta: «la actitud de la Contrarreforma no coincide exactamente ni con la voluntad artística del manierismo ni con la del barroco, aun cuando encuentra en esta última una expresión mucho más adecuada» —pág. 102—. De especial interés es el trabajo de Paolo Prodi, *Ricerche sulla teorica delle arti figurative nella riforma cattolica* —en *Archivio italiano per la storia della pietà,* III-IV, Roma 1962-1965, páginas 121-212— y la excelente recensión con enfoque general del padre A. Rodríguez de Ceballos, S. I. —en *Archivum Historicum Societais Iesu* XXXV, 1966, págs. 379-388—. Nos hace ver cómo no pueden olvidarse, al establecer los paralelismos y relaciones de los movimientos artísticos con los religiosos, los distintos momentos en que éstos se producen. Así se nos señala la necesidad de atender algunos estudios de historia de la Iglesia de esa época como el de H. Jedin —1946—, *Katholische Reformation oder Gegenreformation,* donde se señala una periodización de esa época, «ya que la reforma y la contrarreforma católica son dos períodos diferentes y distintos. En el primero —comenta el padre Ceballos— la Iglesia reflexiona sobre sí misma en orden a conseguir el ideal de vida cristiana mediante una renovación interna... El segundo se caracteriza por la autoafirmación de la Iglesia en su lucha contra el protestantismo, respondiendo al ataque que éste desencadena, con todas las armas a su alcance: políticas, apologéticas y de propaganda; entre estas últimas, con las que le proporcionan las artes figurativas del barroco». Por nuestra parte pensamos reconsiderar el tema en nuestro estudio en preparación sobe la caracterización y límites del Manierismo y el Barroco.

También Francastel se ocupó, tras los autores citados, como cuestión discutible, de la «importancia y las modalidades de la influencia ejercida más o menos directamente por la Iglesia de Trento sobre la evolución de las artes». Lo esencial de sus conclusiones se dirigen a contradecir las principales tesis de Weisbach, Mâle y Pevsner. Para él lo que resulta «cierto... es que no puede atribuirse a la influencia directa del Concilio toda la evolución de la iconografía y del arte cristianos durante las generaciones siguientes». Por el contrario estima que, *por lo menos,* en el hecho de la multiplicación de las imágenes «fueron los clérigos, en particular los jesuitas, quienes se adaptaron a las exigencias de la piedad popular, apartándose sensiblemente del espíritu que había animado a los Padres del Concilio y no los clérigos quienes orientaron la imaginación y la sensibilidad del pueblo». A su juicio «el error cometido por todos aquellos que han querido vincular el arte a la acción directa del Concilio procede del hecho de que no han sabido distinguir entre arte divulgador y arte creador». Con inexplicable olvido de todo el gran arte religioso que podría contemplar en España —que le hubiera servido, por otra parte, para atestiguar, antes del posible influjo de Trento, anticipos de rasgos barrocos contrarreformistas— para Francastel existe el arte de *élites* e individualidades y el arte de esferas medias y de escuela. Así, se sorprende del «*desacuerdo* que existe entre las abundancia de la producción católica y su pobreza artística». Si bien es verdad —según él objeta— que a veces Mâle se atiene a las obras, más en función de lo que significan y no de lo que son, sin embargo no creemos pueda hablarse de la *imaginería* como de una cosa aparte del verdadero arte. Creemos que, pese a las novedades de enfoque de la obra de arte que ofrecen estos trabajos de Francastel, sin embargo pesa en él un algo de esa tradición académica clasicista francesa que informa su gusto y que le lleva a ver toda la imaginería como pura manifestación popular que, aunque la estima muy digna de estudio, es sólo como *testimonio del estado de alma de las masas.* Aunque en parte —pero sólo como principio general— sea verdad que aquellos grupos de formas artísticas que el crítico francés establece obedecen en su creación y evolución a leyes, determinantes y condicionamientos distintos, sin embargo, en la realidad, no es posible marcar unas fronteras, ya que incluso el artista genial crea a veces atento a exigencias externas, ya ideológicas, ya formales, ya de necesidad de atender la demanda de un público, sea de masas, sea de una minoría social. En cuanto a lo ideológico, espiritual y estético, sí estamos de acuerdo —como se demuestra en nuestro ensayo— con la conclusión a que llega, siguiendo a Toffanin «El dogmatismo es el rasgo común de todas las actividades de aquellos que llegan a la edad adulta en los alrededores del año 1530: el Concilio, el descubrimiento de la «Poética» [de Aristóteles] y el clasicismo estético son testimonios paralelos y no sucesivos.» Sólo matizaríamos precisando que ese clasicismo es el manierista, y retrasando algo la fecha de todo. Pero en cuanto a la influencia de la espiritualidad ascética y mística, como algo que actuó en la mentalidad y devoción popular —que nosotros mantenemos en este trabajo— no creemos pueda considerarse olvidando totalmente la literatura religiosa española, pues no basta con referirse solamente a lo ignaciano. Esa literatura ascética y mística desborda con su influjo el marco peninsular e incluso las fronteras de la Europa católica, sobre todo con los escritos de fray Luis de Granada. En suma, no creemos posible plantearse en todo su alcance el problema de la sensibilidad y arte religioso de la época contrarreformista sin atender a España, tanto por lo que pudo influir en espíritu y doctrina como por sus realizaciones artísticas. Por otra parte, al considerar la religiosidad de los artistas de dicha época no queda todo resuelto con afirmar, una vez más, que esas dotes espirituales, esa «buena intención nunca ha bastado para realizar la obra de arte», pues el *sentimiento religioso... no posee en sí ninguna cualidad estética.* Más aún —diríamos nosotros— puede crearse una buena pintura religiosa, aunque su autor sea ateo; pero creemos, por otra parte, que hay aspectos esenciales de la creación artística —de la actitud ante ella y ante la realidad— que se explican mejor y que, en parte, arrancan de los íntimos determinantes del alma del artista y del ámbito donde crea y para quien crea. La trascendencia e intensidad expresiva que la obra adquiere, si el artista representa, y quiere comunicar, algo que vive y siente con pasión, será siempre mucho mayor que si actúa sólo con su intuición y saber artístico. Aún en el artista genial como Miguel Angel creemos que el violento cambio que supone el *Juicio final* en la Capilla Sixtina con respecto a las pinturas de la bóveda no puede explicarse por un proceso de pura evolución artística y sí por una profunda inquietud religiosa íntima del artista y del ambiente de la Roma que había vivido la terrible experiencia del saqueo de las tropas alemanas. Y en ese potente y estentóreo lenguaje de la pintura, expresando un sentimiento vivido por el artista, cabe aplicarlo —siguiendo los ejemplos del mural— a un mundo ideológico distinto, como las composiciones del arte hispanoamericano contemporáneo que ofrecen Orozco y Siqueiros, que no serían imaginables con esa intensidad y violencia de expresión de no contar con la íntima adhesión del artista a lo que está representando y comunicando. Pero, volviendo a nuestro tema, no es tampoco posible olvidar la situación social y los condicionamientos a que estaba sujeto el artista, no ya en los fines concretos de los encargos, sino también por la presión de un sentimiento colectivo que le envolvía. A pesar de su postura, Francastel tiene que resaltar, con acierto, ese espíritu de optimismo y seducción del arte católico contrarreformista como expresión de ese ambiente. «La atmósfera general del diálogo —dice— es la del optimismo cristiano, optimismo que resulta a la vez de la seguridad doctrinal brindada por la publicación de los decretos de Trento referentes a la gracia y la posibilidad que todos tienen de ser salvados, y de una suerte de experiencia personal, ampliamente divulgada entre las masas por las nuevas figuras representativas de la conciencia cristiana.» Pero las conclusiones finales de Francastel se centran en la insistencia en los puntos de vista contrarios a los de Mâle, Weisbach y Pevsner. A su juicio quienes se imponen sobre los clérigos son «las masas católicas apegadas a todo un conjunto de creencias y de hábitos de pensamiento cuya fuente hay que buscarla en el eterno humanismo, entendiendo por él el naturalismo antropomórfico más próximo al paganismo que se pueda imaginar. Es permitido afirmar —agrega— que, lejos de haber sido absorbida y neutralizada por la ortodoxia cristiana, la corriente pagana fue la que triunfó en definitiva y la que impuso a los hombres la forma misma de su piedad. Dicho de otro modo —precisa—, pienso que no fue la religión la que impregnó al arte con su ideal, sino que fue el arte el que impuso a la religión, en gran medida, su color y su forma». Francastel, sin ahondar en el sentido de esa religiosidad cristiana, que se expresa como corresponde a una exaltación del misterio de la encarnación, se deslumbra por la sola apariencia de lo antropomórfico y sensorial de la devoción, y remata categórico su trabajo sosteniendo que «en definitiva, no fue el espíritu de Trento el que modela el arte de las generaciones siguientes. Fue la Iglesia, y en particular los jesuitas, quienes se dejaron llevar, mucho más allá de lo que ellos deseaban, por las tendencias espontáneas del pueblo cristiano o, más exactamente, por la forma que daba a la piedad de ese pueblo una tradición cuya fuente completamente pagana es totalmente ajena al espíritu sobrenatural y místico del catolicismo». Véase «La Contrarreforma y las artes en Italia a fines del siglo XVI», en *Études italiennes,* 1941-1948. Incluido en *La Realidad Figurativa. Elementos estructurales de sociología del arte,* 4.ª parte, Buenos Aires, 1970.

Los comienzos de la polémica de las «Soledades» de Góngora *

Comentarios y conclusiones ante textos desconocidos

* El presente artículo es el texto de la conferencia pronunciada en el Instituto alemán de Cultura de Madrid, el 30 de noviembre de 1961, en el ciclo organizado como homenaje a don Luis de Góngora. Cuando lo redactamos tuvimos presentes varios trabajos ya escritos aunque inéditos, en torno a este tema de las *Soledades* y en concreto de la polémica provocada en Madrid al divulgarse el poema en 1614. Por dicha razón se repiten, unas veces, y otras se resumen, con ligeras variantes, algunos trozos de dichos trabajos. Constituye, pues, esta conferencia, la primera exposición síntesis de comentarios y conclusiones que pueden deducirse de nuevos textos referentes a dicho poema —y a la polémica por él determinada—, que tuvimos la suerte de encontrar en un volumen manuscrito —núm. 66— de *Varios,* existente en la Biblioteca del Excelentísimo Sr. Duque de Gor (q.e.p.d.), en Granada, a cuyo recuerdo testimoniamos nuestra gratitud por habernos autorizado su estudio y publicación. Los artículos aludidos, núcleo principal del texto de esta conferencia, son los siguientes: «La polémica de las *Soledades* a la luz de nuevos textos. Las Advertencias de Almansa y Mendoza», *RFE* XLIV, 1961, 29-62. «Aspectos desconocidos de la polémica de las *Soledades.* Edición y comentario de una carta de don Antonio de las Infantas, amigo de Góngora». *Miscellanea di studi Ispanici,* 1, páginas 105-143, Universidad de Pisa. «Espíritu y vida en la creación de las *Soledades* de Góngora. Por qué se escribieron y por qué no se terminaron», en *Papeles de Son Armadans,* Madrid-Palma de Mallorca

—núm. LXXXVII, junio 1963—. Como complemento de dichos traba jos y en íntima relación con el tema de este ensayo, pueden verse nuestros dos artículos ya publicados: «Elogio y censura del gongorismo. Un parecer inédito del Abad de Rute sobre las *Soledades*», en *Clavileño,* año II, núm. 11, 1951; y «El Abad de Rute y el gongorismo. Breve anotación a sus escritos sobre las *Soledades*», en *Atenea,* Universidad de Concepción, Chile, núm. 393, julio-septiembre, 1961. El libro nuestro a que aludimos en el comienzo es: *Góngora,* Barcelona (Clásicos Labor, XVIII), 1953. Con posterioridad a la redacción de esos trabajos citados hemos leído una comunicación sobre este tema —*Aspectos desconocidos de la polémica de las* Soledades *de Góngora*— en el Congreso internacional de hispanistas, celebrado en Oxford del 6 al 11 de septiembre de 1962. [En este año de 1968 se ha publicado en la *Revista de Filología Española* —tomo XLIX-1966— otro de nuestros artículos sobre esta polémica con el título: «Lope ataca las *Soledades* de Góngora. Comentario y edición de una carta inédita». Tenemos en prensa otro trabajo en que editamos y comentamos un *Parecer* inédito del Abad de Rute sobre las *Soledades,* que figurará en un volumen de estudios en homenaje del profesor Sánchez Escribano. Estos últimos trabajos, junto con el publicado en la revista *Atenea,* y los tres citados en el comienzo de esta nota han sido editados, formando volumen, por el Departamento de Literatura Española de la Universidad de Granada.] [Con posterioridad a la edición de ese volumen hemos publicado un extenso ensayo, *Lope y Góngora frente a frente* —Madrid, Gredos, 1974—, donde consideramos en toda su amplitud la trayectoria del enfrentamiento personal y estético de los dos grandes líricos; desde sus juveniles encuentros en el campo romanceril hasta los últimos choques en la corte —con motivo de las justas poéticas de 1620 y 1622— y las finales reacciones de ambos en que el andaluz se arrepintió de sus sátiras y el madrileño, ya gongorizado, aceptó la *nueva poesía* en los buenos poetas, si bien siguió impidiendo la difusión de la poesía del rival y negándole originalidad de iniciador. En estas fechas ultimamos la preparación de una *Introducción a Góngora* —ed. Ariel—, donde reimprimiremos el estudio citado del libro *Góngora* —Barcelona, 1953—, pero completado con extensas adiciones de doble carácter: una serie de notas —abundante en número y extensión—, donde se recogen y revisan las más importantes aportaciones de la crítica gongorina —a las que unimos nuestras propias consideraciones— y una segunda parte formada por dos breves ensayos y una breve antología de sonetos comentados, a manera de ejemplificación práctica de las consideraciones teóricas que se exponen en el ensayo base introductor.]

La poesía de Góngora se liga a los móviles e impulsos de su vida mucho más de lo que aparentemente hace pensar lo extraordinario y extremo de sus creaciones de poeta culto. De aquí que, cuando hace unos años trazábamos en un pequeño libro una introducción a la lectura de su poesía, intentábamos perfilar su esquema biográfico procurando descubrir los esenciales impulsos que determinaron los cambios y aspectos de su vida. Nuestro deseo era buscar esos determinantes o motores del desarrollo de la vida del poeta, conscientes de que Góngora estimó el vivir como una finalidad en sí misma, gozando de lo que la realidad toda del mundo, la naturaleza y los más varios aspectos de la vida cotidiana, ofrece al hombre para su contemplación y trato. Pero, al decir esto, no pensamos sólo en un egoísta y material goce del mundo, sino entendiendo ese placer de vivir en su más pleno sentido: goce de la vida de los sentidos, y de la vida del espíritu.

Aunque aparentemente no se descubra en sus grandes creaciones, también en Góngora se cumple el principio central de nuestra estética: el no anteponer el arte a la vida. A pesar de haber creado la obra poética más ambiciosa, como realización o creación técnica de arte, que ofrece la poesía europea del momento, Góngora no desligó totalmente su poesía de la vida; aún en las obras más elaboradas y artificiosas, es desbordante y cálida su riqueza de observación de la realidad: de todos los órdenes y aspectos de la vida y de la naturaleza. La razón de ello es, que no consideró la materialidad del quehacer poético como la finalidad única a que entregar todos sus esfuerzos y entusiasmo. Tendemos siempre a imaginar al poeta culto, virtuoso de su arte, entregado a la lectura y al estudio, absorto en su creación, sin que le lleguen los ecos del gozar y del sufrir de las gentes, y sin recrearse en la contemplación directa del animado espectáculo de la naturaleza y del mundo. Pero en Góngora no ocurre así. Aunque sea para él una ilusión el apartarse solitario en su rincón cordobés para *pasar* el tiempo con sus *pocos libros* —mientras se *pasea* y *pasa* como higo— y aunque haga alarde de su saber de letras y lenguas, ello ni lo estimó como fin único, ni lo antepuso —diríamos con sus palabras— a «gozar del color, la luz y el oro».

La consecuencia fundamental que hoy nos interesa subrayar es cómo el fondo último de su más extraordinaria creación, las *Soledades,* no se debe sólo al impulso intelectual del escritor manierista, que busca salirse de la normal expresión y sorprender con su arte y su saber en una culta y complicada elaboración de virtuoso del verso.

Podríamos decir, aplicando a su poesía la expresión machadiana referente al Barroco, que bajo el *hinchado y complicado decoro* y tras el *incendio teatral* de sus deslumbrantes construcciones idiomáticas —como en toda gran obra barroca— hay *siempre un ascua de veras.* Aunque esa dura corteza de sus complicados y ricos planos verbales lo oculta, hay un fondo de auténtico y cálido sentimiento. Pensemos que la razón que determinó el cambio que le lleva a escribir sus grandes poemas, y, concretamente las *Soledades,* no es de índole exclusivamente literaria. Lo que le hace encerrarse en su rincón cordobés y maldecir de la Corte, no es sólo el deseo de la creación literaria. La poesía se crea como la necesaria forma de expresión de un auténtico poeta.

La razón del cambio que supone el *Polifemo* y las *Soledades* con respecto a toda su poesía anterior, tiene, pues, su fundamento en un cambio espiritual. Hay en la poesía de Góngora un cambio, pero no del estilo, en cuanto al material que maneja. Es un cambio psicológico que determina su vivir y su crear de esos años que se cierran y coronan con las *Soledades* como término de su aspiración estética y espiritual.

Por eso él centró todos sus afanes en este poema e insiste, especialmente, en su defensa: era la cima de una aspiración estética fundamentada no sólo en el arte, sino también en lo más recóndito de su espíritu que por eso le llevó hacia un nuevo tema. Ello lo comprende la mentalidad barroca del Abad de Rute, quien, significativamente, pone en relación lo nuevo que por el tema y desarrollo representaban las *Soledades,* como poema lírico, con la novedad que ofrecía la comedia española. Ambas creaciones rompen con las normas de los clásicos y buscan su apoyo en lo vario y contrastado de la naturaleza. Esta es la razón de que intensifique y acumule Góngora sus personales recursos estilísticos, porque quiere realizar algo hasta entonces no intentado en la poesía; pero dando expresión a una necesidad de vida espiritual. Góngora tiene plena conciencia de su estética y de esos recursos estilísticos que con espontaneidad, como naturales en él, había empleado en sus obras anteriores; pero con un número, intención y espíritu distintos. Como arranque de esa actitud destacábamos una fecha para nosotros clave del más profundo cambio psicológico de su vida, y sobre todo del más fecundo impulso por sus consecuencias en la creación poética. Esa fecha es la de 1609, en que sale de la Corte malparado, maldiciendo a sus señores. Y lo apoyábamos en una composición para un número, intención y espíritu distintos. Como arranque de esa gran etapa de creación artística que culmina en las *Soledades.* Nos referimos a sus *tercetos* de menosprecio de la Corte y elogio de la vida de soledad de la naturaleza: esos tercetos, que colocábamos en nuestro libro en relación con el género epistolar —extraño en la sensibilidad de Góngora, que por esto los quiebra en actitud cambiante— nos dan la explicación del sentido de las *Soledades.* El confidente a quien dirige sus palabras, es precisamente la soledad; y al decir soledad el poeta piensa no en el abstracto ideal del apartamiento, sino en la concreta vida de naturaleza y del goce de sus encantos en su querido rincón cordobés, junto con el goce de la poesía.

La llamada a la soledad que hace Góngora en esos tercetos no es un artificio, ni un simple gesto; arranca de lo más hondo. Es lo único en que puede confiar; es la más alta exclamación que se le escapa entre las burlas y veras de sus versos:

> ¡Oh, soledad, de la quietud divina
> dulce prenda, aunque muda ciudadana
> del campo y de sus ecos convecina!
> Sabrosas treguas de la vida urbana,
> paz del entendimiento que lambica
> tanto en discursos la ambición humana:
> ¿quién todos sus sentidos no te aplica?

En este grito de búsqueda de soledad está a nuestro juicio el verdadero arranque de su gran poema. Esa voz es la que descubre el nuevo estado del alma del poeta que va a crear sus discutidos versos de solitario. Esa soledad que busca y llama es la soledad de sus *Soledades.*

Góngora no quiere entonces tampoco el trato con todas las gentes de su ciudad. Así, cuando vuelve asqueado y malparado de la Corte, procura desentenderse de sus quehaceres de racionero —a los que con tanto afán se había entregado en años anteriores—, primero con licencias y después con la renuncia. Huye del trato de gentes. Su vida se centra en ese grupo de amigos poetas admiradores que mutuamente se estimulan para superar perfecciones en el saboreo de la tranquila creación literaria. Su actividad se concentra en la poesía; es el momento en que con más intensidad y más ambición produce. Aprovecha todas las circunstancias que se le ofrecen; pero atendiendo sólo a su Andalucía. El menosprecio de la Corte, como poeta desengañado, sigue vivo y actuante en un ininterrumpido sentimiento que va a condensarse, así, en las *Soledades* como realización suma de la más honda aspiración de poeta solitario.

Al hacer Dámaso Alonso el análisis de los motivos naturales que integran el poema, señalaba que «por todas partes está asomando en las *Soledades* el tema de menosprecio de Corte y alabanza de la vida elemental y de la edad dorada». Podemos demiento que va a condensarse, así, en las *Soledades* como realizacomo hombre.

Es verdad que esa intensa actividad poética a que Góngora se había entregado en Córdoba, no estaba resonando en el ambiente literario de la Corte; pero, su nombre no se había olvidado; era estimado en ella y reconocido unánimemente, como gran poeta. Añadamos que, como ocurriría hoy, al no sentirlo ya como rival próximo, se aumentaría la consideración y aprecio entre los poetas y aficionados. La tendencia culta que demostraba una parte de su poesía le haría también ganar el favor de los doctos y humanistas. Inicialmente, pues, tenía la opinión a su favor cuando en 1613 se lanzó a crear su *Polifemo* y sus *Soledades.* Pero el poeta, antes de divulgarlas en la Corte, quiso asegurarse con el parecer de sus amigos de más saber y erudición. Así, pidió la opinión sobre el *Polifemo* a su íntimo don Francisco Fernández de Córdoba, el Abad de Rute. No conocemos ese juicio, pero sí sabemos que don Luis no atendió sus observaciones; al parecer le censuraba la oscuridad. Después —como es sabido— envió el *Polifemo* y la primera de las *Soledades* a Pedro de Valencia. Sabemos cómo éste le elogió en extremo; pero cómo, al mismo tiempo le hizo reparos por la oscuridad y por las salidas en chiste; además —aunque no lo ha subrayado la crítica— le recomendó no imitara a los modernos. La carta de Pedro de Valencia se extendió bastante durante ese año de 1613. En ese verano la leyó con interés en Granada el Abad de Rute, quien, al llegar el invierno, fue insistentemente requerido por su amigo don Luis para que le diera su opinión sobre la *Soledad* primera y lo que tenía hecho de la segunda. A pesar de su gran amistad, don Francisco se resistió en un principio. La razón de esa resistencia a opinar, según él mismo declara, era debida precisamente a que don Luis no había entendido el silencio que mantuvo ante la *Oda a la toma de Larache* —aunque atribuyeron a él la censura por el excesivo empleo del *sí* y *no*— ni tampoco escuchó lo que le advirtió podía corregirse del *Polifemo.* Don Luis no siempre era tan dócil como lo pintan Pellicer y el autor del *Escrutinio.* Pero ante la insistencia del amigo poeta, don Francisco le envió su *parecer*; recordemos de él, solamente, que el Abad de Rute encumbra a Góngora como el poeta incomparable, verdadero *mons Dei*; pero también de manera categórica y rotunda le impugna la oscuridad. Este parecer se ve tuvo un carácter más reservado que el de Pedro de Valencia; pero algo debió de escaparse fuera del círculo de los íntimos devotos del gran cordobés. Pensamos, especialmente, al decir esto en el Duque de Sesa, pariente cercano de don Francisco y aficionado a la poesía de aquél.

Góngora, pese a los reparos, se ve había quedado satisfecho con la opinión de ambos humanistas. El recuerdo que más tarde hace de Pedro de Valencia con motivo de su muerte, demuestra mantuvo hacia él todo su respeto y consideración. En cuanto a su relación con el Abad de Rute, tenemos precisamente una carta dirigida a Tamayo de Vargas en fecha inmediata a la recepción de su parecer (18 de junio de 1614) y en ella demuestra cuán grande era la admiración que sentía hacia su sabio amigo. Además, revela intimidad en la misma; se ve que estaba al tanto de las obras que aquél escribía y de la famosa *Didascalia múltiplex* que tenía ya *estampando en Francia.*

El que leyera o conociera sólo parcialmente ese *parecer* en lo referente a la oscuridad, podía aducirlo como una impugnación de las *Soledades*; pero leído completo podía ofrecerlo como el reconocimiento pleno de la valía de un poeta que se consideraba como incomparable en su tiempo y digno de colocarse a la altura del primero de los antiguos. Si, como decíamos, es muy fácil que este parecer lo conociera su pariente el duque de Sesa, hay que deducir, en consecuencia, que algún eco llegaría a su secretario e íntimo confidente, Lope de Vega, a quien acudía también para consultas literarias. Ello pudo animarle a lanzarse al ataque en la primera ocasión.

Lo más pronto hacia la primavera de 1614, debió comenzar Mendoza, por encargo de Góngora, a repartir en la corte las copias de las *Soledades.* El ambiente creado antes de divulgarse no podía ser de unánime entusiasmo por el poeta ya que, entre otras razones, no se conocía bien el poema por todos, y los ecos de los pareceres de los humanistas se conocerían sólo por algunos y con la confusión de poder ser utilizados como favorables o como adversos. Ante el hecho de encontrarse con el poema, que Mendoza estaba metiendo por todas partes, no cabía tampoco la actitud de la indiferencia. Lo que estaba haciendo el apasionado correveidile literario, reclamaba una opinión. ¿Podemos aceptar que todos estaban conformes con la oscuridad? Necesariamente tuvieron que surgir los reparos y opiniones adversas, sobre todo en el tono de la burla, cosa fácilmente de conseguir y de explicar. Para los doctos, por otra parte, las *Soledades* abrían mucho más campo para la discusión, dadas las libertades que suponía el poema lírico, con su gran extensión y variedad de elementos, frente a la rígida concepción clasicista de los géneros literarios. Las objeciones, como es natural, se fueron concretando, fueron tomando cuerpo incluso con la referencia concreta a determinados pasajes, versos y figuras.

Ahora bien, por escrito nadie se lanzó, al principio, a escribir en contra de las *Soledades*. De esto deducía Herrero García, que constituyeron un éxito entre toda clase de gentes, a excepción de las sátiras de Quevedo. También éste y otros críticos han reprochado a Mendoza —y a la torpeza de Góngora por haber buscado ese medio en vez de imprimirlas— la indiscreción o impertinencia del correveidile, de ir metiendo por todas partes las copias del cuaderno con el poema que le había enviado don Luis. Pero lo que más removió el ambiente y lanzó a escribir en contra fue la labor complementaria de Almansa y Mendoza al escribir una defensa y comentario del Poema que desde ese momento comenzó a circular unido con él. Conocíamos la existencia de este escrito, porque en la carta que le escribieron a Góngora, *acerca de las Soledades,* por un supuesto amigo, se aludía a él. Y también se aludía —defendiendo al escrito y a su autor— en la carta de contestación a ésa escrita seguidamente por Góngora. Hace algún tiempo dimos con este escrito que está contenido en un volumen de *Varios* —referentes todos a las *Soledades*— existente en la biblioteca del Excmo. Sr. Duque de Gor, en Granada, y cuyo contenido no había conocido la crítica por aparecer catalogado como si sólo contuviera el *Antídoto* de Jáuregui que es el texto con que se inicia el volumen.

Aunque consciente de lo limitado de sus fuerzas, Almansa Mendoza lanza sus *Advertencias* para contener y luchar con valentía frente al *torbellino de pareceres* y objeciones que han provocado las *Soledades.* El comentarista les razonaba a esos censores, jugando con el título del poema de don Luis, que se habían atrevido, «quiças por parecerles Soledades, cuyo nombre tan sin abrigo las muestra, o imaginan faltas de defensa».

Tras las frases de dedicatoria al Duque de Sesa, comienza con énfasis a declarar el propósito de su escrito: «quiero salir al campo a defender un torbellino de pareceres y objetos (si se les puede dar este nombre) que la ventolera de algunos con títulos de doctos, curiosos y valientes ingenios han levantado contra las Soledades del sacro jenio de don Luis de Góngora». Con encadenadas comparaciones y metáforas, Almansa Mendoza se declara una y otra vez hijo del ingenio de don Luis , o modestamente, *aborto,* pues no se siente muy *semejante a él.* La lectura de las obras del maestro le daba savia y vigor, no sólo para nutrir su ingenio, sino para pelear como un gigante en defensa de ellas. Comparándose con Anteo dice: «quando en mí faltaren las fuerzas arrimaréme a las obras de mi P.^{e}, que es lo mismo que a él, y en leyéndolas cobraré un osar valiente».

Creemos significativo el hecho de que el autor dedique este escrito, para *inteligencia de las Soledades,* al Duque de Sesa. Aparte las razones de sentirse deudor a sus mercedes y saber que gustaba de la poesía gongorina, es claro buscaba también una protección para el poema de don Luis. Y, precisamente, la persona elegida era quien, desde hacía ya varios años, tenía junto a sí a Lope de Vega como secretario e íntimo confidente.

Las aficiones literarias del Duque son tenidas en cuenta por Mendoza que procura no resulte ofensivo el dedicarle unas advertencias para inteligencia del poema: se le ofrece a aquél «no porque tenga necesidad de alumbrar su ingenio, sino de divertir su gusto». Igualmente hace después una salvedad, y una lista, respecto a aquellas personas que en la Corte *pueden hablar en éstas materias* literarias. Como es lógico —y más para quien vivía buscando protección y mercedes de acá para allá— la lista de los que quedan citados la encabeza el propio Duque y otros nobles, como los duques de Feria y Conde de Salinas, y en ella se incluye no sólo a Lope, sino también a alguno de sus más íntimos. El maestro Hortensio, como seguro defensor de Góngora, figura al final. La omisión de Jáuregui y Quevedo, es bien significativa. Por eso, el hecho de que se dirija a los que se *llamaban doctos e ingeniosos,* censurándoles el que no expresaran sus sentimientos por escrito, en papel, debió de herir el amor propio de más de un poeta; especialmente Jáuregui se sentiría aún más ofendido como poeta y docto en materias literarias y se prepararía para el ataque. Quevedo igualmente arremetió con sus mordaces y agudos versos.

La segunda parte de estas *Advertencias,* el verdadero centro o núcleo del escrito, lo constituyen unos puntos o *corolarios* en los que se fundamenta doctrinalmente, y al mismo tiempo se razona, la defensa de las esenciales innovaciones que ofrecían las *Soledades* y que habían sido objeto de más violentas objeciones y ataques.

Sin razonamientos que nos asombren —como después va a ofrecer el Abad de Rute— demuestran, sin embargo, un agudo ingenio para argumentar y, desde luego, instintiva y clara comprensión de lo que representaba el estilo gongorino. Demuestra una íntima adhesión, un sincero gustar esta poesía y no sólo la actitud de quien está cumpliendo una misión. Mendoza comprendía y respondía, pues, a la sensibilidad de su época. Para él, como para muchos, Góngora era una cumbre que seducía y arrastraba.

La primera cuestión que discute y defiende es la referente al género literario al que corresponden el *Polife*mo y las *Soledades.* Se trata de un aspecto básico sobre el que también volverá a insistir el Abad de Rute al enfrentarse con Jáuregui y que, aunque hoy nos parezca extraño, despertó violentas protestas en el campo de los preceptistas y escritores de espíritu clasicista.

Góngora se había salido, en verdad, de la pureza de los géneros poéticos. Las *Soledades* no se podían explicar con los modelos clásicos. Aquí tenemos uno de los aspectos típicamente barrocos del poema de don Luis. Según Almansa Mendoza, le impugnaban al poeta «que a usado en las Soledades y Polifemo desiguales modos en su composición y que debía el Polifemo ser poesía lírica y las Soledades heroica, y que cambió los modos». En cuanto a las *Soledades* —dice— «por ningún camino podían ser heroycas». Su apoyo principal lo busca en Aristóteles. Este «llamó a las obras sueltas disrrámbicas por indeterminada materia, a quien el arbitrio del poeta queda vestirlas del verso que quisiere»; y «que ésta sea una obra suelta» —concluye— «véase que es una silva de varias cosas en la soledad sucedidas, cuya naturaleça adequadamente pedia la poesía lírica para poderse variar el poeta». Y frente a la objeción, y junto a todos estos argumentos, surge impetuosa en el admirador de don Luis, la poderosísima razón de la autoridad del autor: «el mayor error que este objeto tiene, es negar que ignora los modos de la poesía quien todos a boca llena llaman Principe della por vocación natural y por perfección del arte». Y por último, cierra con una razón de lógica que arranca de la realidad literaria española: «demás que la lengua castellana no tiene determinado qué poesía convenga a unas materias más que a otras, sino es en las que son naturales nuestras, como es la copla castellana y arte mayor». Los endecasílabos que hemos tomado de Italia «con mudar los estilos los inclinamos a cualesquiera discursos». Demuestra Almansa Mendoza un sentido estético muy dentro de la orientación barroca gongorina. Estas razones de libertad, individualismo, carácter nacional, y el señalar el sentido lírico de las *Soledades,* apuntan hacia aspectos esenciales de la renovación poética que representa el poema de don Luis.

El segundo punto —el celebrado por Góngora en su carta— lo dedica a defender el *uso de vocablos nuevos,* otro de los rasgos de las *Soledades* que había sido objeto de especial oposición. Acude —y se extraña— no hayan visto a «cosa tan moderna como los Diálogos de Justo Lipsio» y cómo antes, Horacio responde a Catón por haber culpado de lo mismo a Virgilio. Pero el argumento citado que gustaba a don Luis es la definición de poesía que recoge de San Jerónimo en el *prólogo de Job*: «poesía, dixo, que venia de Poeses, nombre griego que quiere decir locuciones exquisitas». Para Mendoza, si alguno «con justa causa» puede innovar, éste es don Luis porque «los valientes atrevimientos se conceden a los valientes ingenios». Sus innovaciones las justifica también acudiendo al ejemplo de Garcilaso; «pues si aquellos vocablos que en tiempo suyo parecieron nuevos, el uso los tiene connaturalizados y recibidos, lo mismo le sucederá de aquí a diez años a las que ahora parecen voces nuevas».

Almansa Mendoza comprende el proceso de asimilación de los neologismos y, en parte, al citar aquella definición de San Jerónimo, apunta hacia su carácter expresivo o estético —la búsqueda de la locución exquisita— algo esencial del estilo gongorino. De aquí la complacencia de don Luis al recordarlo.

La conclusión, pues, es proclamar con entusiasmo que *se le debe agradecimiento* «y siendo el Sr. don Luis emperador en nuestra lengua, será digna de veneración cualquiera determinación suya». Con él «ha subido a la alteza de la latina».

El tercer punto lo dedica a rebatir a los que decían «que no entienden la variedad de locuciones y de oraciones partidas». Con ingenio y humor plantea un dilema al contestarles: «o lo entienden o no; si lo entienden, no obscuro; si no lo entienden, no lo juzguen».

Con respecto a los reparos hechos por la *variedad de locuciones* acude, con intento barroco para justificarlo, a la naturaleza y a la vida: ese ir cambiando o pasando de unas cosas a otras, es algo a lo que espontáneamente se entrega cualquiera persona que va caminando por el campo: «aun caminando dos personas, por ignorantes que sean, y no ay a quien no aya sucedido, si ven romper el alba o cerrar la noche, o desde un eriçado risco descubren el mar, aya montuosa o llana tierra, discurren con varias elocuciones, pintando la cosa que más próxima tienen».

Según concluye Almansa Mendoza, don Luis, que «era único en las burlas» había pasado «a la alteça lirica y heroyca; quando moço» —dice más abajo— «habló como moço y como a entendimientos jóvenes, ya quando es varón habla como tal obligándoles a su estudio».

La tercera parte de estas *Advertencias* la dedica Mendoza a la explicación de algunos versos del poema; los que habían sido objeto de especiales reparos. Al final, como ya declaró en el comienzo —por tratarse de tan elevados poemas, como las *Soledades*— considera con satisfacción lo que ha hecho como una gran empresa digna de alabar por su intención: «parece» —declara satisfecho— «e penetrado el pensamiento del autor».

Esta actitud desafiante de Mendoza, llamando a manifestar por escrito los pareceres y objeciones contra las *Soledades,* era natural que provocara la reacción de los que se habían sentido aludidos. También era de esperar lo que ocurrió: que los más indignados y violentos fueran los que, como Quevedo y Jáuregui, ni siquiera los consideraba capaces de opinar ni juzgar en cuestiones de poesía.

La primer reacción, al parecer, partió del grupo que capitaneaba hábilmente Lope. Su tan estrecha relación de intimidad con el Duque de Sesa en esos años explica que él conociera primero las *Advertencias* y se sintiera especialmente aludido. Así, el primer escrito fue una carta dirigida a Córdoba por quien se decía su amigo. Hoy sabemos se escribió el 13 de septiembre de 1615. Nos atrevemos, pues, a lanzar la hipótesis de que esa carta la escribió o la hizo escribir el mismo Lope; parece responder a una postura de grupo, y como a tal grupo contestará Góngora. Sabemos por otra carta inédita, que el autor de ella «antes la comunicó con muchos (amigos) suyos que en cosas de mayor importancia dan acertados pareceres». Se trata del comienzo de una correspondencia de polémica que se cierra —creo es cosa clara— con la llamada *carta echadiza* que la crítica en general, ha venido considerando como obra del gran madrileño.

Hoy hemos encontrado otras dos cartas que— unidas a las dos publicadas y a la conocida de Góngora— completan esta correspondencia de polémica en torno a las *Soledades*: una debida a un íntimo amigo de Góngora, don Antonio de las Infantas; la otra, antes aludida, de contestación a ésta última y a la del maestro, escrita por quien se dice amigo del *soldado* autor de la primera de censura de las *Soledades.* Nos falta la contestación de Góngora a la segunda carta madrileña que es sin duda alguna la que se cita en la *carta echadiza.* Tenemos, pues, aquí a nuestro juicio la explicación de la postura irreductible en su hostilidad, que mantuvo el cordobés frente al madrileño y su grupo. Encontramos ya justificado por qué aquél no se ablandaba ante los elogios —indudablemente sinceros— que le dirigía Lope hacia esas mismas fechas. No era sólo huella de antiguas disputas literarias. Se suele ver a Góngora en este caso con actitud demasiado despectiva y rencorosa. Ahora podemos explicárnosla. El primer ataque por escrito contra las *Soledades* había sido obra directa o indirecta de Lope y, además, solapadamente, con la ironía de presentarse con la capa o apariencia de amistad. Se explica la indignación y violencia de la contestación; quizá lo más violento de todo lo que escribió Góngora. Además, lo hizo inmediatamente, sin esperar a reflexionar ni a tranquilizarse. La carta está fechada el 30 del mismo mes de septiembre. Como es sabido, replicó rotundo y seguro, consciente del sentido de la innovación poética que representaba su poema. La voz del Góngora barroco, que ha creado dando expresión a sus ansias de poeta solitario, se impone sobre el manierista. Por esto Alfonso Reyes, pudo señalar el carácter de manifiesto que ofrecía esta carta. Y Menéndez Pidal la destacó después para señalar un rasgo esencial del gongorismo: la defensa de la oscuridad como un factor estético.

Quizá por haber obrado demasiado impulsivo, don Luis procuró completar el efecto de la misma con otra que encargó escribiera su buen amigo don Antonio de las Infantas y Mendoza. La carta de éste está fechada 15 días después, y su tono es igualmente duro, algo pedante en su alarde de erudición, v con el fuerte sentimiento de orgullo de andaluz que desprecia la intriga y maledicencia de la Corte. El espíritu, pues, que alienta todavía en esos momentos, en Góngora y en sus íntimos, responde, vital y estéticamente, al mismo que le movió a crear su gran poema. Hay en él —y en su amigo don Antonio— un sentimiento de menosprecio de Corte como el que exalta en las

Soledades; pero, en el fondo, esa Corte que se desprecia —por sus intrigas, y su malicia y también porque se consideran inferiores sus valores literarios— es la misma que se quiere asombrar y ganar. Como detalle de prueba de la intimidad de grupo en que se escribieron ambas cartas, anotemos que en las dos se utilizan razones que proceden de un mismo capítulo del Evangelio de San Mateo.

Podemos, pues, imaginar lógicamente que esta carta responde no sólo a una actitud personal ni incluso al reflejo del sentir de Góngora, sino, más aún, al ambiente de ese apretado círculo de los devotos del poeta. Le parecería a Góngora —dada su actitud de no quedarse nunca con nada dentro del cuerpo—, que no había quedado completamente contestada con lo escrito. Por esto fue el confiarle a su íntimo don Antonio que escribiera otra contestación. Según éste, de las manos de don Luis llegó a las suyas la carta madrileña y se *encargó de responder a ella por no coartar el tiempo al ingenio superior y que él legase en niñerías.* Lo podemos afirmar, además, porque en la carta de contestación a ambos se recoge como chismorreo de la Corte. Según este otro encubierto amigo que contesta, Mendoza, «bien que encargando el secreto a los oyentes», había dejado decir en algunas partes que don Luis no había quedado «con satisfacción de su primera respuesta» y por ello *había hecho la segunda en la testa de ferro del señor don Antonio.* Creemos muy real esta reacción de Góngora y parece era *verdad muy cierta* lo que se le escapó —o le sonsacaron— al indiscreto Mendoza.

La indignación por lo solapado del ataque —cuyas *sombras de amistad* lo cargaba de una mayor fuerza irónica y de tono de superioridad— es lo que primeramente descarga el amigo del poeta. Y, como éste, adoptando la actitud valiente de dar la cara, firmando el escrito. Se ve el interés por descubrir la cabeza hábilmente disimulada de ese grupo y esos «discípulos ocultos como Nicodemus» de que hablaba don Luis en su carta. Aunque no lo concrete, parece pensaba en Lope. Viéndolo como cabeza de ese grupo de oposición, se explica la reacción de expectante regocijo que experimentó antes el grupo cordobés, en los primeros momentos de agitación provocados por las *Soledades,* cuando recibió una carta de Medinilla «grande amigo ha tiempo de Lope de Vega». Don Luis declara «que si cumple lo que promete por su carta, será digno de toda estimación». Es claro que prometía una defensa de la poesía gongorina y el gran valor que ello suponía, radicaba precisamente en ser *gran amigo de Lope.*

La mejor contestación a los tiros disimulados del gran dramaturgo, habían sido las *Advertencias* de Mendoza, cuya dedicatoria quizá fue intencionada, incluso sugerida por don Luis. Lope tenía que hacer algo: tenía que demostrar que no se achicaba ante ese *Mendozilla* al que se jactaba de despreciar. No podía dar la cara como Quevedo, porque para estas lides no contaba con las afiladas y seguras armas del gran satírico; y tampoco con su poderoso sentido crítico y su gran saber. Cara a cara no podía, ni quería, luchar contra Góngora. Le temía y, además, temía también molestar a su señor, entusiasta de la poesía del cordobés. El único camino era el que había seguido y el que por escrito iba a seguir: la sátira encubierta y las burlas a los cultos, en general, en su teatro.

Hay que reconocer que Lope consiguió plenamente con su carta el efecto que se había propuesto; todo el grupo acusó el impacto. No esperaban un ataque en aquella forma, por eso don Antonio en su contestación quiere llevarlo una y otra vez al terreno, menos seguro para el rival, de la erudición literaria. Recordemos que el comienzo de esa carta que suponemos nosotros escrita o inspirada por Lope, era en el fondo despectivo. Tras la mención de Mendoza, que se había señalado «en esparcir copia del» lo califica como obra de tal calidad, que estaban dudosos algunos devotos suyos —le dice a Góngora—«de que sea suya». El elogio que sigue —en frase, por cierto, que conocíamos sólo fragmentariamente— por referirse a su poesía anterior, llevaba implícito la impugnación de las *Soledades* e insistiendo, hipócrita y malévolamente, en considerarlas incluso como de Mendoza. Le aconsejaba las recogiera.

Si el encubierto enemigo madrileño procuró confundir con intención al autor del poema con su comentarista, tanto don Luis, como don Antonio aceptaron la postura de amigos de sus amigos y defendieron a Mendoza rotunda y categóricamente. La verdad es que confiaron más de lo que convenía en el indiscreto correveidile.

Don Antonio pensaba, certero, que el nombre de Mendoza quedaría unido al de don Luis. La bondad del juicio de Mendoza la veía precisamente en el hecho de ocuparse en *cosas tan grandiosas* como la poesía del cordobés. Ello era, además, un motivo para estimarlo. Por esto al referirse a los copiosos corolarios y justificarlos, concluye señalando que el *corolario es corona* y así —dice— «merece el Sr. don Luis copiosas coronas. Y Mendoza de las flores que cogió en sus obras hizo corona para el autor y aún para Mendoza la hiciera yo».

La misma razón de amistad que le hace defender a Mendoza le mueve con indignación a atacar al encubierto enemigo por presentarse con la capa de la amistad. Es lo que más encendió la sangre al grupo del cordobés. Don Antonio recordará al comenzar el caso de la *serpeçuela de las dos cabezas llamada zerasta.* Ello le da motivo para dejar escapar su sentimiento de menosprecio de la Corte, *donde son más escasos y más difícil de conocer quiénes son los amigos, y más en ausencias.*

El afán de descubrir al encubierto enemigo le impulsa al tono más despectivo. Califica su escrito de *miscelánea de confusión* y no tiene otro afán sino comentarlo párrafo a párrafo —a veces con algún cambio intencionado— para descubrirle errores y tacharle de ignorante. Quiere demostrarle que no conoce la lengua y la literatura latina, griega y toscana; y ni aun siquiera la propia lengua materna.

En cuanto a las razones de defensa de la poesía de don Luis, el ciego entusiasmo del discípulo le lleva, como a Mendoza, a la conclusión de que «basta decir el título del autor, que siendo tan insigne varón será su escudo si lo hubiere menester y escusará a sus amigos de defenderlo». Para despedirse le repite que don Luis no tiene necesidad de consejo y menos de quien tiene tan poca opinión «que no osa firmar lo que dá»; por esto, desafiante, le dice lo firma, «para que sepa a quién le ha de escribir».

Las cartas de don Luis y de su amigo demuestran cómo el grupo cordobés reafirmó su postura y aceptó la lucha. Por si fuera poco —aunque no era natural según se lo reprocharon— Góngora lanzó seguidamente, unas décimas y unos sonetos satíricos. Arrojaba suciedad, concretamente, al escrito madrileño. Por cierto que Lope recordará en una carta esas décimas como dirigidas a él, según descubre por el último verso.

La reacción no fue inmediata, pero sí violenta. Quizá el retraso lo determinara el hecho de que comprendiera el grupo de Lope que había que meditar mejor la respuesta. También por esperar un momento oportuno menos favorable para Góngora; pero seguramente fue porque Lope había salido de Madrid antes de que pudiera llegar la carta de don Antonio y los versos satíricos. No volvió hasta mediado diciembre. La contestación está fechada el 16 de enero de 1616; sin Lope el grupo ni se atrevía ni podía contestar. El autor explica el retraso diciendo no haberlo hecho antes, porque pensó callar ante la carta de don Luis, considerándola era sólo efecto de un arrebato o *primer movimiento que tanto escusan los teólogos*; pero que viendo proseguía con los versos *graciosos ofendiendo la carta* y que para ello, además, *metía obreros,* valiéndose de don Antonio de las Infantas, se había lanzado a contestar en nombre del autor de la primera carta: un *soldado* amigo que se había marchado a Nápoles. De todas maneras, el retraso no queda así explicado dada la distancia de las fechas. Posiblemente Lope —según dice en esa carta— pensó callarse ante la réplica de Góngora; pero la carta de don Antonio, en tono despectivo y suficiente como de quien se siente superior, debió irritarle, como le irritó antes Mendoza. Verse maltratado por un seguidor del cordobés al que nadie conocería en la Corte, tuvo que dolerle a él que entonces se encontraba plenamente triunfante en Madrid, aclamado por todos.

El momento no debía ser favorable en la corte para don Luis. El autor de esta carta demuestra en su tono que el grupo que representaba se sentía apoyado por la opinión. Es un escrito mucho más largo y mucho más duro en sus argumentos, ironías y pullas. Se vuelve a mantener el tono de amistad —que tanto indignó a los cordobeses— y con una meditada postura de calma para provocar todavía más la indignación. Se quiere convencer a don Luis, y desengañarlo, como si fuera un loco, del error en que está, manteniendo la defensa de las *Soledades.* La ironía la extrema al pedirle «haga merced de sacar a luz la miscelánea quatrilingüe que es muy deseada y ha visto a muchos, muy alboroçados esperandola». Pero la violencia no puede contenerla y, así, se lanza al reto, desafiante, con cierto saboreo —que demuestra tiene bien compulsada la opinión de la corte— pidiéndole diga si hay siquiera tres personas entre los doctos hombres graves y poetas de la corte *cuyos pareceres sean aprobando el suyo.* Y para no salir de Córdoba le pide que, a falta de éstos, le ofrezca siquiera la conformidad del sabio canónigo don Bernardo de Aldrete. Y si tampoco cuenta con éste, se da también por satisfecho con que le ofrezca la opinión de tres italianos. Tampoco falta la pulla personal: con ironía se le tacha de judaizante, al decirle que demuestra preferir el Antiguo al Nuevo Testamento.

Góngora contestó de nuevo a través de Mendoza, esto es: escribió a éste otra carta, de tono análogo a la primera y, como siempre, con el encargo e intención de que la divulgara por la Corte. Esa carta es la que se cita en la conocida *carta echadiza* que se considera de Lope. En ella Góngora debió atacar abiertamente al gran madrileño y así, respondiendo a esa punzante reticencia de que prefería el Viejo Testamento al Nuevo, pudo en ella llamarle *hereje* y *alumbrado.* Por otra parte, el volver a hacer alusión a las palabras del final de la primera carta de Góngora, en la que éste se jactaba de *bastarle sus rentas, su patio y sus amigos,* indica una relación como de quien sigue refiriéndose a una misma correspondencia.

Cuando esa carta madrileña de contestación a Góngora y a don Antonio de las Infantas se escribe —16 de enero de 1616— aún no había aparecido el *Antídoto.* Como decíamos, la contestación de Góngora, hoy perdida, debió de ser inmediata. A ella replicó Lope con su carta *echadiza* sintiéndose más seguro con la aparición del escrito de Jáuregui que ofendía a las *Soledades* «con tan largos, aunque doctos discursos —dice— y que tanto han dado que considerar aún a los más apasionados de V. m.». Pero la aparición del *Examen del Antídoto* del Abad de Rute, que tuvo que ser inmediata —a fines de 1616 o comienzos del 17— vino a aplastar como una crítica y defensa inesperada —y más insospechada si sabían que su autor había impugnado a Góngora la oscuridad—. Fue la más seria y entusiasta réplica que pudo darse a todas las críticas y murmuraciones literarias; tanto que obligó a Jáuregui, incluso, a rectificar en parte su escrito. Lope —según dice en una carta de 1617— esperaba que Jáuregui se defendiera y atacara de nuevo. El silencio de éste le haría reflexionar y contenerse en sus disimulados ataques. Procura quitarse de en medio y quedarse a la mira; cuando vuelve a escribir sobre la *nueva poesía* lo hace ya en otro tono. Y cuando, vuelto don Luis a Madrid, se encuentra con él, en la primera entrevista, está pendiente de su gesto, guardándole aún más respeto y temor. Así, en el verano de ese año 1617, no deja de decirle al Duque de Sesa con cierta satisfacción: «Está más humano conmigo, que le debo haber parecido más hombre de bien de lo que me imaginaba.»

Pienso que el escrito del Abad de Rute vino a cortar muchas críticas y a interrumpir el tiroteo de esa correspondencia entre Córdoba y la corte. Góngora no necesitaba volver a contestar; el escrito de su amigo don Francisco valía por un montón de cartas suyas. El ofrecimeinto que le hiciera de salir *a la palestra* a defenderle, lo había cumplido peleando por él y lanzándose mucho más a fondo de lo que podía esperar. En lo esencial había ganado Góngora. La señal de ese triunfo la anuncia ya, a nuestro juicio su intervención en el otoño de ese año de 1616 en el Certamen convocado para las solemnes fiestas de la traslación de la Virgen del Sagrario a su nueva capilla de la Catedral de Toledo. Sus versos se imponen y resuenan valientes en su tono solemne y levantado. Pero las *Soledades* quedaron sin terminar. Para explicárnoslo conviene volvamos atrás. En aquel otoño de 1615, recién escrita su violenta carta y la de su amigo don Antonio de las Infantas, Góngora debió sentirse más indignado y deprimido que en ningún momento. Don Luis comprendería entonces la soledad en que había quedado su poema en la corte. Por mucho que apreciara el valor de las *Advertencias* escritas por Mendoza, se daría cuenta que ello no bastaba frente al grupo de Lope, entonces en pleno triunfo y buen amigo también de alguno de sus mejores amigos. Don Luis comprendería que la ayuda tenía que salir de su Andalucía. Más que a las torpezas e indiscreciones de Mendoza, el reproche principial se lo haría a sí mismo, por su decisión de haber lanzado las *Soledades* en medio del inmenso y cenagoso golfo de *pesadumbres* de la corte, para hacerlas víctimas de toda clase de embates y dentelladas. Por lo menos llegó a confesar el deseo de restituir el poema al ambiente de soledad que lo había creado. Prueba de que ese sentimiento le invadió, es su soneto *Restituye a tu mudo horror divino,* de suave tono melancólico y nostálgico. En la versión que hemos encontrado se encabeza diciendo: «Don Luis de Góngora a la Soledad persuadiéndola que deje la Corte.» El ver su poema maltratado tuvo que dolerle. Tendría que pensar que, en cierto modo, había traicionado el espíritu de soledad con que lo había creado.

Se comprende que, aunque había reaccionado otra vez con violencia frente al grupo madrileño, y había vuelto a escribir otra carta dirigiendo ya concretos y mal intencionados ataques a Lope, sin embargo, el poeta abandonó la idea de continuar el poema; ni aún la segunda parte la terminó, y, además, se abstuvo de divulgar lo que tenía hecho de ella: incluso después de haber quedado a su favor la polémica, tras la aparición del *Examen del Antídoto* del Abad de Rute.

La razón de esa actitud es, precisamente, que el estado de espíritu que dio vida al poema había pasado e incluso había sido traicionado por la ambición literaria. Cuando en abril de 1617 volvió a la Corte era aún más difícil que aquel sentimiento de nostalgia de vida de soledad de la naturaleza resurgiera en él y le mantuviera con la emoción y fuerza que le había impulsado a escribir su poema. Góngora no podía crear las *Soledades* sólo con arte y sabiduría. El poema —repitámoslo— no obedeció en su creación solamente a una necesidad estética e intelectual. Lo creó, seducido por toda clase de bellezas de arte y naturaleza, pero centrado todo por un ansia de soledad.

Al renacer, seguidamente, las esperanzas cortesanas y marchar a Madrid era ya de todo punto imposible que Góngora diera término a las *Soledades.* Como pretendiente cortesano lo lógico era —como ocurrió— que se lanzara a escribir una composición de elogio y aparato ornamental. Así surgió el *Panegírico al Duque de Lerma.* Aquí actuaba, sobre todo, el poeta dueño de sus recursos, cuyo arte elevador había de levantar —a impulsos de un sentimiento heroico típico del Barroco— en transformación hiperbólica, la figura real del personaje para colocarlo con atuendo, ademán y atributos de héroe del mundo de la Antigüedad, en el plano superior de lo intemporal y mitológico. Pero Góngora, en este poema actuaba igualmente con sinceridad; respondía también a un circunstancial sentimiento cortesano que había vuelto a envolverle y a arrastrarle ilusionado. Por eso quedó también sin terminar; sea porque *no gustó* al Duque, sea porque a éste «le faltó el favor», en los dos casos quedaba falto del plano o fundamento psicológico con que, en general, siempre creó Góngora su poesía. Al fallar las circunstancias de la vida del poeta, faltó el fundamento del poema. El estado de ánimo que dio vida a las *Soledades* no podía repetirse. Por eso quedaron sin terminar.

En conclusión, las *Soledades* no son sólo la creación de un puro afán esteticista alejado de la vida, que busca y se mueve exclusivamente por razón de la belleza literaria y el artificio idiomático. La vida late aún bajo la más artificiosa de sus metáforas. Múltiples alusiones descubren la atracción de la realidad en sus más varias actividades y aspectos. La extraordinaria maestría técnica, la musicalidad del verso, los efectos visuales, lo artístico, en suma, envuelve, pero no ahoga, la vida, en la poesía de Góngora. Ese fondo de vida y espíritu cuenta como impulso e íntima vibración en la creación de los ricos planos verbales gongorinos; como tiene que contar en el verso de todo verdadero poeta. Porque, si bien es verdad —como decía Mallarmé— que los versos se hacen con palabras, no lo es menos que las palabras no son sólo vibración de materia, sino también espíritu; o mejor dicho: esa materia vibra y hace vibrar cuando la alienta el espíritu de un auténtico poeta como lo era don Luis de Góngora.

Estructura manierista y estructura barroca en poesía

(Con el comentario de unos sonetos de Góngora)

Aunque los límites de espacio de una comunicación no permitan extenderse en cuestiones previas, sin embargo por emplearse en ella conceptos que se han utilizado hasta ahora en distinto sentido, e incluso se han identificado, creemos necesario dejar sentado previamente los principios teóricos en que nos apoyamos y que nos sirven de punto de referencia en nuestros análisis [1]. En general —de acuerdo con su origen— se manejan estos dos conceptos en el sentido que viene empleándolos la historia del arte. De aquí que aunque al final nos referimos como ejemplo a un autor en concreto, lo hacemos por ver en él la realización de formas acabadas o expresivas de ambos estilos, Manierismo y Barroco; o sea, obedecemos en nuestra caracterización a un cierto formalismo y abstracción ya que, aunque sea provisionalmente, consideramos la historia literaria —según andos conceptos en el sentido que viene empleándolos la historia de los estilos.

El hecho de que hablemos de ambos estilos como distintos supone que no aceptamos la identificación propuesta por Curtius que, como es sabido, sustituyó la palabra Barroco por la de Manierismo, entendiendo en este término todas las formas anticlá-

[1] Este trabajo en forma extractada se leyó como comunicación en los «Coloquios sobre la estructura de la obra literaria» celebrados en Madrid, en la primavera de 1967, como acto organizado por el C.S.I.C. La primera parte de este ensayo constituye un breve anticipo apresurado de un trabajo más extenso, aún en preparación, sobre el concepto de Manierismo y su delimitación y relaciones con el Barroco. Con anterioridad hemos hecho algunas consideraciones en torno al mismo en breves capítulos de nuestros ensayos *Lección permanente del Barroco español,* Madrid, 1952 (2.ª ed., 1956) y «La Literatura religiosa y el Barroco», en *Revista de la Universidad de Madrid,* vol. XI, 1963, que se incluyen en este volumen. También hacemos consideraciones espaciadas en relación con el Barroco en nuestro reciente libro *El Teatro y la teatralidad del Barroco,* Barcelona, 1969. Nuestro concepto del Barroco lo expusimos en *Temas del Barroco. De poesía y pintura,* Granada, 1947.

sicas que se repiten a través del tiempo [2]. Esta concepción del Manierismo es la mantenida igualmente como continuación por Hocke [3]; y en cierto modo viene a coincidir con la conocida concepción de lo barroco de Eugenio d'Ors cuando apartándose de una postura historicista mantuvo el concepto de lo barroco como una constante en la historia de los estilos [4].

Distinguimos, pues, entre Manierismo y Barroco como dos momentos inmediatos de la Historia del Arte y de la Literatura que se producen en dicho orden de sucesión; pero sin que ello obedezca a una ordenada y regular periodización cronológica, pues si bien en general lo manierista precede a lo barroco, ello se produce sin que obedezca a una periodización claramente delimitada y en consecuencia con variaciones irregularidades.

---

[2] Para Curtius el Manierismo —despojando a la palabra del contenido dado en la Historia del Arte— sería «el denominador común de todas las tendencias literarias opuestas a la clásica, ya sean preclásicas, postclásicas o contemporáneas de algún clasicismo». En conclusión, es para él «una constante de la literatura europea, es el fenómeno complementario del clasicismo en todas las épocas». Véase Ernst Robert Curtius, *Literatura europea y Edad media latina.* (Trad. M. F. Alatorre y A. Alatorre, México, 1955, t. I, cap. V.

[3] Hocke se declara seguidor fiel de Curtius haciendo suyas las palabras citadas en la nota anterior si bien puntualiza: «La dialéctica Clasicidad-Manierismo tiene la ventaja de dejar abierto un campo cósmico (intermedio) y evitar así un esquematismo demasiado estrecho.» A pesar de ello resultará naturalmente imposible el prescindir de los conceptos «barroco» y «manierismo» en un sentido temporal *más estricto.* Han tomado carta de nacionalidad y no queda otro recurso que aceptarlo. Tras recordar el libro de Wylie Sypher, *Four stages of Renaissance style,* con su ordenación de Renacimiento, Manierismo, Barroco y Barroco tardío, concluye: «Podemos, por tanto, basándonos en investigaciones de historia comparada del arte y de la literatura, definir por sí, tanto el Manierismo de los siglos XVI y XVII como el Alto Barroco entre 1660 y 1750 y al mismo tiempo aplicar el concepto de Manierismo siguiendo el ejemplo de E. R. Curtius, en su sentido más amplio, sobre todo en su significación psicológica profunda, a la Historia del Espíritu europeo con la que queremos y tenemos que darnos por satisfechos en esta ocasión.» *Aunque no se decide por las 22 épocas «barrocas» o «manieristas»* distinguidas por Eugenio d'Ors, señala cinco *«perfectamente definidas dentro de la constante anticlásica»*: Alejandría (aprox. 350-150 a. J. C.), la Edad de «Plata latina» en Roma (aprox. 14-138 d. J. C.), la primera y sobre todo la última Edad Media, la época del Manierismo «consciente» de 1520 a 1650, el Romanticismo de 1800 a 1830 y, finalmente, la época que acaba de pasar, pero que sigue influyendo poderosamente sobre nosotros, de 1880 a 1950. Véase Gustav Rene Hocke, *El Manierismo en el Arte europeo de* 1520 *a* 1650 *y en el Arte actual,* Madrid, 1961, pág. 18 y ss. (Trad. V. Rey Aveiros).

[4] *Lo Barroco,* Madrid, s. a.

No llegamos tampoco en nuestra caracterización de estilos a la total identificación con el esquema propuesto por Hatzfeld que, como es sabido, abarca con el término Barroco un amplio período que comprende tres etapas, Manierismo, Barroco y Barroquismo [5]. Ello puede aceptarse como esquema metodológico, pero la delimitación de esas tres etapas resulta confusa al quedar abarcadas por el denominador común de lo barroco. Menos aún puede aceptarse la visión de Manierismo como un amplio período extendido hasta mediados del siglo XVII como hace Bousquet al plantear el estudio del Arte en relación con la Literatura [6]. Sí tenemos en cuenta algunas de sus caracterizaciones, así como las de otros importantes y recientes estudios, tales como los de Hauser, Sypher, Würtenberger y Battisti [7]. Nuestra intención sin embargo se orienta inicialmente sólo a delimitar entre Barroco y Manierismo como consideración previa a un concreto comentario sobre la estructura en poesía en visión paralela a lo pictórico.

Creemos queda clara e indiscutible la relación de ambas manifestaciones estilísticas con el clasicismo renacentista que les

---

[5] En este profundo conocedor del Barroco literario, que recoge en su libro *Estudios sobre el Barroco* la más amplia información bibliográfica que hasta ahora se ha utilizado por la crítica, el término Barroco se usa «*para designar un estilo de época* que comprende los tres estilos generacionales», como «fases que no coinciden por completo cronológicamente en los distintos países» y *en cierto modo superpuestas.* Dentro de ese amplio período, el central sería el *perfecto o alto Barroco* y el final, *Barroquismo,* ofrecería su *forma decadente.* La periodización que establece, con superposiciones la ejemplifica sobre tres países, Italia, Francia, España; cada uno de los cuales representa un desarrollo retrasado con respecto al anterior, dando un nombre en cada período como ilustre representante. He aquí el esquema referente a España: *Renacimiento*: 1500-1580, Fray Luis de León (1527-1591), *Manierismo*: 1570-1600, Góngora (1561-1627). *Barroco*: 1600-1630, Cervantes (1547-1616). *Barroquismo*: 1630-1670, *Calderón* (1600-1681). Véase especialmente el capítulo II de *Los estilos generacionales.*

[6] Jacques Bousquet: *La Peinture maniériste,* Munich, 1964.

[7] Arnold Hauser, *El Manierismo. La crisis del Renacimiento y los orígenes del Arte moderno,* Madrid, 1965. (Trad. F. González Vicen.) Wylie Sycher, *Four Stages of Renaissance style. Transformation in Art and Literature,* 1400-1700, Nueva York, 1955. Franzsepp Würtenberger, *El Manierismo. El estilo europeo del siglo XVI,* Barcelona, 1964. Trad. R. Santos Torroella y A. Ribera. Eugenio Battisti, «Sfortune del Manierismo», en *Rinascimento e Barocco,* págs. 216-237, Turín, 1960. Sobre la revisión del término y concepto Manierismo pueden verse las exposiciones hechas por G. Weise, *Storia del termine Manierismo,* y R. Raimondi, «Per la nozione di manierismo letterario, en *Manierismo, Barroco, Rococó,* Concetti e Termini. Convegno internazionale», Roma, 21-24 abril 1960. Roma, 1962.

precede y asimismo la contradicción que de éste representan. Ambos estilos se producen como una transformación que se verifica desde dentro del mundo de formas y temas de la tradición clásica renacentista que se utilizan y alteran con violencia en una actitud y expresión que supone su radical contradicción. Y así, si el artista manierista, lo mismo que el poeta, maneja los elementos, temas y formas del clasicismo y los ordena, relaciona y complica de acuerdo con una nueva voluntad artística que impone un ideal contrario al espíritu de equilibrio, naturalidad y armonía, que imperaba en el pleno Renacimiento, no será extraño que el Barroco suponga la misma utilización de las formas, temas y motivos de esa tradición clásica y al mismo tiempo la persistencia de todas las complicaciones y artificios introducidos por el Manierismo. Los dos movimientos artísticos están en relación directa como continuación de la tradición formal y temática del Renacimiento; y si en general la actitud manierista precede a la barroca no puede hacerse, repetimos, una regular delimitación, sino sólo marcarse un proceso general, que puede producir en algún caso la reacción barroca en un arranque individual inmediato a lo clásico renacentista, y asimismo un coincidir sincrónico de ambas actitudes. En consecuencia, la delimitación cronológica no puede establecerse con fijeza y regularidad, y —por otra parte— la simultaneidad de lo manierista y lo barroco ha de darse a veces; y lo mismo el enlace y fusión de elementos. La delimitación y caracterización que podemos intentar es la determinada por la diversa naturaleza de los dos distintos impulsos estético-psicológicos. Por esto, ante un poeta como Góngora o un pintor como el Greco podemos hablar de Manierismo y de Barroco. Porque si en general parten de una concepción estética manierista, seducidos por los módulos, complicaciones y sutilezas de un intelectualismo artístico, de otra, un íntimo impulso barroco les hace progresivamente buscar una nueva complicación, no impuesta, sino proyectada por su natural y una expresividad vitalmente exaltada, seducida por los más varios y ricos efectos sensoriales de luces, colores y efectos sonoros; pero todo ello se produce como el espontáneo brotar de una actitud dentro de otra y moviéndose y expresándose en un mundo de formas y lenguaje artístico que procede de la tradición renacentista y manteniendo incorporadas las complicaciones ya dadas en su propio estilo manierista. No es extraño que la crítica ante el conjunto de su obra haya querido descubrir dos épocas o estilos; porque hay en efecto una trayectoria estilística y superposición de esa actitud o estilo manierista y de otra barroca.

Una y otra vez se viene situando el Manierismo en relación con los movimientos artísticos y literarios contemporáneos en especial con el surrealismo; y es que precisamente, el haber llegado a estas actitudes o tendencias estéticas es en el fondo lo que explica la comprensión y revalorización del dicho estilo; como la anterior etapa del arte expresionista favoreció la comprensión del Barroco. Este patente paralelismo nos permite descubrir mejor la índole del esencial impulso determinante del movimiento manierista, cuyos rasgos precisamente, lo apartan en cuanto a sus móviles o intención de lo que es característico en los que alientan en la generalidad de los movimientos artísticos y literarios anteriores al Modernismo. Tanto el Barroco como el Neoclasicismo, el Romanticismo, o el Realismo, son movimientos que se justifican en su reacción frente a los excesos del estilo que les precede en razón de una búsqueda de la realidad que por aquellos excesos ha quedado olvidada y lejana.

El Manierismo se produce por un exceso de intelectualismo e individualismo, es decir, por una búsqueda de nuevas y extrañas formas de belleza. Cuando Herrera declara que hay que buscar con el entendimiento nuevos modos de expresión, está afirmando una postura manierista. Sus teorizantes no admiten la imitación directa de la realidad, sino a través de la imitación de los antiguos poetas y artistas. De ahí también que su doctrina estética sea la interpretación de los tratadistas clásicos; sobre todo Aristóteles, Horacio y Vitrubio. Hay una postura intelectual, esteticista y técnica en su orientación que les hará buscar la consciente complicación, la dificultad por la dificultad; esto es, el acomodamiento de la expresión artística o poética a esquemas compositivos previos; lo mismo la complejidad temática que el artificio estilístico.

Como una transformación de lo clásico renacentista, de acuerdo con esa actitud formalista y esteticista, hay que considerar como típico del Manierismo el gran desarrollo de la teoría artística y literaria de carácter normativo. El sujetar la creación artística a normas rígidas, el someter la libertad de creación a unos límites y modelos, es consecuencia de esa general postura del manierista que ve la obra de arte como fruto del saber y de la idea y no del impulso natural y de la práctica. Es verdad que tanto las normas de lo literario como las de lo artístico suponen la inspiración y guía de los modelos de la Antigüedad que ya había exaltado el pleno Renacimiento; pero en el momento del Manierismo el fenómeno de la vuelta a lo clásico se produce de otra manera. El artista y el poeta del Renacimiento se había recreado en la contemplación e imitación de los antiguos con espontánea libertad, y los ecos de los tratadistas contaron como cosa secundaria con respecto a las grandes creaciones que se admiraban y recordaban.

En este período del Manierismo es cuando los tratadistas centran su atención en la interpretación de los antiguos tratados. Esa interpretación se fija como norma. Así se llega, por ejemplo, a establecer las reglas de las unidades dramáticas, y como una regla más, se establece con carácter general la de la imitación de los antiguos. El Brocense no concibe un buen poeta si no es imitando a los *excelentes antiguos*. Hay, pues, que saber imitar, pues como concluye, si se pueden contar *tan pocos dignos del nombre* de buenos poetas, no hay otra razón, sino porque les falta las ciencias, lengua y doctrina, para saber imitar [8]. Esa es la norma que se mantendrá todavía en el Cervantes de la primera parte del Quijote, aún dentro de concepciones parcialmente manieristas. Pedro de Valencia recomendará a Góngora, como esencial guía, la imitación de los antiguos y de la Biblia, al darle su opinión sobre las *Soledades*.

Para Scaligero, en Virgilio se podía encontrar todo; en forma que consideraba inútil el acudir a la imitación de naturaleza. El intentar añadir o cambiar algo a Virgilio sería cosa de locos e imprudentes. La fe en las reglas —y con ello en la sujeción al modelo y el tecnicismo— llevará hasta hacer creer que con el saber teórico, aun sin gran elevación de la mente, basta para lograr el éxito en la creación literaria.

El poeta manierista se atiene a los preceptos, y sutiliza y complica dentro de ellos cómo imita a los poetas clásicos y los combina y enlaza en rebuscada innovación personal. Pensemos, así, en nuestro Herrera, aunque en él se inicie, a pesar de su ultraconsciente posición manierista, su natural gusto por lo barroco. Nada en su poesía supone la violenta ruptura con las formas y géneros establecidos por los preceptistas. Pero no se satisface con lo recibido y teoriza con posición intelectualista

---

[8] He aquí el trozo de su introducción a las obras de Garcilaso: «...digo, y afirmo, que no tengo por buen poeta al que no imita los excelentes antiguos. Y si me preguntan, por qué entre tantos millares de Poetas como nuestra España tiene, tan pocos se pueden contar dignos deste nombre, digo, que no ay otra razón, sino porque les faltan las ciencias, lenguas y doctrinas para saber imitar. Ningún Poeta latino ay, que en su género no aya imitado a otros...» Ed. 1765, página 36 y ss.

y fundamento erudito. La innovación más llamativa en su poesía pertenece a lo lingüístico, a la ortografía, esto es, responde a lo científico e intelectual como es propio de la postura del manierista.

No ocurre lo mismo en Góngora. Los impulsos que le hacen ir rompiendo esquemas manieristas en su primera época y verter en los cauces populares del romance temas y estilo que corresponden a los géneros cultos renacentistas, y darle un desarrollo a los dichos temas —como los mitológicos— con un sentido pictórico, buscando la esencial resonancia sensorial, son impulsos en los que cuenta lo sensorial e irracional que terminan por hacerse predominantes en las *Soledades*. En este poema rompe violentamente con las normas establecidas en cuanto a géneros y sus correspondientes estilos [9]. Escribir un poema lírico con

---

[9] [Creo conveniente insistir sobre estas libertades que supone la *nueva poesía* de Góngora, porque se trata de uno de los aspectos esenciales de barroquismo que venía a romper con las rigideces e intelectualismos de la estética manierista que, lo mismo que en el teatro, establecía una tajante separación de géneros y estilos. Por esto hemos insistido también, en parte siguiendo las ideas del Abad de Rute —humanista más abierto a la renovación barroca que Pedro de Valencia, más apegado a la tradición del clasicismo manierista— en el paralelismo que ofrece esta *nueva poesía* con la *comedia nueva* que se fija con Lope de Vega. Las *Soledades* fueron atacadas, no sólo por su oscuridad, sino también por esa ruptura con una normativa en muy buena parte vigente entonces entre los poetas cultos y hombres de letras. Por eso, Góngora se refirió a ello también en el soneto burlesco de réplica a Lope, y al grupo que había atacado su gran poema en la corte, destacando la *poca luz* y la *menos disciplina* como puntos centrales que le habían censurado. Esas ideas de la tradición normativa manierista informaban incluso las doctrinas de su admirador y comentador, el docto poeta don García de Salcedo Coronel que varias veces reprueba irregularidades e impropiedades del estilo del gran lírico. Coincidiendo con nuestro punto de vista —que hemos expresado más de una vez en este libro y en otros trabajos— el gran hispanista y buen conocedor de nuestra poesía de la Edad de Oro, Edward M. Wilson ha señalado esta postura del conocido comentarista en un agudo análisis recogido en su artículo «La estética de don García de Salcedo Coronel y la Poesía española del siglo XVII». —*R.F.E.*, t. XLIV, 1961, páginas 7-28— que queremos destacar, no porque refuerza nuestras opiniones, sino porque señala algo fundamental para la comprensión de nuestra poesía en ese momento de tránsito del Manierismo al Barroco. Recuerda con acierto Wilson que «los preceptistas del siglo XVI, por cultos o inteligentes que fueran, pusieron su gran empeño en clasificar géneros y estilos, imponiendo la doctrina de que cada género tenía su propio carácter que debía ser respetado cuidadosamente por el poeta que lo cultivaba. La comedia era una cosa; la tragedia, otra. La égloga, la elegía, la epístola, la sátira y la oda eran géneros distintos que requerían un estilo particular en cada caso. Los estilos podían ser o el

la extensión de un poema épico y, además, con diversidad de acciones, era un hecho inaceptable para la mentalidad manierista. Como lo era también el predominio de lo descriptivo, y la misma variedad de elementos que entrañaba el poema tampoco podía justificarse ni con el modelo de los clásicos ni con normas del antiguo ni del moderno preceptista. Por esto los comentaristas y defensores de Góngora, aunque en muchos casos justificaran los recursos de su estilo —los más propiamente manieristas sobre todo— con el modelo o el precepto de los clásicos, tienen que desentenderse de éstos cuando han de justificar o fundamentar esos rasgos nuevos de las *Soledades* que antes anotábamos o las de un poema cómo la fábula de *Píramo y Tisbe,* igualmente llena de novedades. Entonces tienen que acudir a la naturaleza con su variedad contrastada —a veces hasta lo monstruoso— al gusto de los nuevos tiempos y a la originalidad del poeta o incluso a los juegos de los niños en Andalucía o a lo que *dicen las comadres.* Todos estos impulsos de naturaleza, vida y gusto personal y de época que contradicen y deshacen géneros, formas y preceptos, son los que entrañan barroquismo; en ellos está el fundamento del nuevo estilo; o mejor dicho, en su actuar, coexistiendo con las normas de cuya existencia se es consciente. El impulso de libertad y vida dentro de las formas manieristas y de sus preceptos entraña la raíz del drama del Barroco [10].

En el caso del surgir barroco en el gran poema de Góngora es interesante como ilustración de nuestras anteriores razones recordar la actitud del humanista y crítico amigo suyo don Francisco Fernández de Córdoba, que, de trayectoria y sensibilidad paralela a la de don Luis, pudo comprender mejor que Pedro de Valencia lo esencial de las novedades gongorinas. Ello lo descubre al tener que defender las *Soledades* de los ataques dirigidos a las mismas por Jáuregui en su *Antídoto.* E interesa mucho

alto o el mediano o el humilde, pero no se permitían que se mezclasen. En España el gran campeón de estas ideas era Fernando de Herrera». Así, Góngora arranca de esos principios manieristas y, aunque nunca los respetó plenamente, impulsado por su natural temperamento, sin embargo, cuando violenta y conscientemente los alteró, fue en las *Soledades.*]

[10] Véase el primer trabajo incluido en este volumen, *El Barroco y la estética clásica renacentista,* cap. III, y, especialmente, «El Abad de Rute y el Gongorismo. Breve anotación a sus escritos sobre las *Soledades*», en *Atenea,* Universidad de la Concepción, Chile, 1967. [Incluido en nuestro libro, *En torno a las «Soledades» de Góngora,* Granada, 1969.]

subrayar cómo espontáneamente, pero con profundo sentido, une en su fundamento psicológico y estético esas innovaciones gongorinas de las *Soledades,* y la esencial que representaban en su ruptura con las unidades dramáticas las comedias españolas. Tras razonar con citas cómo se trata de obra lírica, agrega: «Sólo podrá escrupulizar el ser más largo este Poema que los que en género de lyrica dexaron los antiguos y no ser de una sola actión sino de muchas. Pero en lo que toca a dilatarse, bien sabe V. m. que importa poco, pues más y menos no varian la especie. En quanto a la acción, o fábula bien se pudiera sustentar, siendo un viaje de un mancebo náufrago, pero antes queremos que sean muchas y diversas; porque de la diversidad de las actiones nace sin duda el deleyte antes que de la unidad»; «si imitación es la Poesía —dice más abajo— y su fin es ayudar deleitando: si este fin se consigue en la especie en que se imita ¿qué le piden al Poeta? ¿Guardan oy por ventura la Tragedia y la Comedia el modo mesmo que en tiempo de Thespis o de Eupolo? No por cierto, informémosnos de Aristóteles y Horacio ¿pues por qué?, porque se halló molde mejor para deleytar del que ellos usaron cómo le tenemos oy nuestras Comedias, diverso de los Griegos y Latinos (Aunque no ignorado de Aristóteles) y es cierto que nos deleyta este nuevo más que pudiera el antiguo que cansara oy al Teatro. A la variedad y la novedad que engendra el deleyte atiende el gusto, pero que mucho él, pues aún la misma naturaleza por atender a ella para más abellecerse, produce a veces cosas contrarias a su particular intento, como son los monstruos. Luego este motivo bastante es para que se trabaje un Poema qual el de las Soledades más largo que lo usaron los antiguos lyricos y texido de actiones diversas. ¡O, señor!, que no le conocieron los que dieron preceptos del arte ¿qué importa si le a hallado como medio más eficaz para deleytar la agudeza y gusto de los modernos?»

En esta afirmación final se condensa bien la nueva actitud del Barroco que brota precisamente dentro del campo teórico de un tratadista como una imposición de la naturaleza, la vida y el libre gusto personal.

La variedad, reflejo de la que nos ofrece la naturaleza es, pues, la que Lope defiende en su *Arte nuevo* como base o fundamento de su doctrina dramática. Al hablar de la mezcla de lo cómico y lo trágico y aceptar en broma, pero satisfecho, la calificación de monstruo, con que despectivamente llamaban a obras de este género los preceptistas aristotélicos, afirma rotundo que «aquesta variedad deleita mucho / buen ejemplo nos da naturaleza / que por tal variedad tiene belleza». Pero esta variedad supone la integración de los distintos elementos en un todo. Así lo razona insistente más abajo en el mismo poema al tratar de la unidad de acción. Lo que buscaba Lope —como el estilo barroco —es la variedad en la unidad; pero variedad determinada o reflejada de la misma realidad y no impuesta por la mente del artista. Hay complicación, y extremada, pero con un principio de subordinación a un motivo o intención central. No ocurre así con la complejidad y complicación manierista que no arranca de la realidad ni aún del natural desarrollo de la obra, sino que le es impuesta en un exceso de formalismo como molde o esquema. Lo mismo ocurre con otros recursos compositivos estilísticos. Así, el acomodar el fluir poético correlativamente a los varios miembros de los versos, el forzar la expresión de todo el poema a versos esdrújulos, el construirlo en una alternancia cuatrilingüe, el prescindir en todo un soneto de una vocal, y el distribuir estas vocales en un orden determinado. Todo esto como la reiteración y repetición sistemática convertida en cliché o molde compositivo previo es lo que en la estructura y estilo significa manierismo.

El concepto de variedad que alega Lope en su *Arte nuevo* es también alegado por Cervantes con respecto a la novela, y recordando el mismo verso italiano, esto es, viendo la variedad en relación con la naturaleza y la vida. Pero hemos de insistir en el sentido barroco de este concepto de variedad y distinguirlo de lo que podríamos llamar pluritemática, característica del Manierismo. Podríamos confundirnos sobre todo en el género novelesco en cuanto a la abundancia de los relatos y novelitas introducidas en el desarrollo de la novela. La solución más frecuente en la novela de la época manierista consiste en el artificio de intercalar, para distraer la atención con un tema distinto y por lo tanto sin enlazar el episodio o novelita con el relato central; esto es, sin influir ni confluir en la acción principal. Es precisamente Cervantes el que en este género más libre de estructura descubre mejor —y con plena conciencia— el paso de la pluritemática manierista a la variedad barroca. El genial novelista, formado en la cultura clásica manierista, conocedor y admirador de las letras y de la vida de Italia, con su poderoso instinto de escritor, da el definitivo paso de una a otra estructura. La manera como se insertan en la primera parte del Quijote los episodios o novelitas de la historia del cautivo, y la del curioso impertinente —verdaderos elementos separados— es bien típica del artificio manierista. Es la empleada antes en la novela pastoril [y en el *Guzmán de Alfarache*], y la que repetirá después el *Quijote* de Avellaneda. Pero Cervantes en el episodio de Marcela y Crisóstomo, y más aún en el de Dorotea, ofrece una más plena integración del relato intercalado en la acción central de la novela, manteniendo, así, la variedad dentro de la unidad de concepción realista de las aventuras de los protagonistas. Nadie mejor que nuestro propio novelista percibió lo convencional del recurso manierista que podríamos dar como equivalente a esas figuras y elementos extraños al tema central que por razones externas compositivas y por buscar la complejidad temática que desvíe la atención del asunto del cuadro, introducían los pintores del Manierismo. Por eso Cervantes, como los pintores del pleno Barroco, impulsado por la visión más espontánea, directa y profunda de la realidad —pues su complejidad y complicación procede de esa realidad más que de la estructura intelectual impuesta por el artista— rompe con el artificio compositivo de la novelística que le precede; de la que arranca y por la que en parte se sentía atraído. En este sentido procederá como Velázquez que precisamente en este aspecto compositivo transformará el artificio pictórico de la pluritemática manierista en la compleja variedad que impresiona con unidad de pleno sentido de realidad; así, en su *Cristo en Casa de Marta* y en *las Hilanderas* como casos especialmente expresivos.

El razonamiento de Cervantes en el comienzo del capítulo 44, de la segunda parte del Quijote nos basta para entender bien el sentido de las dos estructuras estilísticas. Manteniendo, por cierto, un inicial artificio tradicional en la novelística del siglo XVI —pero introduciéndose con ello en el relato para darnos directamente su reflexión o autocrítica de su propio laborar artístico— nos dice, «que llegando Cide Hamete a escribir este capítulo no le tradujo su intérprete como él le había que fue un modo de queja que tuvo el Moro de sí mismo, por haber tomado entre manos una historia tan seca y tan limitada como ésta de don Quijote, por parecerle que siempre había de hablar de él y de Sancho, sin osar entenderse a otras digresiones y episodios más graves y más entretenidos, y decía que el ir siempre atenido el entendimiento, la mano y la pluma a escribir de un solo sujeto, y hablar por las bocas de pocas personas era un trabajo incomportable, cuyo fruto no redundaba en el de su autor y que por huir deste inconveniente había usado en la primera parte del artificio de algunas novelas, como fueron la del *Curioso impertinente,* y la del *Capitán cautivo,* que están como separadas de la historia, puesto que las demás que allí se cuentan son casos sucedidos al mismo don Quijote que no podían dejar de escribirse». La distinción de las dos formas de intercalar los episodios es clara y, con sentido de la realidad ve la falla del recurso manierista que como siempre se dirige más al lector de mentalidad análoga.

Así agrega «que muchos llevados de la atención que piden las hazañas de don Quijote no la darían a las novelas y pasarían por ellas o con priesa o con enfado, sin advertir la gala y artificio que en sí contienen». Y la conclusión, con el porqué de su cambio, en la segunda parte de su novela no deja de consignarla tras las anteriores razones: ...«así en esta segunda parte no quiso ingerir novelas sueltas, ni pegadizas, sino algunos episodios que le pareciesen, nacidos de los mismos sucesos que la verdad ofrece». Como vemos es un fundamento unitivo realista el que se impone en el nuevo concepto de la novela.

Como decíamos, el concepto de variedad en la comedia que alega Lope en su *Arte nuevo,* viene a coincidir con esas ideas de Cervantes en cuanto a la integración de lo episódico en la acción central respondiendo a un sentido unitivo de concepción que es lo distintivo de lo barroco frente al pluritematismo manierista. Aparentemente, las ideas de Lope pueden parecer contradictorias; pero si leemos atentamente —y observamos el concreto ejemplo que nos da en sus comedias— veremos claro cuál es esta unidad en la variedad [11]. Porque en otras formas de la tragicomedia, sobre todo francesa, puede pensarse en esa complejidad determinada más por coordinación o yuxtaposición de elementos distintos que por fusión de los mismos. Así lo percibía agudamente un teórico y defensor de Lope, Ricardo del Turia, razonando sobre el particular y distinguiendo entre *composición y mixtura.* En esta *mixtura* se

---

[11] [Al tratar de la unidad de acción en su *Arte nuevo de hacer comedias,* precisamente a continuación de su defensa de la variedad, precisa Lope cómo han de integrarse formando un todo indisoluble esos distintos elementos. Así, dice: «Adviértase que sólo este sujeto / tenga una acción, mirando que la fábula / de ninguna manera sea episódica, / quiero decir inserta de otras cosas / que del primero intento se desvíen; / ni que della se pueda quitar miembro / que del contexto no derribe el todo» (v. 181-187). Véase la excelente edición comentada de Juana de José Prades —aunque en ella no se plantee esta cuestión estilística—, Madrid, 1971.]

estaba refiriendo a esa mezcla integradora de la concepción dramática barroca distinta de la unión por *composición* del pluritematismo manierista [12]. La forma como el paso se intercala en el teatro de Lope de Rueda responde a una composición pluritemática manierista, pero la integración de la escena cómica y cantos en el teatro de Lope de Vega obedece a ese sentido de mixtura integradora del Barroco. Responden a ese sentido general de *desintegración* manierista e *integración* unitiva barroca de que habla también Sypher [13].

---

[12] En su *Apologético de las comedias españolas* (Valencia, 1616). Según él la comedia que se representa en España no «es sino tragicomedia que es un mixto formado de lo cómico y lo trágico..., y nadie tenga por impropiedad esta mixtura, pues no repugna a la naturaleza y al arte poético que en una misma fábula concurran personas graves y humildes...», y agrega más abajo destacando este *grande artificio* «que incluye en sí la mezcla de cosas tan distintas y varias y la unión dellas no en forma de composición (como algunos han pensado), sino de mixtura, porque va mucho de un término al otro... Porque en lo mixto las partes pierden su forma y hacen una tercera materia muy diferente y en lo compuesto cada parte se conserva ella misma como antes era sin alterarse ni mudarse, antes bien, se compone junta...». Véase en la *Antología* incluida en *Preceptiva dramática española del Renacimiento y el Barroco,* por Federico Sánchez Escribano y Alberto Porqueras Mayo, Madrid, 1965, pág. 148 y ss.

[13] [En cuanto al poema épico, insistamos en el cambio esencial que representa el *Bernardo* de Balbuena en todo lo referente al concepto de la estructura, lo mismo en la forma de desarrollar el asunto que en el complejo sistema de montaje integrador como se insertan los episodios. En todo ello —como en otros aspectos esenciales— rompe el autor con la concepción del poema épico culto del clasicismo manierista; y debido a una actitud plenamente consciente innovadora, según demuestra en la declaración que hace en el *prólogo.* Dejando aparte la novedad que supone su especial interpretación de la *imitación* aristotélica —*excluyendo la historia verdadera, que no es sujeto de poesía* y considerando el ideal de *perfección* que las cosas *ciertas* o *fabulosas* «cuanto menos tuvieren de historia y más de invención»— y el desbordamiento de los aspectos descriptivos, con toda clase de ornamentos poéticos, el poeta insiste en que su forma de contar la fábula no es el histórico sino el artificial o poético. «Así conviene —dice— que la narración poética no comience del principio de la acción que ha de seguir, sino del medio, para que, así, al contarla toda, se comience, se prosiga y acabe artificiosamente.» Con ello se conseguirá el *deleite* del *artificio con su novedad,* y, con ésta, la *admiración.* Pero el artificio estructural, buscando el encadenamiento y trabazón integradora de los elementos o temas, es aun mayor, pues no alcanza sólo a lo *principal de la acción;* «más aún —agrega—, en sus episodios o digresiones no hay fábula que antes de mostrar su fin no ponga en las manos los principios de otra de no menor deleite y gusto». El sistema estructural integrador de todos los episodios y elementos narrativos no permite desprender ninguno. Se crea un todo complejo y variado, no ya contrario a un sentido compositivo paratáctico, sino incluso a una

Se ha roto, así, el principio de unidad del equilibrado clasicismo renacentista por buscar en alarde técnico intelectualista una dificultad compositiva impuesta previamente. Así, el Manierismo gusta, lo mismo en la estructura de sus lienzos que de sus poemas, no sólo de acomodar en distribución complicada sus elementos dentro del conjunto compositivo, sino en alterar la lógica y natural valoración de esos elementos desarrollando los introducidos como secundarios hasta imponerse cuantitativamente a nuestra primera visión o lectura cual si fueran los principales, objeto o asunto, del poema o el cuadro. Se crea, así, un descentramiento por el coexistir, diríamos, de varios temas con una decidida estructura pluritemática; pero —entendámoslo bien— sin integrarse en una concepción o visión de unidad. Precisamente, el Barroco aunque recoja alguna de estas estructuras las transformará con un sentido integrador de apariencia de realidad.

Frederick B. Artz —que con acierto traza la historia conjunta del arte, la literatura y la música del Renacimiento al Romanticismo— en su certera síntesis de caracterización del estilo anota también esa desproporción entre las figuras centrales y los incidentes en cuanto a su importancia temática y tamaño en un poema o en un cuadro manierista. «Motivos que parecen ser —dice— de significación solamente secundaria en un cuadro o en un poema se hacen muy prominentes, y lo que es aparentemente el tema principal está devaluado y rebajado.» Lo que estimamos no puede concluirse ante ese fenómeno, es que —como agrega— el Manierismo «parece estar falto de un general sentido de estructura y de organización independiente a las partes separadas de una obra» [14]. Estimamos que esa estructura fragmentada y pluritemática del cuadro y del poema manierista supone, por el contrario, una consciente y obsesiva preocupación formal que lleva a esas realizaciones que producen extrañeza por esa violenta alteración del orden e imprevista asociación temática. Esa estructura desintegradora es, paradójicamente, preocupación por la estructura. Un elemento de una composición pictórica se desliga del motivo central para hacerle corresponder formalmente con otro. Análogamente, los versos se fragmentan en miembros para ha-

menos simple forma de subordinación, para alcanzar la plena trabazón con la misma riqueza y complicación de la más exuberante fachada barroca.]

[14] Frederick B. Artz, *From the Renaissance to Romanticisme. Trends in style in Art, Literature, and Music,* 1300-1830, Chicago (1.ª ed., 1962). Segunda edición, 1965, pág. 117.

cerles corresponder con otros versos de estructura paralela con los que se asocian además ideológicamente. Por eso, la estructura de un cuadro o de un poema manierista es en ese sentido compositivo algo mucho más rígido en su complejidad que cualquier cuadro o poema clásico renacentista o barroco. El sentido de unidad y claridad del poema clásico renacentista, como las agitaciones y complicaciones de la obra barroca, suponen siempre una estructura más libre, aunque a veces la agitación formal sea mucho mayor en la obra barroca que en la manierista. Porque se trata de dinamismo, agitación, ímpetu; pero no con el carácter de lo impuesto, forzado y retorcido de la visión y concepción manieristas.

Aunque con las diferencias de medios que marca la realización óptico espacial de lo pictórico y lo auditivo temporal de lo poético, sin embargo, cabe establecer algún paralelismo y equivalencia que por referirse en lo poético a la extensión o cuantitativo, tiene, en cierto modo, una materialización visual que descubre la coincidencia de un mismo sentido compositivo y complejidad temática. Porque hasta la misma apariencia visual de los versos pensados esencialmente para la lectura —en parte, pues, para verlos— descubren, en sus estructuras, separación de miembros y repetición de elementos —aun en abstracto y sin entenderlos— una forma con fragmentaciones y reiteraciones de perfecta equivalencia visual con la que ofrece la composición de un cuadro manierista [15].

[15] [En la introducción que hace Marcel Raymond a su antología de *La Poésie française et le Manierisme,* 1546-1610 —Ginebra, 1971—, aparecida después de publicado este ensayo, se comentan algunas características del *arte,* de la *estética* y de la *poesía* manierista, coincidentes en algunos puntos con estos rasgos compositivos y temáticos que nosotros señalamos aquí e igualmente en un enfoque simultáneo poético-pictórico, aunque no ejemplifique como nosotros hacemos con obras en concreto. Raymond parte de las características de estilo dadas por Hausser, Wurtenberger y, especialmente, por John Shearman —*Mannerisme,* Penguin Books, 1967—. Así, cuando se refiere a los rasgos de la pintura, señala también cómo la *unidad global de los barrocos,* que Wölfflin contraponía a la *unidad múltiple claramente articulada,* no se da en el arte manierista. «Por el contrario —dice—, las telas con figuras numerosas manifiestan síntomas de desintegración. La obra está descentrada, o incluso compartimentada; parece deslizarse del principio de la unidad múltiple de los *clásicos,* interiormente organizada, a una especie de fragmentación. Esto no es decir que la composición sea inexistente o dejada al azar. Pero ella debe suscitar la extrañeza.» Y al enumerar los caracteres «convertibles, sin distorsión, de las artes figurativas a la poesía», señala Raymond en segunda lugar, «la idea de una estructura descentrada, compartimentada. Muchos poemas, elegías, discursos, etc., de Ronsard y de sus discípulos —añade— parecen "mal

Muchos de los sonetos del Góngora joven —e inmediatamente antes algunos de Herrera— esto es, del Góngora más plenamente manierista —de ahí su complacencia en la imitación de la poesía italiana de este momento —nos ofrecen en su desarrollo temático una complejidad o enlace de temas que igualmente se da en la pintura. Se trata, sí, de sonetos amorosos; pero el que su asunto sea amoroso no quiere decir que sea sólo este sentimiento el que se exprese ni que lo haga directamente y a través de todos sus versos. El tema de la naturaleza y el tema mitológico, aunque se introduzcan como subtemas por alusión y comparación, sin embargo, se desarrollan e imponen a veces, por extensión y valoración, en una forma desmesurada invadiendo cuantitativamente las estrofas e incluso impresionándonos con rasgos descriptivos intensos, en luces, colores y repercusiones sensoriales en forma que la expresión del sentimiento amoroso, objeto o intención del soneto, se reduce a veces al último terceto e incluso algunas a un solo verso o poco más. Habrá, sí, una intensificación por tono o ritmo que atraiga la atención, como el toque de luz que el pintor pone en la figura alejada o desviada del centro para subrayarla. De tal manera se produce esta complejidad pluritemática y desplazamiento de la intención y asunto en los sonetos de Góngora, que hasta los editores colocaron a veces como título de los mismos la referencia a esos subtemas tan ampliamente desarrollados. La descripción de elementos de la naturaleza y la prolongada alusión a un mito —ambas referencias— se nos quedan a veces en nuestra impresión como si fueran los verdaderos temas de un soneto en que canta su pasión amorosa.

Esta duplicidad e incluso pluralidad temática es paralela a la que ofrece la pintura en ese momento del Manierismo en su tránsito al Barroco; sobre todo, en ese aspecto esencial del sentido compositivo que desplaza el centro de la composición o intención expresiva a un lugar no central de la composición. Sería lo lógico, en una exposición natural y equilibrada del tema amoroso, que la expresión de este sentimiento se destacara en el arranque o en el centro del desarrollo estrófico y, sin embargo, como decíamos, el Góngora manierista lo desplaza de tal manera que a veces ello surge como una explosión imprevista que sólo acusa su relieve por la intensidad del tono o

---

compuestos"». Juicio negativo y sumario. Un principio de composición que se escapa, desarrollos débilmente coordenados, sin articulación rigurosa y aparente, pueden no ser involuntarios». *Ob. cit.*, págs. 20 y 25.]

por el efecto rítmico o rotundidad del sonido. Es éste el desplazamiento que vemos igualmente en la pintura manierista. Si acudimos como punto de referencia a la pintura del Tintoretto podremos descubrir la equivalencia visual del mismo fenómeno, y además, con rasgos de impetuoso y mal contenido barroquismo como el que ofrece Góngora dentro de su general concepción manierista.

También podríamos encontrar interesantes paralelismos —como artista cuya obra entraña una visión compleja de Manierismo y Barroco— en la pintura del Greco y aún en las composiciones del Caravaggio. Pero en el Tintoretto abundan más los rasgos manieristas. En él encontramos la complejidad temática, el desplazamiento del asunto principal respecto al eje o al primer plano de la composición, o el dar mayor desarrollo en proporción a los elementos y figuras secundarias en relación con el asunto o tema del cuadro, y hasta podríamos encontrar equivalencia poético-pictórica en el hecho de que en el soneto se acuda a veces a la suspensión sintáctica y encabalgamientos que llevan o prolongan la expresión hacia ese final llamativo; lo mismo que las líneas de la composición y de la perspectiva conducen en el cuadro manierista hacia ese punto de especial expresividad.

Si recordamos del Tintoretto su composición de la *Santa Cena* o el tema análogo de las *Bodas de Caná* veremos claramente este descentre y alejamiento de la figura central de Cristo. Sorprendentemente, éste no aparece en el centro ni en el primer plano preferente. Si recordamos las grandes realizaciones que del mismo tema ha dado antes la pintura renacentista italiana —Andrea del Castagno, Ghirlandaio, Leonardo de Vinci, etc.— el sentido compositivo manierista del Tintoretto se nos destacará aún con más fuerza. En el veneciano la composición se descentra y la figura de Cristo se aleja y achica. Habrá, sí, una nota hiriente de luz que llama la atención; pero al contemplar la composición, las figuras secundarias de primer término atraen por ocupar la mayor parte del lienzo. Igualmente su cuadro del *Camino del Calvario* nos ofrece en primer término en mayor tamaño las figuras de los ladrones mientras que la figura de Jesús queda en un segundo plano más en alto y de menor tamaño. En otro sentido de duplicidad temática sus dos cuadros compañeros de *Santa María Egipciaca* y *Santa Margarita,* se nos ofrecen como auténticos cuadros de paisaje, de sombras y luces fosforecentes, en los que las figuras de las santas —que deberían ser lo principal y central— se achican en un lado hasta lo insignificante, aunque el halo de luz de sus nimbos nos llame la atención evitando se pierdan en el conjunto. En verdad se ha impuesto la visión de naturaleza sobre las figuras que deberían ser centrales.

Ese desplazamiento y disminución de la escena fundamental asunto del cuadro, como rasgo típico de la composición manierista, lo ofrece el Greco extremado en su lienzo famoso del *San Mauricio* en El Escorial. El asunto a representar era el martirio del santo y la Legión tebana; pero lo que nos impresiona, como la gran escena que llena todo el primer plano de la composición, no es ese momento central y culminante. Lo representado en el primer plano es el momento previo al martirio; cuando el Santo dialoga con sus soldados, persuadiéndoles para disponerse a dar su vida por la fe. Y, además, la escena no se ofrece con violentos gestos o movimientos que sugieran el triste momento que se avecina; por el contrario, parece se han colocado para ser contemplados en varias y elegantes actitudes, luciendo armaduras y espadas cual si despreocupadamente departieran sin pensar en la decisiva situación en que se encuentran. La escena del martirio, esto es, el asunto del cuadro, ocupa un plano muy posterior y lateral y en un espacio muy reducido con figuras de muy pequeño tamaño. Lo que tras las figuras se impone por su importancia, tamaño y coloración, son las figuras de ángeles que descienden con las coronas del martirio, otro elemento o subtema complementario del asunto principal.

El arte del Caravaggio, aunque marcando el brioso arranque del naturalismo barroco, mantiene entre otros recursos manieristas ese sentido de desplazamiento y subordinación de la figura fundamental a un plano secundario con respecto a los demás elementos de la composición. No sólo en obras tempranas como el *Descanso de la Huida a Egipto,* donde vemos que el centro de la composición lo ocupa la figura del ángel músico vuelto de espaldas; también ocurre en obras de su madurez y aún más extremado. Así, en un lienzo de plena realización de su estilo monumental tenebrista como la *Caída de San Pablo* —en Santa María del Pópulo en Roma— se descubre violentamente. Y con un efecto aún más sorprendente por no ofrecernos una figura ideal como la del manierista sino arrancada de la más concreta y prosaica realidad. Cuando por primera vez contemplamos el lienzo, lo que nos sorprende es la figura del caballo que invade casi todo el lienzo en una visión próxima, de gran angular de punto de vista barroco. Y un caballo en tranquila posición, que queda ajeno totalmente al acontecimiento que le ha hecho derribar al suelo a su jinete. La figura del Santo que debería centrar el lienzo y llamar nuestra atención, vista en escorzo en el suelo, queda reducida cuantitativamente a la cuarta parte del espacio de la composición. Lo que parece el asunto del cuadro no es San Pablo, sino, extrañamente, la figura del caballo, vigorosa en su potente plasticismo realista.

La duplicidad o pluralidad temática supone en la pintura muchas veces —y lo mismo en la poesía— una oposición y contraste intencionadamente buscado entre lo ideal o espiritual y lo realista y material. Precisamente en estos casos lo esencial ideológico o emocional es lo que, cuantitativamente, queda reducido a un plano último o marginal. Un ejemplo elocuente lo ofrece el cuadro de Pieter Aertsen, de *Cristo en casa de Marta.* Todo el primer término lo ocupa un desbordante bodegón cuyos objetos están fuertemente valorados en analítica visión naturalista. En segundo plano se ofrecen una serie de figuras con sentido igualmente realista; y por último, en el fondo, en pequeño tamaño, vemos la escena religiosa, el tema espiritual que constituye el asunto propiamente dicho del cuadro. Decía bien al comentarlo Würtenberger que «por pequeño que pueda parecer este grupo central no pasa desapercibido. Su oposición con la realidad —agrega— provoca una tensión deliberada. El artista manierista —concluye— siempre dejaba sin resolver este conflicto» [16]. Todavía Velázquez, en su cuadro de igual tema, ofrecerá esa pluralidad temática; pero obedeciendo a una concepción de ambiente real que busca la confusión espacial enlazando con sentido desbordante lo representado con el espectador. La escena religiosa central la vemos en un ángulo, reflejada en un espejo, como si el hecho estuviese sucediendo en el mismo recinto en que está la persona que contempla el cuadro. Pero esta visión de realidad, esta plena ambientación realista con el enlace de ámbitos espaciales, responde a la nueva concepción barroca. Es un esquema compositivo supervivencia del manierismo, pero transformado con sentido integrador barroco. La impresión que nos produce es más de visión de la realidad sorprendida en un momento que de visión artificiosa de lo previamente compuesto. En Velázquez lo que se da es *una visión* en la que se integran todos los elementos o visiones parciales como algo visto en conjunto. En Pieter

[16] *Ob. cit.,* pág. 220.

Aertsen se mantiene un pluritematismo que sólo artificialmente enlaza cosas distintas que no llegan a formar un todo real, sino algo violenta y tensamente compuesto.

Una prueba de ese paralelismo de pluralidad y desviación temática que ofrece un característico lienzo manierista y un soneto del mismo estilo sería el hecho de que si se intentara trasponer a la forma literaria todo lo representado en la composición pictórica, de querer describir con una fiel impresión a los elementos formales que se nos ofrecen, nos veríamos forzados a dedicar más espacio a pintar lo correspondiente a las figuras y elementos secundarios que al asunto o figura central objeto o tema del cuadro. O sea, haríamos una descripción en la que cuantitativamente se reflejaría el mismo sentido descompensado que informa la estructura del soneto manierista; porque es precisamente la varia materia o sustancia temática lo que se reúne en una compleja estructura en la que el espacio que se concede al tema principal es el más reducido.

Como ilustración de nuestras afirmaciones sobre las características del sentido compositivo manierista queremos precisar algo con referencia a unas muestras concretas de la poesía de la época. Los ejemplos elegidos son algunos de esos sonetos ya aludidos de la primera época de Góngora, cuando el poeta cordobés se sentía atraído y hacía alarde de su concepción y recursos manieristas. Dámaso Alonso, en sus amplios y cuidados estudios sobre la correlación y plurimembración en la poesía, se detuvo en analizar este otro recurso también típicamente manierista, de la métrica en Góngora [17]. Aunque en algunos puntos se enlacen estos recursos métricos con la forma de la expresión de los temas —pues todo obedece al sentido desintegrador y de fragmentación del Manierismo— nuestro interés se centra en este último aspecto; lo que podemos llamar pluritematismo y desplazamiento o preterición del tema o asunto central. El que estas complejidades estructurales se repitan en la poesía gongorina, precisamente en sus primeros años, permite valorarlas como rasgo característico de una concepción artística que orienta esa etapa típicamente manierista, aunque los impulsos barrocos de su temperamento estén latentes o incluso irrumpan en ella. En realidad, esos recursos métricos sintácticos de la plurimembración están determinados por ese plu-

[17] Interesa especialmente la Parte II de *Estudios y ensayos gongorinos* dedicada al *Análisis estilístico,* en tres capítulos: «La simetría bilateral», «Función estructural de las pluralidades» y «La correlación en la poesía de Góngora», Madrid, 1955.

ritematismo y fragmentación del asunto que estamos destacando como rasgo manierista.

Los temas se separan, ya horizontalmente, por verso o estrofa, ya verticalmente con la plurimembración, sobre todo, en los sonetos que constituyen muestras con ejemplos ilustres no sólo en lo italiano —verdadero punto de partida— sino que incluso se prodiga en lo francés con modelos famosos en Sponde —*Tout s'enfle contre moy*— donde la crítica los ha llamado sonetos «rapportes». Góngora, más tarde, llegará a un concepto unitivo del soneto, integrando más plenamente con sentido barroco en un todo esa variedad de elementos —aunque se contrasten— que quedan convertidos, sobre todo, en alusiones y transmutaciones metafóricas, juegos de palabras y asociaciones de ideas de carácter conceptista. Naturalmente que persisten rasgos de esa etapa previa; más aún persisten en general todos los recursos estilísticos; pero, aparte la connaturalización de éstos, la cantidad y concentración con que se emplean responden a una visión de unidad integradora de lo vario de carácter distinto a la fragmentación de la estructura manierista.

Se trata en general de sonetos que, lógicamente, tienen su raíz más o menos inmediata en el petrarquismo. Al fin y al cabo es aquí en el petrarquismo donde cristalizan casi todas las estructuras manieristas en la poesía italiana. El punto de partida está en Petrarca, sí, pero de la misma forma que actitudes y escorzos y agrupación de figuras se dan en las composiciones pictóricas manieristas partiendo de modelos miguelangelescos. No olvidemos que si el grabado multiplica en su difusión algunas de las grandes obras de Miguel Ángel, también Petrarca se reedita en ese siglo en más de ciento sesenta ediciones.

Así, en estos sonetos el tema amoroso se complica en su expresión imponiéndose como primeros términos el tema de la naturaleza y el mitológico. A veces los tres planos se equilibran en su distribución. Otras se destacan los elementos o planos secundarios compositivos hasta imponérsenos cuantitativamente como predominantes, relegándose el tema central a uno, dos o tres versos finales.

Recordemos primeramente un soneto bitemático que enlaza la expresión del sentimiento amoroso y la descripción de la naturaleza. Corresponde, según Chacón, a 1596, y está escrito con motivo de una terrible crecida del Guadalquivir. He aquí el texto:

Cosas, Celalba mía, he visto extrañas:
cascarse nubes, desbordarse vientos,
altas torres besar sus fundamentos,
y vomitar la tierra sus entrañas;

duras puentes romper, cual tiernas cañas,
arroyos prodigiosos, ríos violentos
mal vadeados de los pensamientos
y enfrenados peor de las montañas;

los días de Noé, gentes subidas
en los más altos pinos levantados,
en las robustas hayas más crecidas.

Pastores, perros, chozas y ganados
sobre las aguas vi, sin forma y vidas,
y nada temí más que mis cuidados.

Como es frecuente en la evolución estilística de esta época las formas y estructuras clásicas y manieristas se penetran de sustancia temática distinta que, a veces, las estiran, hinchan o rompen por el impulso de un nuevo y brioso sentir. Este soneto de Góngora es típico de ese coexistir de una estructura manierista con una visión paisajística de sentido barroco insertada en ella. El asunto o tema principal es la expresión del sentimiento amoroso, pero ello queda reducido al verso final y a una llamada en un vocativo inicial que se incrusta en el centro del primer verso. Formal y cuantitativamente, pues, el soneto se estructura de acuerdo con un riguroso y delimitado bitematismo y preterición extrema del asunto o intención fundamental. Pero la visión paisajística que inunda impetuosa el total de los versos del soneto no es una visión convencional estática de naturaleza, acorde con el paisaje clásico y manierista, sino la más violenta y dinámica, sólo equiparable en la pintura con un paisaje realista de Rubens. Porque no se trata de una visión de paisaje de lugar inhóspito aterrador como los que nos ofrece Herrera, como proyección alegórica de un estado mental, ni de una visión deformada como gusta la pintura manierista. Góngora nos muestra una representación de catástrofe partiendo de esa real avenida del río Guadalquivir. La más viva pintura del Diluvio, que pudiéramos recordar no supera esta visión de tormentas e inundaciones devastadoras que pinta Góngora. Su tendencia trasmutadora e hiperbólica, hace vivir monstruosamente a la naturaleza exaltando sus fuerzas vitales: los vientos se *desbocan* como caballos, las altas torres *besan sus cimientos,* y *la tierra vomita sus entrañas.* Las aguas se extienden hasta no poder ser contenidas por las montañas, y flotando, sobre ellas, los *pastores, perros, chozas y ganados.* La impresión que nos causa este paisaje de horrorosa tormenta es tan fuerte en su acumulada, dinámica e intensa sucesión de catástrofes que se nos impone con poderosa eficacia visual; mientras que la expresión del sentimiento amoroso del poeta —que indiferente a todo ello nada sintió más que los cuidados que le causaba *su Celalba*— no puede, no ya competir, sino ni siquiera atenuar la huella que aquel paisaje catastrófico ha dejado en nuestra imaginación. La visión desoladora que ha buscado como término de comparación para extremar hiperbólicamente la expresión de sus cuidados amorosos se ha impuesto cuantitativamente por su extensión en el soneto, pero también por el poder de la realista y dinámica forma descriptiva barroca con que se nos ofrece la visión. La equivalencia de este soneto bitemático, que podríamos decir es como un paisaje con figura, la podemos encontrar en los dos lienzos ya citados del Tintoretto, representando a *Santa María Egipciaca* y a *Santa Margarita,* porque en ellos también quedan las figuras de pequeño tamaño envueltas y desviadas hacia un lado por su impresionante paisaje de nocturno de luces relampagueantes. La viva nota de los nimbos luminosos de sus cabezas quieren llamarnos la atención hacia ellas. De forma semejante Góngora con su vocativo, *Celalba mía,* centrando el primer verso, quiere poner como otro nimbo por tono y acento al tema amoroso que atraiga la atención sobre el predominante conjunto de paisaje. Góngora, en conclusión, en este soneto ofrece una estructura manierista con el extraordinario desarrollo del subtema poético y la preterición del asunto al menor espacio final; pero dando libre impulso barroco al desarrollo de una real visión paisajística, agitada y violenta, que por su gran fuerza ha extremado la misma estructura prevista, tendiendo a invadirlo todo. El esquema de la estructura temática es bien expresivo:

 (*)

En el soneto de 1584 que comienza, *Con diferencia tal, con gracia tanta,* nos encontramos igualmente con un claro ejemplo de pluritematismo y preterición del asunto central típicos de la estructura manierista. He aquí su texto:

> Con diferencia tal, con gracia tanta
> aquel ruiseñor llora, que sospecho
> que tiene otros cien mil dentro del pecho
> que alternan su dolor por su garganta;
>
> y aún creo que el espíritu levanta
> —como en información de su derecho—
> a escribir del cuñado el atroz hecho
> en las hojas de aquella verde planta.
>
> Ponga, pues, fin a las querellas que usa
> pues ni quejarse ni mudar estanza
> por pico ni por pluma se le veda,
>
> y llore sólo aquel que su Medusa
> en piedra convirtió porque no pueda
> ni publicar su mal ni hacer mudanza.

El tema de la naturaleza —a la que siempre estuvieron despiertos los sentidos de Góngora— lo constituye el ruiseñor, un

* Indicamos con líneas gruesas los versos en que se expresa el tema del soneto y en líneas delgadas los que contienen el tema secundario o subtema. Cuando éstos son dos los indicamos distinguiéndolos con líneas discontinuas. La alternancia de líneas delgadas y gruesas indica el enlace del tema principal y el secundario.

tema de amplio desarrollo y valoración en la lírica barroca del siglo XVII. A él se asocia como inseparable el mitológico; y sobre la doble impresión que se nos impone cuantitativamente se establece, diríamos, la comparación con el sentimiento amoroso del poeta. Así, inicialmente, es el canto del ruiseñor lo que nos asombra descrito con hipérboles desmesuradas. Ello se expresa en el primer cuarteto que se destaca como si fuese un tema completo independiente. Seguidamente, en el otro cuarteto simplemente coordinado con el anterior, se asocia en visión cultista de alusiones la historia del mito de Filomena, que igualmente se recorta como otro elemento estructural independiente. El primer terceto se une a los versos anteriores por yuxtaposición, completando el sentido de lo dicho con una sistemática comparación con el proceso judicial. Finalmente, en el último terceto se nos descubre el sentimiento amoroso del poeta cuyo dolor es superior al del ruiseñor, ya que no puede *ni publicar su mal, ni hacer mudanza.* En este último verso es donde en verdad se concentra el asunto del poema: la construcción simétrica del endecasílabo bimembre refuerza con su ritmo acentual la llamada a lo esencial expresivo que ha quedado por cantidad y por orden relegado al final. Su esquema de distribución temática podría ser el siguiente:

Continuando los ejemplos de este pluritematismo de naturaleza, mitología y sentimiento amoroso, veamos un soneto de 1583 en el que el poeta —quizá recordando a Herrera— ve su *loco pensamiento* como el de Faetón, que por querer conducir el carro del Sol cayó fulminado por los rayos del sol en el río Po, dejando a sus hermanas, que le veían desde la orilla, convertidas en álamos. He aquí el texto:

Verdes hermanas del audaz mozuelo
por quien orilla el Poo dejastes presos
en verdes ramas ya y en troncos gruesos
el delicado pie, el dorado pelo,

pues entre las rüinas de su vuelo
sus cenizas bajar en vez de huesos,
y sus errores largamente impresos
de ardientes llamas vistes en el cielo,

acabad con mi loco pensamiento
que gobernar tal carro no presuma,
antes que le desate por el viento

con rayos de desdén la beldad suma,
y las reliquias de su atrevimiento
esconda el desengaño en poca espuma.

Como en otros sonetos de Góngora de estos años, la complejidad temática se ofrece en éste enlazando el plano real de la naturaleza con el mitológico que se interpone o subyace bajo él y con el sentimiento amoroso, motivo o tema esencial que se relega a un plano o término final. Se canta a unos álamos blancos como motivo inicial; se asocia a ellos el mito de Faetón —pues aquéllos son al mismo tiempo las hermanas del audaz joven— y por último se entrelaza el mito al loco pensamiento amoroso del poeta.

La importancia dada al tema inicial explica que en la edición de Vicuña aparezca el soneto bajo el título *A unos álamos blancos;* pero lo mismo se podría destacar como tema *Faetón,* y, en último término, el que en realidad mueve como objeto o intención al poeta: la ilusión y desengaño amoroso.

Si intentamos delimitar la distribución temática en la estructura del soneto observaremos cómo el tema secundario del mito de Faetón se expresa esencialmente en los dos cuartetos; el primero referente a las hermanas de Faetón, esto es, a los álamos, y el segundo a las *ruinas de su vuelo.* El tema amoroso —el loco pensamiento que ha de deshacer con el desengaño el sol de la amada— se presenta en los tercetos, pero entrelazado al mitológico; pues deja al descubierto la expresión más directa y concreta del sentimiento amoroso sólo en los primeros versos de cada terceto. Su distribución temática podríamos reducirla al siguiente esquema, revelador, como en otros casos, de ese desplazamiento y formal reducción del tema fundamental.

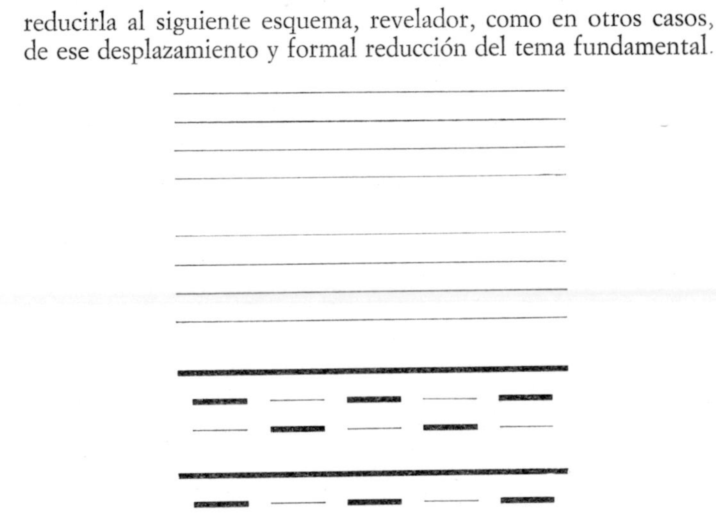

Veamos ahora —por unirse con éste— otro soneto al mismo tema y de fecha inmediata:

> Gallardas plantas que con voz doliente
> el osado Faetón llorastes vivas,
> y ya sin invidiar palmas ni olivas
> muertas podéis ceñir cualquiera frente,
>
> así del sol estivo al rayo ardiente
> blanco coro de Náyades lascivas
> precie más vuestras sombras fugitivas
> que verde margen de escondida fuente,
>
> y así bese (a pesar del seco estío)
> vuestros troncos (ya un tiempo pies humanos)
> el raudo curso de este undoso río,
>
> que lloréis (pues llorar sólo a vos toca,
> locas empresas, ardimientos vanos),
> mi ardimiento en amar, mi empresa loca.

Se trata, como vemos, de otro soneto pluritemático del Góngora manierista correspondiente a 1584, en el que vuelve a enlazar, como en el anterior, los temas de la naturaleza y mitológico con el humano de la ilusión y desengaño amoroso de quien ha puesto muy alta su mirada —esto es, como decía Salcedo había *emprendido locamente el amar desigual sujeto*—. Hoces, le pondrá como título, *A unos álamos,* y Vicuña, *A unos álamos blancos. Toca la fábula de Faetón.*

El punto de partida sigue siendo la naturaleza, los álamos, al que vuelve a asociar —descubriendo el plano mitológico que esconden estos árboles, como hermanas de Faetón que en ellos se convirtieron al ver descender a éste ardiendo a las aguas del río—, el mito del audaz joven. En este caso la expresión de aquel sentimiento de loca y vana ilusión amorosa que es en conclusión lo que se propone declarar el poeta, queda reducido al último verso. Para la plena inteligencia de su sentido real y completa intención bastaría enlazar eso verso final con la expresión inicial del primer cuarteto y del último terceto. Diría así: *Gallardas plantas... que lloréis... mi ardimiento en amar, mi empresa loca.* Su esquema temático podría ser el siguiente:

Anotemos por último un soneto de los más tempranos —1582— en el que, como en el primero que comentamos, se ofrece unido el tema amoroso y el de la naturaleza, pero aquí, con una visión de ésta más convencional, ligada a la tradición literaria del Renacimiento, concretamente del petrarquismo. He aquí su texto:

Raya, dorado Sol, orna y colora
del alto monte la lozana cumbre,
sigue con agradable mansedumbre
el rojo paso de la blanca Aurora;

suelta las riendas a Favonio y Flora
y usando al esparcir tu nueva lumbre
tu generoso oficio y real costumbre,
el mar argenta, las campañas dora,

para que de esta vega el campo raso
borde saliendo Flérida de flores;
más si no hubiese de salir acaso,

ni el monte rayes, ornes ni colores,
ni sigas de la Aurora el rojo paso,
ni el mar argentes, ni los campos dores.

He aquí uno de los primeros sonetos del Góngora joven, ligado, como otros de esos años, a la inspiración del petrarquismo italiano; concretamente lo relacionó Salcedo Coronel con uno de Francisco María Molza. Se trata de cantar a la dama, haciendo el elogio hiperbólico sobre el motivo de cómo, al salir al campo, hace brotar a su paso las flores. Este tema de la salida de la dama al campo es repetido por la poesía italiana del momento y por el propio Góngora. Supone, pues, el desarrollo del tema amoroso y del tema de la naturaleza. Ya esos decididos entronques literarios —el atenerse más a los modelos que a la realidad— implica una actitud manierista. Pero sobre todo descubre esa postura de intelectualismo artístico en la estructura. El asunto, la figura y sentimiento humano, queda reducido dentro del conjunto de la visión de la naturaleza. Los dos cuartetos contienen la petición al sol para que vaya produciendo los más benéficos y fecundos efectos a fin de que la naturaleza toda luzca todas sus bellezas. El primer terceto declara la razón de lo anterior; para que al salir Flérida *borde el campo de flores*. Pero en su último verso, y en el terceto que éste cierra, pide al sol que, de no salir la dama, no haga nada de lo que le ha pedido. Ese terceto final es, pues, la condensación y recopilación en sentido negativo de todo lo propuesto en los cuartetos. La figura humana objeto del poema queda abarcada, envuelta por esa reiterada y deslumbrante visión —afirmativa y negativa— de la naturaleza. Este desmesurado desarrollo del tema de fondo, o secundario, es típico manierismo. Pero ese sentido se refuerza aún más con la estructura métrica y sintáctica en que se canaliza el pensamiento poético. Hay una completa correspondencia o correlación entre lo que podríamos decir que constituyen las proposiciones o peticiones iniciales y la conclusión final que repite en sentido negativo todo lo pedido. El que ambos períodos y visiones se cierren en un endecasílabo simétrico, que repiten —aunque no con exactitud matemática— la afirmación, contribuye aún más a que ambas partes se nos ofrezcan como núcleos compositivos con valor, por sí, de reiteración contrapuesta. Ahora bien, como vamos viendo, los paralelismos y correspondencias correlativas que demuestran la actitud intelectualista no se ofrecen con rigidez. Hay un impulso barroco latente que altera el molde o canal expresivo y sobre todo que instintivamente tiende a la valoración sensorial colorista con efectos de contraste de un sentido pictórico pleno. El verso «*el rojo paso de la blanca Aurora*», cierra el primer cuarteto impresionándonos con su contrastada visión de color intenso; ese rojo persistirá insistente en el verso penúltimo; pero sobre ese rojo y blanco y sobre el *colora,* el *dorado* y la *lumbre,* se nos impone principalmente el brillante contraste del oro y plata de los versos que cierran los dos períodos descriptivos: *el mar argenta, las campañas dora,* y *ni el mar argentes, ni los campos dores.* Bulle, pues, una sensibilidad barroca en la estructura manierista.

El esquema de estructura temática podría ser este:

Como conclusión de estos comentarios, creemos puede asentarse que existen en el estilo manierista unos rasgos compositivos comunes a la pintura y a la poesía. Es ello lo que llamamos pluritematismo; la simultánea valoración de los varios elementos de la composición y su distribución en el conjunto de la obra de acuerdo con una rígida y meditada estructura desintegradora que les hace valer por sí con independencia y, al mismo tiempo, los enlaza con un sentido no natural ni derivado de la realidad, sino impuesto por una intelectual intención artística. En este coincidir y valoración simultánea de los varios elementos, el artista del Manierismo, tanto en la pintura como en la poesía, gusta muchas veces de desviar o relegar al fondo o final la figura o motivo fundamental objeto de la obra; resultando así que, cuantitativamente, por el espacio o lugar que ocupa en el cuadro o en el poema, el asunto objeto del mismo queda desviado del eje o al final, y, además, representa la menor parte en proporción con el subtema o elementos secundarios. Habrá, sí, recursos sobre todo racionales, sintácticos y dibujísticos —frente a la orientación sensorial que trae el Barroco— que en ambas artes encauzan la atención hacia esa parte o punto último desvalorado o lejano en la composición. También la complicada estructura métrico-sintáctica, como la ordenación de los planos de composición o los movimientos forzados de las figuras en la pintura, se ofrecen como esquemas previos a los que se acomoda la expresión y elementos en consciente alarde técnico. Es, pues, la complicación y complejidad impuesta y no la más propia del Barroco, que surge espontáneamente —aunque a veces pueda haber sido inicialmente debida a una postura intelectualista y gradualmente connaturalizada con el uso— producto del natural del artista o como proyección de una complejidad o variedad que existe en la realidad y que tiende en su expresión a actuar esencialmente a través de la vía de los sentidos. Así ocurre en la poesía de Góngora en cuyo estilo se observan rasgos de complicación y artificio que espontáneamente responden a impulsos de su natural, y otros recursos de índole manierista que persisten en su estilo y dentro de los cuales vemos irrumpir ya en sus comienzos un sentido vital barroco que termina por imponerse en la concepción de las *Soledades* como rasgo predominante.

El retrato a lo divino, *su influencia y unas obras desconocidas de Risueño*[1]

[1] Fragmentos de un ensayo de visión de conjunto sobre «Lo sagrado y lo profano en el retrato manierista y barroco», cuya síntesis fue expuesta como comunicación en el Congreso Internacional de Historia del Arte, celebrado en Granada en septiembre de 1973. Publicado en la revista *Goya,* Madrid, 1974. Se reproduce aquí revisado y con importantes adiciones de textos literarios como introducción al tema.

Sobre lo profano y lo divino en el retrato del Manierismo y del Barroco

Quisiéramos hacer en estas varias notas unas consideraciones paralelas y confrontadas sobre las más complejas y entrelazadas formas del retrato que ofrece la historia de la pintura en la época moderna, aunque sus antecedentes puedan encontrarse en la antigüedad romana. Nos referimos al retrato mitológico, que se une en gran parte a la concepción alegórica y emblemática y al sentimiento de lo heroico —esto es, la visión elevadora al mundo ideal de la antigüedad—, y al retrato *a lo divino* que supone también, a veces, junto a la visión del personaje como santo —casi siempre femenino— la presencia de lo alegórico. Algunos interesantes comentarios han dedicado a estos aspectos Würtenberger y Mario Praz [2]. También Panofsky ha hecho finos análisis de algunos retratos inspirados por la espiritualidad neoplatónica [3]. En sentido análogo hay que recordar a Wind [4]. También puede enlazarse a esta forma la visión del retrato con sentido alegórico moralizador —que hemos comentado en el primer ensayo de este libro—, expresión viva del sentimiento de desengaño de los bienes y goces temporales que se impone en pleno Barroco hasta llegar a identificarse con el cuadro de *Vanitas* [5].

---

[2] Franzep Würtenberger: *El Manierismo. El estilo europeo del siglo XVI,* Barcelona, 1964. Mario Praz: *Parallelo tra la letteratura e le arti visive.* En *Mnemosine,* Vicenza, 1971.

[3] Erwin Panofsky: *Estudios sobre Iconología,* Madrid, 1972.

[4] Edgar Wind: *Los misterios paganos del Renacimiento,* Barcelona, 1972.

[5] Como extremo en este aspecto —aparte las composiciones recargadas de sentido y de conceptuosos, alegóricos y emblemáticos elementos, de Pereda y Valdés Leal—, es el retrato de *Joven con viola de gamba* atribuido a Nicolaes Verkolje —Cracovia, Castillo, Wawel— que ha

Todas estas formas complejas y exóticas del retrato —donde la intencionalidad estética de la obra de arte no se centra en sí misma— se forman y desarrollan precisamente en la época del clasicismo manierista, cuando se impone un concepto neoplatónico de la belleza que anteponía la *idea* interior de lo bello sobre lo concreto de la realidad, y por otra parte el intelectualismo artístico no se satisfacía con la mera representación del modelo, aunque se recreara con sentido analítico en la visión formal pormenorizada de lo externo. John Pope Hennessy en su libro *The Portrait in the Renaissance* señala que junto al tipo normal de retrato, hubo «un segundo tipo de retrato... en el que la expresión directa fue reforzada por recursos literarios» [6]. Él dice *peculiar del Renacimiento,* pero tengamos presente que emplea el término en su concepción cronológica más amplia. A dicho tipo dedica el capítulo V, *Image and Emblema,* y en él se incluyen algunos de los que nosotros consideramos como alegóricos, mitológicos y a lo divino [7]. En consecuencia, esa estética manierista no estimaba el retrato como género propio de los buenos pintores y sólo lo admitía en la representación de las altas personalidades —reyes, Papas, emperadores, nobles y grandes figuras del saber y de las letras— y dentro de una normativa que exigía no ya la compostura externa —a veces hasta lo convencional y rígido— sino la exaltación de las virtudes genéricas, que correspondían al cargo o dignidad o a los valores intelectuales y creadores, y no los concretos rasgos humanos individuales. El retrato, sin embargo, en su más propio y exacto sentido, de exaltación de lo individual único, terminó por imponerse, frente a toda belleza ideal y formas genéricas abstractas, en el Manierismo uniendo recursos literarios y emblemáticos para subrayar la complejidad psicológica e intelectual del retrato. Después todo se centró en lo profundo de lo anímico y, en consecuencia, en el rostro que se valora como el espejo del alma. Esto es lo que plenamente se logra en el Barroco, aunque no se pierdan tampoco los complementos de sentido alegórico y emblemáticos, pero que entonces se centran sobre todo en la exaltación del retrato moralizador.

El hecho de esta progresiva importancia y extensión del retrato no se debió a un proceso inmanente de evolución de este

publicado Jan Bialostocki en su libro: *Estilo e Iconografía. Contribución a una ciencia de las Artes.*

[6] *Ob. cit.* Nueva York, 1966, pág. 205.

[7] *Ob. cit.,* pág. 212.

género pictórico, orientado por los artistas, sino sobre todo a la imposición de la demanda o exigencia de cada vez más amplios sectores sociales, en su natural tendencia ascensional y bienestar económico que les llevaba, lógicamnete, a participar del privilegio y moda de las clases superiores. Por esto, la censura, y hasta la violenta reprobación del hecho, se constata en el escritor y artista docto en contacto con la nobleza y las altas dignidades eclesiásticas. Würtenberger, en su conocido libro sobre el *Manierismo,* recordaba las protestas del Aretino, contra el hecho de que hasta los sastres y carpinteros se hiciesen retratar, y asimismo, más tarde la del pintor y gran tratadista Lomazzo. Pero nos interesa señalar que ya en pleno Barroco, un pintor docto y tratadista como Carducho —apegado a las ideas del tardío manierismo— aún más violentamente arremetía en una actitud estético-social contra lo que estima *demasiada licencia*: «No hay quien no le parezca que el no retratarse es pérdida grande de la república, y ya con demasiada licencia se usa, que no sólo se retratan las personas ordinarísimas, mas con modo, hábito e insignias impropísimas» [8].

La moda pues, había invadido todos los sectores sociales. Pero además, hasta el pintor del Rey, como Velázquez, estimaba dignos de ser retratados —con la misma importancia que la familia real y la nobleza— a toda la triste y pobre gente constituida por los bufones, con la añadidura no pequeña de ser deformes y locos. Siguiendo la revolucionaria actitud de nuestra literatura, con el *Lazarillo* —y aun antes en la *Celestina*—, frente a las jerarquías estético-sociales renacentistas, el artista español erige en protagonista y centro de la obra de arte al más humilde y despreciado ser humano. El retrato se impuso, pues, como género dominante. Por eso Spengler pudo ofrecer este género que representa lo concreto único individual, en su devenir, como algo característico del alma fáustica occidental que se expresa en el Barroco, frente al desnudo exaltado en el Renacimiento como belleza ideal común y genérica de lo humano, propio del sentido intemporal del clasicismo. Fue por ello una moda o tendencia general de la que gustó el artista y exigieran las gentes. Podríamos decir utilizando una expresión de Friedländer —que distingue entre el *retratista* que utiliza el medio de la pintura y el *pintor* que además *hace retratos*— que en el Manie-

[8] *Diálogos de la Pintura,* Madrid, ed. Cruzada Villaamil, 1865, página 127.

rismo lo predominante será este último caso, mientras que en el Barroco lo que más abunda es el primero [9].

En todas esas formas de retrato antes aludidas, con sus variantes e interrelaciones, se descubren determinantes de distinta índole, con un predomino de lo estético ideológico de raíces humanísticas en la época del Manierismo, y de los propiamente sociales y psicológicos —moda, afán de contemplarse y vida espiritual— en la época del Barroco, con la consiguiente propagación, e incluso popularización de lo que en sus comienzos pudo ser creación del intelectualismo del artista docto o de la moda de una selecta minoría. En el fondo todo ello surge para distinguirse ante la difusión de un género que se estaba haciendo del dominio de todos y al que había por ello que elevarlo o buscar exotismos y refinamientos de distinta índole. Es el movimiento normal, tanto en la moda como en los estilos artísticos y literarios.

Algunos de los aspectos del retrato que aquí se comentan los habíamos considerado con más o menos amplitud en trabajos anteriores. En primer lugar, en un artículo *Retratos a lo divino,* adujimos unos textos poéticos españoles del Barroco que testimoniaban la moda de retratarse las damas con gesto y atributos de santas, para intentar con ellos dar una interpretación al tipo y rasgos con que se ofrecen los cuadros con figuras de santas realizados por Zurbarán [10]. Con ello contraponíamos el predominio de dicho tipo de retrato *a lo divino* en España, frente a la abundancia del retrato mitológico en Francia en esa misma época del Barroco. Más tarde, en un ensayo de caracterización del estilo, visto desde hoy, como *Lección permanente del Barroco español,* señalábamos la presencia e importancia del retrato moralizador en dicha época, como expresión de una visión sensorial trascendente típica del espíritu de dicha época [11]. Y por último en nuestro libro sobre *El Teatro y la teatralidad del Barroco,* volvimos a considerar ambos tipos de retratos como expresión, en parte, de determinantes sociales; concretamente, de las fiestas de corte y sobre todo como consecuencia general del predominio del teatro como espectáculo y arte de toda la colec-

[9] Max J. Friedländer: *Landscape, Portrait, Still-Life. Their origin and development,* Nueva York, 1963, pág. 233.

[10] Retratos a lo divino. «Para la interpretación de un tema de la pintura de Zurbarán», en *Arte Español,* 4.º trimestre, 1942. Incluido con ligera adición en *Temas del Barroco,* Granada, 1947.

[11] Madrid, 1951. Incluido en este mismo libro *Manierismo y Barroco* (1.ª ed., Salamanca, 1970).

tividad social, que teatralizó no sólo las artes y las manifestaciones solemnes de la actividad civil y religiosa, sino también las formas y conductas individuales en la vida [12].

Partimos, pues, en estas notas del hecho previo —ya también considerado en algunos de los dichos ensayos— de la importancia del retrato como género pictórico dentro de dichos períodos y en especial de su esplendor en la época del Barroco, el gran momento del enriquecimiento temático de la pintura occidental.

La presencia del retrato *a lo divino* en la poesía barroca española

Las composiciones poéticas que nos movieron a escribir una nota bajo el título de *Retratos a lo divino,* con la mira de buscarle una interpretación al tipo iconográfico que ofrecen los cuadros de santas de Zurbarán, eran pocas; pero se fueron aumentando hasta duplicarse, sin que nos hubiésemos propuesto una búsqueda intencionada: solamente lo surgido ocasionalmente en nuestras lecturas y estudio de la poesía española del Barroco.

Las primeras composiciones que destacamos fueron: un soneto de Ulloa Pereira escrito *En ocasión de haber puesto una dama la copia de su rostro en una imagen de Santa Lucía* [13] y

[12] Barcelona, ed. Planeta, 1969.

[13] *Las obras en verso de don Luis Ulloa Pereira,* Madrid, 1674, página 51.

Lesbia, que nunca confesó fortuna
en copiar tu beldad maravillosa,
siempre de leve imperfección quejosa,
y siempre a los pinceles importuna:
para tener con novedad alguna,
aún más adoración que por hermosa,
forma de santa se usurpó ambiciosa,
con que quiso ser dos y fue ninguna.
Que a todas luces la pintura vana,
(de la soberbia presunción remota)
confunde la noticia indiferente.
Y divina la lámina, o profana,
ni a Lesbia se parece por devota,
ni a la santa por poco penitente.

un *Epigrama* del Príncipe de Esquilache —publicado en 1654— dedicado *A una dama retratada con la insignia y vestido de Santa Elena* [14]. Y como ejemplo análogo también recordábamos un soneto de Lope de Vega *A una tabla de Susana, en cuya figura se hizo retratar una dama* [15]. Después añadimos, como composición anónima de una Academia madrileña, un *Soneto de una dama de esta corte alabando una excelente pintura en la que el pintor copió el rostro de cierta dama hermosísima* —publicado en 1635— [16] y otro del poeta cortesano Salcedo Coronel, comentarista de Góngora, dedicado *Al retrato de una dama en traje de Magdalena penitente* —publicado en 1649— [17]. Todo ello lo pudimos completar con una larga e importante composición iné-

---

[14] *Las obras en verso de don Francisco de Borja. Príncipe de Esquilache...* Amberes, 1654. *Epigrama* XI.

> ¡Oh, qué bien, Lucinda estáis
> disfrazada Santa Elena,
> con insignias de la pena
> que de continuo me dais!
> Y si esto sucede así,
> traer la cruz por los dos,
> pues no sois la santa vos,
> y en la vuestra padecí.

[15] Recogido por D. F. J. Sánchez Cantón, en *Fuentes literarias para la Historia del Arte Español,* t. V, Madrid, 1941, pág. 405.

> Tú, que la tabla de Susana miras,
> si del retrato la verdad ignoras,
> la historia santa injustamente adoras,
> la retratada injustamente admiras.
> Mas, tú que de los viejos te retiras,
> ¿qué fuerza temes?, ¿qué violencia lloras?,
> pues vives tan segura a todas horas
> de fuerza, testimonios y mentiras.
> Dos esta tabla juntos manifiesta;
> el de Susana, honor del matrimonio,
> que la afición decrépita contrasta.
> Y el tuyo, Fabia, en vida tan compuesta
> que para levantarte un testimonio
> es necesario que te llamen casta.

[16] *Jardín de Apolo. Academia celebrada por diferentes ingenios.* Recogida por don Melchor de Fonseca y Almeida, 1655. Citado por Serrano y Sanz, en *Apuntes para una biblioteca de escritoras españolas,* Madrid, 1903, núm. 413, pág. 143.

[17] *Cristales de Helicona. Segunda parte de las Rimas de don García de Salcedo Coronel...* Madrid, 1649. (Tasa de 1650.)

dita escrita dentro de los tres primeros años del siglo XVII: unas *Décimas de don Luis Carrillo y Sotomayor a Pedro de Ragis, pintor excelente de Granada, animándole a que copie el retrato de una señora deuda suya, en figura del Arcángel San Gabriel*[18]. En este caso el nombre de la dama se concreta en el poema con el recurso del acróstico: doña Gabriela de Loaisa, perteneciente a la más ilustre aristocracia granadina.

Pues, que imita tu destreza,
¡oh Raxis!, no al diestro Apeles,
en la solercia, en pinceles,
en arte, industria y viveza,
sino a la Naturaleza,
tanto que el sentido duda
si tiene lengua, o es muda,
la pintura de tu mano,
o si el pintor soberano
a darle y alma y ser te ayuda,

hoy favorecido dé
tabla o lámina prepara
para la empresa más rara

que emprendió humano pincel;
pinta al Arcángel Gabriel,
gloria de su Hierarquía,

SONETO 30

De qué lloras, oh Fili, arrepentida,
si tu desdén, inexorable al ruego,
burló mi queja, despreciando al fuego
que ardió en la nieve de su edad florida.
Si entre el silencio quieres, desmentida,
asegurar, oculta, mi sosiego
cuando te ignore el apetito ciego,
no podrá la razón ya reducida.
Sediento de tus luces examino
entre las sombras su esplendor primero
que usurpó al vulgo religiosa mano.
Lisonjear tus aras determino
agradecido al culto verdadero
o compelido del afecto humano.

[18] Se conserva en un manuscrito de la Biblioteca de la *Hispanic Society,* que conocimos por don Antonio Rodríguez Moñino. Constituyó elemento central de nuestro libro *Amor, Poesía y Pintura en Carrillo de Sotomayor,* donde lo dimos a conocer. Granada, 1968.

con el aire y gallardía
de la más hermosa dama
que *LOA Y SALva* la fama
anunciando a su *Mesía.*

No traces ni hagas bosquejo
de esta admirable pintura,
sin mirarte en la hermosura
de quien della es luz y espejo;
no saldrá el retrato tal
que iguale al original;
anima y esfuerza el arte,
podrá ser que imite en parte
su belleza celestial.

Para retratar su pelo,
del oro las hebras deja
y húrtale su madeja
al rubio señor de Delo;
los rayos digo que al suelo
más ilustran y hermosean,
que rayos quiero que sean
de luz, si de fuego son,
porque el alma y corazón
con más fuego y luz le vean.

Fórmale rizado en parte,
que hace riza, y ha de ser,
red no, casa de placer
del amor Venus y Marte;
lo demás vuele sin arte
por el cuello y por la espalda;
del rubí, de la esmeralda
y brillante pedrería,
que el sol con sus hebras cría,
le ciñe rica guirnalda.

Deja colores del suelo
para dibujar su frente
y tome el pincel valiente
lo más sereno del cielo;
tu cuidado y tu desvelo
de la vía láctea, breve
parte tome, si se atreve,
y saldrá desta mixtura
serenidad y blancura
de cielo claro y de nieve.

Cambia al ébano el color
y con él en vez de tinta,
dos iris hermosas pinta
en este cielo menor,
prendas que nos da el amor
de paz y serenidad;
mas si encubre su beldad
nube de ceño, o se estiran,
arcos son, y flechas tiran,
de justa inhumanidad.

Alienta el pincel y copia,
si tú el aliento no pierdes,
dos soles, dos niñas verdes,
luz de mi esperanza propia;
de rayos perfila copia
en una y otra pestaña,
pero de sombra los baña
si no quieres quedar ciego;
aunque, si ciega, su fuego
admira, eleva, no daña.

Recoge su honesta vista
con grave modestia, y guarte
no mire más que a una parte,
que no habrá quien le resista.
Almas y vidas conquista
de lo más grave y más fuerte,
que es fuerte como la muerte
su mirar dulce y suave;
mas dichoso aquel que sabe
que le ha cabido la suerte.

Forma dos nubes hermosas
embestidas destos soles
o dos bellos arreboles
o dos virginales rosas;
(pues que no nos da otras cosas
de otra belleza más rara
la naturaleza avara);
y harás sus mejillas dellas,
más hermosas y más bellas
que las del Aurora clara.

Haz la nariz afilada
de color de blanca nieve
que el alma y los ojos lleve
de sola una vez mirada;

chica no, sí moderada,
y dos ventanas en ella
cada cual rasgada y bella
por donde se tenga aviso
del olor del paraíso
que espira debajo della.

Guijas de plata lucientes
toma, o perlas orientales,
y finísimos corales
para hacer labios y dientes.
Las gracias no estén ausentes
de lengua, que, si se mueve
enseña, deleita y mueve;
antes las finge estar dentro
de su boca como en centro
suyo y de las musas nueve

Marfil terso, blanco y bello
y alabastro preparado
materia de al descollado,
hermoso y divino cuello;
y, si el amor quiso hacello
torre fuerte y su armería
para darnos batería,
hazle tu castillo fuerte,
barrera contra la muerte,
y vistosa galería.

De la nieve más helada,
del cristal más fino y claro,
del mármol mejor de Paro,
de la plata más cendrada,
toma parte y, desatada
con leche, encarna sus manos
tales que los soberanos
ángeles dellas se admiren
y con respeto las miren
y se las besen ufanos.

La derecha el dedo alzado
tenga, mostrando que viene
de Dios todo el bien que tiene
y que es del cielo legado;
la izquierda ostente preciado
ceptro de oro que es su ser,
quien puede y debe poner

al mesmo Cupido leyes,
y a quien los grandes y reyes
se precian de obedecer.

Los matices ordinarios
guarda para otra ocasión
y gasta aquí los que son
indicio de afectos varios;
toma como extraordinarios
al rubí su colorado,
a la amatista el morado
y su verde a la esmeralda,
toma al topacio su gualda
y al zafiro el turquesado.

Destos matices y el oro
de Arabia más bien obrado,
su ropaje harás bordado
para encubrir con decoro
del gusto el mayor tesoro,
el nácar de más fineza,
la suavidad y belleza
de un paraíso terreno
en quien cuanto hizo bueno
cifró la naturaleza.

Poco he dicho, mucho allano
este Arcángel peregrino,
este sujeto divino,
este trono soberano;
deste Serafín humano,
mi Arcángel hacer conviene;
haz, ¡oh Raxis!, porque llene
tu pincel mi corta idea
y el siglo futuro vea
lo que el nuestro goza y tiene.

Y si te saliere tal,
en bronce o tabla más tierna
que merezca ser eterna
copia de este original,
dale mi alma inmortal
para que anime el retrato,
que alma humilde de hombre grato,
que está menos donde anima
que donde ama, más se estima
que alma noble en cuerpo ingrato.

Más, ¡ay!, loco devaneo,
que pida yo un imposible,
porque lo hace posible
mi afición y mi deseo,
difícil es, bien lo veo;
mas el brío y ardimiento
de tu honroso atrevimiento,
¿a qué aspira que no alcanza?,
y, cuando no, mi esperanza
premio es bastante a tu intento.

AL ORIGINAL DEL RETRATO

Divino Arcángel que al Cielo
Obscurece su hermosura,
Nublados desta pintura
A tu altar sirven de velo;
Gloria y belleza del suelo
Admite con rostro humano
(Bien cual Jerjes del villano
Recibió el agua) este don
Y alma y vida y corazón
En fee que están en tu mano.

Las gracias de tu alma pura
A Apollo manda el amor
Describa con su primor
En verso de más dulzura;
Lo cierto es que en su escriptura
O en verso sea o en prosa
Abrás de ser bella diosa,
Y si Apollo verdad canta
Serás noble, afable y sancta
Aun más que bella y hermosa.

Mi intento señora ha sido
En pintar esta deidad,
Sacar a luz la beldad
Increíble que has tenido;
Antes que al tiempo el olvido
Suceda y al sol la helada:
Antes que a tu edad dorada
La de plata encubra y seque
Un accidente y te trueque,
De cielo que eres, en nada.

Los textos estimamos son los suficientes para testimoniar la existencia de una moda —no sólo cortesana— de retratarse las damas con actitudes, gesto y atributos de santas. Y admitida la presencia de ese tipo de retrato a lo divino es lógico deducir no sólo el esencial influjo formal y expresivo que ejercería sobre él la iconografía religiosa, sino también el recíproco de ese género híbrido, de realismo y divinización, sobre la pintura de santas propiamente dicha; esto es, hecha con la pura intención devocional. Observemos que las tres santas, cuyos nombres se concretan —Lucía, Elena y la Magdalena— son de las más frecuentemente representadas en la pintura barroca española.

El retrato *a lo divino* y la pintura barroca andaluza

Nuestra intención al publicar esas composiciones poéticas era procurar dar una interpretación al tipo de retratos de santas pintados por Zurbarán partiendo de un hecho de la vida social; pues lo que testimonian es una moda entre las damas que, casi con seguridad, se representaban así ostentando cada una los atributos de la santa que le correspondía por su nombre. Decimos esto, porque en el más importante poema de este tipo que conocemos nos ofrece, según queda dicho, a una doña Gabriela retratada en figura del Arcángel San Gabriel. En cierto modo es una unión —o mejor dicho en este caso, confusión— análoga a la que nos ofrece la pintura medieval de donantes acompañados de sus respectivos patronos. Junto a los tipos creados por Zurbarán —que tendrían quizá antecedentes en artistas del círculo de Pacheco, como lo demuestra el citado del granadino Raxis— es frecuente en lo andaluz posterior de aquel, sobre todo en los seguidores de Murillo, los bustos de santas con atributos dentro del mismo carácter de retrato. Y a ellos se unen otros granadinos contemporáneos y posteriores, de los que comentamos luego algunos desconocidos.

No queríamos —repetimos— afirmar que todos los retratos de santas que en abundancia realizó Zurbarán — y que repitieron otros después— eran auténticos retratos *a lo divino,* sino que ese tipo de retrato que sabemos fue frecuente, y lo fue también entonces y después fuera de España —según concretamos en capítulo aparte en la alusión extensa de este ensayo—, y no sólo como exclusiva moda cortesana, fue el principal determinante de ese tipo en concreto de retrato de santas repetido por Zurbarán. Naturalmente que sí creemos que alguno de los que conocemos pueden serlo. Decíamos entonces que el hecho de que la figura de una misma santa sea vista en la infancia y en la juventud —como ocurre en el caso de Santa Casilda que la representa niña en el lienzo procedente de Granada y ya mujer en su plenitud en el lienzo del Museo del Prado— estaba indicando se trataba de visiones no inspiradas por un tipo iconográfico religioso hecho. Podrá representarse a la Virgen María niña o mujer; pero una santa cuyos atributos se ligan a un hecho ya de su vida, ya de su matirio o muerte, no tiene sentido se represente —y menos por un mismo artista— con un tan decidido cambio de edad. Y el caso puede confirmarse con otro cuadro granadino del mismo siglo existente en la catedral de Málaga, y que representa a la Virgen con el Niño a quienes se acerca una Santa Catalina niña, con su espada y otra santa joven, con la palma de martirio, ambas con rasgos de verdaderos retratos. El caso de la niñita —y también el de la santa mártir que parece protegerla como en las tablas medievales— está indicando la clara intención de individualizar, apartándose de lo acostumbrado en la iconografía de la santa.

La analogía de este lienzo con otros del granadino Bocanegra, cuyo asunto es la Virgen Madre adorada por niños, representados con clara intención y rasgos de retratos contemporáneos, confirma el hecho de la plena incorporación del retrato a la composición religiosa que comentamos en capítulo aparte, en la versión más extensa de este ensayo. Sobre todo es de señalar junto a la bella composición de la Virgen de los duques de Andría, el lienzo de la iglesia de San Sebastián de Antequera, en el que una niña destacándose de dos pastorcillos se aproxima al pequeño Jesús —en brazos de la Madre— formando grupo con Él. Y es curioso observar que en la iglesia de San José de la dicha ciudad hay otra composición del mismo Bocanegra que representa a la Virgen con el Niño rodeada de dos arcángeles y dos santos. Aquéllos quedan en la parte alta y en primer término —repitiendo el esquema compositivo de la tradición manierista— aparecen San Ildefonso y Santa Catalina; ésta representada con rasgos y aspecto de joven dama de la época. El autor de la guía de las *Iglesias de Antequera* —José María Fernández— pensaba debía representar en concreto una persona de la familia donante del lienzo. También es interesante señalar en aquella misma iglesia de San Sebastián un lienzo de fecha muy anterior del pintor y poeta Antonio Mohedano en que también aparece al pie de la Virgen con el Hijo un retrato de niño en adoración que, aunque sin enlazar con María, sin embargo, se integra en el conjunto, porque tras él un ángel adolescente le acoge e impulsa para aproximarlo. Indirectamente, pues, todo refuerza la importancia y frecuencia de los retratos *a lo divino* en la España del Barroco. Claro que en este aspecto de integrar el retrato en la composición religiosa hay muchos antecedentes medievales en la pintura europea; pero ello por otra parte reafirma el sentido de nuestra interpretación.

Los cuadros de santas de Zurbarán y su interpretación

Tras la publicación de nuestro artículo de interpretación del dicho tipo de cuadro zurbaranesco, el hispanista Martín Soria en un trabajo dedicado a señalar la inspiración de cuadros españoles en grabados flamencos, destacó entre ellos dos de santas que ofrecían cierta analogía con algunas de las aludidas santas de Zurbarán. A su juicio, la creación de ese tipo de cuadro estaba explicado con esos modelos que ofrecían los grabados [19].

Nuestra hipótesis mereció la conformidad de Sánchez Cantón en su trabajo dedicado a comentar «la sensibilidad de Zurbarán» [20]. Cuando Paul Guinard estudió el tema en su gran libro sobre el pintor extremeño, acogió las dos hipótesis, planteándose como conclusión, una serie de interrogantes. «Se encuentra una vez más —decía—, pero de manera más aguda, este conflicto de fondo, ya muchas veces señalado. ¿Cómo nacen las obras de arte? ¿De los libros o de la vida? ¿Del mito o de la realidad?» Y continuaba después: «¿Es preciso tomar partido? Es preciso notar —añadía— que, si el ritmo y la línea un poco enfática de las santas flamencas hacen pensar en Zurbarán, son analogías muy generales y que ni sus contornos ni sus formas hinchadas permiten llevar la comparación muy lejos. Hay un estilo de época que se encuentra igualmente en Francia, en la serie, un poco

[19] Martín Soria: «Some Flemish Sources of Baroque painting in Spain», en *Art Bulletin,* t. XXX (1948), págs. 249-259.
[20] F. J. Sánchez Cantón: *La sensibilidad de Zurbarán.* (Conferencia.) Ed. de la Universidad de Granada, Granada, 1944.

más tardía de las santas de Claude Melben. ¿Es preciso preguntar, por otra parte, si la moda del retrato a lo divino se extendió a toda España o quedó patrimonio de la Corte? ¿Y la clientela sevillana de Zurbarán era femenina y aristocrática? En fin —concluye— ¿por ingeniosas que sean estas dos explicaciones, son convincentes?»

En parte hemos ya contestado indirectamente a alguna de estas interrogantes —que plantea el ilustre hispanista [21], en nuestro libro ya citado, *Amor, Poesía y Pintura en Carrillo de Sotomayor*—. En primer lugar —como acabamos de decir— no pretendíamos dar como retratos toda la serie de cuadros de santas que vemos en el Museo de Sevilla y las dos grandes series que años después pintó para Lima —1647— y para buenos Aires —1649—. Pensamos, en concreto, en las dos Santas Casildas, en la pareja del Museo de Bilbao, en la Santa Inés de Lugano, en la Santa Lucía de Washington, y en la Santa Margarita de Londres. Pero lo importante para nosotros es que, sean o no en realidad estos u otros cuadros de santas, auténticos retratos, Zurbarán debió pintar algunos de ellos y, sobre todo —y es lo esencial de nuestra hipótesis— creemos está claro que ese tipo de retrato a lo divino influyó también en sus pinturas de santas hechas con la intención puramente religiosa de adornar el templo. Esto es; quiso que tuvieran, por su realismo, compostura y atuendo, esa apariencia de retratos de dama y compostura de personaje teatral.

Como después de lanzar nuestra hipótesis encontramos otras composiciones poéticas —ya enumeradas— que incluíamos en nuestro citado libro, resultó aún más asentada nuestra opinión de que fue moda en la corte el retratarse con atributos y actitud de santa. Pero además —y contestamos con ello a otra de las interrogantes del profesor Guinard— el tema centro de nuestro citado libro es la mencionada composición, de brillante y cuidado estilo —y demostrando sabiduría de concepto y práctica de la pintura— debida al poeta andaluz don Luis Carrillo de Sotomayor y dirigida al pintor granadino Pedro Raxis y a la joven e ilustre dama doña Gabriela de Loaisa que aquel retrataba en la actitud, vestido y atributos del Arcángel homónimo. Tengamos presente que Carrillo intelectualmente estaba en relación con la estética sevillana y, concretamente, con las ideas platónicas que alentaban el taller de Pacheco; artista este que, por

---

[21] Paul Guinard: *Zurbarán et les peintres espagnols de la vie monastique,* París, 1960, pág. 148.

cierto, conocía y estimaba a Raxis que era en esa fecha el pintor más destacado de Granada. Vemos, pues, que este tipo de retrato *a lo divino* era realizado en esta fecha temprana en Granada y que lógicamente tenía que ser conocido en Sevilla, dada la relación que existió entre pintores y escultores de ambas ciudades. En Sevilla se forma Zurbarán, precisamente en ese ambiente artístico del taller de Pacheco, donde existía más intelectualismo de lo que se suele pensar. El retrato de esta famosa dama granadina celebrado por la poesía de Carrillo —que estuvo enamorado de ella— no debió ser único ni quedar ignorado; y menos en el ambiente que rodeaba a Pacheco. Creo que sabiendo la existencia de este tipo de cuadro comprendemos mejor los rasgos de intensidad expresiva y humana realidad de la seductora Santa Inés de Alonso Cano; ya recogiera su inspiración en Granada, ya en Sevilla.

Queda asentado, pues, que en fecha anterior a Zurbarán y fuera de la Corte se siguió esta moda. Pensar en que el extremeño no conociera este tipo de retrato cuesta trabajo creerlo. Además, no hay tampoco duda que tuvo relación con la aristocracia, precisamente allí en Sevilla. Como buen testimonio está el gran retrato del conde de Torrepalma niño, hecho en Sevilla. Y con nobleza de allí mismo parece relacionarse el retrato del joven caballero del Hospital Tavera, a juzgar por los datos y sugerencias de María Luisa Caturla que recoge el citado crítico.

A pesar de que Guinard concluye afirmando que lo esencial de la creación de las santas zurbaranescas está en la personal visión de lo femenino y religioso del artista, sin embargo se ve también llevado a consideraciones de orden ambiental y de influjo de las formas teatrales, aunque estime que una cosa eran éstas y otras las de la realidad de la sociedad aristocrática. Así terminan sus interesantes observaciones: «Grabados, pinturas, modelos vivos han podido orientar a Zurbarán, sugerirle líneas, actitudes, pero es permitido creer que todas estas criaturas graves y encantadoras, son primeramente una emanación de sí mismo, una proyección de lo eterno femenino que este tímido preserva fuera del tiempo. Estas vírgenes sabias, reservadas, altaneras, a las cuales los pesados adornos crean una coraza, permanecen misteriosas en su candor indiferente y como al margen de la vida» [22].

Es innegable que el espíritu sencillo y tímido del artista extremeño, que con acierto caracteriza el fino crítico, está presente

---

[22] *Ob. cit.*, pág. 149.

en estas creaciones de figuras femeninas; pero hay otros aspectos determinantes de la concepción de este tipo de santas que el mismo autor considera previamente en espontánea asociación y también recordando sugerencias de María Luisa Caturla. Es ello el aspecto equivalente que ofrecen estas figuras con las que habían de darse en las representaciones teatrales, con ricas y vistosas vestiduras anacrónicas. Incluso se refiere —con lógica asociación— a las *comedias de santos* tan gustadas por el variado público de los corrales; y hasta concretamente, ante figuras como la Santa Margarita de Londres —con su gran sombrero de paja y sus alforjas— nos dice, con acierto: *parece un retrato,* y con esos atavíos nos transporta totalmente a una *comedia de Lope.* No olvidemos que los trajes pastoriles se prodigaban en la escena española, pues, incluso, era indumentaria con que se acostumbraba a representar figuras religiosas y alegóricas. Unían una visión realista con un sentido intemporal alegórico de la evocación pastoril arcádica.

Considerando el mismo Guinard un conjunto —aunque de inferior calidad y muy destrozado— como el de la serie del convento de Santa Clara, de Carmona, de acuerdo con la sugerencia de la citada zurbaranista, piensa en que colocadas, como están, a lo largo de la nave, responden a un verdadero sentido compositivo de procesión, con una monótona y expresiva repetición de letanía de santas.

Creemos es acertada esta visión, pero en ella vemos, asimismo, un sentido ambiental de acercamiento a los fieles, de acuerdo con una visión que no es de apariencia fantástica, lejana, sino de reflejo directo de damas jóvenes individualizadas, en una aproximación y hasta casi confusión con las que asistían a la ceremonia religiosa. La concepción de sentido de retrato se imponía en este cortejo de santas que acompañaban a los devotos reunidos en el centro de la nave del templo. Pienso que, en general, las series de santas, más que concebidas para situarse en retablos, lo fueron para ser colocadas a lo largo de la nave del templo. Así lo están también el pequeño grupo de lienzos barrocos granadinos que hoy presentamos.

La influencia del retrato *a lo divino* en la pintura religiosa. Unas obras de Risueño desconocidas

Tras las consideraciones generales que hemos apuntado, el aspecto que queremos subrayar ahora es, precisamente, el hecho de cómo el género, como tal retrato *a lo divino,* influyó a su vez en la visión realista de la representación de santas. Y en parte, lo mismo podríamos decir del cuadro mitológico en pintores de vena realista como un Velázquez o un Rembrandt, en los que, valorando el plano real y cotidiano se llegará a la visión antiheroica. Los atributos y símbolos adquieren el valor de objetos para recrear con su apariencia o su corporeidad y alguna vez penetrarse de un significado irónico.

El realismo en la pintura de santas, representadas como tales santas, lo vemos en general en toda la pintura barroca, pero se hace más patente —y por ello lo destacamos— en artistas y escuelas donde se mantiene una tendencia idealizadora. Esto es lo que ocurre en la escuela granadina, donde el retrato tuvo muy escaso cultivo y, dentro del predominante tema religioso, se huyó casi totalmente de la ambientación realista, sin dar entrada al sentido de la escena de género, al mismo tiempo que se buscaban obsesivamente, bajo el poderoso influjo de los modelos de Alonso Cano, tipos de belleza ideal, según las creaciones y estética del gran maestro. Ello llevó fatalmente a hacer más frecuente el pintar de memoria, distanciándose del modelo concreto del natural. Por esto, cuando el retrato, o mejor dicho la visión realista de sentido de retrato, se introduce en una composición, el hecho destaca con especial expresividad. El tipo femenino de tan bella como viva humanidad que Alonso Cano ofreció en la etapa sevillana en su Santa Inés de Berlín —a nuestro juicio dentro del influjo del retrato *a lo divino* como en emulación de Zurbarán— no volvió a repetirlo.

El hecho más patente de esa visión de la figura religiosa interpretada con sentido de retrato, lo ofrece precisamente la representación de santas jóvenes, especialmente comofigura aislada. El realismo se extrema sin que el artista intente idealizar rasgos ni alterar la visión de retrato con otros aditamentos. La figura aparece con el atributo que le corresponde como santa virgen o mártir, según la tradición iconográfica, y con una indumentaria, ya de época ya de cierto capricho o fantasía, y unas veces con sobriedad y otras con riquezas y adornos. En ello responden también a la libertad con que las figuras femeninas se presentaban en el teatro en todo género de comedias sin atender a razones históricas o arqueológicas ni tampoco de la moda de la época, aunque en concreto las figuras de santos en general se ofrecían «como las pintan»; así se señalaba en las acotaciones y con ello se mantuvo un recíproco influjo. Así lo vemos en Zurbarán y en otras obras de pintores andaluces posteriores, especialmente sevillanos.

En los granadinos no es tan frecuente como en Sevilla la representación de la figura aislada de santa con aire de retrato —aunque sí se deleitan Juan de Sevilla y sobre todo Bocanegra en la pintura de grupo o coro de santas jóvenes alguna con aire de dama—, pero el hecho se da y destacado, en Risueño, el maestro que cierra, entre los siglos XVII y XVIII, el período de esplendor de la escuela. Nos referimos en especial a cuatro pequeños lienzos desconocidos, nunca citados por la crítica, existentes en la iglesia parroquial de Orgiva, y que son de positiva calidad pictórica. Representan a Santa Justa, Santa Rufina, Santa Inés y la Magdalena. En contra de la lógica, esta última se representa como niña; la Santa Inés y una de las santas sevillanas son dos jovencitas que pudieran ser dos hermanas o también el mismo modelo. La otra santa es una joven que aparenta más edad y no muy bella de rasgos. Todas ellas se engalanan con vistosas vestiduras y adornos que subrayan el carácter realista de retratos. La vigorosa iluminación, sobre fondo oscuro, hace que las figuras, por sus actitudes y mirada dirigida al espectador den la viva sensación de que se asoman a una ventana para contemplarnos y ser contempladas. El fuerte plasticismo, como obras de escultor pintor, intensifica la sensación de vida y realidad tangible.

No es de extrañar sea este artista el que se destaque en este aspecto entre los granadinos, porque Risueño rectifica en parte la orientación de los maestros que le preceden —Bocanegra y Juan de Sevilla— en el sentido de que, al mismo tiempo que —como ellos— imitaba directamente a Alonso Cano, procuró con más insistencia el estudio del natural. No obstante, sorprende, aun dentro de su obra, donde al pintar ángeles y vírgenes ennoblece los rasgos y se atiene muchas veces a un modelo ideal de belleza femenina al que procura acomodarse procediendo incluso a pintar de memoria de acuerdo con él. No es extraño que, cuando tuvo que hacer algunos retratos de religiosos de siglos anteriores, cuyos rasgos había de inventar, el artista acudiera a un modelo real próximo y que lo mismo hiciera en algún caso aislado de sus composiciones religiosas; pero sí resulta sorprendente que en toda una serie de figuras de santas procurara presentarlas con exactitud realista de retrato, anteponiendo la fidelidad al modelo a la natural búsqueda de belleza ideal. Podemos pensar sin duda que el pintor atendió en este caso un encargo de la iglesia del pueblo y posiblemente para adornar la nave y colocarlas en los mismos sitios en que hoy están. En consecuencia, tenemos que deducir que el propósito fue pintar a estas cuatro santas como tales santas; pero sobre el artista pesó una tradición del retrato *a lo divino,* que debía tener acostumbrado a los pintores y a los fieles a no encontrar extraño el que las santas jóvenes se ofrecieran como verdaderos retratos, incluso con el recuerdo concreto de quienes serían en muchos casos identificables personalmente con su nombre, pues no se trata del hecho normal de la utilización de un modelo, sino de varios modelos.

Queda claro, a nuestro juicio, que se produjo una mutua influencia entre la pintura religiosa propiamente dicha y la pintura de retratos de esa forma divinizada, en que una joven se ofrecía con la apariencia de la santa cuyo nombre ostentaba. Por eso lo percibimos sólo en la pintura de santas, ya que el género se concretó al retrato femenino. Se comprende, por otra parte, que entre los pintores granadinos cuya actividad estuvo aún más centrada que en otras escuelas, en los temas religiosos, se sintiera más vivamente el deseo de buscar en estas ocasiones la vía de escape hacia la viva y concreta —y bella como de figuras jóvenes— realidad contemporánea; y sobre todo en Risueño, cuyo arte se sintió tan atraído por la observación realista de lo humano. Había en él un temperamento de pintor realista que si no se desbordó fue por estar inserto en una tradición artística en la que todavía se enseñoreaba la influencia tiránica del arte de Cano, que ante todo había buscado belleza, aunque belleza con vida y no abstractos ideales. Sus escapes de realismo, como su retrato del arzobispo Azcargorta o sus imágenes de San Juan de Dios y varios de sus Nazarenos, son de lo más intenso en esta vena realista de todo el arte español de su tiempo. Estas pinturas de santas, aparte su positivo valor dentro de la obra del artista, adquieren una especial significación como prueba patente de la influencia de ese género del retrato *a lo divino.*

SE ACABÓ DE IMPRIMIR
ESTA OBRA EL DÍA VEINTICINCO DE
MAYO DE 1975.
LA PUBLICÓ EDICIONES CÁTEDRA, S A.,
CID, 4. MADRID.

SMCL
709.03 Or6
stack
Orozco Diaz, Emilio/Manierismo y barroco
3 5151 00029 5055

"*Baker Towers* is **a richly textured and luminous exploration of the fleetingness of time** and the special roles we play in each other's lives—often without knowing."

—*USA Today*

"Forget postmodern alienation: Reading *Baker Towers* is the literary equivalent of rifling through a thrift shop's rack of 1940s housedresses. Here is a novel that feels vintage, but in the very best way. . . . In prose rich in sensual detail, [Jennifer Haigh] weaves the multigenerational saga. . . . **With the fiercely observed *Baker Towers,* Haigh proves herself a fine storyteller, one with as much staying power as her characters.** Mining her own rural Pennsylvania roots, she has created a heartfelt—and heartrending—tale."

—*People,* Critic's Choice (starred review)

"[*Baker Towers*] turns out rather cheerily, like Dickens . . . **[Haigh has] established that she's a superior writer of the scene, the small moment that proves to be the pebble before the landslide.** . . . Haigh is a skilled portraitist. . . . The loss of this mining family's world is a poignant story, and as Haigh writes it, it's worth reading."

—*Boston* magazine

"In clean, authoritative prose, Haigh uncannily injects new life into an era too often entombed by nostalgia."

—*Entertainment Weekly*

"[A] page-turner. . . . **Many times throughout the book it seems that Haigh is using a camera rather than a pen, so perfectly does she create a scene for the reader.** . . . This life that Haigh has so carefully described will soon disappear forever, for good or ill, but she has illuminated its current reality with a sure hand."

—*Seattle Times*

"The connection between identity and place, suffering and salvation, lies at the heart of this stunning second novel. . . . **[An] accomplished and hopeful book.**"

—*Time Out* (New York)

Praise for *Baker Towers*

"The living, breathing organism that is Ms. Haigh's captivating book . . . [is an] effortlessly haunting story . . . with satisfyingly real and vivid individuals. . . . Ms. Haigh writes with an unflinching eye on how this tightly knit world works. . . . Beyond being an expert natural storyteller with an acute sense of her characters' humanity, [she] sustains a clear sense of Bakerton's vitality, or lack thereof. . . . Like Richard Russo's *Empire Falls*, Bakerton is a place in transition. . . . [*Baker Towers*] has the heart to end, credibly and unsentimentally, on a note of rebirth. And Bakerton is utterly, entrancingly alive on the page, even as it is supposed to be fading away."

—Janet Maslin, *New York Times*

"[In] Jennifer Haigh's ambitious, elegiac second novel, *Baker Towers*, . . . [she] is interested in what's hidden from view, in questions of cultural and economic invisibility, and, especially, in the unsung hopes and sacrifices of ordinary lives. . . . The lasting power of this novel is in Haigh's gift for capturing the long view and for putting Bakerton itself—its history and community—on the literary map. . . . Haigh's skill for summary and keen sense of detail make for evocative visual moments and overviews. . . . [Her] palpable evocation of 1940s and 1950s Bakerton—the community portrait—is the novel's gift. . . . *Baker Towers* is, finally, a rich portrait of place, its meaning not in the towers themselves but in the community that created them, and Haigh's readers will empathize with Lucy Novak's wish to remain."

—*Washington Post Book World*

"*Baker Towers* is a richly textured and luminous exploration of the fleetingness of time and the special roles we play in each other's lives—often without knowing."

—*USA Today*

"A lovingly told, detailed novel of postwar America. . . . Compassionate and powerful. . . . No brief description of this book can give a sense of the care that has gone into the making of it . . . it is through the accretion of tiny, telling details, of finely observed moments, that a universe is created and a spell cast. . . . The rhythms of Bakerton are lovingly, painstakingly established. . . . What underlies this story is a profoundly moving optimism. . . . [*Baker Towers*] is a book of great heart, a song of praise for a too little praised part of America—for the working families whose toils and constancy have done so much to make the country great."

—*Chicago Tribune*

"Forget postmodern alienation: Reading *Baker Towers* is the literary equivalent of rifling through a thrift shop's rack of 1940s housedresses. Here is a novel that feels vintage, but in the very best way. . . . In prose, rich in sensual detail, [Jennifer Haigh] weaves the multigenerational saga. . . . With the fiercely observed *Baker Towers,* Haigh proves herself a fine storyteller, one with as much staying power as her characters. Mining her own rural Pennsylvanian roots, she has created a heartfelt—and heartrending—tale." —*People,* Critic's Choice (four stars)

"In clean, authoritative prose, Haigh uncannily injects new life into an era too often entombed by nostalgia." —*Entertainment Weekly*

"Haigh has constructed a hypnotic portrait of a coal-country mining town that spans a quarter century and captures wistfully the demise of the culture. . . . [Haigh] is capable of creating flesh-and-blood characters, who are authentic and idiosyncratic. . . . The novel is constructed around consciously small moments of ordinary domesticity. . . . Page after page, Haigh demonstrates her profound ability to illuminate the personal encounters and minor revelations that make up a life, while offering a crisp, insightful snapshot of a particular place and time." —*Boston Globe*

"Jennifer Haigh gets a memorable grip on family and locale in her vivid novel *Baker Towers*. . . . It's hard to escape . . . the characterizations and the texture Haigh conjures so effectively, which carry this largely superb novel. Haigh's tone is pitch-perfect, her grasp of psychology, masterly. The way Joyce Novak develops, overcoming the chill in her loins to connect with the warmth of her heart, is but one example of a command equal to those of Richard Russo and Anne Tyler, novelists who also examine the large issues that roil small towns. *Baker Towers* isn't perfect, but it sure is close." —*Denver Post*

"Haigh has beaten the sophomore slump with another page-turner: *Baker Towers*. . . . Many times throughout the book, it seems as if Haigh were using a camera rather than a pen, so perfectly does she create a scene for the reader . . . [that] has captured these people's lives as they play out, more acted upon than acting. . . . This life that Haigh has so carefully described will soon disappear forever, for good or ill, but she has illuminated its current reality with a sure hand." —*Seattle Times*

"The granddaughter of coal miners, Haigh makes this fictional place come brilliantly alive through the travails of the Novak family. In spare but eloquent prose, she writes less about mine shafts than about the complex bonds of town and family. . . . The power of the writing is such that the town itself feels like a living breathing character, with its cadences of dances and picnics and small-town prejudices."

—*Pittsburgh Post-Gazette*

"An elegant, elegiac multigenerational saga about a small coal-mining community in western Pennsylvania that shows how talented she really is. . . . Fast on the heels of her PEN/Hemingway–winning . . . first novel (*Mrs. Kimble,* 2003), Haigh turns a careful, loving eye on the sociology of the town of Bakerton. . . . Almost mythic in its ambition, somewhere between Oates and Updike country, and thoroughly satisfying."

—*Kirkus Reviews* (starred review)

Baker Towers

Also by Jennifer Haigh

Mrs. Kimble

Baker Towers

JENNIFER HAIGH

NEW YORK • LONDON • TORONTO • SYDNEY

HARPER PERENNIAL

A hardcover edition of this book was published in 2005 by William Morrow, an imprint of HarperCollins Publishers.

P.S.™ is a trademark of HarperCollins Publishers.

HarperCollins books may be purchased for educational, business, or sales promotional use. For information please write: Special Markets Department, HarperCollins Publishers, 10 East 53rd Street, New York, NY 10022.

FIRST HARPER PERENNIAL EDITION PUBLISHED 2006.

Designed by Claire Vaccaro

The Library of Congress has catalogued the hardcover edition as follows:

Haigh, Jennifer.
Baker towers / Jennifer Haigh.— 1st ed.
p. cm.
ISBN 0-06-050941-4 (acid-free paper)
1. Coal mines and mining—Fiction. 2. City and town life—Fiction.
3. Pennsylvania—Fiction. I. Title.

PS3608.A544B34 2005
813'.6—dc22 2004049073

ISBN-10: 0-06-050942-2 (pbk.)
ISBN-13: 978-0-06-050942-2 (pbk.)

06 07 08 09 10 DIX/RRD 10 9 8 7 6 5 4 3

In memory of my father,

Jay Wasilko

If grief could burn out

Like a sunken coal,

The heart would rest quiet.

PHILIP LARKIN

All the brothers were valiant, and all the sisters virtuous.

INSCRIPTION ON A TOMB
IN WESTMINSTER ABBEY

The family is the country of the heart.

GIUSEPPE MAZZINI,
THE DUTIES OF MAN

My sincere thanks to the MacDowell Colony and Vermont Studio Center, where portions of this book were written.

I am deeply grateful to Dorian Karchmar, Claire Wachtel, Michael Morrison, Lisa Gallagher, and Juliette Shapland, who make all things possible.

Love and thanks to my mother, Elizabeth Wasilko, and to Dan.

Baker Towers

ONE

Softly the snow falls. In the blue morning light a train winds through the hills. The engine pulls a passenger car, brightly lit. Then a dozen blind coal cars, rumbling dark.

Six mornings a week the train runs westward from Altoona to Pittsburgh, a distance of a hundred miles. The route is indirect, tortuous; the earth is buckled, swollen with what lies beneath. Here and there, the lights of a town: rows of company houses, narrow and square; a main street of commercial buildings, quickly and cheaply built. Brakes screech; the train huffs to a stop. Cars are added. In the passenger compartment, a soldier on furlough clasps his duffel bag, shivers and waits. The whistle blows. Wheezing, the engine leaves the station, slowed by the extra tons of coal.

The train crosses an iron bridge, the black water of the Susquehanna. Lights cluster in the next valley. The town, Bakerton, is already awake. Coal cars thunder down the mountain. The valley is filled with sound.

The valley is deep and sharply featured. Church steeples and mine tipples grow inside it like crystals. At bottom is the town's most famous landmark, known locally as the Towers, two looming piles of mine waste. They are forty feet high and growing, graceful slopes of loose coal and sulfurous dirt. The Towers give off an odor like struck matches. On windy days they glow soft orange, like the embers of a campfire. Scrap coal, spontaneously combusting; a million bits of coal bursting into flame.

Bakerton is Saxon County's boomtown. Like the Towers, it is alive with coal. A life that started in the 1880s, when two English brothers, Chester and Elias Baker, broke ground on Baker One. Attracted by handbills, immigrants came: English and Irish, then Italians and Hungarians; then Poles and Slovaks and Ukrainians and Croats, the "Slavish," as they were collectively known. With each new wave the town shifted to make room. Another church was constructed. A new cluster of company houses appeared at the edge of town. The work—mine work—was backbreaking, dangerous and bleak; but at Baker Brothers the union was tolerated. By the standards of the time the pay was generous, the housing affordable and clean.

The mines were not named for Bakerton; Bakerton was named for the mines. This is an important distinction. It explains the order of things.

Chester Baker was the town's first mayor. During his term Bakerton acquired the first streetcar line in the county, the first public water supply. Its electric street lamps were purchased from Baker's own pocket. *Figure the cost of maintaining them for fifty years,* he wrote to the town bosses, *and I will pay you the sum in advance.* After twenty years Baker ceded his office, but the bosses continued to meet at his house, a rambling yellow-brick mansion on Indian Hill. A hospital was built, the construction crew paid from a fund Baker had established. He wouldn't let the building be named for him. At his direction, it was called Miners' Hospital.

The hospital was constructed in brick; so were the stores, the dress factory, the churches, the grammar school. After the Commercial Hotel burned to the ground in 1909, an ordinance was passed, urging merchants to "make every effort to fabricate their establishments of brick." To a traveler arriving on the morning train—by now an expert on Pennsylvania coal towns—the hat shop and dry-goods store, the pharmacy and mercantile, seem built to last. Their brick facades suggest order, prosperity, permanence.

ON THE SEVENTEENTH of January 1944, a motorcar idled at the railroad crossing, waiting for the train to pass. In the passenger seat was an elderly undertaker of Sicilian descent, named Antonio Bernardi. At the wheel was his great-nephew Gennaro, a handsome, curly-haired youth known in the pool halls as Jerry. Between them sat a blond-haired boy of eight. The car, a black Packard, had been waxed that morning. The old man peered anxiously through the windshield, at the snowflakes melting on the hood.

"These Slavish," he said, as if only a Pole would drop dead in the middle of winter and expect to be buried in a snowstorm.

The train passed, whistle blowing. The Packard crossed the tracks and climbed a steep road lined with company houses, a part of town known as Polish Hill. The road was loose and rocky; the coarse stones, called red dog, came from bony piles on the outskirts of town. Black smoke rose from the chimneys; in the backyards were outhouses, coal heaps, clotheslines stretched between posts. Here and there, miners' overalls hung out to dry, frozen stiff in the January wind.

"These Slavish," Bernardi said again. "They live like *animali*." At one time, his own brothers had lived in company houses, but the family had improved itself. His nephews owned property, houses filled with modern comforts: telephones and flush toilets, gas stoves and carpeted floors.

"Papa," said Jerry, glancing at the boy; but the child seemed not to hear. He stared out the window wide-eyed, having never ridden in a car before. His name was Sandy Novak; he'd come knocking at Bernardi's back door an hour before—breathless, his nose dripping. His mother had sent him running all the way from Polish Hill, to tell Bernardi to come and get his father.

The car climbed the slope, engine racing. Briefly the tires slid on the ice. At the top of the hill Jerry braked.

"Well?" said the old man to the boy. "Where do you live?"

"Back there," said Sandy Novak. "We passed it."

Bernardi exhaled loudly. "*Cristo.* Now we got to turn around."

Jerry turned the car in the middle of the road.

"Pay attention this time," Bernardi told the boy. "We don't got all day." In fact he'd buried nobody that week, but he believed in staying available. Past opportunities—fires, rockfalls, the number five collapse—had arisen without warning. Somewhere in Bakerton a miner was dying. Only Bernardi could deliver him to God.

The Bernardis handled funerals at the five Catholic churches in town. A man named Hiram Stoner had a similar arrangement with the Protestants. When Bernardi's black Packard was spotted, the town knew a Catholic had died; Stoner's Ford meant a dead Episcopalian, Lutheran or Methodist. For years Bernardi had transported his customers in a wagon pulled by two horses. During the flu of '18 he'd moved three bodies at a time. Recently, conceding to modernity, he'd bought the Packard; now, when a Catholic died, a Bernardi nephew would be called upon to drive. Jerry was the last remaining; the others had been sent to England and northern Africa. The old man worried that Jerry, too, would be drafted. Then he'd have no one left to drive the hearse.

"There it is," the boy said, pointing. "That's my house."

Jerry slowed. The house was mean and narrow like the others, but a front porch had been added, painted green and white. One window, draped with lace curtains, held a porcelain statue of the Madonna. In the other window hung a single blue star.

"Who's the soldier?" said Jerry.

"My brother Georgie," said Sandy, then added what his father always said. "He's in the South Pacific."

They climbed the porch stairs, stamping snow from their shoes. A woman opened the door. Her dark hair was loose, her mouth full. A baby slept against her shoulder. She was beautiful, but not young—at least forty, if Bernardi had to guess. He was like a timberman who could guess the age of a tree before counting the rings inside. He had rarely been wrong.

She let them inside. Her eyelids were puffy, her eyes rimmed with red. She inhaled sharply, a moist, slurry sound.

Bernardi offered his hand. He'd expected the usual Slavish type: pale and round-faced, a long braid wrapped around her head so that she resembled a fancy pastry. This one was dark-eyed, olive-skinned. He glanced down at her bare feet. Italian, he realized with a shock. His mother and sisters had never worn shoes in the house.

"My dear lady," he said. "My condolences for your loss."

"Come in." She had an ample figure, heavy in the bosom and hip. The type Bernardi—an old bachelor, a window-shopper who'd looked but had never bought—had always liked.

She led them through a tidy parlor—polished pine floor, a braided rug at the center. A delicious aroma came from the kitchen. Not the usual Slavish smell, the sour stink of cooked cabbage.

"This way," said the widow. "He's in the cellar."

They descended a narrow staircase—the widow first, then Jerry and Bernardi. The dank basement smelled of soap, onions and coal. The widow switched on the light, a single bare bulb in the ceiling. A man lay on the cement floor—fair-haired, with a handlebar mustache. A silver medal on a chain around his neck: Saint Anne, protectress of miners. His hair was wet, his eyes already closed.

"He just come home from the mines," said the widow, her voice breaking. "He was washing up. I wonder how come he take so long."

Bernardi knelt on the cold floor. The man was tall and broad-shouldered. His shirt was damp; the color had already left his face. Bernardi touched his throat, feeling for a pulse.

"It's no point," said the woman. "The priest already come."

Bernardi grasped the man's legs, leaving Jerry the heavier top half. Together they hefted the body up the stairs. Bernardi was sixty-four that spring, but his work had kept him strong. He guessed the man weighed two hundred pounds, heavy even for a Slavish.

They carried the body out the front door and laid it in the rear of the car. The boy watched from the porch. A moment later the widow appeared, still holding the baby. She had put on shoes. She handed Bernardi a dark suit on a hanger.

"He wore it when we got married," she said. "I hope it still fits."

Bernardi took the suit. "We'll bring him back tonight. How about you get a couple neighbors to help us? He'll be heavier with the casket."

The widow nodded. In her arms the baby stirred. Bernardi smiled stiffly. He found infants tedious; he preferred them silent and unconscious, like this one. "A little angel," he said. "What's her name?"

"Lucy." The widow stared over his shoulder at the car. "*Dio mio.* I can't believe it."

"Iddio la benedica."

They stood there a moment, their heads bowed. Gently Bernardi patted her shoulder. He was an old man; by his own count he'd buried more than a thousand bodies; he had glimpsed the darkest truths, the final secrets. Still, life held surprises. Here was a thing he had never witnessed, an Italian wife on Polish Hill.

THAT MORNING, the feast of Saint Anthony, Rose Novak had gone to church. For years the daily mass had been poorly attended, but now the churches were crowded with women. The choir, heavy on sopranos, had doubled in size. Wives stood in line to light a candle; mothers knelt at the communion rail in silent prayer. Since her son Georgie was drafted Rose had scarcely missed a mass. Each morning her eldest daughter, Dorothy, cooked the family breakfast, minded the baby, and woke Sandy and Joyce for school.

Rose glanced at her watch; again the old priest had overslept. She reached into her pocket for her rosary. *Good morning, Georgie,* she thought, crossing herself. *Buongiorno, bello.* In the past year, the form of her prayers had changed: instead of asking God for His protection, she now prayed directly to her son. This did not strike her as blasphemous. If God could hear her prayers, it was just as easy to imagine that Georgie heard them, too. He seemed as far away as God; her husband had shown her the islands on the globe. She imagined Georgie's submarine smaller than a pinprick, an aquatic worm in the fathomless blue.

Stanley had wanted him to enlist. "We owe it to America," he said, as if throwing Georgie's life away would make them all more American. Stanley had fought in the last war and returned with all his limbs. He'd forgotten the others—his cousins, Rose's older brother—who hadn't been so lucky.

Rose had resisted—quietly at first, then loudly, without restraint. Georgie was a serious young man, a musician. He'd taught himself the clarinet and saxophone; since the age of five he'd played the violin. Besides that, he was delicate: as a child he'd had pneumonia, and later diphtheria. Both times he had nearly died. If America wanted his precious life, then America would have to call him. Rose would not let Stanley hand him over on a plate.

For a time she had her way. Georgie graduated high school and went to work at Baker One. He blew his saxophone in a dance band that played the VFW dances Friday nights. When the draft notice came, Stanley had seemed almost glad. Rose called him a brute, a braggart—willing to risk Georgie's life so he'd have something to boast about in the beer gardens. At the time she believed it. The next morning she found him gathering eggs in the henhouse, weeping like a baby.

He was strict with the children, with Georgie especially. Only English was to be spoken at home; when Rose lapsed into Italian with her mother or sisters, Stanley glared at her with silent scorn. Yet late at night, once the children were in bed, he tuned the radio to a Polish station from Pittsburgh and listened until it was time for work.

She left the warmth of the church and walked home through a stiff wind, wisps of snow swirling around her ankles, hovering above the sidewalk like steam or spirits. The sky had begun to lighten; the frozen ground was still bare. Good for the miners, loading the night's coal onto railroad cars; good for the children, who walked two miles each way to school.

At Polish Hill the sidewalk ended. She continued along the rocky path, hugging her coat around her, a fierce wind at her back. Ahead, a group of miners trudged up the hill with their empty dinner buckets, cupping cigarettes in their grimy hands. They joked loudly in Polish and English: deep voices, phlegmy laughter. Like Stanley they'd worked Hoot Owl, midnight to eight; since the war had started the mines never stopped. Rose picked out her neighbor Andy Yurkovich, the bad-tempered father of two-year-old twins. He had a young Hungarian wife; by noon her nerves would be shattered, trying to keep the babies quiet so Andy could sleep.

Rose climbed the stairs to the porch. The house was warm inside; someone had stoked the furnace. She left her shoes at the door. Dorothy sat at the kitchen table chewing her fingernails. The baby sat calmly in her lap, mouthing a saltine cracker.

"Sorry I'm late. That Polish priest, he need an alarm clock." Rose reached for the baby. "Did she behave herself?" she asked in Italian.

"She was an angel," Dorothy answered in English. "Daddy's home," she added in a whisper. She reached for her boots and glanced at the mirror that hung beside the door. Her hair looked flattened on one side. An odd rash had appeared on her cheek. She would be nineteen that spring.

"Put on some lipstick," Rose suggested.

"No time," Dorothy called over her shoulder.

In the distance the factory whistle blew. Through the kitchen window Rose watched Dorothy hurry down the hill, the hem of her dress peeking beneath her coat. People said they looked alike, and their features—the dark eyes, the full mouth—were indeed similar. In her high school graduation photo, taken the previous spring, Dorothy was as stunning as any movie actress. In actual life she was less attractive. Tall and round-shouldered, with no bosom to speak of; no matter how Rose hemmed them, Dorothy's skirts dipped an inch lower on the left side. Help existed: corsets, cosmetics, the innocent adornments most girls discovered at puberty and used faithfully until death. Dorothy either didn't know about them or didn't care. She still hadn't mastered the art of setting her hair, a skill other girls seemed to possess intuitively.

She sewed sleeves at the Bakerton Dress Company, a low brick building at the other end of town. Each morning Rose watched the neighborhood women tramp there like a civilian army. A few even wore trousers, their hair tied back with kerchiefs. What precisely they did inside the factory, Rose understood only vaguely. The noise was deafening, Dorothy said; the floor manager made her nervous, watching her every minute. After seven months she still hadn't made production. Rose worried, said nothing. For an unmarried woman, the factory was the only employer in town. If Dorothy were fired she'd be forced to leave, take the train to New York City and find work as a housemaid or cook. Several girls from the neighborhood had done this—quit school at fourteen to become live-in maids for wealthy Jews. The Jews owned stores and drove cars; they needed Polish-speaking maids to wash their many sets of dishes. A few Bakerton girls had even settled there, found city husbands; but for Dorothy this seemed unlikely. Her Polish was sketchy, thanks to Stanley's rules. And she was terrified of men. At church, in the street, she would not meet their eyes.

Rose laid the baby down. Every morning she carried the heavy cradle downstairs to the kitchen, the warmest room in the house. From upstairs came the sounds of an argument, the younger children getting ready for school.

She went into the parlor and stood at the foot of the stairs. "Joyce!" she called. "Sandy!"

Her younger daughter appeared on the stairs, dressed in a skirt and blouse.

"Where's your brother?"

"He isn't ready." Joyce ran a hand through her fine hair, blond like her father's; she'd inherited the color but not the abundance. "I woke him once but he went back to sleep."

"Sandy!" Rose called.

He came rumbling down the stairs: shirt unbuttoned, socks in hand, hair sticking in all directions.

"See?" Joyce demanded. She was six years older, a sophomore in high school. "I have a test first period. I can't wait around all day."

Sandy sat heavily on the steps and turned his attention to his socks. "I'm not a baby," he grumbled. "I can walk to school by myself." He was a good-humored child, not prone to sulking, but he would not take criticism from Joyce. His whole life she had mothered him, praised him, flirted with him. Her scorn was intolerable.

Joyce swiped at his hair, a stubborn cowlick that refused to lie flat. "Well, you're not going anywhere looking like that."

He shrugged her hand away.

"Suit yourself," she said, reddening. "Go to school looking like a bum. Makes no difference to me."

"You go ahead," Rose told Joyce. "I take him." He couldn't be trusted to walk alone. The last time she'd let him he'd arrived an hour late, having stopped to play with a stray dog.

He followed her into the kitchen. Of all her children he was the most beautiful, with the same pale blue eyes as his father. He had come into the world with a full head of hair, a silvery halo of blond. They'd named him Alexander, for his grandfather; it was Joyce who shortened the name to

Sandy. As a toddler, she'd been desperately attached to a doll she'd named after herself; after her brother was born she transferred her affections to Sandy. "My baby!" she'd cry, outraged, when Rose bathed or nursed him. In her mind, Sandy was hers entirely.

Rose scooped the last of the oatmeal into a bowl and poured the boy a cup of coffee. Each morning she made a huge potful, mixed in sugar and cream so that the whole family drank it the same way. In the distance the fire whistle blew, a low whine that rose in pitch, then welled up out of the valley like a mechanical scream.

"What is it?" Sandy asked. "What happened?"

"I don't know." Rose stared out the window at the number three tipple rising in the distance. She scanned the horizon for smoke. The whistle could mean any number of disasters: a cave-in, an underground fire. At least once a year a miner was killed in an explosion or injured in a rockfall. Just that summer, a neighbor had lost a leg when an underground roof collapsed. She crossed herself, grateful for the noise in the basement, her husband safe at home. This time at least, he had escaped.

She filled a heavy iron pot with water and placed it on the stove. A basket of laundry sat in the corner, but the dirty linens would have to wait; she always washed Stanley's miners first. Over the years she'd developed a system. First she took the coveralls outdoors and shook out the loose dirt; then she rinsed them in cold water in the basement sink. When the water ran clean, she scrubbed the coveralls on a washboard with Octagon soap, working in the lather with a stiff brush. Then she carried the clothes upstairs and boiled them on the stove. The process took half an hour, including soak time, and she hadn't yet started. She was keeping the stove free for Stanley's breakfast.

"Finish your cereal," she told Sandy. "I go see about your father."

She found him lying on the floor, his face half shaven. The cuffs of his trousers were wet. This confused her a moment; then she saw that the sink had overflowed. He had dropped the soap and razor. The drain was blocked with a sliver of soap.

SHE WATCHED THE HEARSE disappear down the hill. A neighbor's beagle barked. For three days each November it was taken buck hunting. The rest of the year it spent chained in the backyard, waiting.

She had prepared for the wrong death. A month ago, before Christmas, a car had parked in front of the Poblockis' house to deliver a telegram. Their oldest son was missing, his body—tall, gangly, an overgrown boy's—lost forever in the waters of the Pacific. Since then Rose had waited, listened for the dreadful sound of a car climbing Polish Hill. Now, finally, the car had come.

In her arms the baby shifted. From the kitchen came a shattering noise.

"Sandy?" she called.

He appeared in the doorway, hands in his pockets.

"What happened?"

He seemed to reflect a moment. "I dropped a glass."

The baby squirmed. Rose shifted her to the other shoulder.

"Where are they taking Daddy?"

"Uptown. They going to get him ready." She hesitated, unsure how to explain what she didn't understand herself and could hardly bear to think of: Stanley's body stripped and scrubbed, injected with alcohol—with God only knew what—to keep him intact another day or two.

"They clean him up," she said. "Change his clothes. Mr. Bernardi bring him back tonight."

The boy stared. "Why?" he asked softly.

"People, they want to see him." She'd been to other wakes on Polish Hill, miserable affairs where the men drank for hours alongside the body, telling stories, keeping the widow awake all night. In the morning the house reeked of tobacco smoke. The men looked unshaven and unsteady, still half drunk as they carried the casket into church.

Sandy frowned. "What people?"

"The neighbors. People from the church."

The baby hiccuped. A moment later she let out a scream.

"I go change your sister," said Rose. "Don't touch that glass. I be back in a minute."

Sandy went into the kitchen and stood looking at the jagged glass on the floor. He'd been filling it at the sink when it nearly slipped from his wet hand. A thought had occurred to him. *If I broke it, it wouldn't matter.* He turned and threw the glass at the table leg. It smashed loudly on the floor. He had knelt to examine it. It was dull green, one he'd drunk from his whole life. Now, laying in pieces, it had become beautiful, the color deeper along the jagged edges, brilliant and jewellike. When he reached to touch it, blood had appeared along his finger. Then his mother had called, and he'd jammed his hands in his pockets.

Now he looked down at his trousers. A dark spot in his lap, blood from his finger. He looked at the clock. School had already started; he'd heard the bell ringing as he ran across town for the priest. *Tell him to come right away,* his mother had said, tears streaming down her face. He'd seen her cry just once before, when Georgie left for the war. *Tell him your father is dead.*

Sandy straightened. The spot on his trousers was brown, not red as he would have thought. His mother would know he'd touched the glass.

He took his coat from its peg near the door. Joyce would know how to get rid of the spot. He ran out the back door, across the new snow, down the hill to the school.

THEY'D MET STANDING in line at the company store on a summer day. Friday afternoon, miners' payday: men spending their scrip on tobacco and rolling papers, wives buying sugar and coffee and cheap cuts of meat. Behind the counter, McNeely and his wife filled the orders, writing down each purchase in a black book. Rose's mother had sent her with a block of fresh butter wrapped in brown paper. Rose churned it herself, to trade each week for cornmeal or sausages or flour for pasta. When her turn came, Mrs. McNeely would weigh the block on a scale. *Scarponi, butter, four lbs,* she'd write in her book.

Rose held the butter in her apron. Already it had begun to soften in the heat. Behind her two miners waited in line, speaking what sounded like perfect English. The taller man spoke quietly, low and resonant. The oak counter beneath her elbow vibrated with his voice. She sensed the closeness of him, his length and breadth; but it was his voice that thrilled her. Even before she turned to look at him, she had fallen in love with his voice.

He'd been a soldier, like all of them. From his size and his blondness she guessed that he was Polish. This explained why she hadn't seen him before. The Poles had their own church, their parochial school. They were hard workers, serious and quiet. Nothing like the Italian boys, handsome and unreliable; *disgraziati* who loitered in the town square, sharply dressed, smoking cigarettes and watching the people go by. The Italian boys called after her—after all the girls, she'd noticed: even the plain ones, the heavy, the slow. Rose did not respond. In these boys she saw her uncles, her brothers, her own father, who tended bar at Rizzo's Tavern and drank most of what he earned. He'd kept his hair and his waistline and his eye for women, while her mother grew hunched and fat, shriller and angrier with each passing year.

Rose looked for the Polish man everywhere: in the street, the stores, the windows of the beer gardens she passed on her way home from work. She lingered at the park where the local team played. Her uncles were crazy for baseball, and that year the Baker Bombers led the coal-company league. On Wednesdays, Saturdays and Sundays, the ballpark was filled with men.

When she had nearly given up hope, he appeared in the unlikeliest place: the seamstress's shop where she worked. He was getting married in the fall, he explained. He would need a new suit.

Rose measured his chest, his arms and neck. He did not speak to her, only smiled, bending his knees helpfully so that she could reach his shoulders. Kneeling before him, she took his inseam, then recorded the numbers on a sheet of paper: chest forty-four inches, waist thirty-three. For three weeks she worked on the suit, cutting the fabric, piecing together the jacket and vest. All the while she imagined his wedding, the lovely blond-haired bride—all the Polish girls were blond. Tenderly she assembled the dark wool trousers, the silky inner fabric that would lie against his skin.

The leaves changed color. The suit waited on its hanger. Still the Polish man did not appear. In November, after the American holiday, the seamstress wrote him an angry letter. Finally, on a snowy afternoon just before Christmas, he came.

"Forgive me," he said, handing the seamstress a check. "I forgot the suit. My plans have changed." His cheeks were red—from cold or embarrassment, Rose couldn't tell.

Her fingers shook as she handed him the hanger. He covered her hand with his. That Friday he took her to a Christmas dance at the town hall, and a month later he wore the suit to their wedding. The reception, a raucous affair at his uncle's house, lasted three days and two nights. For reasons Rose didn't understand, a pig's trough had been brought into the house, and Stanley's older brother had danced a jig in it. Her wedding night was spent in the uncle's attic. By the end of the festivities she was already pregnant.

She gave birth in the house on Polish Hill, helped by a neighbor woman trained in the old country as a midwife. Stanley considered his own name too Polish, so they called the baby George: the name of the first president, the most American name they knew. Like all company houses, theirs had three upstairs rooms; from the very beginning, the baby had one to himself. To Rose, raised in a cramped apartment above Rizzo's Tavern, the place seemed cavernous. Her mother had shared an icebox and a clothesline with two other families. The narrow yard had been worn bare by her own chickens and children, and those of the Rizzos and DiNatales.

Dorothy was born a year later, shocking the neighborhood. Nobody had guessed Rose was pregnant; she had gained only a few pounds. For months she'd felt consumed from within and without: the girl baby growing inside her, the boy baby hungry at her breast. Later a neighbor took her aside and explained what all the Polish women knew: secret ways of delaying pregnancy; times in the month to push a man away; special teas that brought on bleeding if a woman was late. The Polish children were nursed for years; in some mysterious way, this delayed the return of a woman's monthly bleeding. Without such precautions, Rose was told, she'd give birth once a year, until she turned forty or dropped dead from exhaustion. Some women took these methods to extremes. May Poblocki nursed her sons until they started school, for reasons obvious to all: she was a handsome woman, and her husband drank. The women joked that May's son Teddy, stationed overseas in England, came home on furlough just to nurse.

Rose followed the advice strictly, and her babies came at longer intervals. Three years after Dorothy, she miscarried; the baby dissolved quietly, a soft mass of tissue and blood. Two years later, Joyce was born. Sandy was to be her last child; nursing him, she waited for forty, the age of freedom. Each new baby required time she couldn't spare, space and money they didn't have. The mines were slow then; at times Stanley worked only three days a week. In summer the children went barefoot. In winter they lived on dumplings made from stale bread, peppers and tomatoes she'd canned in September. The girls wore petticoats she sewed from flour sacks. Each day after school, Stanley took the older children to pick coal at the tipple; when the shuttle cars were unloaded, there was always some scrap coal that fell by. At suppertime they came back with a wagonload, enough to heat the house for a day.

By her fortieth birthday she had four children—a small family, by the standards of Polish Hill. She and Stanley celebrated her freedom. By then he was working Hoot Owl; each morning he washed up in the basement while she sent the children off to school. Afterward, the house empty and quiet, they climbed the stairs to their bedroom.

She'd been surprised when her cycles stopped. "It's the change," said May Poblocki, who'd gone through it herself. The heaviness in her breasts, the strange dreams, the waves of sadness and joy—according to May it was all part of the change. Then, one afternoon as she staked tomatoes in the garden, Rose felt a stirring inside her and knew she was pregnant again.

The baby was born in November, a month after her forty-third birthday. The labor lasted an entire day. Rose scarcely remembered it; later the midwife told her she'd nearly died. Finally Stanley had called the company doctor, who cut her and took the baby with forceps. By then Rose was barely conscious. She remembered light in the distance, the angels coming to get her. When she awoke, the midwife brought her Lucy.

MISS VIOLA PEALE ate lunch at her desk. She disliked the noise of the faculty lounge, its lingering odor of coffee and tobacco smoke. A few of the younger teachers ate in the student lunchroom, a fact Miss Peale found astonishing. Each day she brought the same lunch to school: celery sticks, a tuna sandwich and a boiled egg, prepared each morning by her sister Clara. The prospect of revealing to a pupil the contents of her lunch bag—the distinctive odors of fish and egg—was, to her, unthinkable. It struck her as exposing too much of herself, like coming to school in her slip.

Until that fall she hadn't so much as sipped a glass of water in the presence of a pupil. Then Joyce Novak asked permission to stay in the classroom during lunch period. She had a chemistry test that afternoon, she said, and she needed a place to study. The boys in the lunchroom made too much noise.

The request took Viola by surprise. Chemistry was a subject few girls studied, one she herself had avoided at the state teachers' college.

"Please?" said Joyce. She was a fair-haired girl with narrow shoulders and a sharp, birdlike face. The other sophomore girls wore lipstick and tight sweaters—in Viola's opinion, outfits entirely too sophisticated for girls of fifteen. Next to them Joyce Novak was slender as a child; yet her intelligent gray eyes were oddly adult.

"But what will you eat?" Viola asked.

"I'm not hungry. I'm too nervous to eat."

"All right," said Viola. "Just this once."

Joyce returned to her desk and opened her textbook. Viola reached into her lunch bag and nibbled timidly at her celery. Finally she'd unwrapped her sandwich. The fishy odor seemed especially strong. She wondered if Joyce noticed.

She ate in silence until the final bell. When it rang, Joyce closed her book. "Thank you, ma'am," she said politely.

"You're quite welcome." Viola had stopped short of peeling her egg, but she had eaten the sandwich and disposed of its wrapping in the dustbin. As far as she could tell, the child hadn't once looked up from her textbook.

"Joyce," she said as the girl rose to leave. "I know chemistry is a difficult subject. You're welcome to spend the lunch period here whenever you need to study."

Joyce, it turned out, was always studying—chemistry, history, plane geometry. Soon she spent nearly every noon hour in Viola's classroom. To Viola's relief, she never asked for help with her lessons. Viola could play the piano; she read and wrote French and commanded a vast mental catalog of memorized poems, but math and science were impenetrable to her. At normal school she'd graduated near the top of her class, but she'd never possessed the acumen she saw in Joyce Novak. She wondered where it came from; in nineteen years of teaching coal miners' children she had never encountered such an intellect. Often, watching her pupils struggle with Latin declensions or subjunctive tenses, she sensed the worthlessness of what she offered them, the cruelty of teaching geography to children who would never leave Saxon County. And what use was Latin grammar a hundred feet underground?

Joyce Novak was that rare pupil who stood to make use of what she'd been taught, who might do something more with her life than marry a coal miner and raise his children. Viola had witnessed it a hundred times: promising young girls (without Joyce's ability, but promising still) who married the week after graduation and were never heard from again. Their hard lives—the brutish husband, the endless succession of babies—seemed to swallow them completely; and those, everyone knew, were the success stories. No one spoke of the girls who stood at the altar six months pregnant, or the young mining widows left with more children than any sane woman could have wanted in the first place. Once, in the corridor between classes, Viola had glimpsed Joyce in conversation with a boy. *Be careful,* she wanted to say. Someone, she felt, ought to offer the girl some guidance. But guide her toward what, exactly, Viola couldn't imagine.

Her own path in life had been set from the beginning. Her father, a cousin of Chester and Elias Baker, had worked as their bookkeeper. When the mine prospered, the Peales had prospered, too. Viola's older sister was simpleminded and hadn't finished school, so Viola received an education for both of them. At twenty she graduated from normal school, returned to Bakerton and was hired as a primary teacher in a one-room schoolhouse in a rural township. She rose each morning at dawn and walked the five miles to school, where she fired the furnace and, in winter, shoveled a path from the unpaved road to the door. She taught all eight grades in a single room, to children whose first language was often Hungarian or Polish or Italian. Later she'd transferred to the high school, hoping to teach the literature and art history she'd learned at normal school. She'd been astonished to find that half the pupils quit before junior year, when elective courses could be taken; that those who remained chose home economics and metal shop rather than French. Each day Viola taught one section of Latin and five classes of English grammar. She delivered the grammar lessons with an urgent sense of mission, like Florence Nightingale dressing a wound. The children's English was deplorable. Nothing could be done about their diction—*dolwers* for *dollars, far hole* for *fire hall.* A victory was breaking them of *ain't* and the ghastly *yunz,* the Appalachian equivalent of the Southern *you all.* Their reading skills were poor; they could barely sound out the words on the chalkboard. Pupils who might someday, at most, read the Sunday paper or the United Mineworkers' monthly newsletter.

Then came Joyce Novak.

Viola made inquiries. According to Edna O'Shane, who taught art and music, Joyce could neither draw nor sing; but otherwise she was gifted in all subjects. She had a brother in the service and an older sister Viola vaguely remembered, a shy, dark-haired girl who'd watched her with terrified eyes and wouldn't speak in class. That the older Novaks had shown no special promise confounded her; she'd long observed that intelligence ran in families. (Her own excepted: her sister's slowness had a medical cause, a high fever she'd suffered as a child.) But like all the others, Joyce Novak was a coal miner's child. Her aptitude could not be accounted for.

THAT AFTERNOON they sat in their usual spots—Viola at her desk, Joyce at her smaller one in the front row—eating slices of a lemon cake Viola's sister had baked. Viola had forgotten to pack forks. Giggling a little, she and Joyce ate the cake with their fingers.

"It was a cinch," said Joyce, when Viola asked about her geometry test. She sat erect in her chair, a white handkerchief spread across her lap; someone had taught her excellent table manners. "The first proof I wasn't sure about, but I got the others right."

They ate in companionable silence. Through the closed door Viola heard the hum of voices from the lunchroom down the hall. Most pupils went home at noontime. The few who remained were farm children who lived miles away.

"We had a letter from Georgie," said Joyce. "He's coming home on furlough." She spoke often of her older brother; indeed, he was the only family member she mentioned. The war seemed to fascinate her. She was better informed about the latest battles and casualties than Viola was.

"How wonderful," said Viola. "Your parents must be pleased."

Joyce didn't respond. She never spoke of her mother or father; when Viola asked after them, she answered in monosyllables. Still, Viola tried.

"Your mother must be busy with the new baby," she said.

"I guess so."

Viola waited for more. She wouldn't have known about the baby at all if, a few months back, Joyce hadn't missed several days of school. When Viola asked if she'd been ill, Joyce said she needed to be on hand in case the baby came. "But this could go on for weeks," said Viola. Her cheeks burned; she felt slightly ridiculous. *As if I know anything about childbirth.*

"Can't your mother simply phone the school when the time comes?" she asked. Joyce had blushed a deep red, and only then did Viola understand that the Novaks didn't have a telephone.

"His ship stopped in the Philippines," said Joyce. "The people there eat raw fish and seaweed. It's a very healthy diet. Some of them live to be a hundred. That's what Georgie says." She finished the last bite of cake. "That was delicious, Miss Peale. Thank you very much."

"You're quite welcome." Viola crumpled up the waxed-paper wrapping and tossed it in the dustbin. At that moment there was a knock at the door. *My word,* she thought, her heart racing. She felt instantly foolish. There was no rule against eating lunch with pupils.

She opened the door. A towheaded boy stood in the hallway—hatless, in a shabby winter coat. His hands were crammed in his pockets.

"Can I help you, young man?" she asked.

"Sandy! What are you doing here?" Joyce rushed to the door. "This is my brother, Miss Peale. He's supposed to be in school."

Viola studied the child with interest. Curly blond hair, eyes unnaturally blue. His delicate mouth looked painted on, like a doll's. She glanced at Joyce: the wan complexion, the sharp plain face. It wasn't fair, the family beauty wasted on a boy.

Sandy took his hand from his pocket. "I cut myself," he said, showing it to Joyce. "I broke a glass."

Joyce examined the cut. "It's not so bad. You came all the way over here because of that?"

"I didn't go to school," he said, eyeing Viola. "I had to go find the priest."

"What for?" said Joyce.

"Come on," said the boy, his eyes filling. "We have to go home."

THEY DROVE ACROSS TOWN in Viola's car, an ancient Ford her father had left her. Joyce had protested when Viola offered to drive them.

"It's a long way," she said. "I couldn't possibly accept."

"Nonsense," said Viola. "Of course I'll drive you."

They rode in silence, their breath fogging the windows. The boy rode in the rear seat. Joyce sat next to Viola, staring out the window. Her face was perfectly blank.

As it turned out, the Novaks lived just across town, in a company house in the Polish section. "You can leave us at the bottom of the hill," said Joyce, but Viola wouldn't hear of it. When she parked in front of the house, Joyce opened the door almost before she could engage the brake.

"Wait," said Viola. "I'll come in with you."

"Oh, no. That's all right." Joyce stepped out of the car, red-faced. She glanced quickly at the house. *Why, she's ashamed,* Viola thought.

"Thank you for driving us. It was very kind of you."

"You're quite welcome." Viola hesitated. "Joyce, I'm so very sorry about your father."

"Thank you, Miss Peale." Joyce took her brother's hand and climbed the steps to the porch.

ALL DAY LONG the food came. The neighbors sent chicken and dumplings, kielbasa and sauerkraut, almond cookies, loaves of bread. May Poblocki brought stuffed cabbage. Helen Wojick sent three kinds of pirogi: potato, cabbage and prune. Years before, when Rose's mother died, the donated food had surprised her. Downtown, in the Italian neighborhood, the bereaved were given nickels and dimes to buy masses for the soul of the deceased, votive candles to burn in church.

They ate the pirogi for supper; the other dishes Rose packed into the icebox. Stanley had bought it secondhand from a butcher in town. He'd paid in installments, a dollar from each paycheck; whether he'd yet paid it off, Rose wasn't sure. Every week he gave her money for groceries; the other bills he paid by check, from a ledger he kept in his bureau. Rose had never written a check, herself. It was yet another thing she'd have to learn.

In the evening the men came, carrying bottles: beer and whiskey, elderberry wine. Some had worked the day shift; they came shaved and showered, in Sunday vests and dark trousers. The Hoot Owl crew brought their dinner buckets; from Rose's house they would go straight to work. They sat in the parlor with the casket, drinking and speaking in low tones. Rose kept busy in the kitchen. Through the wall she heard their deep voices, hushed and somber, speaking a language she didn't understand.

"Here," she said, handing Dorothy a plate of sandwiches. "Take these to the parlor. They shouldn't drink on a empty stomach."

Dorothy took the plate, wiping her eyes with her sleeve. She'd come home from the factory at noon; since then she'd wept more or less constantly. Her eyelids looked raw and swollen, her nose shiny and red.

"What about you, Mama? You didn't touch your supper."

"Maybe later." Rose sipped a cup of tea, the only thing she'd managed to keep down all day. She detested tea but kept it on hand for such occasions, as her mother had. Coffee was for normal times, happy times. Tea was for miscarriages, mine accidents, measles, the grippe, a husband's philandering, the death of a family pet. In the Scarponi household, miseries of all kinds had been swallowed with tea.

At the table Sandy looked up from his history book. "Can we eat the cake?" It had arrived in the afternoon, a fancy hazelnut torte that Andy Yurkovich's Magyar wife had baked for her twins' birthday. When she saw the hearse parked out front, she'd sent it over to Rose.

"Later, *bello*. When you finish your schoolwork."

Sandy opened his mouth to protest, but said nothing. He had no homework to do, having missed the entire day of school. His father, he knew, would have found this excuse unacceptable. He'd made Sandy study every night after supper, spelling and history, whether he had homework or not.

He sat staring at his textbook, the letters blurring on the page. He closed his eyes and remembered the feeling of riding in the undertaker's car: the rumble of the engine, houses and storefronts flying past at a speed that seemed magical. The teacher's car had been slower, and he had told her so. He was proud of knowing this—just yesterday he wouldn't have known the difference—but Joyce had given him a dirty look. "You were terribly rude," she told him later. "After Miss Peale was nice enough to drive us." Alone, he'd taken his sled into the woods behind the reservoir, something his father would never have allowed. His mother hadn't even noticed. Except for the homework she seemed to have forgotten him entirely.

"Do I have to go to school tomorrow?" he asked.

"Not tomorrow," said Dorothy.

"The next day?"

"The next day is the funeral." She swiped at the table with a dishrag. "Why don't you go upstairs and study? We need the table. Mama wants to set out some food."

Sandy closed his book and climbed the stairs to his room. Outside the snow was falling. His sled waited in the backyard. He would have the hill to himself while the other boys were in school. In a day the world had become larger. Twice he had ridden in a car. Now, if he was quiet—if he was careful—he might never have to go to school again.

IN THE PARLOR the men drank. They lowered their voices when Joyce came into the room. Mr. Wojick switched in midsentence from English to Polish. She avoided looking at the casket. Instead she cleared the empty bottles from beside the chairs. In the morning she would carry them to the Italian market, where the storekeeper paid a dime a dozen. She used the coins to buy Defense Stamps, which cost a quarter apiece. It took her months to collect enough stamps to buy a War Bond, an exercise in patience.

She rarely had money of her own. At the end of each term, her friend Irene Jevic got a quarter for her report card. Joyce's parents gave her nothing, even though she earned all A's and Irene never got higher than a B. Once, timidly, Joyce had suggested to her father that her report card was worth a quarter. For a moment he'd considered this.

"No money," he said, kissing her forehead. "I give you credit."

Completely by accident, he had taught her to read. She was tiny then; every night after supper he'd sat between her and Dorothy, the newspaper spread out on the table. He had pointed at the headlines, waiting for Dorothy to sound out the words. His fingernails were black with mine dirt. He was gentle at first, but Dorothy read so slowly that he lost patience. Meanwhile Joyce—so tiny he barely noticed her—learned to read almost without effort.

Only once had she made him angry. That fall she'd decided it was time the family got a telephone; knowing he'd object, she'd gone to the Bell Telephone office herself and ordered the service. When a letter came in the mail asking for a deposit, her father was furious.

"How dare you?" he roared. He had a powerful voice, like a bear's cry. "You humiliated me in front of those English people." She had always been his favorite child; he never scolded her as he did Georgie and Dorothy. Even when he was angry, she knew how to make him laugh.

But not that day. "Daddy," she said. She could barely speak; she willed herself not to cry. "We need a telephone. Times are changing."

"This is my house," he thundered. "The times change when I say."

For days he'd ignored her, refused even to look at her across the dinner table. "Daddy hates me," she told her mother one night after supper. "He'll never speak to me again." Sure of this, she'd left her report card on top of the radio, where he was sure to see it. In the evening he passed it around the table to Len Stusick and Ted Poblocki, who sat with him in the kitchen on Saturday nights, smoking cigars and listening to the radio. Joyce had laughed the next morning when her mother told her this. She appeared on the steps dressed for church and kissed her father's cheek.

"Good morning, Daddy," she said sweetly, as though nothing at all had happened.

Now she approached the casket. His face had changed, softened in a way that made him less handsome. *Oh Daddy,* she thought. *Where did you go?* It seemed impossible that he couldn't hear her. That he was simply gone.

His hands lay folded across his chest, holding a string of rosary beads. His skin looked smooth and waxy, but his fingernails were still black. Every morning after work, and every night before supper, he had scrubbed his hands with a stiff brush; but it never made any difference. His hands would never be clean.

THE CLOCK STRUCK MIDNIGHT, then twelve-thirty, then one. Rose lay curled on Stanley's side of the bed. She had done this for years when he worked Hoot Owl, as if keeping it warm for his return.

She lay awake, listening. Outside a dog barked. The baby breathed loudly in the cradle. Rose's stomach twisted inside her, and she remembered she had not eaten.

She crept downstairs in her bare feet, an old coat thrown over her nightgown. She needn't have bothered. The men in the parlor were passed out cold.

She turned on a kitchen light. Joyce or Dorothy had returned the casseroles to the icebox. Rose considered heating some dumplings or sauerkraut, a plate of gray, heavy Polish food. Then she noticed the glass dome sitting on the counter: Madge Yurkovich's hazelnut torte. She removed the cover. The cake was dusted with powdered sugar, the effect somehow formal, like a bride on her wedding day. She cut herself a slice and sat at the table.

She had never enjoyed sweets. It was Stanley who'd craved desserts, who was always after her to bake a pie or lemon custard. To please him she'd learned to make prune kolacky and apricot horns; his Polish aunts had taught her to pinch the dough and fill the horns with jam. He'd loved her pizzelle cookies, flavored with anisette; he bragged that her cinnamon rolls were the best in the neighborhood. Whether it was true, Rose couldn't say. She rarely tasted her creations. She baked only to please him, to fill his house with sweetness.

She took a bite of the torte. The powdered sugar hit her palate first. Beneath it was a subtler sweetness, not sugar but cream. She counted six, seven thin layers of cake, one soaked in a dark liquor. She ate quickly, licking her fingers; then stared at her empty plate. The cake was gone before she'd really tasted it. Before she'd identified its components, understood each sweet miracle inside.

She went to the counter and cut a second slice. The complexity amazed her. Between the cake layers, more sweetness: crushed hazelnuts, grainy dates, a smear of honeyed cheese. She cut a third slice, and then a fourth. Finally she brought the entire cake to the table.

She'd been hungry before—as a girl of eleven, on the sixteen-day boat ride from Palermo to New York; in the first weeks of pregnancy, when her stomach kept emptying itself no matter what she ate. Yet she had never felt such appetite.

She would remember the feeling for the rest of her life, the intense sweetness of the hazelnut torte, the tears running down her cheeks, her wild hunger and shame and grief. Later she would wonder what had possessed her. It seemed to her that Stanley was responsible, her husband who lay dead in the next room entering her one last time, to enjoy this glorious cake through her. She felt his presence inside her, his need for sweetness, the appetite she had never felt before.

She ate until the cake was gone.

From that night onward Rose craved sweets. She baked cakes and pies and ate them daily, grateful for what seemed to be a whole new sense, as essential and pleasurable as hearing or sight. She considered her new hunger for sweetness a supernatural gift, a final pleasure left to her by her husband.

TWO

Years later, when her time in Washington had receded from memory, when her youth was like a faraway place she'd visited but could scarcely recall, Dorothy Novak would remember the Chinese woman.

She remembered a gray Saturday in early March: a wet breeze blowing in from the Potomac, cars crashing through puddles on Nineteenth Street, spraying water onto the sidewalk. Dorothy was heading downtown under her old black umbrella; in her pocket was a dollar she would not spend. It cost nothing to wander the department stores: Hecht's, Garfinkle's, Woodward and Lothrop, the brick buildings flanking F Street like majestic ships at port. Her Saturday entertainment was Domestics, Ladies' Shoes, Better Dresses. She was no fashion plate; she simply loved touching the fabrics, the wartime rayon that felt to her like silk. She lingered at the perfume counter, inhaling Shalimar or Chanel No. 5, trying to memorize the scent. Later she'd be unable to re-create it; the fragrance would hover at the edge of her memory, just beyond her reach.

She was standing under the canopy in front of Garfinkle's, tying a scarf under her chin, when a limousine stopped at the curb. A driver stepped out and opened the rear door; then a woman emerged, a tiny thing in a long mink coat. Her gloves were red, her hair twisted into a chignon, dark and glossy as the mink. She wore high-heeled slippers, a strand of pearls at her throat. Dorothy hugged her old coat around her, her hair flapping in the wind, fuzzy from the permanent wave her sister had given her back home.

The woman leaned in and spoke to the driver. She paused a moment, as if waiting to be photographed, then stepped delicately around a puddle and disappeared inside the store.

Dorothy blinked. For a moment the scene had seemed orchestrated, composed like a painting: pedestrians rushing past, heels clicking on the sidewalk; the cloud of smoke rising from the car's tailpipe; the Chinese woman standing at the center of it all, exquisite and improbable.

"What do you think of that?" she asked her friend Mag Spangler that night at the Federal Diner, where they'd each had a slice of pie.

"The Chinese embassy is close by. It must have been the ambassador's wife." Mag said this casually, as though she often rubbed shoulders with diplomats. In fact she spent each day typing government paychecks in a crowded office at Treasury, just as Dorothy did.

Dorothy finished her pie. They'd seen the early show at the Capitol Theater, John Wayne in *The Fighting Seabees.* Mag had vetoed *Lady in the Dark.* She considered musicals frivolous.

"A mink coat." Mag sniffed, horselike, a burst of air through her nostrils. "It hasn't snowed all winter, for Pete's sake."

Dorothy smiled. The impracticality of the coat hadn't occurred to her; it wasn't why she'd told the story. Since arriving in Washington she had witnessed remarkable things. Her first day in the city she noticed a Negro deliveryman standing on a street corner, singing deeply and carrying an armload of orchids. Seeing the Chinese woman step out of the car had given her the same feeling, as though at any moment something extraordinary might happen.

"We'd better go," she said. Customers stood three deep at the front of the diner. "People are waiting."

They each left a nickel on the table. Mag slid out of the booth, removing the napkin from the neck of her sweater.

"A mink coat," she said again. "For Pete's sake."

THEY WERE WORKING GIRLS, typing for the war. Dorothy had answered an ad in her hometown newspaper. A government recruiter had come to interview girls in the junior high cafeteria. The only requirement was a high school diploma.

Mag had come to Washington two years earlier and had acquired a jaded air. Dorothy hadn't known her back home—in school Mag was several grades ahead—but their mothers were acquainted; Mag's father owned the hat shop in town. In the way of small towns, their mothers had put them in touch.

When Dorothy arrived in Washington, Mag had come to meet her train. Dorothy recognized her immediately on the crowded platform—a sturdy girl with a wide bosom and a determined mouth, the type who'd always seemed older than everyone else, like a chaperone at a dance. She wore stout boots and a brown tweed coat, a hat Dorothy recognized from the Spanglers' shop in Bakerton. "Don't worry about a thing," Mag had said, leading her through the crowd: soldiers in uniform, WACs and WAVEs in their navy blues. "Leave everything to me."

She took Dorothy to Straub's, a women's boardinghouse on Massachusetts Avenue: a shared room, breakfasts and dinners for ten dollars a week. (Mag paid nine dollars for a similar room across town; but such bargains were a thing of the past, she assured Dorothy.) At one time Straub's had been a showplace. Now the upper floors were divided into tiny rooms, just big enough for two twin beds. Each floor had a bathroom; every morning a line formed at the door, girls waiting with towels and dishes of soap. Meals were served downstairs—most nights, potatoes with stew. Breakfast was half a grapefruit and a bowl of oatmeal. On Sundays they each got a strip of bacon.

Mag walked Dorothy to work her first morning at Treasury. She pointed out the watercooler and powder room, and indicated with a look which girls Dorothy should avoid: the snooty ones who thought they were God's gift, the two-faced ones who'd smile to your face and cut you behind your back. They met each day for lunch, nickel sandwiches and orange sodas at Peoples' Drug Store. Saturday nights they saw a movie. In this way, months passed. At first Dorothy was grateful for Mag's company. Only later did she realize that she hadn't made any other friends. The girls at the boardinghouse remained strangers to her. She knew them by their sounds and smells: the middle-aged, slightly deaf schoolteacher who played her radio at high volume; the blond stenographer who monopolized the lavatory, leaving a trail of rose perfume and a few golden pubic hairs clinging to the rim of the bathtub.

Dorothy had a roommate, Jean Johns, a timid, dark-haired girl from Kentucky who ran a switchboard at the Pentagon. Jean slept in flowered nightgowns and was always cold. Every night after supper she'd climb into bed, pull the blankets around her and listen to the radio. They liked the same programs: *Theater of Romance* at eight-thirty, *Famous Jury Trials* at nine. At ten o'clock they turned out the lights; a few minutes later Jean would begin to snore. Eyes closed, Dorothy imagined herself back in her own room, her sister Joyce asleep next to her. In this way she learned to ignore the traffic noise, the hissing radiator. She was not alone.

From their beds they monitored the war. Europe was quiet that March. Hitler hadn't been seen in months, and people speculated that he was dead or dying. Reports came instead from the South Pacific, a part of the world no one had heard of until soldiers—Dorothy's brother Georgie among them—were sent there. Los Negros, Talasea, Bougainville: pronounced, always, in the American way, in a firm male voice that made them seem familiar and knowable. Dorothy's geography was hazy; she imagined each place the same way: a tiny verdant island, the immense surrounding sea. She had seen the ocean only in photographs. In her mind it was brilliant and calm, a vast expanse of blue.

She hadn't seen Georgie in a year. He had missed the funeral, hadn't even known their father was dead until several days afterward. He wrote her often, if not consistently. Once she'd received six letters in a single week. At other times he didn't write for months. Once Jean asked what he'd written, a question Dorothy couldn't answer. Whole sentences had been blacked out by the censors; all that remained were detailed descriptions of the weather. She didn't mind the lack of content. What mattered was the familiar handwriting, the letters drawn by Georgie's own hand. The sheer volume of his communication delighted her. For years—her entire adolescence—he'd seemed embarrassed by her presence. At school he'd ignored her. In the corridor, walking with Gene Stusick or another of his silent, awkward friends, he would not meet her eyes.

He'd been a frail child, prone to fevers. At seven he caught diphtheria and was pronounced contagious; Dorothy was forbidden to enter his room. He slept poorly; she could hear him on the other side of the wall, his feverish tossing, his guttural cough. Carefully, so as not to wake Joyce, she climbed out of bed and crept into his room. She sat at the foot of his bed and told him a story—about what, she could no longer recall. She invented the stories as she went along, until his eyelids began to fall.

"Good night," she whispered as she rose from the bed.

"Come back tomorrow," he answered as she closed the door behind her.

Now she listened to the reports, her heart racing, her hands moist. The navy bombarding the Palau Islands; ships moving into Hollandia and Aitape. Whether his was among them was impossible to tell.

SHE TYPED ALL DAY in an office filled with women. The supervisor was a gray-haired man named Howard Leland, whom the typists rarely saw. Nearly every week a new girl came, from Pennsylvania or North Carolina or Ohio; a girl with bangs or pin curls, her sweater dyed to match her skirt. One by one they disappeared into the flock of Mr. Leland's girls, like ingredients folded into a cake batter.

Mag disliked the new girls uniformly, without regard to their abilities or personalities, their friendliness or lack of it. "We don't have room for them," she complained, as if she'd been charged personally with finding them desks and typewriters. "That last one is still sitting at a card table, for Pete's sake."

"I suppose we need the help," said Dorothy.

"Some help. That what's-her-name from Youngstown types twenty words a minute."

The quality of the new hires was a sore subject with Mag, who'd taken the commercial course in high school and scored well enough on the Civil Service exam to land what was then a coveted job at Treasury. Since then the government had lowered its standards. The exam was no longer required. Dorothy, who hadn't taken the commercial course, was paid the same as Mag, twenty-eight dollars a week. Feeling wealthy, she'd sent home half her first paycheck. Later she realized she'd sent too much, that she'd left herself barely enough to live on; but it was too late. She could not send less. Since her father's death, the family got a monthly check from Social Security. In warm months it would be enough. But this was March; the jarred vegetables from last summer's garden had all been eaten. Her mother still owed Baker for the winter coal.

At night, in dreams, Dorothy returned to the dress factory where she had worked: the gloomy, airless upstairs room, the windows covered with dark paint to keep the fabrics from fading; heat rising up through the floorboards, from the dozen large press irons on the level below. The ancient machines had malfunctioned as often as they worked; five, ten times a day her machine had snapped the cheap cotton thread, chewing the fabric into an unusable mess. When the foreman fired her she felt relief, then terror. The job at Treasury had seemed a godsend; but now her mother counted on her paycheck. She would never be able to go home.

ONE NIGHT she came back from work to find Jean Johns packing a suitcase.

"Where are you going?" she asked.

"Home." Jean tucked a flowered nightgown into the space between her sweaters.

"How'd you get the vacation time?" Dorothy had accumulated none yet, herself. She hadn't even gone home for Easter.

Jean met her gaze. Her eyes were red. "I quit."

There was, she explained, a boy back home. They had gone together all through high school. That morning he had asked her to marry him.

"Back home?" said Dorothy. "He isn't overseas?"

His number hadn't been called yet, Jean explained. It could happen any day.

"When's the wedding?" Dorothy felt the envy in her stomach, squeezing her insides like sickness. Not because Jean was getting married. Because Jean was going home.

"As soon as possible," said Jean. "A week or two, at the most."

"So fast!" said Dorothy, though of course she understood. Jean's fiancé could be called up at any moment. Naturally they would be in a hurry, not knowing how much time they had left.

"Can you imagine?" she asked Mag the next day at lunch. "A week from now she'll be married." It seemed an incredible feat. Washington in those days was a city of women; you could go weeks without seeing a man older than eighteen or younger than fifty. Though according to Jean, the Pentagon was different. At the Pentagon you were surrounded by men.

"He proposed in a letter," said Dorothy. "She had a fellow all this time and never said a word about it."

"That's an awfully quick engagement." Mag bit into her sandwich—the same kind she ordered every day, chicken salad on toast. "Sounds like she got herself in trouble."

"That's a terrible thing to say." Dorothy thought of Jean's eyes, swollen as if she'd been crying. Then she remembered a morning when Jean had left the breakfast table suddenly, her hand over her mouth.

"Believe what you want," said Mag.

When Dorothy returned to her room that night, Jean Johns was gone.

EMPTY OF JEAN'S possessions, the room seemed hollow and drafty. One afternoon Dorothy covered the walls with photos she'd clipped from *Screen Stars:* Veronica Lake, Tyrone Power; a close-up of Hedy Lamarr, whom people said she resembled. She caught herself glancing at Hedy each morning before she left for work, a more confident, more glamorous version of herself.

Sundays were the longest days. In the morning she went to mass at St. Matthew's Cathedral. Then, for hours afterward, she walked. Up Massachusetts Avenue past the grand embassies; the whole length of Connecticut Avenue, from Rock Creek Park to the White House. She walked for distraction, for warmth. Some days she wandered the elegant neighborhoods around Dupont Circle. She knew the owners' names from the society pages: Cissy Patterson, the newspaper heiress; Mrs. Sumner Welles, the diplomat's wife. One Sunday evening the Welleses had thrown a party; Dorothy had joined the small crowd on the opposite corner, gathered to watch the guests arrive: men in white jackets, bare-shouldered women in dark silk. Oddly, it was the men's hair that most impressed her: long enough in back to touch their collars, slicked with something to make it shine. In a time when most fellows wore army cuts, the curling forelocks seemed more extravagant than jewels.

IN THE SPRING a new girl came. Looking back, Dorothy would remember it as the beginning of everything, a door swinging open, a dark room filling with light.

She arrived on a Sunday night. Dorothy returned from her walk to find the bedroom door ajar. A girl sat on Jean's old bed, polishing her nails. A radio played in the background; the girl hummed along with it, her voice low and husky. A cigarette burned in an ashtray near the window.

"Hi there," said Dorothy. "I'm Dorothy Novak."

The girl started. "Good Lord, you scared me. Patsy Sturgis." She offered her hand, then withdrew it. "Wet," she explained, blowing on her nails. "Sorry about the mess." On the bed lay a suitcase, half unpacked; an open steamer trunk stood in the corner, trailing scarves and sweaters.

"I brought too many things." She was small and blond, with a perfect rosebud mouth. "Lord knows where I'll put it all."

"Here. It's for us to share." Dorothy opened the flimsy metal armoire. The cupboard was already crammed full of dresses. Her own skirts and blouses had been shoved to one side.

Patsy laughed, a trilling sound. "Sorry, Dottie. Looks like I hogged all the closet space."

Dorothy smiled. Nobody had ever shortened her name before. She liked the sound of it.

"That's okay. You have more clothes than I do." She fingered the sleeve of a dress, embroidered with tiny flowers. The fabric was sheer and light, soft as a person's skin. "This is beautiful."

"Oh, that. I've had it for ages. I can't squeeze into it anymore, but I hate to part with it. Lord knows when I'll get another silk dress." Patsy butted her cigarette. "You can borrow it, if you like."

"Really?"

"Try it on."

"Now?" She had never undressed before a stranger. She and Jean Johns had waited until the other left the room, or gone down the hall to change in the washroom.

"Go on," said Patsy.

Dorothy turned away and unbuttoned her blouse. Her brassiere was yellowed from too many bleachings, the elastic of her girdle puckered and worn. She stepped quickly out of her skirt, then pulled the dress over her head.

"Well, look at you," said Patsy.

Dorothy approached the mirror. The dress fit perfectly, close at the waist and hip. The rose color flattered her complexion. She looked like someone else entirely. *Like Dottie,* she thought.

Patsy helped her with the zipper. "God, I'd love to be so slim. In my family we're all top-heavy. Turn around." She frowned. "Fits like a glove, but it hangs a little funny."

"It's my posture. My mother's always after me to stand up straight."

"Tall girls! You make me sick. When you're five-one you can't afford to slouch." Patsy glanced at the photo on the bureau. "Is that your fellow?"

"My brother Georgie. He's in the South Pacific."

Patsy leaned close to examine it. "He's nice looking. Does he have a girl?"

"Back home he went with Evelyn Lipnic. Now, I don't know."

"I'll bet he does." Patsy straightened. "This room isn't much. I thought it would be bigger." She squinted at the photos on the wall. "Are those yours?"

Dorothy flushed. "The other girl put them up," she lied. "The one who lived here before. You can take them down, if you want."

"Whew." Patsy wiped an imaginary bead of sweat from her brow. "That's a relief. I'd get the willies looking at Errol Flynn all day. He's queer, you know." She giggled, seeing Dorothy's look. "You didn't know? He likes boys."

Dorothy thought of a Sunday afternoon, months ago, when she'd seen two blond-haired fellows walking hand in hand in Lafayette Park. At the time it had given her a strange feeling. Now she put it aside to think about later, how such a thing was even possible.

"My sister lives in California," said Patsy. "Everyone out there knows about it."

"California!" Dorothy repeated, impressed. "Is she in the pictures?"

"Lord, no. She lives near an air-force base in San Diego. Her husband's a pilot. She's just a regular girl. Dottie, you're a stitch." She blew at her fingernails. "I guess I'm dry." She peeled a photograph from the wall. "You don't want to keep these, do you?"

She crumpled the photo and tossed it into the wastebasket. Later, following her downstairs to supper, Dorothy recognized the dark eyes of Hedy Lamarr staring up at her from the trash.

AFTER SUPPER THEY sat on Dorothy's bed, eating caramels Patsy had produced from her suitcase. Dorothy ate one candy to Patsy's three, savoring the rare sweetness of rationed sugar. Laughing, Patsy unpacked a bottle of bourbon. "From my daddy," she said. "So we'll be stocked when he comes to visit."

She was a Southern girl, raised in Charleston; the baby in a family of girls. Her daddy was a lawyer for the local school district. He had taught her to ride and shoot, to tack in a windstorm, to drive a car. That morning he'd slipped her an emergency twenty dollars at the train station in Charleston. " 'Don't fritter it away on perfume and bonbons,' " Patsy said, imitating his voice. " 'Use it for bail money, or not at all.' " She loved Charleston but lately found it depressing: the girls working in the shipyards, like Communist women. "It's a different place now," she said, lighting a cigarette. "It won't be the same until the boys come back. Then look out, Lucy! I'm going home."

"Do you have a fellow overseas?" Dorothy asked.

"Actually," said Patsy, "I have two." It wasn't two-timing, she explained; she hadn't seen either of them in a year, and that was barely one-timing in her book. The boys, Fred and Ted, were like night and day. Fred had been her beau in high school, a tall, serious boy who planned to become a doctor. Ted had kept her occupied after Fred left. He had no plans for the future that Patsy knew of. He was just after a good time.

"He's a lot of fun," she admitted. "I went with Fred for two years, so we were like an old married couple. No more surprises. You know how that is."

Dorothy had no idea how that was, but she was pleased that Patsy thought she did.

"What happens when they come back?" she asked.

"I'll jump off that bridge when I come to it," said Patsy.

THE NEXT DAY they met Mag Spangler for lunch.

"Lord, it's crowded," said Patsy. She and Dorothy had arrived late. Every table in the drugstore was taken.

"Well, no wonder. It's nearly ten past." Mag shot Dorothy a look. *Where've you been, for Pete's sake?*

They sat at the counter: Dorothy in the middle, Mag and Patsy on either side. "Patsy works at the CAS," Dorothy told Mag.

"Central Administrative Services," said Patsy. "We're the ones who scare up desks and file cabinets for all your new girls."

Dorothy glanced nervously at Mag, who knew perfectly well what the CAS was. She'd been complaining about it for months.

Patsy scrabbled in her pocketbook for a cigarette. "The funny part is, I don't have a desk yet, myself. Or a typewriter."

"Then what do you do all day?" Mag asked.

"Yesterday I read the paper."

"You're joking," said Mag.

"No, really. It's a piece of cake. I can't complain."

Mag snorted. "I think *I'd* complain. I'd feel terrible, getting paid for nothing when the boys could use that money overseas."

Patsy smiled sweetly. "Do you have a fellow in the service, Mag?"

"No," said Mag. "Do you?"

"Patsy has two. One in England and one in Italy." *Why am I telling her this?* Dorothy marveled; but she couldn't help herself. Mag's frown delighted her. In some way it made her proud.

That week Mag's schedule was changed, her lunch break pushed back by an hour so that another girl could use her typewriter. After that Dorothy and Patsy ate lunch without her, at a different drugstore near the Treasury.

EVERY SUNDAY NIGHT Dorothy wrote a letter to her mother.

"Why don't you just call her on the phone?" Patsy asked. There was a pay phone downstairs in the lobby. Dorothy often saw her standing next to it with a handful of coins.

"I like writing," said Dorothy. "Can you hand me another sheet of paper?" She didn't explain that to receive a phone call, her mother would have to walk a mile to town and wait at the booth in Meeghan's Drugstore.

"I ought to do the same," said Patsy. "I haven't written Fred in ages." She took a sheet of paper from a drawer and handed it up to Dorothy. A week before, in a burst of inspiration, Patsy had proposed stacking their beds like soldiers' bunks. The two bed frames were identical, she pointed out; the square end posts would fit together perfectly. They spent a rainy afternoon struggling with the beds. Patsy bought a hammer at the dime store and tapped in a few nails for good measure. Dorothy took the top bunk, Patsy the bottom. The idea was a good one; the room seemed doubled in size.

They installed themselves on their beds. Dorothy glanced at the letter her mother had sent. Cold weather in Bakerton, a rainy spring. Georgie was still waiting to hear about his furlough. *With everything happening,* he'd written Dorothy, *don't hold your breath.*

She filled her pen and began to write. Beneath her Patsy sighed loudly. Dorothy heard her crumple up her letter and toss it into the trash.

"I'm out of smokes," she said, rising. "I'll be right back."

"It's Sunday. The store is closed."

"I'll bum one from the gray lady."

"Mrs. Straub smokes?"

"Drinks, too. I can smell it on her breath."

Dorothy blinked. She had known the landlady for months and had never suspected. More and more, the people around her seemed mysterious, impenetrable, their lives governed by secret desires visible to everyone but her. She wondered what else she had failed to notice.

At the end of her letter she added a postscript: *I haven't seen Mag in ages, not since Mr. Leland moved her lunch hour. But we have not had a falling-out. I can't imagine why Mrs. Spangler would think such a thing.*

She climbed down from her bed and reached into the bedside table, where Patsy kept a supply of stamps. At the bottom of the drawer she found the box of stationery and a leather-covered Book of Common Prayer, its gold-edged pages perfectly crisp, as though it had never been opened. She took a stamp from the box. The corner of a photograph peeked out from beneath the prayer book.

She hesitated a moment, then withdrew the photo. Patsy and a tall, thin boy stood before a gleaming automobile. The boy's face was long and handsome. He wore rimless eyeglasses. To Dorothy he looked like a young Franklin Roosevelt. *Fred and Pat* was written on the back. *May 1942.*

She replaced the photo and closed the drawer. She'd never had a beau; she'd never even gone on a date. That any girl did these things filled her with wonder. She remembered clearly the moment when her classmates had begun to pair off, early in the tenth grade. It had seemed then that she'd missed a crucial lesson, one that would not be repeated. Girls like Mag Spangler had missed the lesson, too; for years they'd been Dorothy's only friends, keeping her company as they all fell further behind. Patsy, clearly, hadn't missed anything. Dorothy watched her closely, feeling privileged to share her dresses, her secrets. For the first time in her life, it seemed she might actually catch up.

NOON, A RAINY MONDAY. The luncheonette was noisy and crowded, the windows steamed with the diners' breath. Dorothy and Patsy took seats at the counter. Next to Patsy was a lone man in uniform, looking into a bowl of soup. He sat with his right hand flat on the counter, his sleeve rolled to the elbow. His left hand was tucked into his trouser pocket.

"Excuse me," he said (to which of them, Dorothy would later wonder). "Can one of you girls give me a hand with my soup?"

The soldier, Chick Rowsey, treated them to a boyish smile. His eyes were blue, his mouth full-lipped and adult.

"What's wrong with your hand?" said Dorothy.

"This one's fine," he said, showing his right. "But I'm a lefty, so that doesn't do me much good."

Laughing a little, Patsy dipped the spoon into the soup; she leaned close and lifted it to his lips. The soldier opened his mouth to accept it. A rivulet of broth dribbled down his chin.

"You girls work for the government?"

"The CAS." Patsy dabbed at his chin with a napkin. "I'm a file clerk."

"You're lucky." He reached for a packet of saltines and tore it open with his teeth. "I'm looking, myself. Before the war I was a carpenter. Guess I need a new line of work."

Dorothy watched him crumple the crackers in his suntanned hand. If another man had done it, she reflected, you'd call his manners atrocious; but a wounded soldier was different.

Rowsey looked up from his soup and saw her watching him. She looked away, embarrassed.

"What about you?" he asked. "You're a file clerk, too?"

"Typist," said Dorothy. "At the Treasury."

"Good for you." He took a cigarette from the pack on the table. "That's a good skill for a girl to have."

"Awfully noisy, though. You should hear the racket in Dorothy's office. I'd lose my mind." Patsy tilted the bowl and spooned up the soup. "I'm happy filing, thank you very much." If she and Dorothy had been alone, she'd have launched into an angry monologue about why the filing clerks made five dollars less per week than the typists did; but now she only smiled.

"Down the hatch," she said, lifting the spoon to his lips. "Oops!" Giggling a little, she dabbed his chin with a napkin.

"So," Rowsey said after he'd finished. "What are you doing this weekend?"

Dorothy felt her face flush. He seemed to be talking to her. She glanced quickly at Patsy, who smiled and shrugged.

"Me?" she said finally.

He waved a hand carelessly, as though it made no difference.

"Both of you," he said. "I want to take you out on the town."

THEY LAY stretched out on the imported sand, the soldier in bathing trunks, the two girls in bright nylon suits, one green, the other red. Substantial suits, reinforced with darts and seams and sewn-in undergarments; yet Dorothy felt unprotected, uncomfortably exposed. The borrowed suit fit closely at her hips. It would have fit anyone. She'd never worn one before and was surprised by the fabric—curiously elastic, like a balloon.

The park, Glen Echo, sat on forty acres south of Washington. From May to September, the city trolley stopped there six times a day. The park had a swimming pool, two carousels and a Ferris wheel. There was a casino for gambling, a bandstand and a dance floor.

Dorothy leaned back on one elbow and shielded her eyes. Light danced on the surface of the Crystal Pond—the largest swimming pool on the East Coast, built to hold three thousand swimmers. Purple-lipped children crowded the shallows at the perimeter. Mothers in sunglasses clustered along the edge. The water at the center was a deeper blue; a few swimmers crossed it with smooth strokes. Lawn chairs dotted the half-acre beach, sand brought in by the truckload from the eastern shore of Maryland. There were girls in Bermuda shorts, smoking cigarettes, flipping through magazines; girls under umbrellas, in straw hats, in bathing caps. Under a tree, a few grandfathers drank cans of beer from a cooler. Otherwise there were no men at all.

Beside her Patsy stretched in the heat. She examined her plump shoulder. "I'm red as a beet." She reached for the bottle of oil.

"Let me," said Rowsey.

"You'd like that, wouldn't you?" She handed the bottle to Dorothy.

"Just trying to help." His eyes went to Dorothy. "Look at this one. She's not burned at all. Gypsy blood, am I right?"

"My mother's Italian."

"No kidding." He grinned. "I spent four months in Sicily. Those girls were something. Wouldn't give us the time of day, most of them, but they were something to look at."

Dorothy spread the oil over Patsy's shoulders. The skin was moist and freckled, hot to the touch.

"Hey, you know who you look like?" said Rowsey. "It just hit me. Hedy Lamarr."

Dorothy's cheeks warmed. "No, I don't."

"Sure you do. It's been bugging me. The first time I saw you, at the lunch counter, I thought, 'This girl looks like someone.' The eyes, the mouth. Doesn't she?" he demanded.

"Hedy Lamarr isn't Italian." Patsy raised her head, shrugging Dorothy's hands away. There was an edge to her voice. "She's Austrian."

"What's the difference?"

Patsy glared at him. "What's the *difference*?"

Rowsey frowned, aware he'd made an error. Girls were forever getting mad at him. He accepted this fact cheerfully, as he accepted bad weather.

"I'm going for a swim," he said, pulling off his shirt. "Anyone want to join me?"

"Too crowded," said Patsy.

"No thanks," said Dorothy. She stared up at him, her eyes drawn toward the thick scar at his shoulder.

"Suit yourselves." He loped easily toward the pool.

The girls sat back on their blanket. Patsy reached for the oil and spread it thickly over her shins. Dorothy squinted into the sky—a faded blue, streaked with high clouds. A bell clanged in the distance, the streetcar stopping to let off passengers. A breeze blew the sweet, burned aroma of roasted peanuts.

She closed her eyes. The trip to the park had been Rowsey's idea. The girls had met him that morning at Union Station and they had ridden the streetcar together. He had chosen a seat in the middle of the car. The girls had sat on either side.

Dorothy picked him out of the crowd, watching as he lowered himself to the edge of the pool.

"I'm surprised he can swim," she said. "With his bad arm." He'd taken a bullet in the shoulder at Salerno, which had severed a bundle of nerves. His hand hadn't worked properly since.

"I hope he drowns," Patsy snapped, then laughed. "Oh, don't look so shocked. I didn't mean it."

"I thought you liked him."

"I like him fine. But sometimes I'd like to jerk a knot in him."

"What do you mean?"

"Oh, for God's sake." Patsy studied her pink-tipped toes. "Doesn't it bother you, the way he plays cock of the walk? It's unnatural for a man to have so many women falling all over him. It turns everything backward."

She stretched out on her back. Her skin glistened with oil; her plump legs looked smooth and boneless, like a roast. At the edge of the pool, Rowsey stood talking to a woman in a striped bathing suit. A fussy toddler squirmed in her arms. Smiling, Rowsey took the baby from her. The child quieted, hanging easily over his good shoulder.

"Look at that," said Dorothy.

Patsy opened one eye, then snorted. "I'm taking a nap. Wake me if something interesting happens."

She rolled over onto her stomach and covered her head with a towel.

THEY WERE BOTH SLEEPING when Rowsey returned to the blanket. He leaned over them and shook his wet head, like a dog drying itself. The girls shrieked, outraged.

He stretched out on the blanket between them, his skin radiating cold. Dorothy avoided looking at him. She sensed rather than saw his long blond legs, his belly matted with darker hair.

Patsy sat up, rubbing her eyes. "Who were you talking to?"

"Some girl. Her husband's over in England."

"Does he know she's back here flirting with half-naked men in swimming pools?"

"Who's flirting?" He studied her. "You're jealous."

"Oh, that'll be the day." Patsy gathered her things and rose. "Don't flatter yourself."

"Where are you going?" said Dorothy.

"I need some shade. Come find me when you're ready to go." She turned and headed toward the pavilion. The suit rode up on her pink thigh, revealing a slice of white skin.

"What's eating her?" Rowsey asked.

"The heat, I guess."

"It's awfully hot," he agreed. "You ought to dive in and cool off."

Dorothy hesitated a moment. "I can't swim."

"You're kidding." He sat up, studying her. "How come?"

"I never learned. Back home there was no place to go. Not for girls, anyway. There was a swimming hole in the woods where the boys went." Every sunny day her brother had hiked there with his friends—Gene Stusick, two or three of the Poblocki boys. Once, the summer she turned fourteen, she had followed behind, stepping carefully along the rugged trail. Screened by trees, she had stood a long time watching. A thick branch of cherry hung low over the water. The naked boys dropped from it like monkeys. Tenor shouts, Tarzan cries, a flash of skin.

"Come on," said Rowsey. "I'll teach you."

"Really?"

"Sure." He got to his feet. "It's time you learned."

She followed him across the expanse of sand, stepping between blankets and lawn chairs. A wind had started. The pool was emptying out. Mothers crouched on the cement walkway, wrapping children in beach towels.

The lifeguard gave Rowsey a wave. "There's a storm coming. If you see any lightning, get out quick."

Dorothy approached the edge and dipped her toe in the water. A chill traveled up her leg.

"You can't do it like that. You've got to go all at once. Watch." He backed up a few paces and took a running leap into the water, landing with a loud splash. Dorothy stepped back, startled.

His slick head reappeared at the surface. "See?" He swam toward her. "Your turn."

"Don't splash," she cried. And quickly, before she could change her mind, she scrambled down the ladder. The water was very cold, a shock to her heart.

"That's not so bad, is it?"

"It feels good," she admitted.

"Come on." He led her by the hand toward the center of the pool, until the water reached her chest. Before she realized what was happening, he reached behind her and swung her into his arms.

"Don't be scared," he said. "Just lie back. All you have to do is float."

She exhaled slowly, aware of his arms beneath her. She felt perfectly weightless.

"What about your shoulder?" she asked.

"Don't worry. I've got you."

She stared up at him: the rough stubble at his throat, the thick scar on his shoulder. Alien textures, hinting at the vast difference between him and her.

"Hang on," he said. He spun her gently in a circle, his hands gripping her waist, the outside of one thigh. She laughed, delighted.

"Good," he said. "Now kick."

She did. A thrill rose in her stomach.

"I could have you swimming in no time," he said. "You're a natural."

Water filled her ears; her heartbeat rose in volume. Dreamily she closed her eyes. The sensation was like nothing she could name; so why did it feel familiar? Heat above her, cold below; herself suspended perfectly between them. His body seemed to be everywhere around her. No man had ever touched her before. Yet that, too, felt familiar.

"Did you hear that?" said Rowsey.

"What?"

"Thunder."

The lifeguard's whistle sounded.

"We should get out," said Rowsey. "Hang on. I'll float you in."

A flash of lightning tore across the sky. He drew her in close to his chest.

"Here we are, madam," he said, releasing her into the shallow water.

Dorothy got to her feet. The pool had emptied out. Patsy was standing at the edge. She wore a terry-cloth romper over her swimsuit. "Where have you been?" she asked sharply.

"Chick was giving me a swimming lesson."

"The trains are packed," said Patsy, ignoring her. "We'll be stuck waiting in the rain."

He climbed up the ladder, holding his left arm to his side. "Take it easy," he said, touching Patsy's shoulder.

"Keep away from me," said Patsy. "You're stinking wet."

They walked to the train station in the rain. Patsy lagged behind; her shoes were giving her blisters. Once, twice, Rowsey stopped so she could catch up.

"For God's sake, I'm right behind you."

"Suit yourself." He fell into step next to Dorothy. "How'd you like your swimming lesson?"

"It was wonderful," she said, suddenly shy. "Thank you."

They approached the platform. The crowd was oddly silent.

"What's going on?" said Rowsey.

"Hush," said an old woman. "We're trying to hear."

People stood eight or ten deep, clustered around a crackling loudspeaker. The announcement was all but unintelligible. A single word—*France*—reached Dorothy's ears.

"What is it?" she cried. "Did something happen?"

Chick made his way through the crowd. People stepped aside, for reasons that were not clear. His height perhaps, his deep voice, the simple fact of his maleness. He stood a moment, listening intently. Then he called out.

"They did it! They landed in France."

Afterward she would wonder how it had happened. Had she approached him, or had he come to her? Later this would seem tremendously important; but in that moment there was only his damp shirt, the chlorine smell of his skin, the warm pressure of his mouth on hers. She had seen hundreds of kisses in the movies, but they had not captured the complete feeling: heat, breathing, the movement of another heart. He lifted her high into the air and she was again floating.

Around them the world roared.

IT WAS ALL A MISTAKE.

The Allies had not landed in France. In London, an English girl named Joan Ellis, newly hired as a Teletype operator by the Associated Press, had tapped out the message as a practice exercise: AMERICANS LAND IN FRANCE. Within minutes it was relayed to New York. At the Polo Grounds, where the Giants were up in the third inning, the crowd observed a moment of silence. At the Pentagon, Jean Johns's old switchboard was besieged with calls.

When the real invasion happened three days later, the celebration wasn't nearly so grand. Dorothy did not join in the excited chatter at the breakfast table, Mrs. Straub and the deaf schoolteacher and the blond stenographer huddled around the *Washington Post.* She sat eating the last of her grapefruit, thinking of Chick Rowsey and the day she had nearly learned to swim.

That day, on the streetcar platform at Glen Echo, a teenage boy at the front of the crowd had shouted in vain; all around him, strangers wept and laughed and embraced. Finally he stood on a bench to make himself heard.

"It's a mistake," he cried, his voice breaking. "They made a mistake."

"Quiet!" a young woman cried.

"I can't hear a thing," said another, her face streaked with tears.

The voices hushed. Again the crowd gathered around the loudspeaker.

"I don't understand," said Dorothy. "How do you make a mistake like that?"

When the streetcar came they piled into it, along with the mothers and babies, the girls in straw hats, the wet-haired children and aging grandparents. A lucky few found seats; the rest stood pressed against one another, uncomfortable in their sodden clothes. The rain had stopped, and with it the breeze. Heat rose off their damp bodies, the seats stuck to damp thighs. No one spoke. Strangers again, they avoided one another's eyes.

"I can't believe it," Dorothy said. She and Patsy sat shoulder to shoulder in the crowded car. Rowsey stood at the other end, smoking.

"Will you stop saying that?" Patsy snapped. "And ask your boyfriend if he can spare a cigarette."

"He's not my boyfriend," said Dorothy, delighting in the words. Even the denial gave her a thrill.

"I know his type," said Patsy. "He had a good time with you today, but I'll be surprised if you ever hear from him again."

Later, at home, she apologized. The heat made her cranky, she said. She was getting the curse.

"I understand," said Dorothy, her cheeks flushing. Her own periods were unpredictable: sometimes twice in the same month, sometimes three months apart. As a girl, she'd feared bleeding in school, in church, blood running down her leg as she crossed the street. On certain days of the month she could think of nothing else as she sat in class, a fear that paralyzed her when Miss Peale called her to the chalkboard.

The next morning they both had cramps. Patsy complained; Dorothy felt secret relief. She hadn't bled since coming to Washington. She was shocked and delighted that her body still worked.

For a week nothing happened. In the evenings Dorothy listened to the radio and waited. Another week passed, and she knew that Patsy had been right. She would never see Chick Rowsey again.

Most of these evenings she spent alone. Patsy had a new friend at the CAS, a pretty redhead with a sharp laugh. One Saturday afternoon Dorothy saw them come out of the fitting room at Hecht's loaded down with dresses. She hid in Housewares until they left the store.

In July a letter came. Her brother Georgie was coming home on furlough. He would spend two weeks in Bakerton, then a final night with Dorothy in Washington before shipping out from Norfolk. Mrs. Straub offered the attic bedroom, a dark little corner outfitted with a narrow cot. "He can have it all to himself," she said—grandly, as though it were a luxury suite at the Mayflower Hotel.

He planned to arrive on a Friday evening. Dorothy would meet his train; afterward they would eat dinner at a restaurant near the station. Already she'd chosen a dress from Patsy's closet, a dark blue silk she'd admired for weeks. That day she splurged and took the bus home from work. For once there was no line at the bathroom door, and she took her time setting her hair—she'd borrowed Patsy's rollers to smooth out her fuzzy perm. She wrapped herself in a housecoat and headed back to her room. She was surprised to find Patsy there, standing before the armoire in her slip.

"I thought I'd come to the station with you." Patsy rifled through the closet. "You don't mind, do you?"

Dorothy hesitated. For weeks she'd imagined showing Georgie around Washington—a city she'd walked end to end, the first place that had ever belonged to her.

"Of course not," she said. "You're welcome to come along."

They dressed in silence. When Patsy picked the navy blue silk off its hanger, Dorothy nearly spoke: *I was hoping I could wear that one, if it's all right with you.* Instead she slipped into a dress of her own, a plain green one she'd brought from home. She waited as Patsy arranged her hair and dabbed perfume at her wrists.

Outside it had begun to rain. They stood on the front step, tying scarves over their hair. A gray Plymouth slowed at the curb, flashing its lights. The driver rolled down the window. It was Chick Rowsey.

"Hey, dreamgirls!" He wore a white shirt and a tie.

Dorothy felt flushed, agitated. She remembered the long years of high school, a hundred Friday nights reading magazines, listening to the radio, waiting for something to happen, for her life to begin. *Why now?* she wanted to say. *What took you so long?*

"Hey, yourself," said Patsy. "What are you doing here?"

"Looking for you girls." He nodded toward Dorothy. "How's the swimmer?"

"Where did you disappear to?" said Patsy.

"Baltimore. I had to see a doctor up there."

"We must have missed your phone calls."

"I'm here now, aren't I?" He stepped out of the car. "I was hoping you'd be home. I just got my check from Uncle Sam, and I wanted to take you girls out for a steak dinner." He smiled broadly. "Where are you off to?"

"None of your business," said Patsy.

"Come on. Don't be like that."

Dorothy glanced at her watch. "I'm sorry, Chick, but we really should be going."

"Where to? I can give you a lift."

She glanced at the sky, heavy with dark clouds. She felt her hair wilting under the thin scarf. "Union Station. My brother's coming in on the six-thirty. I'm afraid we'll miss him."

"Well, hop in, then." He opened the passenger door with his good hand. Patsy, sulking, stepped inside. Dorothy followed him around to the driver's side and got into the backseat.

"This is so nice of you," Patsy said as he pulled away from the curb. "We'd never have gotten a taxi in this weather."

"It's my cousin's car. I borrowed it special to take you out." Rowsey glanced over his shoulder at Dorothy. "I'm sorry about dropping off the face of the earth. I want to make it up to you."

Dorothy hesitated. "My brother ships out in the morning. We have plans for tonight."

"Just my luck." He pulled in front of the station. "At least let me wait for you. I'll drive the three of you back to the boardinghouse. I can't let a GI walk across town in the rain."

At the station Rowsey went in search of parking. The girls stared up at the electrified sign that announced arrivals and departures. "We're late," said Dorothy, her voice quavering. "We missed him. Now what will we do?"

"There he is!" said Patsy.

Dorothy turned. A man in uniform stood on the platform. She had looked directly at him, but hadn't recognized him.

"Georgie!" she called, her heart quickening. "Over here!"

He loped toward them, a knapsack over his shoulder. "Hiya, kid," he said, clasping her briefly. Except for the day he'd left for boot camp, he had never embraced her before. He was taller than she remembered, bigger through the shoulders. His dark hair had thinned at the temples; his face looked long and thin. He reminded her of their father.

"I can't believe it's you," she whispered.

He let go first.

"Who's this?" he asked, grinning.

"Patsy Sturgis." She gave him a dazzling smile. "I recognized you right away."

"How's that?"

"I wake up every morning looking at you." She giggled at his expression. "Dottie keeps a photo of you on the bureau."

"Patsy's my roommate," Dorothy explained.

"No kidding." His eyes rested on her a moment.

"Hey!" Rowsey called from across the platform.

Patsy ignored him. "How was your train ride, George?"

"No complaints." He glanced at Rowsey, who was hurrying toward them. "That guy a friend of yours?"

"That's Chick Rowsey. He drove us here."

"Are you hungry?" Patsy asked.

"There's a place nearby that makes great hamburgers." Dorothy had never eaten there herself, but Jean Johns had once gone there on a date.

"You mean Morrison's? That's pretty tame for a returning hero." Patsy cocked her head at Rowsey. "Hey, big spender. Didn't you say something about steaks?"

He grinned sheepishly. "It's Friday night. A table for four might be tough to swing."

"I'm sure you can do it." Patsy turned to Georgie. "When's the last time you had a Delmonico steak?"

"A long time," he admitted, grinning. "A coon's age."

"Then it's settled." Patsy took his arm. "We're going to Patrick Henry's."

THEY CROWDED into a booth near the kitchen, a cozy semicircular one meant for a couple. Georgie sat in the middle, the girls on either side. A waiter brought an extra chair for Rowsey. Drinks were ordered: beers for the men, Coca-Colas for the girls. When the waiter disappeared, Rowsey produced a flask from his pocket. He took a swig and handed the bottle to Georgie.

"What is it?" said Patsy.

Rowsey grinned. "It's not suitable for ladies."

"That's not fair," she said. "It's rude not to share."

Rowsey clapped Georgie's shoulder. "Two weeks' leave, huh? How'd that happen?"

"Don't ask me, pal. How does anything happen?"

Patsy leaned forward. "Dorothy says you have a girl back home. Evelyn, isn't that right?"

Georgie shot Dorothy a look. "Not anymore. That's finished now."

"What do you mean?" said Dorothy.

"Ev's marrying Gene Stusick."

"Gene? I can't believe it!" Their fathers had worked on the same crew. From school, from church, the six Stusick children were as familiar as cousins. "You two were always such good friends."

"It's no big deal." Georgie drained his glass. "I don't mind. I wish them the best."

"Women," said Chick. "You can't count on them."

Georgie lit a cigarette.

"You smoke now?" said Dorothy.

"Off and on." He grinned. "I haven't had one all week. Not with Mama around. It wouldn't have been worth the grief."

"All the GIs smoke," said Patsy, reaching for his pack. "Isn't that so?"

"Most of them. But it's a bad habit." George nudged her. "Especially for a girl."

"It's worse for a girl," Rowsey agreed solemnly. "Makes her look fast."

Patsy giggled. "Watch it, buster."

"You're a bad influence," said Georgie. "You didn't get my sister started, did you?"

"Not Dorothy," said Rowsey. "She's not that kind of girl."

Dorothy felt a flush creep across her cheeks. The conversation embarrassed her, but it was delightful to be out with her brother. He was glad to see her; he looked handsome in his uniform. They had not laughed together in years.

Rowsey raised his glass. "They say it's almost over."

"They said that a year ago," Georgie said.

THE CAR WOUND slowly through the dark streets. Dorothy sat up front next to Rowsey, Georgie and Patsy in the rear. The rain had stopped. A dense fog blanketed the warm night. Dorothy's watch showed two-thirty. She'd never seen Washington at this hour. She was surprised by how much activity there was.

They stopped at a light on Sixteenth Street. At the corner two men stood smoking cigarettes. Across the street, a soldier and his girl leaned against a low wall, kissing.

"Lively neighborhood," Georgie observed.

"There's an officers' club up ahead," said Rowsey.

In the backseat Patsy murmured something to Georgie, and he answered in a low voice. She giggled shrilly. Dorothy glanced in the rearview mirror, wondering what was funny.

Rowsey turned onto Massachusetts Avenue and stopped in front of the boardinghouse. The engine idled loudly in the quiet street. In an upstairs window a light came on.

Patsy stepped out of the car, adjusting her skirt. "Good Lord, I'm tired."

"Rowsey," said Georgie, hefting his duffel to his shoulder. "Good to meet you, pal."

"Good night," Dorothy added, but Rowsey seemed not to hear her. He shook Georgie's hand.

"Aren't you coming?" Dorothy called from the stoop. Patsy had reseated herself in the car.

"In a minute." She tucked her legs up under her. "Go ahead. I'm right behind you."

Dorothy led Georgie up the steps. Her heels clicked loudly on the cement.

"What's the story with those two? She seems mad at him about something." Georgie glanced toward the car. Rowsey had cut the engine; he and Patsy seemed deep in conversation.

"She's always mad about something," said Dorothy.

"She's a funny girl."

Dorothy unlocked the door. His curiosity irritated her, mainly because she knew Patsy would interrogate her later: *What did your brother say about me?* Patsy, who already had two fellows overseas, who at that very minute was sitting in Chick Rowsey's front seat. It occurred to her that Patsy wouldn't be satisfied until every boy in the world was thinking about her.

She led Georgie to the attic room and switched on the light, a single bare bulb hanging from the ceiling. A cot had been made up with sheets and a blanket. "I hope it's not too uncomfortable."

"Are you kidding?" Georgie set down his duffel. "You should see the places I've slept the last couple years. You wouldn't believe me if I told you." His eyes were bleary in the harsh light, shot through with red.

"Sleep well," she whispered, forgetting all about Patsy and Chick Rowsey. "I'm so glad you're here."

Quietly she closed the door.

SHE WAS NEARLY ASLEEP when Patsy came into the room, dropping her pocketbook loudly on the floor. Dorothy could smell her across the room, perfume and cigarettes, the fried-food odor they'd breathed all night. She switched on the lamp. "Is everything all right?"

"Fine." Patsy kicked off her shoes.

"What were you talking about with Chick?"

"Oh, nothing interesting." She sat heavily on the bottom bunk. "He isn't all that fascinating when he's sober. Never mind with a few drinks in him." She stretched out on the bed. "Your brother's a dreamboat. A real gentleman. Where did he run off to?"

"Upstairs, to bed. He was exhausted."

"He's a nice fellow."

Dorothy waited for more—*Did he ask about me?*—but the question never came. When she reached down to turn off the light, she saw that Patsy was asleep.

HE HAD BEEN dreaming of the ocean. The sickening lurch, the eternal smell, briny and dank, like rotting fish. As always in his dreams, on his way to somewhere. The destination secret at first, revealing itself later in a terrible moment of clarity and dread. The same dream, always with some small variation. This time Gene Stusick was there—his old buddy Eugenius—now, somehow, the ranking officer on board. They had been hit; men wounded on deck, pandemonium below. George was bleeding from the back, his shirt wet with blood.

A sound woke him. He lay on the cot, still dressed; his throat raw, his shirt reeking of cigarettes. His undershirt was soaked with sweat. He glanced around the room and remembered where he was. Someone was knocking at the door.

"Who's there?" His head throbbed. Unclear how much he had drunk. A steady stream of beers, furtive swigs from the flask when Rowsey remembered to pass it.

The door creaked open. The blonde stood in the hallway, still wearing her blue dress. She held something behind her back.

"Whatcha got there?"

Smiling broadly, she produced a bottle. "Kentucky bourbon. I keep it for when my daddy comes to visit."

"Where's Dorothy?"

"It's past her bedtime. But I knew you'd be awake." She closed the door and sat on the cot beside him. "I only had the one glass. You don't mind sharing, do you?"

He shook his head to clear it. The room was very hot. Outside, he heard rain, the civilized hum of traffic. "What happened to Rowsey?"

"Oh, him." *Glug-glug-glug* as she filled the glass. "I sent him home. I had enough of his company for one night."

"What's the problem? He seems like a nice fellow."

"He's not my type." She handed him the glass. "It's your sister he's after."

"No kidding." George considered this. For two years he'd carried a certain picture of Dorothy in his mind, the way she'd looked the morning he'd left: bare-legged, in short cotton socks, hunched and shivering in her old coat. Earlier, at the station, he'd barely recognized her. It seemed odd that Rowsey had chosen her over the blonde, but only a little. Odd, but not impossible.

Patsy reached for the glass. For a moment her breasts fell forward, offered like pastries on a plate.

"Cheers." She tucked a leg underneath her. He caught a flash of skin, a white glimpse of thigh.

"They're fake," she said, following his gaze.

He frowned.

"My stockings. Look at the seams." She stood and turned her back to him. She lifted her skirt a few inches. The dress clung to her backside. "It's eyebrow pencil."

He ran a finger down her leg. The flesh was smooth and warm.

"Pretty good. They're almost straight."

She laughed. "I can't take any credit for that. Dottie drew them on."

Dottie. For a moment he wondered who she was talking about.

The blonde set down her glass and turned to face him, her skin pale in the low light. He saw that she was dead sober.

She knew exactly what she was doing.

THE NEXT MORNING Dorothy and Georgie took a cab to the station. They rode in silence; the easy warmth of the night before had vanished. She felt the old awkwardness between them. Still, she tried.

"I had fun last night," she said. "Didn't you?"

"Sure." He stared out the window. "It was a kick to meet your friends. Rowsey and—" He pretended to grope for her name. *Nice try,* he thought. *That's some slick acting, pal.*

"Patsy," said Dorothy.

"Where is she, anyhow?" He avoided Dorothy's eyes. "I figured we'd see her at breakfast, so I could say good-bye."

"It's the strangest thing. She got up at the crack of dawn. She's spending the day in Richmond with her father. I guess he's there on business." Dorothy frowned. "She didn't say a thing about it until this morning. That's not like her."

"You two seem pretty tight," said Georgie.

"She's my best friend."

There was something girlish in her voice, a childish pride. *She's still a kid,* he thought.

"We tell each other everything," she said.

Good Christ, he thought, *let's hope not.*

"Well, tell her good-bye for me." He stared out the window, thinking of her body in the darkened room, her buttocks compact and round, small enough to fit in his hands. He'd been stunned when she reached for him. *Let me,* she said. She would not allow him inside her. Instead she finished him off expertly with her hand.

I won't see you tomorrow, she told him, dressing before the window. *I'm tied up all day.* She leaned over and kissed him. *Don't worry, I can keep a secret.* The door closed silently behind her.

It wasn't right; he knew it wasn't. But a part of him felt he deserved those few moments of pleasure, a single happy memory to fortify him in the dark months—maybe years—to come. Evelyn had thrown him over, and he was still smarting. Gene Stusick's betrayal had wounded him deeper still. Under the circumstances a painkiller was in order, a stiff shot of something to get him through. If he'd used Patsy for this purpose, she certainly had consented. More than that: she'd sought him out, come to his room of her own volition. She was not a conscript, but an enlisted girl, an enthusiastic volunteer.

"Chick liked meeting you," said Dorothy.

George thought of Rowsey and Patsy in the front seat of the Ford, their blond heads inclined toward each other. Had she volunteered for him, too? Oddly, the possibility did not trouble him. Rowsey had been wounded; he'd taken his licks. He, too, deserved a little comfort. At that moment George would have loaned the guy his shirt.

"Rowsey's a good guy," he said.

"I think so," said Dorothy.

George eyed her closely. He took her hand.

"Be careful," he said. "Guys like Rowsey, they're a little mixed up when they first come back. They need time to sort it all out."

She stared at him, wide-eyed. She looked utterly perplexed.

"It's none of my business," he added, reddening. "Just be careful, is all. I don't want you to get hurt."

The cab pulled in front of the station. Georgie reached for his wallet. "Take her back where we came from," he told the driver.

"But I'm coming with you," she protested. "To see you off."

"What's the point? It's pouring rain." He embraced her quickly. "It was good to see you, kid."

She clung to him. *Too fast,* she thought, feeling sick. *Too fast.* She had deliberately not thought about him leaving, or what he was returning to.

"Georgie, be careful," she whispered.

"Don't worry," he said. "It's almost over."

Summer settled over the city. Electric fans hummed in every window. Pedestrians moved listlessly: office girls with shiny faces, men sweating through their shirts. The streetcar passengers fanned themselves with newspapers. The outdoor air smelled burned and tarry, as though the avenues were melting. Women languished on stoops and porches, listening to the radio, waiting for a breeze.

In August Dorothy went home to Bakerton for a visit. She had worked at Treasury six months, entitling her to five days of leave. Tack a weekend to either end, and that made nine luxurious days at home.

She slept in her old room, on the soft, sagging mattress next to her sister. Joyce was fifteen that summer, a slight, pale-faced girl, not shy but reserved, with a quiet certainty that made people treat her like an adult. She planned to enlist after graduation and worried that Hitler would surrender before she had the chance. She kept the room bare and orderly, as though an inspection were imminent. Above the bed hung a recruitment poster, wheedled out of a clerk at the post office: ARE YOU A GIRL WITH A STAR-SPANGLED HEART? JOIN THE WAC NOW!

The family had changed since Dorothy left, but they seemed not to have suffered. Her mother had grown plump and healthy. Lucy had begun to crawl. Sandy had turned into a little savage. He spent the days playing in the woods and refused to have his hair cut. That and his strange coloring—brown face and arms, hair bleached white by the sun—gave him an odd, aboriginal look.

Dorothy envied his freedom. For months she had dreamed of home; but now that she was there, the time weighed upon her. She took walks to fill the afternoons. Once, walking down Main Street, she'd spotted Mag Spangler's mother arranging hats in the shop window. Dorothy waved but didn't stop to chat.

She returned to Washington a day early, Saturday instead of Sunday. It was only sensible, she told her mother; the trains being what they were, she'd be crazy to travel on the busiest day of the week, with all the soldiers returning from furlough.

The boardinghouse was quiet when she arrived. "Everyone is on holiday," Mrs. Straub told her. The blond stenographer had gone to the shore for the weekend. The deaf schoolteacher spent summers with her people down south.

"What about Miss Sturgis?" Dorothy asked.

"In and out. I haven't seen her all day."

Upstairs, the girls' room was a wreck. Ashtrays overflowed. Both beds were draped with Patsy's clothes. Dorothy folded them and placed them on the bureau: sunsuits and Bermuda shorts, the red bathing suit she'd borrowed to wear at Glen Echo. She wondered where Patsy had worn it, if she, too, had gone to the shore. She thought of the long, eventless week in Bakerton and wondered what she had missed.

At ten o'clock she climbed into bed. The night was close; she expected to toss and turn, but the trip had tired her. With her eyes closed, the world seemed to rush past, as though she were still on the train. In minutes she was asleep.

LOW VOICES, a whisper. "Hush. The old lady hears like a bat."

Dorothy opened her eyes. She had been dreaming of home. Her baby sister had crawled away, and Dorothy had found her under the porch steps. The room was dark. The bed seemed to shift slightly. Too late, she realized the voices were beneath her, and one of them belonged to Patsy.

"Don't hit your head." Giggles, a stifled laugh.

The bed rocked softly. It was a moment before she understood. *No,* she thought. *It can't be.*

There was a smell in the room, liquor and cigarettes; they had been out drinking. Dorothy stared at the ceiling, grateful that she hadn't spoken. She wished herself invisible. If they saw her, she would die of shame.

The movement quickened. Someone breathed loudly. She had no idea how long the act would take. Minutes? Hours? She thought of the three-penny nails they had used to secure the beds.

Underneath a kind of sigh, deep and guttural. Abruptly the movement stopped. The breathing slowed, as though an animal were sleeping.

She wondered if it was over.

"Don't get too comfortable," Patsy whispered. "You can't stay here."

The bedsprings creaked. Dorothy squeezed her eyes shut. *Don't see me,* she prayed. Dressing sounds, a zipper closing. Then the doorknob turned.

She opened her eyes a crack. A man stood at the door, his back to her. His left hand was tucked in his pocket.

"Sleep tight, dreamgirl," he whispered, opening the door.

Beneath her Patsy rolled over in bed. " 'Night, Chick."

DOROTHY ROSE EARLY Sunday morning. Quietly she dressed for church, stepping around the stockings and underpants on the floor. Patsy lay on her side, snoring softly, facing the wall.

When Dorothy returned, Mrs. Straub was setting the table for breakfast. The blond stenographer complained about the crowds at the shore. Dorothy ate in silence, forcing down the oatmeal. She left the bacon on her plate.

After breakfast she climbed the stairs to her room. Both beds had been made. Patsy sat on hers, fully dressed, smoking.

"Hey there," she said, butting her cigarette.

"Hey, yourself." Dorothy stood at the mirror, removing her hat.

"When did you get back? I saw your suitcase when I woke up." Patsy reached for her pack and lit another, her hands shaking.

"Yesterday afternoon."

"I wasn't expecting you until today." Patsy's voice quavered. "I didn't see you when I came in last night."

"Well, I saw you."

"Honey, I'm sorry." Patsy rose from the bed. "I'm so ashamed. I don't know what to say."

The girls stared at each other, their eyes tearing.

"Patsy," said Dorothy, her voice breaking. "How could you?"

The question held a hundred others, none Dorothy was able to ask, none Patsy was prepared to answer. Yet she struggled an instant, as though she might try.

"I don't know what you heard, or thought you heard," she said finally. "But boys are different when they come back. Chick, your precious brother. All of them."

My brother? Dorothy thought. *What does this have to do with my brother?*

"What about Fred?" she asked instead. Her breath felt unreliable; she wondered if she would faint. "And Ted? What are you going to do when they come back?"

"Oh, please. What do you think Fred's been doing over there for two years?" Patsy sucked viciously at her cigarette. "You're a child, Dottie. It's about time you grew up."

IN SEPTEMBER a letter came. Dorothy spotted it on the hall table and placed it on Patsy's pillow. When she returned to the room that night, Patsy was packing a suitcase.

"Fred's been wounded." Her face was flushed, a smack of red on each cheek. "They're sending him home." Carelessly, angrily, she tossed garments into the suitcase: sweaters, underthings, the blue silk dress.

"Oh, Patsy." Dorothy sat. "Is it serious?"

"He lost a leg." She stopped a moment and looked around, as though she, too, had lost something. "He says he's going to be fine. Can you beat it? 'Don't worry, Pat. They're setting me up with a fake one. By the wedding I'll be good as new.' "

"Wedding?"

"That was the plan, remember?" She shut the case and tried to fasten it; overstuffed, it refused to close. "Damnation." She sat on the bed and leaned forward, her head in her hands.

"Here." Dorothy opened the suitcase and repacked it, folding the slips and blouses. Her hands moved quickly over the soft fabrics. For a moment she thought of the women in the dress factory. She'd never imagined her own hands could move so fast.

"I'm a mess," said Patsy. "An ugly mess."

"Don't say that." Dorothy stroked her hair, stiff with hair spray. She hesitated. "What about Chick?"

Patsy lifted her head sharply. "What about him?" They hadn't mentioned his name in weeks.

"Have you told him?"

Patsy laughed bitterly. "Don't worry about him. He'll take it fine. It'll save him the trouble of getting rid of me." She clicked the suitcase shut. "Don't worry about me, Dottie. I always land on my feet."

Again she ate lunch alone, nickel sandwiches and orange sodas at Peoples'. On Saturdays she wandered the stores; Sundays she went for a walk. It amazed her, how quickly life reverted to its old order, as if there had never been a Patsy at all.

One day, as she was eating lunch at the counter, someone tapped her on the shoulder.

"Hi, stranger," said Mag Spangler. "Mind if I join you?" She took the stool next to Dorothy's.

"I thought you had lunch at one-thirty," said Dorothy.

"Mr. Leland moved me back. I'm his personal assistant now. I keep the same hours he does." Mag removed her coat. She wore a brown skirt and blouse Dorothy remembered, the same feathered hat from her parents' shop in Bakerton.

"That's wonderful, Mag. I'm glad for you."

Mag looked around. "Are you alone? What happened to that roommate of yours?"

"Patsy. She moved back home to get married."

"That figures."

How? Dorothy wondered. *How does anything figure?*

"Certain girls, you can tell right away they're not serious. That one—" Mag paused.

"What about her?"

"Some girls always need to be the center of attention. She was one of those. Spoiled rotten, is my guess." She lowered her voice. "Oversexed, too, if you want to know what I think."

Dorothy flushed.

"I suppose it's not her fault," said Mag. "Some girls can't help themselves."

A waitress came to take their order, two creamed chickens on toast.

"*Kismet* is playing at the Capitol," said Dorothy. "Held over for one more week, if you want to go."

"And listen to that German voice? No thanks." Mag snorted. "She may be pretty, but as far as I'm concerned she's not much of an actress."

In the end they settled on *The San Antonio Kid,* a sensible western. It was just the sort of thing Mag liked.

THREE

They came back in the summer, weighed down with treasures. A scarf or a ring for one kind of girl; for the other kind, silk stockings and French perfume. The best loot went to fathers and little brothers: weapons picked from enemy corpses, the grisly mementos of war.

They came home to girls who'd forgotten them and girls who hadn't, parents aged and sickened, or like George Novak's father, simply gone. The lucky ones found garage apartments, cramped quarters above shops downtown. Gene and Evelyn Stusick spent their wedding night on a roll-away cot in his parents' attic, a cramped space redolent of mothballs, crowded with bicycles and Flexible Flyers, the junk of his youth.

They came home to the mines: Baker Brothers, Concoal, Eastern Coal & Coke. After the surrender came a flurry of bidding, the operators scurrying to acquire new land. There were five Baker mines, then seven, then ten. In the summer of 1945, a huge parcel of land was purchased, thirty thousand acres just across the Susquehanna; and the son of Elias Baker broke ground on Baker Twelve.

Crews were hired, equipment purchased. Coal was mined seven days a week. Paychecks in hand, the men turned their attention to other things. Tryouts were held, a team assembled. In April 1946, the Baker Bombers returned to the field. On Wednesdays, Saturdays and Sundays, Bakerton played ball.

THE TOWN DIDN'T wait for Georgie, for the navy boys still at sea. A month after V-E Day Bakerton held a parade. Chester Baker himself appeared—resurrected from the dead, some said—to welcome the soldiers home.

"This town belongs to you," the old man boomed from the dais. He had grown frail and leaned heavily on a cane; he wore long whiskers in the old style, a mane of silver hair. "We have done our best to keep it sound in your absence, and we hand it over to you with every confidence that you will make us proud."

Some, of course, did not come home. Polish Hill had its casualties. Two of the Wojicks had debarked at Normandy. James was killed at Omaha Beach; John landed at Utah and survived, not knowing his brother lay bleeding to death twenty miles away.

Three of May Poblocki's sons returned. One night, drinking and carousing at the Vets, the youngest suffered a strange seizure and died before the ambulance arrived. Epilepsy, some said; the family called it a heart attack. He was twenty-three years old.

Across town in Little Italy, the four Bernardi boys—Angelo and Jerry, Victor and Sal—came back with stripes. The older cousins worked at Baker and played for the Bombers. Jerry returned to driving the hearse.

George and his new bride drove into Bakerton in a 1948 Chevy Fleetline sedan, a wedding gift from Marion's father. They'd been driving for seven hours, the last two on a narrow country road that wound north, more or less, from the highway. "That's impossible," she'd protested when he told her how long it would take. But his estimate—allowing for dirt roads and rugged hills, farm equipment and sluggish coal trucks—turned out to be correct.

"Almost there," he said. "It's just over this hill." He accelerated and was rewarded by an exquisite sound, the mellifluous roar of the ten-cylinder engine.

At the top of Saxon Mountain he slowed, looking down on the town: the bustling main street with its six traffic lights; the eight church steeples; the railroad tracks that cut the valley in half. A whiff of sulfur hung in the air. From this vantage point you could see all of Saxon Valley: Polish Hill, the old mine camp known as Swedetown, the Number Five tipple just beyond. Baker Towers loomed above the train tracks; behind them, rows of identical shingled roofs. If Marion had asked, George would have told her what they were: *Bony piles. Company houses.* But his wife, bless her, did not.

He rolled down his window. It was a clear Saturday in late June; at every church in Bakerton, someone was getting married. A warm breeze blew up from the valley, carrying the sound of bells. A riot of bells, circling and discordant: the stately carillon at St. John's Episcopal, the twelve tones of the Angelus, the soaring refrain of "Ave Maria." George had heard the bells his whole life; each set was distinct, recognizable, its voice as familiar as a relative's. Intermingled now: the chorus crazily beautiful, festive as a circus organ.

Home, he thought.

They drove through the town. Bridesmaids posed on the steps of St. Brigid's, waiting to be photographed. A full parking lot at St. Casimir's, Fords and Oldsmobiles decorated with tissue-paper flowers. A gasping Studebaker idled out front, a string of empty beer cans trailing from its bumper.

"My goodness," said Marion, removing her dark sunglasses. She was unaccustomed to early mornings; the skin beneath her eyes looked slightly blue. "What is that all about?"

"They hang a lot of junk on the groom's car. When the newlyweds drive away, it makes a real racket."

She smiled uncertainly. "Is that a—Polish tradition?"

"A Bakerton tradition." He grinned. "Aren't you sorry we missed out on that?"

He took the long way through town, imagined the sun glinting off the Chevy's chrome bumpers. The car was baby blue; in four weeks he'd already waxed it twice. The interior was white leather, the backseat wide as a sofa.

He stopped at the traffic light next to Bellavia's Bakery. One of the

Bernardi boys, Vic or Sal, stopped in the street to stare. George gave him a wave. They crossed the railroad tracks and climbed Polish Hill. A barefoot boy ran in the street. The Poblockis' chickens pecked quietly at the front yard. Fingering her rosary, Mrs. Stusick rocked back and forth on her porch swing, a babushka tied under her chin.

"The houses are all the same," Marion observed.

"Company houses," he said matter-of-factly. *There,* he thought. *That wasn't so bad.* He pulled in front of his mother's house and engaged the brake. "Here we are."

"I hope they like me," she said.

"They'll love you," said George, who had loved her the moment he saw her. "How could they not?"

THEY'D MET ON Thanksgiving at her parents' house in Haverford, a wealthy suburb on Philadelphia's Main Line. George had been invited by her brother, Kip Quigley, whom he knew from a chemistry class at Temple. Quigley had hired George as his tutor, which meant that he sat behind George during exams and copied with impunity from his paper. For this privilege he paid ten dollars a week, enough to keep George's secondhand Ford in gas and lube. The car trailed oil all over Philadelphia; George had never managed to find the leak. When he could afford to, he simply added another quart.

The two were friendly, but not friends; their lives were too different. Quigley was nineteen and lived with his parents; he took classes when he felt like it, in between hangovers and tennis. George worked in a hardware store to pay for textbooks, clothes and other necessities the GI Bill didn't cover. He studied at night, early in the morning and in the student union between classes. He was pressed for time, for cash; most days his body felt hungry for sleep; yet when exam results were posted, he was always at the top of the class. A clerical error, he thought the first time it happened. Somebody had made a mistake.

In high school he'd been an indifferent student; if not for his father's constant prodding, he would never have opened a book. He worked one summer at the tiny music store in town and took his pay in merchandise: a beat-up saxophone, a secondhand clarinet. His band played the school dances; onstage, he imagined himself Woody Herman or Jimmy Dorsey, enthralling audiences with the silky sound of his clarinet. School was his buddy Gene Stusick's department. His high marks had earned him the nickname Eugenius: a boy who could name all thirty-two presidents in their proper order, who'd dazzled their sixth-grade teacher by adding long columns of figures in his head. George was no Eugenius. A grown man now, he simply studied harder than anyone else—galvanized by his dread of the coal mines, a life spent slaving underground like his father.

Mining had killed Stanley Novak. George didn't know how, exactly, but he was sure that it had. A big man, he'd spent much of his life crammed into tight, damp spaces; from the way he walked you could tell he was in pain. His breathing was labored. As a boy George had fallen asleep to the sound of it. The jagged rasp was audible through the floorboards, louder than the Polish radio station in the parlor downstairs. His father had given his life to Baker Brothers. The mines had given him a heart attack at fifty-four.

For six months after graduating high school, George had worked as a greaser in the machine shop at Baker One—a sweetheart job, by mine standards. Before the war, the shop had been staffed by Baker's star ballplayers, to save their knees and backs and lungs for the playing field.

The shop was cold and filthy, the noise deafening; but George didn't mind. He was grateful to be working aboveground.

His first day at work, he'd ridden the mantrip with a dozen other men and felt his heart race as they entered the shaft. The memory still haunted him: the echoing dampness, the sulfur smell. The dark shaft was narrow and airless, no wider than the beam of his headlamp. Here and there, a rat scuttled. A few times, water fell from the low roof like a thundershower, soaking his shoulders. The One was a wet mine, the foreman explained; but where the water came from, or what kept it from flooding the mine completely, no one seemed to know. That single day had been enough for George; at the end of his shift he handed in his helmet. Luckily the foreman took pity on him and got him the job lubing shuttle cars. He was almost relieved when his draft notice came.

He would never go back. He'd made up his mind long ago, when he was still in the navy, and this resolution had guided his every decision. One of his navy buddies had grown up in Philly; after their discharge they'd shared an apartment on Broad Street. When the other fellow moved out to get married, George found a tiny studio in a rooming house downtown. He worked a series of jobs: deliveryman, butcher's assistant, night janitor at a pet store, scrubbing down cages and shoveling dog shit. He worked and studied. His hair thinned. In the mirror he saw his father.

Meanwhile letters came from home. His boyhood friends had returned to Bakerton like boomerangs, to hometown girls and good-paying jobs. No one else had even tried to leave. As a boy, George had idolized a local ballplayer, Ernie Tedesco, who was picked from the coal league and signed to the majors. He'd played six seasons with the St. Louis Cardinals—as far as George knew, the only guy ever to escape Bakerton. As examples went, it wasn't much help. George was no athlete, never had been. His dream was to become a surgeon, to fix what was broken. In three years as a medic, he'd glimpsed what was possible. Time was the problem; time and money. The years of training stretched before him, rigorous and expensive. He was a twenty-five-year-old sophomore, keenly aware of the years he had lost.

LATER, AFTER HE AND MARION were married, he was struck by the unlikelihood of their union, how incredible it was that he had won her, how easily they might never have met. He pictured the lackluster unfolding of his life without her, the ordinary girl he might have married—the first of many banal and pragmatic choices, all adding up to a life without distinction. By all rights it was the life he'd been born to, a fate he'd escaped through hard work and persistence and sheer stubborn will.

He'd refused Quigley's invitation at first. He had planned to drive to Bakerton to spend the day with his family; but on Thanksgiving morning the Ford wouldn't start. He called Quigley at the last minute, unwilling to face the holiday alone in his rented room, his usual dinner of sandwiches and canned soup.

He'd dressed carefully for dinner—pressed trousers, his only sport coat. He knew that Quigley came from money. Quigley's department store was a Philadelphia institution. George had never bought anything there—the prices were too steep—but he passed the store each day on his way home from the bus stop, stepping around well-dressed matrons with their green-and-white shopping bags. He saw Quigley's bags all over the city, miles away from the actual store. Merely carrying such a bag was a status symbol. That alone should have tipped him off.

The opulence of the house astonished him. Seated between two elderly aunts, he tried to be sociable but was flummoxed by the many forks and glasses. The Quigleys had invited a crowd. George counted sixteen heads at the long table, not including the woman who appeared to serve each course. At the far end, Marion sat with her chin in her hand, leaning on her elbow, violating everything George had been taught about table manners. Beside her an old man railed loudly against Truman. Marion nodded occasionally, her eyes glazed with boredom. She seemed to feel George's gaze; she looked directly at him and tipped one eyebrow, a skill he admired. Then she drained her wineglass in a single gulp.

After dinner George took Kip aside. "Who's that? In the blue."

"My sister. I'd introduce you, but I like you too much."

"Come on," George said, laughing.

"You'll see. Don't say I didn't warn you."

When the guests moved to the living room, George spotted Marion alone on a sofa and introduced himself.

"Marion Baumgardner," she said, offering her hand.

He paused for a moment, confused. A sick feeling in his stomach: she was married. The intensity of his disappointment surprised him.

"You're a friend of my brother's?" she asked.

"We're in a class together."

"I suppose I can't hold that against you."

He laughed uncertainly. "Oh, Kip's all right."

"I think he's an ass." She leaned forward and took a cigarette from a case on the table. Her hand was long and white, slender as a fish.

"Where were you stationed?" she asked.

He grinned. "How'd you know I was a vet?"

She shrugged languidly, as if to ask what else he could be.

"In the South Pacific," he said. "I was a medic on a navy minesweeper."

"Good God."

For a moment he was dumbfounded. Most girls were impressed by this fact, or pretended to be. Marion looked utterly horrified.

He leaned over to light her cigarette. When she raised her hand he saw that she wore no wedding ring.

She seemed to read his mind. "I'm a widow," she said. "My husband was a paratrooper. His glider was shot down over Sicily." Her voice was flat, her face still as a mask.

"Oh," he said stupidly. And then, recovering: "I'm sorry."

"So tell me, George Novak: What brings you to this part of the world? You're not from here." It wasn't a question.

Is it that obvious? he wondered.

"You've got to be somewhere," he said.

She seemed amused when he asked for her phone number, but gave it to him anyway. When he called her the very next night, she invited him to her apartment.

She lived alone, on the top floor of a brick row house off Rittenhouse Square, a grand place with two fireplaces and twelve-foot ceilings. One room held a wide bed, the only furniture she owned. In the living room were an easel and several unfinished canvases: bright colors in jagged patterns that seemed perfectly random, like the scrawlings of an angry child. The place smelled of coffee and turpentine. The refrigerator held tonic water, vodka and gin.

Their first date lasted the entire weekend. George emerged from her apartment on a Sunday afternoon, exhilarated and slightly dizzy. He hadn't eaten, and his temples ached with hangover. Her paint-dappled rug had left a crisscross pattern on his back.

Sexually, she was more experienced than he, a fact apparent to them both. She did things to him no girl had done, and she made it clear, with words and gestures, that he was to reciprocate. Her frankness shocked and thrilled him. Her movements were expert. He hadn't expected a virgin; yet she had lived with her husband for only a month. She had been fitted for a diaphragm; when exactly, George didn't ask. If she'd had other lovers, she never mentioned them. For this he was grateful.

He proposed after three months. Her father took the news calmly. *He gave up on me long ago,* Marion had told George. *When I ran off and married a Jew.*

"Novak," said the old man. "What kind of name is that?"

"Polish, sir. My father came over from Poland."

Quigley raised his bushy eyebrows. "A lot of Jews came from Poland."

"My family is Catholic, sir."

George knew from Marion that this wasn't welcome news either, but her father received it stoically. In the end he gave his blessing, and Marion Baumgardner became Marion Novak—one youthful indiscretion expunged by another, less egregious one.

They were married that spring, in a quiet ceremony at the Quigleys' church in Haverford. George's family did not attend; he didn't tell his mother until afterward. She would have insisted on a Catholic wedding, and that was a conversation George didn't wish to have. Later it would seem a cowardly decision, but at the time he deemed it practical. To him one church was as good as another. Any sort of ceremony would suffice, as long as it made Marion his wife.

HIS LITTLE SISTER greeted them as they climbed the porch steps. She wore a ruffled pink dress with a stiff petticoat, a ribbon tied in her hair.

"Hi, Georgie," she said shyly, peering through the screen door. She was four years old, timid with strangers. He hadn't visited since Christmas and was amazed at how she'd grown.

"Hi, honey." He opened the door and lifted her into his arms. "Isn't she a doll? My baby sister Lucy."

He was prepared to hand her over so Marion could hold her, but his wife only smiled. He put Lucy down and went inside.

"Hello!" he called, heading for the kitchen.

His mother stood at the sink rinsing dishes. He was relieved to see that she was wearing shoes. Not only that: she had put on lipstick. It was the first time in years he'd seen her without an apron.

He embraced her. She was stouter than he remembered; her hair smelled of garlic. A wonderful aroma filled the kitchen, a strawberry pie cooling on the windowsill. "Mama, this is Marion."

"How do you do." Marion offered her hand. Next to Rose she looked slim as a whippet, tall and elegant in her pale blue suit.

"Please to meet you," Rose said carefully, as though she'd rehearsed it.

They sat. His mother took plates from the cupboard and set about slicing the pie.

"Mama, come sit down."

"In a minute. First I make coffee."

She bustled about the kitchen, putting on water, measuring the grounds. Marion glanced around the room. "Is that a coal stove?"

"Yep," said George.

She studied it with naked fascination, as though she'd never seen such a thing. It hit him that she probably hadn't. The stove, the *Last Supper* hanging on the wall, the Lenten palm leaves tucked behind it to ward off lightning strikes. All the familiar objects of his childhood were curiosities to her.

"Where does it go, the coal?"

He indicated the compartment at the side of the stove.

"You fill it every day?"

"Every few hours. Depends on how much cooking you do. That was my job when I was a kid. Filling the coal bucket."

"Who fills it now?"

"Sandy, I guess. My little brother. Mama, where is he?"

"Outside someplace. I don't know. Me, I never know." She spoke softly, as if not wanting to intrude on their conversation. She brought cups and saucers to the table.

"Mama, please sit down." He regretted the edge in his voice. He only wanted her to sit and talk like a regular person, instead of behaving like a waitress.

Finally she sat, hands folded in her lap.

"It smells delicious in here," said Marion.

"I been cooking all day." Her eyes met Marion's. "You like to cook?"

Marion laughed, a low, bubbling sound. "Heavens, no. I'm a disaster in the kitchen. George is still teaching me to fry an egg."

Rose frowned. "What you eat, then?"

"Oh, I don't know." Marion crossed and uncrossed her long legs. "We go to restaurants, or make sandwiches. I don't have much of an appetite."

George avoided his mother's gaze. He knew what she was thinking. *What kind of girl you marry, she don't know how to fry an egg?*

"You still working, Georgie?" Rose asked. "With the hardware?"

"I quit that job. I'm working for Marion's father now. He has a store."

"What about the school?"

"I'm taking the summer off," he said. "We're saving up for a house."

"Mrs. Novak," said Marion. "George tells me your family is Italian."

Rose looked down at her lap, smoothed the fabric of her dress over her knees. "That's right. We come over when I was a little."

Marion leaned forward in her chair, smiling warmly. "Have you ever considered going back?"

Rose glanced uncertainly at George, confusion written on her face. *Your wife, she want to send me back.*

"What for?" she asked.

"Oh, just for a visit." Again Marion smiled. She was not a smiler by nature; George sensed her effort. "It's a different world since the war. It would be interesting, wouldn't it, to see how things have changed? The way of life, the political situation . . ." Her voice trailed off.

"Me, I got nobody there." His mother rose and dipped a dishcloth in the sink. She wrung it out and passed it over the counter.

"My grandparents lost touch with their relatives when they left," George explained.

"That's too bad." Marion stirred her coffee, though she hadn't added any sugar. "I'd like to go one day. My husband died there during the war."

George felt his face warm.

"Your husband?" his mother repeated

"George didn't tell you? I'm a widow."

"He don't tell me." Again Rose wiped at the counter with the rag.

A long silence in which Marion sipped her coffee. George swallowed bite after bite of strawberry pie, which seemed to be piling up on the way to his stomach. Finally Marion got to her feet.

"Would you mind if I lay down for a while?" she asked. "I've got a bit of a headache."

GEORGE LED HER UPSTAIRS to Joyce's bedroom, where they would be sleeping. The room was immaculate, the walls bare. When he'd last visited, a recruiting poster had hung above the bed. It had been removed for their visit and replaced with a crucifix. Two folded towels, bleached and threadbare, had been placed on the bureau.

"You shouldn't have told her that," said George.

"Told her what?"

"That you were married before."

She stared at him. "I assumed she already knew."

"Why would I tell her a thing like that?"

"Because it's true. It's what happened." She frowned. "Should I be ashamed of it?"

"Of course not," George said hastily. He couldn't bring himself to explain it, that his mother had expected what every mother expected: for her son to marry a virgin, sweet and uncomplicated. An altogether different sort of girl.

"Mama is old-fashioned, that's all. It's hard enough getting used to a daughter-in-law."

Marion shrugged as though the matter were hardly worth discussing. "I'm exhausted," she said, stripping down to her panties.

He watched her undress. Her casual nudity still startled him. Her habit was to sleep late, skim the newspaper and paint for an hour or two, all without putting on a stitch of clothing. In their own apartment, with the shades drawn, it excited him. Here in his mother's house it seemed wrong.

"What's the matter?" Marion asked.

"Nothing." The truth—that he wished she'd put some clothes on—seemed foolish and neurotic. She certainly would have thought so.

She climbed under the covers and rolled onto her side. "I won't sleep. I'll just close my eyes."

He closed the door softly and went downstairs. The kitchen was empty. At the doorway to the parlor he paused. His father's chair stood in the corner, the old console radio beside it. Since his death George had visited a half-dozen times, but he'd never seen his mother sit there. He wondered if anyone ever did.

He went out the front door and sat on the porch swing. His sister Joyce was coming up the hill, a pocketbook over her arm.

"Hey there," he called.

She shielded her eyes from the sun. "Georgie! When did you get here?"

She hurried up the porch steps and accepted his kiss on her cheek. Unlike his mother and Dorothy, who nearly smothered him with affection whenever he visited, Joyce did not like to be touched. He sensed she'd be perfectly happy with a handshake, but that offended his sense of correctness. She was his sister, after all, and a girl.

"Holy cow," she said. "Is that your car?"

"Yep." He couldn't keep the pride out of his voice. "It's a forty-eight. Brand-new." He looked her up and down, a mousy little thing in a gray skirt and blouse. Her blond hair was set in tight waves. "You did something to your hair."

She waved her hand dismissively, as if the topic were of no interest.

"Sorry to kick you out of your room," he said.

"I don't mind. I'm happy bunking on the couch." She peered through the screen door. "Where's your wife? Jeepers, I can't believe you're married."

"She's upstairs resting."

Joyce seemed confounded, as if only an invalid would sleep in the middle of the day. "Is she sick?"

"A little headache, is all."

They sat on the swing. "What's the big idea, running off and getting married? We didn't even know you had a girl."

George smiled. "How did Mama take it? She didn't answer my letter."

"How do you think? She had a bird. And Dorothy had ten fits. Why the big secret?"

"It wasn't a secret. It just happened very fast."

"Love at first sight?"

"Something like that." He lowered his voice. "Look, don't say anything to Mama, but we didn't exactly get married in the church. Marion's family is Presbyterian, and I didn't want to rock the boat. Keep it to yourself, okay?"

Joyce gave a low whistle. "Oh, boy. I see why you did it on the Q.T. Don't worry, I won't breathe a word."

He grinned. "Where've you been all afternoon? Have you got a secret, too?"

"I enlisted."

He laughed appreciatively. Too late, he saw her flinch.

"You're serious? Enlisted in what, for God's sake? Haven't you heard? The war's over."

"There's a women's unit in the air force." Her voice was calm but firm, as though she were explaining it to a child.

"Joyce, are you crazy? Why would you do a thing like that?"

"I don't know why you're so surprised. I've only been talking about it for five years. Remember all those letters I wrote you?"

"Sure I remember. I thought it was cute. I figured you'd outgrow it."

"I'm eighteen." An edge crept into her voice. "Same as you were, when you went."

"That was different," said George.

"Because you're a boy?"

"Because I was drafted, for God's sake! There's no way in hell I would have gone if I'd had a choice." Across the street Mrs. Stusick looked up from her rosary. He lowered his voice.

"You don't know what you're getting into. Trust me, the military is no place for a girl."

"Well, the air force disagrees." She rose. "I expected this from Mama and Dorothy, but not you. I thought you of all people would understand." She went into the house, the screen door slamming behind her.

George hesitated. He ought to go in and talk to her, but what more could he say? What would his father have said? *You can't go. I forbid it.* Except that George wasn't her father. He wasn't even much of a brother. He fumbled in his pocket for a cigarette, then remembered where he was. There'd be hell to pay if his mother smelled smoke on his clothes.

He'd met WAVEs in the navy—stateside, before he shipped out. He remembered a particular dance at Norfolk that seemed to be crawling with them. He had tagged along with a couple of buddies, flush with beer and springtime and weekend freedom. They were green then, unaccustomed to drinking. It had struck them as comical to see girls in uniform; they'd complained loudly that the uniform skirt was too long. He thought of Joyce's skinny legs, her bony knees covered with childhood scars, like a little girl's.

He went around to the back of the house. The small yard was in need of mowing. His brother Sandy sat on the back steps, bouncing a ball off the sidewalk, his skinny arms burned brown by the sun.

"Whatcha doing?" said George.

Sandy turned. His hair was pale as cornsilk, his blue eyes startlingly clear. *Like Daddy's,* George thought.

"Come on." He fished in his pocket for his keys. "Let's go for a ride."

THEY DROVE THROUGH the center of town and out the other side. George accelerated at the bottom of Indian Hill. A stand at the top sold frozen custard. It was a good-enough excuse for a drive.

Sandy fiddled with the radio, pressing the dial tabs. Each tab corresponded with a jazz station in Philadelphia; in Bakerton they yielded only static. Finally he located KBKR, the town's AM station. The Benny Goodman Orchestra was playing "Moonglow."

George wanted to laugh. *Nothing happens here,* he thought. *Nothing ever changes.* Years had passed, the world had been transformed by war, and still Bakerton was listening to "Moonglow."

"That's an oldie," he told Sandy. "I remember it from when I was in high school."

Sandy nodded politely.

"What grade are you in now? Seventh?" He was ashamed he didn't know.

"Sixth. I got left back."

"Nobody told me that." George glanced at him. "What happened? Did you fail a subject?"

"English and arithmetic. Miss Peale," he added, as though that explained it.

"That dinosaur? She must be a hundred years old."

Sandy laughed, pleased. "She's not so bad. Anyways, it wasn't her fault. I didn't try very hard," he said cheerfully.

At the top of the hill George pulled into the parking lot. He thought of his father, who'd drilled Dorothy on multiplication tables until she cried. He wondered who had taught Sandy the multiplication tables. Nobody, he guessed.

They got out of the car and stood at the window. George ordered two vanilla cones.

"Thank you," Sandy said politely. He ate quickly, like a dog gobbling its food.

"Sandy," George asked. "What do you remember about Daddy?"

The boy stared.

"Anything?"

Sandy pondered this a long time. "I remember the funeral," he said at last. "There was a big snowstorm. After church, Mama let me take out my sled."

They were standing there eating their custard when a woman approached, pushing an empty stroller, holding a baby on her hip. It was a moment before George recognized her. Her red hair was tied back with a kerchief, and she had filled out some. Her breasts were twice the size he remembered—the few times he'd worked up the nerve to touch them, they had barely filled his hands. Only her face was the same. She still looked eighteen years old.

"Ev," he called out.

"Georgie?" She looked stunned, flushed from the exertion of pushing the stroller up the hill. Her hand went to her hair. "I can't believe it's you."

They embraced briefly, an awkward moment as she shifted the baby to her other hip. The child wore a blue sailor suit. His mouth had left a wet stain on Ev's blouse. Their hair, George noticed, was the same shade of red.

"Who's this fellow?" he asked.

"Leonard." She smoothed the baby's hair. "We named him for Gene's dad. He was two in March."

"March," George repeated. Against his will he found himself counting off the months. Gene had come home from France in the summer. He and Ev hadn't wasted any time.

"What are you doing in town?" she asked.

"In for a visit." His custard was beginning to melt. He was aware of it dripping onto his hand. "How've you been?" And then: "How's Gene?"

Her blush intensified. "He's home sleeping. He's on Hoot Owl. At the Twelve." She smiled nervously. "I hear you're going to medical school."

"Not yet. There's a bunch more classes I have to take first. I have a long ways to go." He fumbled in his pocket for a napkin. "Where are you living these days?"

"We have an apartment over Bellavia's."

"No kidding," said George. His grandparents had lived on the same block, above Rizzo's Tavern.

"My dad had a fit," said Ev. " 'What are you doing over there with the Eye-talians?' " she mimicked. "But honestly, Georgie, they couldn't be nicer. Well, *you* know."

He smiled. She had always made a special effort with his mother. He'd been grateful for it.

"Well, I should get going. He's a little fussy." She bent and placed the squirming child in the stroller. "It was nice seeing you, Georgie. I'll tell Gene you said hello."

He watched her push the stroller up the hill. Her broad behind was shaped like an upside-down heart. He'd spent his adolescence imagining her naked, or trying to; he'd come up with a picture that was part Ev, part Betty Grable—to his mind, exactly how a girl should look. The picture was hazy now; Marion had erased it with her long belly, her sleek thighs. Ev's small-town beauty was no longer what he wanted. She belonged in that apartment above Bellavia's, in the life she'd chosen when she picked Gene over him. He no longer blamed her for that. If anything, he was grateful. Whether she knew it or not, he owed his life to Ev. Her betrayal had allowed him to escape.

"Come on," he told Sandy. "Let's hit the road."

It wasn't until later, driving down Indian Hill, that a thought occurred to him. He hadn't even told her he was married.

HE WOKE EARLY the next morning, dressed and headed downstairs. His mother stood in the foyer, pinning a scarf over her hair. He went back upstairs. Marion lay on her side, breathing deeply.

"Honey," he whispered. "Honey." He touched her shoulder, gently at first. She gave a low moan.

"Marion, wake up."

She stirred slightly, then opened one eye.

"Get dressed, darling. It's time for church."

"Tired," she said.

"What's the matter? Did you take a pill?" He got up and rummaged through her overnight bag: cigarettes, cosmetics, her diaphragm in its blue plastic case. *Why'd she bring that thing?* he wondered. *Did she really think she would need it?*

Finally he found the bottle. For years she'd had trouble sleeping; her doctor had prescribed a sedative, which she took several times a week. She'd been awake at dawn; George had heard her in the bathroom. If she'd taken a pill at that hour, she might easily sleep half the day.

She rolled over onto her back, naked. A moment later she began to snore. George dressed and closed the door behind him.

"Marion's not feeling well," he told his mother in the kitchen. "She won't be coming to church."

Rose eyed him suspiciously. "Georgie, you want to tell me something?"

"What do you mean?"

"Your wife. She going to have a baby?"

He thought of the diaphragm in its case. His faced warmed. "No, Mama. Why would you think that?"

Rose shrugged elaborately. "How come you get married so fast? And now she don't feel good in the morning."

She's doped up on sleeping pills, he thought but didn't say. Having his mother think Marion was pregnant, while embarrassing, was preferable to the truth.

Rose smiled broadly, her face flushed with delight. "She don't eat enough. She got to eat more."

"I'll tell her," said George.

WHEN THEY CAME HOME from church Marion was waiting for them on the porch swing.

She wore the same clothes as the day before, but at least she'd combed her hair and put on lipstick. Her eyes were puffy from sleep.

"Good morning," said George. "I thought you'd still be asleep."

"I am." Her skin looked slightly gray. Across the street, a car was parked in front of the Stusicks'. George wondered if it belonged to Gene, if he'd brought Ev and the baby to his mother's for Sunday dinner.

From inside came the metallic clang of pots and pans, Rose and Joyce bustling around the kitchen. Marion rubbed her temples. "Dear God, what is all that clatter?"

"Dinner." A Bakerton girl would have risen to help, but coming from Marion, the gesture would have been ridiculous. Her kitchen skills were limited to opening a wine bottle.

"I hope you're hungry," he said.

"At this hour? I couldn't eat a bite."

"Try," said George. "Please."

"Why on earth?"

"My mother thinks you're pregnant."

Marion hooted, a shrill laugh that ended in a cough. "Oh, that's delightful."

He felt his pulse in his temples. "What's so funny?"

"Oh, George. You're not serious, are you?" She stared. "For heaven's sake, do I look like the maternal type?"

George smiled uncertainly. He'd never given much thought to children, and Marion had seemed equally indifferent. Since the wedding she'd continued using her diaphragm, at least most of the time. He took that to mean her attitude was casual. *If it happens, it happens,* he'd told himself.

Now he thought—he couldn't help it—of Ev, the red-haired child she'd made with Gene.

"Come on," he teased. "Girls always say that. Then when the baby comes it's a different story."

Marion did not smile.

"Well, we don't have to think about it right now," he said carefully. "Let's just play it by ear." He pushed off with his feet; the swing rocked gently. "Oh, I forgot to tell you," he said, as though it had just occurred to him. "I ran into someone the other day. That girl I told you about, who wrote me letters when I was overseas."

"Evelyn Picnic," said Marion.

"Lipnic."

"Lipnic." She rubbed at her temples. He knew what she was thinking: *Dear God, these names.*

"Don't you want to know what happened?" he teased.

Marion laughed. "Nothing happened. If something had, you wouldn't be telling me about it."

His smile faded. He'd hoped, for a moment, to make her jealous. Now he saw that she was only amused. As brief as it had been, as frenzied and passionate, their courtship had left him no time for reflection. Marion had bewitched him completely: her beauty and sophistication, her withering intelligence, the absolute self-containment that disappeared—ferociously, deliriously—in bed. She seemed a different species from his mother and his sisters, from Evelyn Lipnic; she was unlike any woman he had ever known. Yet now that she was his, a question had begun to nag at him: What did Marion see in him?

"You're right," he said. "There's nothing to tell. She wrote me a few letters when I was overseas. I wasn't too good about answering. Then I came home on furlough and found out she was engaged." *To my best friend,* he could have added, but didn't. He still believed in keeping things simple.

"That's all?" She sounded disappointed.

"Yep. Half the guys in the navy could tell you the same kind of story."

He rose. "I'm going to see if they need any help in the kitchen." He bent and kissed her cheek. "Try and work up an appetite."

GEORGE WATCHED his mother pile Marion's plate: homemade macaroni with sardines and tomatoes, fried cauliflower breaded with cornmeal.

"Georgie, did I tell you?" his mother asked. "Your sister Joyce, she going to the air force."

George glanced quickly at Joyce. They hadn't spoken since their conversation on the porch. Last night at dinner, and this morning at church, she had avoided his eyes.

"You think it's okay?" his mother asked.

Joyce rose and filled her glass at the sink. "Mama, don't put him on the spot. It's got nothing to do with him." She turned to face him. "Let's just have a nice visit. Give him a chance to tell us about his wedding."

George met her gaze. The implication was clear: *Back me up, or I'll tell her everything.*

"It's a big decision," he said carefully. "There's a lot to consider."

His mother nodded agreement. "*Ecco.* I think maybe she wait a little while. If she want to, she could go next year."

"Next *year*? A whole *year*?" Joyce's face reddened. Her eyes met George's.

"Just a minute," he said hastily. "Let's look at this rationally. What's the alternative? Can she find a job here in town for a year?"

"She could go in the factory," said Rose.

"Mama! That place is a graveyard. Remember how miserable Dorothy was there? Georgie, tell her." Her voice vibrated with emotion, her desperation to get away. *Why should she have to stay?* George thought. *If I can leave, why not her?*

"Mama, it'll be okay," he said finally. "Joyce is a tough girl. I'm sure she can handle whatever they throw at her."

He took his plate to the sink, squeezing her shoulder as he passed. A bony little shoulder, fragile as a cat's.

GEORGE AND MARION left early the next morning. His mother and Joyce stood on the porch, watching them go. He waved from the window as the Chevy rolled down the hill. Marion rummaged through her pocketbook for a cigarette.

"Oh, God," she said, inhaling deeply. "God, that's good."

"Don't be so dramatic," George said.

Her eyebrows shot up. "As if you haven't been craving one yourself."

"I'm fine. What's the big deal? It's just a couple of days."

Marion laughed, a throaty chuckle. "Oh, please. You don't fool me. You've been dying for one all morning." She handed him the pack; he flipped open a Zippo from his pocket. The sound was oddly soothing. He inhaled deeply.

They crossed the railroad tracks and continued on through the town: Mount Carmel Church, where his Scarponi cousins had been baptized; the apartment above Rizzo's Tavern, where his grandparents had lived. At the corner, the Baker Brothers bus—an old school bus painted dark green—had stopped to let off passengers. He watched them cross the street, black-faced men carrying dinner buckets, heading home to sleep off eight hours of Hoot Owl. He wondered if Gene Stusick was among them, coming home from the Twelve, climbing the fire escape behind Bellavia's Bakery to the apartment he shared with Ev.

He glanced over at Marion, smoking quietly, her long legs crossed at the knee, coolly elegant in her pale blue suit.

"Come on," he said, accelerating at a yellow light. "Let's get out of here."

Poblockis up the hill. "Does Mama know you're driving?" she was only fifteen.

cked smoothly out of the parking space, one elbow hanging out ow. "Sure." He grinned. "It's fine by her. She doesn't even know a license."

drove past the diocesan cathedral, the bus station, Gable's de- store. Growing up, she'd considered Altoona a major city. Now hat it was just another town.

y downshifted smoothly at a light.

no taught you to drive?" she asked.

body. I just picked it up."

ked it up where? On whose car?"

erybody has a car. Everybody but us."

ey rode in silence, the lights of the town disappearing behind them. y had begun to darken; the road wound narrowly. On either side of orn had been cut.

can't believe you're back," Sandy said. "You're not really going to re you?"

Mama needs me." She hesitated, not sure how much to tell him. She ed his handsome profile, the blond forelock curling over his forehead ome exotic plumage.

You need a haircut," she observed.

andy shrugged. "I like it this way."

Twilight was falling as they came into town. A new traffic light had hung at the corner of Main and Susquehanna, another at the bottom he hill. A horn sounded in the distance. At the crossing they waited for train to pass. A string of traffic formed behind them, headlamps ght in the rearview mirror.

"So many cars," said Joyce.

FOUR

The town grew.

Baker Twelve was mined around the clock. By its third year it employed six hundred men, two hundred per shift. At dawn, and at midafternoon, and again late in the evening, cars idled at the new bridge that had been built across the Susquehanna. White-faced men in the westbound lane, heading toward the tipple. Black-faced ones in the eastbound lane, driving home from their shifts.

Baker Towers grew taller and broader, their shape softly conical, like a child's sand castle. In time they took over the old rail yard, where the coal cars had been loaded before the new depot was built. Rain eroded them. In winter they resembled alpine peaks. Each week they were fortified with truckloads of black dirt, the rocky entrails of the One, the Three, the mighty Twelve. In the summer of 1950, the Pennsylvania Department of Industry sent a field technician to measure the piles. It was the lead story in that week's *Bakerton Herald*, the triumphant headline in two-inch letters: SIXTY FEET!

On a good day the air smelled of matchsticks; on a bad day, rotten eggs. When the local thundered down Saxon Mountain, its passengers held their breath. On breezy days the whole town closed its windows, but no one ever complained. In later years this would seem remarkable, but at the time people thought differently. The sulfurous odor meant union wages and two weeks' paid vacation, meat on the table, presents under the Christmas tree.

The *Herald* increased its frequency to twice a week. More was happening, and more often, than a weekly paper could possibly report. The grammar school enrolled its largest class ever; the children shared desks and readers. A trailer was brought in to handle the overflow. A year later, a second one was parked behind the school.

A few things did not grow. In 1951, the Pennsylvania Railroad ended passenger service to Bakerton. After the war, business had dwindled. Nearly every family in town owned a car. Some people minded: those too young to drive or too old to learn, women like Evelyn Stusick whose husbands refused to teach them. Still, the coal trains continued to rumble through the town, reminding the old-timers of what had been lost.

A Town Improvement Committee was formed. They agreed at their first meeting that everything needed improving; the question was where to begin. A referendum was held to rank possible improvements in order of importance. The list included a water treatment plant, a public library, a job training center, housing for veterans, and a maternity wing for the hospital. Space was left for write-in suggestions, in case there was anything the committee had missed.

The referendum was held, the votes tallied.

That summer, a new baseball park was built.

Joyce Novak came home in September, in the
summer: hot afternoons fading early, the mornin
dew. She had left on just such a day. The coinciden
years of her life seem imaginary, the vivid dream of a

But Joyce did not nap; for her, daylight made sl
the train ride from Charlotte to Washington, the long
ington to Harrisburg to Altoona, she stared out the w
passengers snored around her. With her she brough
suitcase full of civilian clothes, the skirts and blouse
teenager. In her pocketbook was a packet of letters from
Jevic. Except for the letters and the hat, she'd acquire
years away.

Sandy met her train at the station in Altoona. They
wardly. He had grown four inches that year. His cheek fel
hers. *He shaves now,* she thought.

She followed him to where the car was parked. He ha

from the
asked. He
He ba
the wind
you need
They
partmen
she saw
Sand
"Wh
"No
"Pi
"Ev
Th
The sk
it the
"I
stay, a
"N
studi
like s

"It's quitting time." Sandy glanced over his shoulder. "They're going to West Branch. There's a bunch of new houses out by the Twelve."

They drove through the town and crossed the tracks to Polish Hill. A chorus of dogs announced their arrival: the tenor bark of beagles, the deeper baying of Ted Poblocki's hounds. Sandy parked and honked the horn. The house looked small and shabby. The grass hadn't been cut in weeks.

The front door opened. Rose appeared, barefoot, on the porch. She had grown fat; her hair was almost totally gray. She descended the steps carefully, as though her knees pained her. Joyce felt a weight in her stomach, as if she'd swallowed something heavy. *She's getting old,* she thought. Her mother had worn the same housedresses since Joyce was a child. Seeing her change in any way was deeply unsettling.

She got out of the car and filled her lungs with the cool air, then accepted her mother's embrace, an ordeal to get through as quickly as possible. Joyce had a horror of crying; tears caused her nearly physical pain. When she felt them coming—the warning ache in her throat—she rebuked herself with a single word: *Don't.* A bald command, suitable for a dog, but it generally worked. She hadn't cried in years.

"So thin!" her mother exclaimed. She'd said this every time Joyce came home on furlough, though her weight hadn't changed since basic training.

Sandy leaned out the car window. "I'm going to drop this wreck off to the Poblockis. I'll be right back."

Joyce watched the car pull away, thinking, *He shouldn't be driving without a license.* But that—like the shaggy lawn, the cracked pane in the front window—could wait until later. There was already so much to fix.

Her little sister appeared in the front doorway. Her plaid jumper was tight across her belly. Her glossy black hair hung in a braid down her back.

"*Bella* Lucy," said Rose. "Come and say hello."

The girl hesitated a moment, then came down the porch stairs. She walked awkwardly, thighs touching, her calves slightly bowed.

"Hi, honey," said Joyce, clasping her briefly. The words sounded strange to her; she couldn't remember the last time she'd called someone that.

The house was smaller than she'd remembered; it seemed incredible that her entire family had once lived there. The first floor had three rooms: a parlor, a dining room—never used for dining—and a large kitchen. Upstairs were three bedrooms and a tiny bath. The summer before his death, her father had hauled away the outhouse and installed the tub and toilet himself.

Joyce glanced around the rooms, noticing everything. The parlor furniture was worn and threadbare. There was another cracked window in the kitchen, patched with electrical tape.

She sat at the kitchen table while her mother reheated a plate of spaghetti. She wasn't hungry, but refusing was more trouble than it was worth.

"How are you feeling, Mama?"

Rose's eyes darted in Lucy's direction. "Go and play, *bella,*" she said, handing her a macaroon from the jar.

Joyce waited until Lucy had disappeared into the parlor. "Did you make an appointment?" she asked.

Rose dismissed this with a wave, as though no doctor were worth the extraordinary bother of making a telephone call.

"I'll go uptown and call tomorrow." Joyce accepted the plate, twice as much spaghetti as she could possibly eat.

"And Mama," she said. "Isn't it time we got a phone?"

SHE SLEPT in her childhood bed, the mattress bowed in the spots where she and Dorothy had slept. Sandy occupied Georgie's old room. Lucy—as she had her whole life—shared a bed with her mother. In the morning the house smelled of breakfast, scrambled eggs and fried toast. Her mother still kept hens, in the coop Joyce's father had built.

The mornings were damp, smelling of fall. From the front porch Joyce watched the neighborhood children walking to school, girls in loafers and plaid skirts, carrying stacks of books. A strange sadness filled her. Her own girlhood had passed too quickly. She felt older than she was, lost and depleted. Nothing had turned out the way she'd planned.

Each morning she slept late, then walked to town for the newspaper. *Reds Vote Japs Out of U.N. Senator Nixon Denies Wrongdoing, Admits Gift of Dog.* The world seemed very far away.

One morning she walked across town to the Bell Telephone office, paid a deposit, and brought home a telephone. She had dressed in her uniform; walking down Main Street, she felt the gaze of shopkeepers, old women, night miners coming home from the Twelve. A man watched her cross at the corner. He turned and spoke to his buddy in a low voice, and laughed. Later, at home, Joyce hung her uniform at the back of her closet. She never wore it again.

She'd been a girl when she left, barely eighteen; she had committed herself to military life with a certainty that now seemed childish. She'd tried to convince Irene Jevic to enlist with her. Like Joyce she had no money, no boyfriend, no prospects; they both seemed destined for the dress factory. Irene's sister worked there already. In a few years the place had transformed her into a stout matron with eyeglasses, broad in the behind from too much sitting, plagued by headaches and eyestrain. An example that should have persuaded anybody, in Joyce's view; but Irene was both timid and stubborn. Only one argument could convince her. "There must be a hundred boys for every girl in the air force," Joyce told her. "If you can't find a fellow there, you might as well give up."

Irene agreed, but lost her nerve, and in the end Joyce rode the bus alone to the induction center halfway across the state. The ride itself was a revelation; except for a class trip to an amusement park near Pittsburgh, Joyce had never left Saxon County. In her small suitcase was a leather-bound copy of *Pride and Prejudice,* the only book she'd ever owned. It was a going-away present from Miss Peale, who'd inscribed the flyleaf in the careful loops of the Palmer method: *Good books are good friends. From your friend and teacher, Viola Peale.* Joyce had read it in a single day. The story itself—a convoluted tale of young women scheming to find husbands—did not impress her. Of all the books ever written, she wondered why Miss Peale had chosen this one for her.

Poor Miss Peale. She'd seemed stunned when Joyce told her the news. "The air force?" she'd repeated, as if she'd never heard of it. "Joyce, are you sure?"

"It's a fine opportunity for a young woman." She'd been told this by the recruiter and had repeated it to her entire family.

"But it seems so—*drastic.*"

"I've given it a lot of thought," Joyce assured her. The reaction disappointed but did not surprise her. Her mother, Dorothy, even her brother Georgie had failed to understand. There was no reason to think Miss Peale would be different.

Later, she saw that she hadn't explained it properly. She wasn't like Georgie, desperate to leave Bakerton; if she'd merely wanted to escape her hometown, any sort of job would have sufficed. File clerk or factory girl. Cleaning houses for money—or, if she managed to find a husband, for free. But Joyce longed to devote herself to something of consequence; of the paths open to her, only the military seemed meaningful enough. She was a Bakerton girl with no education and no prospects. Serving her country was her only chance, the only way her life could ever be important.

She'd considered herself, if not born to it, then raised for it. In every important way, the war had defined her childhood. Of all the Novak children, only Joyce had spent her evenings in the parlor with their father, listening to Lowell Thomas: the bombings and casualties, the daily movements of troops. As a youngster, she'd saved her gum wrappers, valuable sources of aluminum. Though she hated knitting, she'd made afghan squares for the Red Cross. Later, in junior high, she'd organized twice-yearly collection drives, gone door-to-door asking for old tires, used pots and pans, anything made of metal or rubber or tin. She was a proud girl, and begging was not in her character; but she had done the work gladly. Her small humiliation was nothing compared to the sacrifices of the soldiers. The same sacrifices she would make later, as an adult.

She was sixteen when the war ended, almost ready to enter the world. After the initial joy of the surrender, she was at a loss. Working in an office as Dorothy did, or in a store like Georgie, would have seemed a capitulation. Her whole life she'd imagined her future in uniform. She couldn't picture it any other way.

One afternoon, coming out of the butcher shop in Little Italy, Joyce glimpsed a short, stout figure in a familiar plaid coat.

"Irene!" she called.

The girl turned and broke into a grin. The two friends embraced, laughing and exclaiming. For the first time in weeks, Joyce felt at home.

"Good to see you, stranger," she teased. "Did you lose my address? I thought you fell off the planet." She linked her arm through Irene's. "Come on. Let's go have a pastry at Bellavia's. My treat."

"Joyce, I can't," Irene stammered. "I need to get home." Her watery blue eyes were bloodshot. There was a roll of extra flesh beneath her chin.

"Not even for a minute?" Joyce looked at her closely, shocked by how she'd changed. Irene wore rimless eyeglasses, and the left side of her face looked swollen. To Joyce she looked forty years old.

"Irene," she said softly. "Is everything all right?"

"I have a toothache." Her hand went to her cheek. "It's driving me crazy. And I'm kind of in a hurry. I should have been home at four. My mother's going to wonder what happened to me."

"Are you still working at the station?" After graduation, Irene had been hired to answer phones at KBKR. The pay was lousy, she'd written, but it kept her in lipstick and movie tickets.

"Oh, no. I quit that ages ago. I'm at the factory now. Listen, I have to run." She gave Joyce's elbow a squeeze. "When do you head back to North Carolina?" She started down the street, not waiting for an answer.

"It's great to see you," she called over her shoulder. "I'll try and stop by the house before you leave town."

Joyce watched her go. *The factory,* she thought wonderingly. A few years ago, Irene had been as horrified by the place as Joyce was. Now she'd quit a perfectly good desk job and—if Joyce was any judge—would work in the factory for the rest of her life. Bakerton did this to people: slowly, invisibly, it made them smaller, compressed by living where little was possible, where the ceiling was so very low. Joyce thought of her father, a big man whom Bakerton had diminished. After thirty years of mining he'd walked with a stoop. Once, to show her how he spent his workday, he'd crouched on his hands and knees beneath the kitchen table, the contorted posture of a miner in low coal.

How can I stay here? Joyce thought. *How much smaller can I get?*

"Tell me what you see."

The doctor spoke in a deep voice. Joyce caught her mother's eye, nodding encouragement. Rose was shy around strangers, self-conscious about her accent. The gaze of a stranger, a man especially, could render her speechless.

"Flashes of light," Joyce interjected. "And her vision is blurred."

"It's like I look at everything through a veil," Rose added.

The doctor made a note in a folder.

"Does she need glasses?" Joyce asked.

"No," he said curtly. "That wouldn't help." He turned to Rose. "Have you been tired lately?"

"Sometimes," she said softly.

"Any unusual thirst?"

Joyce thought of her mother standing at the sink, drinking two tall glasses of water, one after the other. She had never considered this odd. Rose had done it for years.

"Have you gained or lost weight?"

Rose explained, haltingly, that she cooked too much since the children had left. If she'd gained a few pounds, that must be why.

In the end a nurse came to draw blood. "What's the problem?" Joyce asked the doctor.

"I won't know for certain until I see the test results, but I suspect that your mother is diabetic." Briefly he explained the nature of the disease: a problem with the pancreas, a hormone it failed to secrete.

"But what does that have to do with her eyes?"

He explained that diabetes puts stress on all the organs: the kidneys, the heart. The eyes were particularly vulnerable. "There's another doctor she should see." He wrote a name on a card. "His name is Lucas. He's an eye specialist in Pittsburgh."

Joyce took the card. She had never been to Pittsburgh in her life.

"One more thing," said the doctor. "Mrs. Novak, could you take off your shoes?"

Rose bent and unbuckled them. The doctor reached for her foot and held it in his lap. He took a wooden tongue depressor from the table behind him and ran it along the sole of her foot.

"Can you feel this?" he asked.

Rose nodded.

"What about this?" He prodded her skin with the end of the stick, then repeated the test on her other foot.

"Diabetes can affect sensation in the extremities," he explained. "Your mother might cut herself and not feel it, and the consequences could be serious. Diabetics are prone to infection, and their wounds don't heal normally. What would be a minor abrasion in a healthy person could become gangrenous. The patient could end up losing a foot."

"Is that common?" Joyce asked, horrified.

"It's not uncommon. I've seen cases." He turned to Rose. "I don't mean to scare you, Mrs. Novak. But it's important that you take care of your feet."

Rose leaned close to Joyce and whispered into her ear.

"My mother has a question," said Joyce. "Is there some kind of medicine she can take?"

"I'm afraid not. There are no easy treatments for diabetes. The most important thing is to keep an eye on her diet. No sweets. Cut back on bread and starches." He reached into a drawer and handed Joyce a printed leaflet. "If she lost some weight along the way, that certainly wouldn't hurt."

Joyce took the paper. It was a list of foods, with calorie counts.

"Diabetes is a serious illness," said the doctor. "Your mother will have to be very careful. If she can control her diet, it will add years to her life."

LATER, AT HOME, Joyce made a tour of the yard, a pad and paper in hand. Two broken windows. The back screen door was nearly off its hinges. The front porch had several rotten floorboards. Someone as heavy as her mother could easily step right through.

She went around to the cellar door, down the steps to the basement. Water pooled near a crack in the foundation, another item to add to her list. The shelves were loaded with canned peppers and tomatoes, boxes of empty Ball jars. Broken glass crunched beneath her shoes. She thought of Rose in her bare feet, placing the jars on the shelves. How easily, and how often, she might drop a jar.

Her father's toolbox was where he'd left it, on a low table in the corner. Joyce knew from her mother that Georgie seldom visited—he was busy with his fancy wife, his baby son, his job at the department store. When he did come to Bakerton, it clearly never occurred to him to fix anything. The toolbox was covered with dust.

She pried open the rusted latch. Inside, the tools were neatly stacked. One by one she lifted them out: hammers, wrenches, a framing square, several pairs of pliers. Exquisite, heavy tools, handmade by her uncle Casimir, who'd forged wheels for mining cars during the day and worked nights in his own blacksmith shop. The wooden grips were worn smooth from use. From her father's hands. Tears stung at her eyes. She closed the box.

The upstairs door squeaked open. She heard footsteps on the stairs.

"Joyce?" Her little sister stood in the doorway to the kitchen, a macaroon in her hand.

"Don't come down here. There's broken glass on the floor."

Lucy took another step. She peered into the dimness. "Why are you crying?"

"I'm not." Joyce turned away. "Go back upstairs."

The door closed. Joyce fumbled in her pocket for a handkerchief. Her hands were dirty from the tools. *I must look a sight,* she thought. Carefully she replaced the tools. She blew her nose and went out through the cellar door.

She had come home to help her mother. That was the explanation she'd given her superior officer, her few friends in the service; it was the story she'd told herself. Rose's letter—*I don't feel so good. Every day I get a headache. I think maybe I need glasses.*—had come at a convenient time. She hadn't asked for help. Joyce had simply volunteered. She was disillusioned with military life, fed up and furious; and here was an escape route, a way to save herself without losing face. A sick mother—she was ashamed to admit it, but she had even liked the sound of that. Explaining the situation to her CO, she'd felt noble and high-minded. She hadn't stopped to consider whether any of it was true.

She thought of the games she and Dorothy had played as children: hide-and-seek, blindman's bluff, duck-duck-goose. At the beginning of the game all players were equal, and anything was possible—every kid in the neighborhood running breathless and excited, like bees humming around a hive. Then someone found you, or pointed you out, or slapped your sweaty back, and like it or not, you were It.

Georgie and Dorothy had escaped the hand—whether through speed or calculation, or just the simple dumb luck of being older, Joyce couldn't say. But the hand had landed on her shoulder. She, apparently, was It.

Duck, duck, goose.

THE EYE SPECIALIST was booked until November. Joyce took the first appointment available, a Friday morning, the day after Thanksgiving. At the drugstore she bought a road map of Pennsylvania and spread it before her on the counter. She located Pittsburgh immediately, an agglomeration of bright yellow at the southwest corner of the state. Bakerton was harder to find, the name in faint italicized letters, the smallest typeface on the map.

She set out early the next morning, in sturdy shoes. In half an hour she had reached the edge of town, where a car dealership had just opened. She stood in the lot a moment, looking around uncertainly.

A boy in a suit approached her. "Can I help you, ma'am?" He was tall and gangly, his face studded with pimples. He looked barely old enough to drive.

"I need to buy a car." She pointed to a blue sedan at the edge of the lot. "How much is that one?"

"That Plymouth over there?"

"Yes," she said. "The Plymouth."

He named a figure that seemed impossible. She had a small savings account, where she'd deposited her last check from the air force.

"That's more than I can afford," she said, embarrassed. Her own discomfort irritated her. *Brush it off,* she thought. *He's just a kid. Who cares what he thinks?*

"Do you have one less expensive?"

He pointed to a smaller car. "That Rambler is four hundred dollars. It's secondhand, but it runs good. You want to take it for a test drive?"

She looked him in the eye. "I don't know how to drive."

He stared at her, mystified. "Then what do you need a car for?"

Mentally she ticked off a list: the Wojick boys, the half-bright Poblockis, her brother Sandy, who'd "just picked it up." Every male on Polish Hill knew how to drive. How difficult could it be?

"I'll learn," she said.

THE BANK WAS BUSTLING that morning. Tellers stood at their windows, silently counting. A half-dozen customers waited in line. Joyce approached a window.

"I'd like to fill out a job application," she said.

The teller, a short round-faced man, eyed her briefly. "Hang on a second." He resumed counting, then wrote a figure on a scrap of paper. He placed the paper atop the stack and wrapped it with a rubber band.

"Stiffler," he said to the man at the next window. "This lady wants to fill out a job application."

Two men turned in her direction. One, Irving Stiffler, was her brother's age; he'd come back from the war missing a foot. Joyce had seen him around town and was amazed by how well he walked, with only a slight limp.

"Hello, Joyce," Stiffler said, nodding. "You'll have to talk to the manager. Have a seat, and I'll tell him you're here."

Joyce sat on the vinyl sofa near the window, aware of the silence in the room. In a moment the clerks resumed counting. Two men in overalls came in the front door. The bank opened early on Friday mornings to accommodate the miners, the Hoot Owl crews who stopped to cash paychecks on their way home from work.

Half an hour passed. Finally, a portly man in shirtsleeves came toward her. He eyed her uncertainly, then sat beside her on the sofa, hitching up his trousers to preserve their creases. "What kind of a job are you looking for?"

"Secretarial," she said. "I type seventy-five words a minute. I can do just about anything involved with running an office."

"Have you tried over at the factory?"

She blinked. He seemed not to have heard her. She tried again. "Actually, what I'm looking for is an office job. A teller position would be ideal."

He scratched his head. "The thing is, we generally don't hire girls for those jobs. We did years ago, during the war, but these fellows"—he gestured with a nod of his head—"are all veterans."

"I see." She wished, for a moment, that she'd worn her uniform. "I'm just out of the air force, myself."

A smile played at his lips. "Good for you," he said. "But these men are combat veterans—wounded, some of them. With families to support. You can understand that, can't you?"

"Perfectly," she said evenly. "I've got a family as well, sir. My mother is a widow, and my younger brother and sister are still in school."

The man glanced at his watch. "Well, I can't help you. We aren't hiring right now." He rose. "Try over at the factory," he said again. "Good luck to you, Joyce."

On Saturday afternoon she left the house carrying a tin of macaroons. Her mother baked them every Friday. Unless Joyce watched her closely, she'd eat half of them herself.

The Jevics lived in a dilapidated frame house, a big, barnlike structure near the Number One tipple. Irene was the third of ten children; every few years, it seemed, her father built another bedroom onto the house. As a little girl, Joyce had been intimidated by the place, not just its size but its strangeness. All her other friends had lived in company houses—three rooms upstairs, three rooms down. It had never occurred to her that a house could be built any other way.

In the Jevics' backyard, boys ran and shouted. Joyce climbed the porch steps and knocked at the front door. She sensed a flurry of activity behind it: a radio playing, a baby crying, tiny voices raised in anger or joy. Then Irene's mother opened the door, a dark-haired baby on her hip.

"Joyce Novak!" She held the door open. "For God's sake, I didn't know you were back."

Joyce stepped inside. Shrill voices in the next room, the excited chatter of little girls. "I brought you some macaroons. I remember how you liked them."

"You're a sweet girl. Those Eyetalian cookies are delicious." Mrs. Jevic shifted the baby to her other hip. She was a big, red-faced woman with wide, startled-looking eyes, the same watery blue as Irene's.

She led Joyce to the kitchen. "Irene's at the dentist, having that tooth pulled. She'll be back any minute. Sit down and have some tea."

Joyce sat at the table, its Formica top extended with a plywood leaf. Bottles and rubber nipples dried on a towel by the sink. Beside the back door was a metal washtub, overflowing with different-size shoes. The place was as chaotic as a kindergarten.

"Have you met little Susan?" Mrs. Jevic asked, smoothing the baby's hair.

"No," said Joyce. "She's adorable. How old is she?"

"A year next month." Mrs. Jevic filled the teapot with water. Susan squirmed and let out a squeal.

"Here we go again," said Mrs. Jevic. "You won't be quiet—will you?—until your mother comes home."

Your mother? Joyce thought.

Mrs. Jevic wiped her hands on a tea towel. Then she saw Joyce's face.

"You didn't know?" She spoke rapidly, in a low voice. "Heavens to Betsy, I thought the whole town knew. She's Irene's baby."

The kitchen seemed very warm. Sweat trickled down Joyce's back. "I had no idea." Her voice came out in a whisper. "Irene never said a word."

"Well, she's ashamed, of course. Can you blame her?" Mrs. Jevic sat heavily in a chair. "She's had a hard couple years. Don't get me wrong—I don't excuse what she did. But she's paid the price, I can tell you that."

Joyce swallowed. "What about—the father?"

"An Eyetalian boy. No offense." Mrs. Jevic checked the baby's diaper. "He skipped town the minute she told him. He could be anywhere by now. And his mother's a real witch. She won't have anything to do with Susan. She blames it all on Irene."

There were footsteps on the porch. Then the screen door slammed.

"Irene!" Mrs. Jevic called. "Joyce Novak is here."

Joyce's heart quickened. She wished, absurdly, for a place to hide. *What do I say to her?* she thought frantically.

They waited a moment.

"Irene?" Mrs. Jevic called.

She rose and glanced out the window.

"That's strange," she said. "Looks like she went back up the street."

JOYCE WALKED HOME, her hands in her pockets. The air had turned cold. She'd waited another half hour, but Irene hadn't returned. "I'll come back another time," she told Mrs. Jevic, after they'd each had two macaroons. She walked quickly, grateful to leave the noisy, overheated house.

Her whole life she'd heard of girls who had to get married; less often, girls sent away to convents, or to live with relatives out of state. At one time she'd believed, childishly, that these girls were wicked. Later she decided they were merely stupid. A boy would try to talk you into anything; he had nothing to lose. It was the girl who took all the risks.

Experience had taught her that life was not so simple. Irene wasn't stupid, just a girl who'd seen too many movies—as Joyce had; as they all had. It was, she reflected, a dangerous pastime, mooning over the handsome, clever men on the screen. It doomed you to disappointment; it made you expect too much. Joyce had never been in love, but felt herself capable of it. She could love Fred Astaire or Clark Gable or Errol Flynn, an elegant, cultivated fellow who wore wonderful clothes and possessed all sorts of hidden talents, who sang and danced and even fought in a way that looked beautiful; who even when he drank was witty and articulate and gentle and wise. The harder job was loving what men really were—soldiers and miners, gruff and ignorant; drunken louts who communicated mainly by cursing, who couldn't tell you anything about life that you didn't already know. That was something Joyce wanted no part of. It seemed to her a waste of love.

Poor Irene. Joyce could imagine easily how it had happened. Stuck in Bakerton, answering phones at the radio station; Irene bored and boy-crazy, starved for attention. An easy mark for a fellow who wanted only one thing.

She crossed the tracks and began the hike up Polish Hill. Halfway up, the sidewalk ended; a narrow path wound alongside the road. The path was safer than the road, quicker than hiking through the woods. Still, it was a rough climb, narrow and winding and littered with red dog. One false step and you'd easily twist an ankle, trip and fall headlong down the steep hill.

Irene, Joyce reflected, had taken a false step, one nobody would let her forget: *I thought the whole town knew.* She herself had stuck to the path. As far as she could tell, it was the only logical route, even though it didn't take her anywhere she wanted to go.

The days grew shorter. By suppertime it was nearly dark. The family ate at the big table in the kitchen. Lucy chattered about her day at school. Sandy hunched silently over his plate. Rose cooked enough for ten: huge vats of minestrone, piles of macaroni, pounds of eggplant baked with cheese. She herself took seconds and sometimes thirds. Joyce reminded her, gently at first: *A serving of noodles is two ounces.* She had saved the leaflet from the doctor's office and pasted it to the refrigerator door. Finally she bought a scale at the drugstore and meted out the portions herself.

In the evenings they sat together in the parlor: Joyce reading, Lucy doing homework, Rose hemming skirts or trousers by hand. A tailor in town paid her a half-dollar per item. She sewed for ten, twenty minutes at a time, then stopped to rest her eyes.

Years later, looking back, Joyce would try to remember where Sandy spent those evenings. Often he barricaded himself in his room. "Homework," he said, when Joyce asked what he did in there for hours on end.

He said it with a twist to his lips, a smart-aleck tone that made her feel foolish. He seemed to be laughing at her.

Some nights a car would park in front of the house and honk its horn. Then Sandy would rumble down the stairs.

"Where are you going?" Joyce would call after him.

"Uptown," he'd answer, slamming the door behind him.

A few times she had gone to the window. Each time a different car—a green Plymouth, a Studebaker sedan—and a different girl. Sandy hopped inside, and the car tore away, scattering gravel. Music from the open windows, a silly song that had been popular that summer: *Rag mop, rag mop.*

JOYCE FILLED OUT APPLICATIONS at the phone company and the post office, the grocery store and the five-and-ten. She could run a cash register or serve customers at the candy counter. It wouldn't be ideal, but she could do it. Still nobody called.

A month passed. The weather turned cold. The winter coal was delivered and paid for. Lucy's parochial school tuition came due.

"She could try the public school," Rose said hesitantly, but Joyce disagreed. She herself had graduated Bakerton High and considered her own education lacking. Unlike Sandy, Lucy was a good student. If the town had a better school, she deserved to go there.

In November Joyce went to work at the dress factory.

She was placed on the second floor, collars and facings. In the same department were two of her classmates from high school, Sylvia Fierro and Frances Scalia. Irene Jevic followed the other two like a lost child. Her first day on the job Joyce noticed them in the lunchroom,

Sylvia and Frances chattering loudly, Irene chewing silently at her sandwich.

"Hi there," said Joyce, pulling up a chair.

Irene looked stunned. "What are you doing here?"

"Collars and facings. I started this morning."

"Holy cow."

For a long time neither spoke. *"Holy cow" pretty much covers it,* Joyce reflected. There was nothing more to say.

"Sorry I missed you on Saturday," Irene said. "I left my glasses at the dentist's. I had to run back and get them."

"That's okay. I had a nice visit with your mother."

Irene chewed silently at a thumbnail. Her fingernails, Joyce noticed, were bitten to the quick.

"I guess you met Susan." She spoke very quietly; Joyce had to strain to hear her. "My baby sister."

"Yes," said Joyce. "I did."

"The last of the Mohicans." Irene smiled wanly. "With ten brothers and sisters she'll be spoiled rotten. You can imagine."

Joyce thought of the Punnett squares she'd studied in high school biology; then of Irene's parents, with their watery blue eyes. Irene hadn't taken biology. No one had told her that two blue-eyed parents couldn't produce a brown-eyed baby.

"She's a beautiful child," Joyce said.

"I think so, too," said Irene.

JOYCE'S TASK, at first glance, was a simple one. She was assigned to a machine and given two piles of fabric—one pile of collars, one pile of facings. She was to stitch a collar to the underside of a facing, then pass the pieces on to Mrs. Purdy, who fitted them into the bodice of a dress at a speed that seemed supernatural. One after another Joyce stitched together the curved bits of fabric, cursing her slowness. Around her the machines roared. The foreman, a big sullen man named Alvin Blick, watched her from the door. Twice she attached the collars backwards. *Criminy,* she thought. *I'll go crazy doing this.*

By the end of her second day she had developed a system, a way of laying out the pieces on her table and folding the edges together so that the fabric fed smoothly into the machine. After that the work became automatic, and her mind began to wander. She remembered the interminable trip to Lackland Air Force Base in San Antonio, three days by train. Basic training; the heat a constant presence, like a sleeping beast. Maneuvers at noon: the malevolent sun, girls collapsing on the parade grounds. The air force had provided salt tablets; the briny water turned her stomach, but still she kept drinking. It was impossible to drink enough. At night she slept deeply, the night loud with bugs. Sometimes, when the factory whistle roused her, she felt she'd traveled a hundred miles. Then she looked up from her machine and saw she hadn't been anywhere at all.

She worked as part of a team. There were four girls who fused collars and facings, three older women who attached the collars to the bodices. To Joyce's left sat Mrs. Purdy's daughter, a big, slow-witted girl named Betty. Though she'd worked there for months, she was clumsier than Joyce. At least twice an hour her thread would break. Several times a day the fabric became caught in her machine. When this happened, Mrs. Purdy would get up from her own machine and lumber over to Betty's. She moved slowly, rheumatism in her knees and back. Only her fingers were fast.

Blick, the foreman, began to notice. "You're getting backed up," he'd yell, and it was true: a pile of collars and facings would accumulate each time Mrs. Purdy left her machine. At those moments Joyce thought of her sister Dorothy, who'd lasted eight months before Alvin Blick fired her. Dorothy was as timid as Betty Purdy; Joyce imagined her trembling like a child whenever Blick glanced in her direction.

He's a bully, she thought. She had strong opinions about bullies. The air force was full of them. She'd spent four years at their mercy.

One day after lunch she returned to her machine early and showed Betty her method for laying out the fabric. "It's quicker this way," she said. She felt Alvin Blick watching them from across the room.

The whistle blew; the women settled at their machines. Later, when Betty's thread broke, Joyce reached over and quickly rethreaded the machine. Mrs. Purdy looked up, surprised.

"Thank you, dear," she whispered.

Joyce became so skilled at rethreading Betty's machine that she barely rose from her chair; most times Alvin Blick, busy barking orders at the cutters or glaring at one of the other girls, didn't even notice. Over time Betty's thread broke less often; only rarely did the machine gobble up her fabric. Free of interruptions, Mrs. Purdy attached collars to bodices at her usual blistering speed. Joyce was nearly as fast. In this way their section became the most efficient on the floor. The women downstairs, who assembled the bodices before sending them up to Mrs. Purdy, could scarcely keep up.

Lucy loved all holidays, but Halloween was her favorite. The festivities combined candy and compliments, her two favorite treats. Each year her mother sewed her a special costume. At different times she had been a fairy, a gypsy, a kitten with whiskers and a tail of fake fur. This year she would be Pocahontas, the Indian princess. Her sister Dorothy would come home from Washington especially for the occasion, to braid her long black hair.

In the past her costumes had gotten only two wearings: trick-or-treat in the neighborhood, and the children's costume party in the fire hall uptown. But this year the third grade had an especially nice teacher. A Halloween party would be held Friday morning at school.

On Thursday afternoon Lucy sat at the kitchen table, flattening cookie dough with a rolling pin. Her mother padded around in bare feet, singing along with the radio: "Come on-a My House," in a funny voice that sounded like her aunt Marcella. The song always made Lucy laugh. They were singing together when the back door opened.

"Mama, what are you doing?" Joyce stood in the doorway, her coat over her arm, a pinched expression on her face. A draft filled the kitchen.

"Making cookies." Her mother stood with her back to the oven. "Your sister need them for school."

Joyce sighed.

Lucy stared down at her floury hands, the circle of dough she had rolled flat on the counter. They had cut the dough into different shapes—a witch, a jack-o'-lantern—and dusted them with colored sugar. In between they nibbled at the sweet, buttery dough, which tasted better than the finished cookies.

Her mother took a pan from the oven. "I leave the sugar off these. See? They're not so bad."

"Mama."

"Me, I just bake them. I don't eat none."

Lucy's heart quickened. It was a lie; they had each eaten five or six. Her mother turned on the faucet and scraped at the bar of soap, to clean the black-and-orange sugar from beneath her fingernails.

Joyce turned to Lucy. "Honey, go upstairs and wash your hands. You're all sticky." She smiled then—an afterthought, it seemed to Lucy. Joyce was usually too busy to smile. Busy reading something, cleaning something, folding laundry with more energy than seemed necessary. When she picked clean sheets from the clothesline, the fabric made a whipping noise, like a flag flapping in the wind. She expected Lucy to be busy, too: to red up her room and set the table every night for supper, to gather the eggs each morning before school.

"After that you can start your homework," Joyce called after her. "I'll be up in a minute to see how you're doing."

AT THE TOP of the stairs Lucy listened.

"Mama, you can't," said Joyce. "The doctor told you. No more sweets."

"I make for your sister. That school cafeteria, they cut corners. She don't get enough to eat."

"She doesn't need them either. Lucy is overweight. She can barely fit into her uniform."

Lucy's hands went to her belly, swollen now with raw cookie dough.

"She still growing," said Mama.

"We have to do something. It's not bad now, but what happens when she gets older? She could have a weight problem for the rest of her life."

Lucy backed away from the railing. A coppery taste in her mouth, from gnawing the inside of her cheek.

"Lucy is beautiful," said Mama. "She'll always be beautiful."

SHE *WAS* BEAUTIFUL; Lucy knew this as she knew her eyes were brown. She'd been told it her whole life—by her mother and Dorothy, her Italian aunts, the Polish ladies who lived in the neighborhood. An Indian princess: this was how Lucy had come to think of herself. She was no blond, bland Rapunzel, cooped up in the tower; but a warrior in the wild, fast and strong. Born in November, just past the cutoff date, she'd been kept back a year and was the oldest in her class. She was also the tallest. She could run faster and throw farther than any boy in the third grade. At the noon recess they played stickball, dodgeball, frenzied games of tag and Red Rover. She came back to the classroom soaked with sweat, her blouse sticking to her back. If the other girls ignored her, she didn't care. Pocahontas had no girlfriends either. Her braves were the only friends she needed.

Now, standing before the bedroom mirror, she examined the swell of her belly. She was getting bigger; lately her school uniform cut her under the arms. Each night after supper, she undid the top button of her dungarees. Her mother had always changed into her nightgown after supper, removing her girdle with a great sigh of relief. Lucy could see that the girdle hurt her, leaving angry red marks across her belly. Now she wore the girdle all the time. Since Joyce's return, they had all suffered.

There was a knock at the door.

"How's the homework coming?" Joyce called.

Lucy buttoned her dungarees.

"Fine," she answered. Her mother never asked about homework; neither, when she visited, did Dorothy. Instead they listened to the radio after supper: first the news, then *Gunsmoke* or *The Red Skelton Show.* Fridays were the best nights, because of Mario Lanza. He sang in a deep voice, like a priest; his show was her mother's favorite, a special occasion. Friday nights they shared a big bowl of buttered popcorn and a plate of macaroons.

Joyce came into the room and sat on the bed. "What are you learning in arithmetic?" she asked, peering over Lucy's shoulder. "Times tables?" She took the book from Lucy's hands. "Let me quiz you."

Lucy felt sick. "That's okay."

"I don't mind. What's three times eight?"

Joyce led her through the threes and fours. By the fives she was struggling. By the sixes it was clear that she hadn't studied at all.

"We just started the sixes today," said Lucy, taking back her book. This was a lie. They'd already been assigned the elevens and twelves.

"Just the same, you don't want to fall behind. If you're not sure of the sixes, you'll get all confused with the sevens." Joyce glanced at the clock. "Give it another half hour."

"But my program is starting." Every Thursday she listened to *Tom Corbett, Space Cadet.* She had never missed an episode. "Can't I study after that?"

"At nine o'clock? You'll fall asleep on your math book." Joyce rose. "Twenty minutes on the sixes. I'll quiz you again tomorrow night."

LUCY LAY IN BED, unable to sleep. Her stomach hurt, but it was anger that kept her awake. She glanced at the clock. Eleven-thirty, and her mother still hadn't come to bed.

She crept downstairs and found Rose sitting at the kitchen table. Before her were three cookies on a plate.

"Whatsa matter, *bella*? How come you still awake?"

"I couldn't sleep." Lucy sat. "Can I have a cookie?"

Her mother handed her one.

"What happened to the rest?"

"I had a couple. I make you some more tomorrow. Here." She handed Lucy another cookie and took the last for herself. "We eat the last two. Don't tell your sister." She smiled, showing her gold tooth.

Lucy held the cookie, shaped like a witch. *Like Joyce,* she thought, but she knew better than to say so. Her mother wouldn't stand for it.

"Your sister, she just trying to help," her mother said, as though she'd read Lucy's mind. "It's okay for you. You still growing. Me, I'm an old lady. I got to watch what I eat."

Lucy swallowed hard. She had noticed it already. Other mothers wore

Bermuda shorts and lipstick. Their voices were girlish. They did not have gray hair. The girls at school had noticed, too. Once, when her mother had walked her to school wearing a scarf over her head, Connie Kukla had laughed at her. "Your mom looks like a *stata baba,*" she teased. Lucy hated Connie Kukla. It was the worst thing anyone had ever said to her in her life.

"Whatsa matter, *bella*? Come here."

Lucy settled into her mother's lap, the broad bosom dusted with cookie crumbs. She inhaled and wiped her running nose. "You're not old."

Her mother handed her the last cookie.

"You're a good girl," she said.

"I SEE WHAT you've been doing."

Joyce looked up from her machine. The deep voice had startled her. The other girls had already filed down to the lunchroom. Alvin Blick stood before her, his hands in his pockets.

"I beg your pardon?"

"Helping that Purdy girl." He smiled, showing bad teeth. His fat face was flushed; pink blotches stood out on his neck. *Why, he's nervous,* Joyce thought.

"She was headed for trouble before you showed up," said Blick. "She slowed down the whole line. I was thinking about letting her go." He eyed the pile of finished collars in her bin. "Where'd we find you? Just out of school?"

"I was in the service."

"A WAC?" His eyebrows shot up. "I thought they got rid of those after the war."

"They did. But there are regular women's units now in the air force." Joyce sat back in her chair, feeling small. Her eyes were level with his belt.

"No kidding." He leaned one large hand on the edge of her table. Its legs squeaked in protest. "I was in the army, myself. Bastogne. That's where I got this." He patted a beefy thigh. "Two bullets. One of them's still in there. Leave it, I said. They just about killed me taking the first one out. It was worse than getting shot."

Joyce smiled stiffly. Every man she met seemed to have a similar story. Those who hadn't been wounded described their buddies' wounds. A few had offered to show their scars.

"I have to get to lunch," she said, rising.

"Okay, then." Blick stepped away from her machine. "Dismissed." He chuckled, giving her a clownish salute.

"Yes, sir," said Joyce, her voice cold. "Thank you, sir."

IT WAS A JOKE to him. To all of them: the recruiter who'd signed her up, the enlisted men who'd approached her at dances and mixers—back at Lackland, when she was green and foolish and still believed such events were worth attending. She'd been impressed with their uniforms and careful manners, believed them different from the crude miners who swore and chewed tobacco, the men who now laughed at her uniform in the street. She'd learned differently her third week of basic training, when a young private from South Dakota had walked her back to her barrack after a dance. Reeking of alcohol, he had bent to kiss her; when she pulled away he grabbed at her clothes and called her a name she'd never heard before. There was the officer who, examining a report she'd typed, laid his hand on her shoulder and slid a fat finger under her bra strap. When she flinched, he'd asked her if it was her time of the month.

There was Sergeant Theodore Fry, who'd overseen the recruitment office in Durham, North Carolina, where she'd been stationed her last ten months. He was married with four children; a stiff, reserved man who reminded her of her father. For six years he had run the office alone, until the air force decided a woman would have better success attracting recruits. He had complimented her efficiency, her quick grasp of office procedures. Yet in the end he failed her, too, a night when they both stayed late at the office. It was early December; by late afternoon the office was nearly dark. Together they sifted through boxes of recruits' school records and half-completed forms, looking for a particular document Fry had neglected to file. Joyce was so horrified by the chaos, the laziness and indifference they represented, that she barely noticed him standing behind her, until the moment he grasped her hip and pressed himself firmly against her buttocks.

"For heaven's sake!" she cried. "What are you doing?"

He apologized immediately, his face red. He talked about his wife, how he had not touched her in years; how he hadn't thought about a woman in ages and might never have again, if the air force hadn't sent him Joyce.

The air force sent me to sign up recruits, she thought. *They did not send me to be your mistress.*

"I appreciate that, sir," she said stiffly. "But I'm not interested."

He stared at her a moment, his fat face disbelieving. "Not interested," he repeated. "Well, if you don't mind my asking, Joyce, what did you sign up for, then?"

And in that terrible moment it had all made sense. Until then she'd tolerated the groping hands, the rude comments. The soldiers she'd once idolized had disappointed her sorely, but she'd been able to forgive them. They were, after all, just men. Some of them she'd even pitied: the eighteen-year-old private, away from home for the first time; the officer who hadn't seen his wife in months. *Brush it off,* she told herself each time. She'd been slow to understand that the real humiliation didn't come from these men, but from the air force itself, which had gone through the charade of creating women's units for the simple purpose of keeping its real soldiers satisfied. She thought of the recruitment posters that decorated her office in Durham. SERVE WITH HONOR, they promised. The truth, she'd learned, was somewhat different. *Serve in silence,* she thought. *Service the men who serve your country.*

Quietly she served out her term in Durham. In July she notified the air force of her intent to separate. Two months later she was back in Bakerton.

Joyce arrived at the high school just after the final bell. The corridors were clogged with students: girls in socks and saddle shoes, awkward boys in plaid shirts. She ducked her head as she passed a group of laughing girls; she burned for an instant, an old feeling of loneliness and shame. They did not notice her; it took her a moment to realize why. In her hat and gloves she was invisible, as irrelevant as any other adult. The thought amused her, then filled her with relief.

She continued down the familiar hall, the linoleum with its alternating squares of green and gray. At the end of the hall was the principal's office. She tapped lightly at the door.

A secretary, obviously pregnant, showed her to an inner office. Above the desk was a framed photo of President Eisenhower. Joyce studied his delicate features, his lovely eyes. To her he looked more like a handsome actor than a general.

"Sorry to keep you waiting," said a voice behind her.

She turned. She'd expected a stooped, wizened man named Milton Campbell, who'd been the principal as long as there'd been a high school. This man was tall, with sloping shoulders. His sleeves and trousers were an inch too short. His fair hair had thinned at the temples, but his face was surprisingly young.

"Mrs. Novak. I'm Ed Hauser, the vice principal." His hand was large and moist.

"Miss," she corrected. The letter had been addressed to Rose, but she was too nervous to come. "My mother couldn't make it. I'm Sandy's sister."

"Sorry about the letter," said Hauser. "It says here that you don't have a telephone."

"How strange," said Joyce. "I can't imagine why."

"I wrote to your mother once before, but she didn't respond."

"She's been ill," said Joyce.

"I'm sorry. I didn't know."

His voice was gentle, which confused her. She had expected a different kind of meeting. She was not prepared for kindness.

"Thank you," she said briskly, keeping the tremor out of her voice. "Of course she's concerned. We both are. Your letter took us by surprise. What exactly is the trouble with Sandy?"

"Did he tell you a truant officer picked him up last Monday?"

It took her a moment to respond. She was aware of his eyes on her. "No, sir," she said automatically.

"Apparently he and another boy jumped on board the train as it was leaving the station. A man spotted them and called the police."

"He could have been killed," she said, feeling sick to her stomach. The coal trains were slow, but still.

"He's a bright boy," said Hauser. "All his teachers say so. But he doesn't apply himself, and lately he's absent as often as he's present. If he continues like this, he's liable to be left back again. Or worse."

She frowned. There were worse things than failing a grade—being thrown from a coal train, for example—but just then she couldn't think of many.

"According to his records he turns sixteen next month," said Hauser. "I wouldn't be surprised if he dropped out of school."

Joyce thought of the evenings she'd spent at the kitchen table, poring over homework. Occasionally her father had looked up from his newspaper and given her a wink. He never would have let Sandy drop out of high school.

"This is terrible, Mr. Hauser. My father"—she took a deep breath—"was the disciplinarian in the family. He made sure we took our studies seriously. Sandy was just a little boy when he died." She cleared her throat, sat back in her chair. If she kept talking, she knew that she would cry.

"What about your mother?"

"Sandy doesn't listen to her." Joyce thought of the green Plymouth idling in the street on a school night, the girl waiting in the front seat. "He does whatever he pleases."

Hauser said nothing. He seemed to be watching her.

"I'm concerned about his future," she said. "He'll never find a good job if he doesn't graduate. I'd never forgive myself if that happened."

"Maybe you should tell him that."

"I will." Joyce's mind raced. Sandy was rarely home in the afternoon; in the evening he appeared briefly at dinner. He got irritated when she asked about his day at school. *Nothing happened,* he'd say. *Nothing ever happens.*

"Mr. Campbell has spoken with him already," said Hauser. "I can have a talk with him, too, if you'd like."

"I'd appreciate that. I've been away for several years. I had no idea things had gotten so bad."

Hauser smiled. "Were you away at college?"

"No." She hesitated. "I was in the air force."

"Where were you stationed?"

It was a reasonable question, one she herself might ask a fellow soldier. She waited for the joke.

"Durham, North Carolina," she said warily. "Before that, Bellevue, Washington." She waited for more—where and under whom he'd served, the bullet he'd taken, the medal he'd won.

"The Pacific Northwest. I hear it's a beautiful part of the country. I'd like to see it one day." He closed the folder on his desk. "Miss Novak, it was a pleasure to meet you. Have a talk with Sandy, and I'll do the same. He needs to know we're watching him. Sometimes that's enough to straighten them out." He stood. "Could I have your telephone number?"

Joyce felt her face warm.

"We should have it for the school records," he explained.

"Of course," she said, embarrassed. She recited the digits slowly, hoping she'd remembered them right.

VIOLA RECOGNIZED her from the other end of the hall. A tiny thing, plainly dressed, with excellent posture. Her movements were quick and precise.

"Joyce," she called, surprising herself. In thirty years she hadn't raised her voice inside the school. "Joyce Novak!"

Joyce turned. "Miss Peale?"

They met halfway down the corridor. "What a surprise to see you," said Viola. "Are you home on holiday?"

"I separated in September. I live here now."

Viola smiled uncertainly, unsure whether this was good news or bad. "What brings you to school?"

"I had a meeting with Mr. Hauser." Joyce colored, as though she herself were in trouble. "About my brother, Sandy."

"Oh dear." Viola paused delicately. "Nothing serious, I hope." She had taught Sandy a few years before. A poor student, she recalled, but pleasant and polite.

"Oh, no," said Joyce. "I'm sure everything will be fine." She glanced at her watch. "Miss Peale, I hate to run, but I'm due back at the factory. I'm on my lunch hour."

"Of course, dear." She took the hand Joyce offered and impulsively kissed her cheek.

"It was lovely to see you," she said. "Good luck to you, Joyce."

BACK IN HER CLASSROOM Viola ate lunch alone. She remembered the girl as she'd once been, her blond head bent over a textbook. Joyce was interested in everything: world events, biology and chemistry, the strange diet consumed in the Philippines. It was this quality, Viola later realized, that had distinguished her from all the others. From Viola herself.

I want to see the whole world, she'd said, trying to explain why she'd joined the air force. Had she seen anything at all? Viola wondered. Or had she perhaps seen too much?

She had tried back then, timidly and ineffectually. *You're an excellent student, Joyce. Have you considered some kind of school instead?*

Joyce had looked at her as if she were senile, a foolish old woman. *My mother is a widow,* she said simply. Those few words had ended the discussion. Mortified, Viola had wished her luck; they had never again spoken of her future. All these years later, the memory still shamed her; the arrogance of her suggestion, as though a college education were something a coal miner's child might realistically afford. For years she had blamed herself for doing nothing. For failing the most promising student she had ever known.

In the distance the factory whistle sounded. Viola paid no attention. She heard it every day but had never wondered what it meant.

Across town, Joyce Novak hurried to her sewing machine and went back to work.

HAUSER SPOTTED HIM from across the street. He stood in the school parking lot next to a green Plymouth. With him were two girls, a brunette and a blonde. They were all smoking cigarettes.

"Novak!" he called.

The girls dropped their cigarettes and furtively stamped them out. Sandy Novak met Hauser's gaze.

All right, pretty boy, Hauser thought. *Drop the damned cigarette.*

Sandy took a leisurely drag, a long exhale. Then slowly, deliberately, he ground out the butt with his heel.

"No smoking on school property," said Hauser, approaching them.

"I put it out," said Sandy.

"Girls, would you excuse us?"

They glanced uncertainly at Sandy.

"It's okay," he said. "I'll walk home."

The girls got into the car. Sandy stared expectantly at Hauser.

"Your sister was here this afternoon."

Sandy didn't speak, just raised his eyebrows.

"We've been sending letters to your mother, but I understand she is ill."

Still the boy said nothing.

"Your sister gave us your phone number. You said you didn't have a telephone."

"We didn't," he said at last.

"The point is, I told her about the stunt you pulled at the train station. Scared her half to death."

"You told her that?"

"She had a right to know. As far as she knew, you were coming to school every day like a model citizen. She couldn't believe how many days you've missed."

Sandy avoided his eyes.

"The thing is," said Hauser, "we don't want any surprises. When you flunk the tenth grade, at least your family will know it's coming."

Sandy kicked at the ground with his shoe. "I turn sixteen next month. I can quit then, if I want. You can't do anything about it." A smile tugged at his mouth. For a moment he looked like a little boy.

"That's true," said Hauser. "But the mines won't take you until you're eighteen. That's the law now. And you can't join the air force like your sister did. You need a high school diploma."

His smile faded. "You do?"

"That is correct." Hauser wasn't sure about this, but it sounded right. "Look, I don't care if you quit. I've got five hundred other kids to worry about. But your sister wants you to graduate. You could do it easily, if you cut out the funny business. All you have to do is show up."

Sandy waited.

"Can you do that much, Novak? Come to school every day and get yourself to class on time. You do that, and I'll make sure you pass." He paused. "Do we have a deal?"

Sandy shrugged lazily. Then grinned, a million-dollar smile.

"Sure," he said. "It's a deal."

They sent Sandy to the butcher's uptown, and he came back with a twelve-pound turkey. Rose stationed Joyce at the sink to peel potatoes. Dorothy, home from Washington for the holiday, sat at the table chopping onions for stuffing.

"That's some mighty wasteful peeling," Sandy teased, looking over Joyce's shoulder. "You're throwing away half the potato."

"Let's see you do any better."

"Don't look at me. I've done my part." He thumped his chest, caveman-style. "That bird's heavier than it looks."

He was in unusual spirits. Joyce couldn't remember the last time she'd seen him smile, let alone clown around in the kitchen. She had tried talking to him about his problems at school; he'd cut her off with a rare apology. *I'm sorry, Joyce. I'll straighten up. I promise.* Since then he'd been pleasant, even affectionate, the way he'd been as a boy.

"Is this enough?" Dorothy asked. She had accumulated a pile of chopped onions.

Rose clomped over to inspect them, in the new house slippers Joyce had bought her. "Try to get them all the same size," she advised.

Sandy frowned. "Mrs. Novak, these females have no business in the kitchen. No wonder they can't find husbands."

"Who says we're looking?" said Joyce.

"Well, what are you waiting for? That's what I'd like to know. Neither one of you is getting any younger. I'll bet Lucy beats you both to the altar. There will be two of you dancing in the trough."

"Eeee, the trough!" Rose clapped a hand over her mouth. "When your aunt got married I couldn't believe it. Her sister in the trough like a pig."

"Not an ordinary pig," said Sandy. "A *dancing* pig."

"She must have been humiliated," said Joyce. "To think her own family put her through that, just because her sister got married first."

"Them Polish, they crazy people," said Rose.

"I think it's a splendid tradition. I'm already looking forward to Lucy's wedding. Dorothy and Joyce will bring down the house." Sandy rose and performed a little jig, daintily lifting an imaginary skirt.

"Stop!" said Dorothy. She was flushed from laughing. "You're a terrible boy."

"I'm never getting married," said Lucy.

Sandy raised an eyebrow at Joyce. "You see the example you're setting?"

"Oh, honey," said Dorothy. "Why not?"

"I don't want to go away. I want to stay here."

There was a moment of silence.

"Do you ever hear from Georgie?" Dorothy asked.

"Once in a blue moon," said Joyce.

"He's not much for writing," said Dorothy. "Maybe I should get a telephone."

"He don't like the phone neither," Rose observed. "He call maybe once a month."

"He must be very busy," said Dorothy. "The baby and all."

They had never seen the child, Arthur Quigley Novak, but several times a year George sent photos. The first few had been dutifully framed and placed on a bureau in the living room. More recent shots were tucked into a drawer. In Bakerton Arthur remained an infant. In actual fact he was nearly four years old.

Rose's face darkened. "It's that girl he marry. She don't like it here. She get a headache that time they come." After that first visit, Georgie had always come to Bakerton alone. The family hadn't seen Marion in years.

Silence fell over the kitchen. Joyce glanced at Dorothy. Her eyes were moist.

"What's the matter?" said Joyce.

"Onions." Dorothy rose, dabbing at her eyes with her wrist. "I should wash my hands."

Joyce watched her head upstairs. Dorothy had always loved Georgie too much. Every year she was devastated when he didn't come for Christmas, though by now no one else expected him to show. She didn't understand that Georgie had left Bakerton completely, as Sandy soon would; that neither love nor obligation nor concern for their mother would be enough to keep the Novak boys in Bakerton. It seemed to Joyce that men were made differently, that love and guilt didn't work on them in the same way. She didn't blame her brothers for this. She envied them. She herself had tried to leave. She probably would have succeeded, if she had been born a boy.

AFTER DINNER Joyce and Dorothy stacked the dishes beside the sink.

"Blick," said Joyce. "A heavyset fellow, with a red face."

"That's the one. I still have nightmares about him." Dorothy swiped at a plate. "Joyce, how can you stand it? I know what that place is like."

"It's not so bad."

"Did you ever think of coming to Washington? Mag Spangler is a supervisor now. She's the one who got me in at Interior, after all those wartime jobs were eliminated. Maybe she could find you something." She stacked a roasting pan in the drainer. "I wouldn't mind the company. It gets lonely down there."

Joyce studied her. Dorothy's face had aged. The skin beneath her eyes looked thin and bluish, as though she slept poorly. "Maybe you should find a roommate. Didn't you have one once?"

"I did, years ago." After the deaf schoolteacher retired and moved back to Georgia, Dorothy had taken over her tiny single room. "Never again. Let me tell you, living with a stranger isn't all it's cracked up to be." Dorothy hung her towel on the rack. "We could get ourselves a little apartment. It would be a treat to get out of the boardinghouse."

Joyce had visited Dorothy the summer before, on a brief furlough from North Carolina. Dorothy's cramped little room had struck her as grimmer than the barracks. It seemed impossible that she had lived there almost ten years.

"I know you hate to leave Mama," said Dorothy. "But she's got Lucy and Sandy. It's not as if she's alone."

Joyce smiled, thinking of Sandy's dance in the kitchen. He was no help, but at least he was company. Meanwhile Rose had become more vigilant about her diet. Most days she wore her slippers without prompting. After dinner she'd refused a slice of pie.

"Maybe," said Joyce. "We'll see what the doctor has to say."

JOYCE AND ROSE left early the next morning with a lunch Dorothy had packed, sandwiches of stuffing and leftover turkey. Afterward Dorothy sat alone in the kitchen. She heard movement overhead. Lucy appeared on the stairs in her nightgown.

"Where's Mama?" she asked.

"She just left," said Dorothy. "Joyce took her to the doctor."

"Is she sick?"

"No, honey." Dorothy rose and poured her a glass of milk. "She went to get her eyes checked."

"Does she need glasses?"

"Maybe so," said Dorothy.

"I don't think she does." For as long as Lucy could remember, her mother had been perfectly healthy. She had eaten whatever she wanted. There had never been anything wrong with her eyes. All these problems had begun when Joyce came.

"Mama's getting older, honey. These things happen when people get older."

Lucy didn't respond.

"Come on," said Dorothy. "Let me make you some breakfast."

IN THE WAITING ROOM, Joyce flipped through a two-year-old magazine: *Reds Sign Pact with China.* Rose glanced nervously around the room, her pupils dilated from the eyedrops the nurse had given her. In one corner, a boy sat next to his mother, his eyes covered in bandages. An old man walked awkwardly with a white-tipped cane.

Finally the nurse called Rose's name. She clutched Joyce's arm as they walked down a long corridor.

The doctor, a wizened old man named Lucas, shined a flashlight in Rose's eyes, then turned off the lamp and had her read a backlit chart on the wall. He made her look into a large machine and asked her what she saw.

"How long have you been diabetic?" he asked.

"We found out last month," said Joyce.

"Are you controlling your blood sugar?"

"She's working on it," said Joyce.

He turned on the light. "You are suffering from a condition called diabetic retinopathy. Your blood sugar has been high probably for years and in that time an important nerve has been damaged, the nerve that connects the eyes to the brain." He paused. "When did you first notice a change in your vision?"

Rose hesitated. "Maybe last year," she said. Then considered. "Maybe two years."

Mama! Joyce wanted to cry. *Why didn't you say anything?* She thought of the broken windows at the house, the rotten floorboards on the porch. It was just like Rose to ignore the problem, and nobody else had been around to notice. Joyce gone. Dorothy and Georgie gone. Left to her own devices, Rose had simply pretended. That nothing had changed. That she wasn't going blind.

"This is a degenerative condition. Once it has begun, its tendency is to progress. How quickly, we do not know." The doctor paused. "Mrs. Novak, how old are you?"

"Fifty-three," said Rose.

His mouth tightened. "It's hard for me to judge. I can't see precisely what you're seeing. But it appears that your condition is quite advanced for a woman of your age. Do you live alone?"

"No," said Joyce. "I live with her."

"Good," said Lucas. "She'll need your help."

THE TREATMENTS, called radioactive retinography, would be fourteen in all. Lucas scheduled them two weeks apart, which meant seven months of trips to Pittsburgh. The morning after the doctor's visit, Joyce sat at the kitchen table with pencil and paper, calculating the cost of bus tickets. A single round-trip ticket was ten dollars. But Rose's vision had deteriorated dramatically; she could not travel alone.

There was no way around it. Joyce would have to buy a car.

She walked to the dealership that Friday night, with fifty dollars in cash withdrawn from her savings account. The same salesman was on duty, the pimple-faced boy in the ill-fitting suit. "I'd like that car," she said, pointing. Her voice held a certainty she did not feel. "That Rambler."

The boy's eyes widened, stunned by the ease of the sale. He hadn't even said hello. "Don't you want to take it for a test drive?"

"No, thank you," she said. "May I use your telephone?"

Sandy answered. She knew he would; he always raced for the phone on Friday nights.

"It's Joyce," she said. "I need your help."

HE TAUGHT HER in six lessons. She drove hesitantly, with much grinding of the gears, but well enough to pass the licensing exam the second time out. The first failure, a mercifully brief humiliation at the hands of an avuncular state policeman, she did not allow herself to register. *Brush it off,* she repeated each time the engine stalled. She had never failed a test of any kind.

The officer wouldn't let her drive home afterward. Sandy took the wheel instead. When Joyce returned from failing her test, he was leaning against the registration counter joking with the clerk, a stout, matronly woman who'd held up the line to bring him a cream-filled doughnut.

"Weren't you nervous?" she asked him later. "She could have asked to see your license."

"Nah. I'm a good driver. I don't need a stinking license."

She watched him weave expertly through the Saturday traffic. *He's probably right,* she thought. Her brother seemed to have an instinctive gift for steering around obstacles. Because of his charm or his looks, or simply because he expected them to, people liked him. And if military life had taught her anything, it was this: if the right people liked you, the rules often did not apply. The realization had stunned her—its unfairness, its cruelty. Joyce had never charmed anyone in her life. It had never occurred to her to try.

Sandy hit the gas and raced through a yellow light. If he weren't her brother, if she'd met him somewhere out in the world—at school or in the service—she'd have disliked him on sight: his slouching posture, the palpable male confidence that hummed around him like an electrical field. His laziness would have infuriated her; his contempt for authority would have seemed a personal affront. But he was not a stranger. Lazy or not, cocky or not, Sandy was hers. Even his charm was forgivable. In some way it, too, belonged to her.

LICENSE IN HAND, Joyce faced other hurdles. The drive itself, for one, a nerve-shattering experience that left both her and Rose sweating and irritable. They were an hour late for Rose's first appointment. Joyce had stopped twice to ask directions; she had taken a series of wrong turns and nearly collided with another car when she drove through a stoplight. The parking garage mystified her; she had parked illegally on the street and would almost certainly get a ticket. Still, they had made it. *We're here,* she thought.

The treatments themselves were not painful. Rose sat for forty minutes in a tiny room, in what looked like a dentist's chair, her lap draped in a lead apron. A nurse instructed her to keep her eyes closed as the room was bombarded with brilliant light. Afterward she had a slight headache, but felt much like herself. The misery came the following day, a violent nausea that left her trembling and soaked with perspiration, so weak she could barely stand. This lasted for several days. When the nausea left her, she was extraordinarily tired. By the time she felt better, it was time for another treatment. Joyce helped her into the car, which they had both come to view as an instrument of torture. Rose had lost much of her sight. She complained that everything looked fuzzy, even her hand in front of her face. She had lost weight and was sick with dread of what lay ahead of her. *What am I doing?* Joyce thought. *What am I doing to my mother?*

The appointments were mostly on Saturday afternoons, but twice Joyce had to miss a day of work. This attracted some attention at the factory. Finally she explained the situation to Alvin Blick.

"Well, now," he said, scratching his head. "They *are* called sick days, but the idea is that you're the one who's sick. You can't go taking them when other people are sick." He smiled, showing his bad teeth. "Can't your mother get to the hospital by herself?"

"No," said Joyce. "She's—" She had never said it aloud before. It seemed a terrible betrayal. "Going blind," she finished.

Blick nodded, as though this were to be expected. "Mine's hard of hearing. Old age is no picnic." He rose. "I don't know what to tell you, Joyce. You're one of my best girls. I'd hate to lose you."

She watched him go, thinking how she was already lost.

SALVATION CAME in a phone call.

"Miss Novak?" said a deep male voice. "It's Ed Hauser, at the high school."

In the next room, Rose and Lucy were eating dinner. They'd set a place for Sandy, but he hadn't come home from school. Joyce had no idea where he could be. She prepared herself for the worst.

"Is everything all right?" she asked, her voice small.

"Oh, yes. In fact, I'm hoping you'll consider this good news. I have a proposition for you."

It took her a moment to absorb what he was saying. The school secretary was in the hospital—her baby had arrived sooner than expected—and he needed a replacement immediately. He was offering her the job.

"Why me?" said Joyce.

"You come highly recommended. Viola Peale was in my office today singing your praises. She can't say enough about you, which is fairly remarkable considering she hasn't spoken a word to me in five years." He paused. "I'm hoping you can start Monday. Are you interested?"

"Yes," she said simply. "But don't I have to have an interview, or something?"

Hauser laughed. "The school day begins at seven-thirty. Interview at seven-fifteen."

And on Monday morning, Joyce Novak went back to school.

FIVE

The Bakerton Volunteer Fire Company sat at the corner of Main Street and Susquehanna Avenue, the busiest corner in town. Across the street was Keener's Diner, a bowling alley and a pool hall. Weekend evenings, after dances or football games, these places were crowded with teenagers. On warm nights the firemen set up folding chairs on the sidewalk and watched the girls go by, calling to the pretty ones who walked in pairs or threes down Main Street. Long shadows in the summer evening, a shimmery trail of female laughter.

The firemen were mostly single, mostly young. During the late forties and fifties they were all veterans, as if having once presented themselves for danger, they now did so routinely, without ceremony, as a matter of course. By day or night they worked in the mines; in their off-hours they congregated at the fire hall (*far hole*), playing pool or Ping-Pong, drinking coffee or Coca-Cola, sober always, just in case. They came from Little Italy, Polish Hill, the outlying farm country; from nearby towns like Kinport or Coalport, too small to support companies of their own. Even a volunteer company had expenses: clothing, equipment, upkeep on the trucks. To raise money they held Saturday-night dances in the hall. Two weekends a month, the floor was cleared. A band set up in the corner. Teenagers waited in line at the door.

For several months in 1941 and '42, George Novak's band had played the fire-hall dances, until the drummer and the trumpeter and finally the whole combo was drafted. For a few years Bakerton made do with phonograph records. It seemed that every musician in the county had been taken away.

At eight o'clock the dancing began. First the steady couples. Then pairs of girls—giggling, spunky girls who refused to stand by and wait. For a long time the boys did not dance, just walked in a slow circle around the dance floor—boys like Sandy Novak, slouching a little, a plastic comb peeking out the back pocket of his dungarees. Week after week they walked the Bakerton Circle, eyeing the girls on the dance floor. The circle moved counterclockwise, an orderly parade, as though someone had planned it that way. In nearby towns people laughed at the Bakerton boys: could you beat it, paying a quarter to walk in circles all evening? Nobody knew how the custom had started. Some things would always be.

In the second week of August, Bakerton hosted the Firemen's Festival—to the men, Holy Week in a year of Ordinary Time. For three days the firemen came, volunteer companies from across Saxon County, to drink and game at the booths set up along Baker Street. Friday night was the Battle of the Barrel. Men from two companies squared off, tug-of-war style. Above their heads was a rope tied between two telephone poles; hanging from the rope was a barrel filled with water. Each man was given a long wooden pole, to swat the barrel toward the other side, dousing his opponents with cold water. By the time the contest was over, both sides were soaked. The men wore their wet clothes proudly. For the rest of the evening they were regarded as celebrities—greeted with laughter and slaps on the back, treated to cups of yellow beer at the booths all over town.

Saturday afternoon was the firemen's parade. Up front, in a shining convertible, sat the Fire Queen: the prettiest girl from Bakerton High, handpicked by the firemen themselves. Next the pumpers came. Bleary, liquor-sick, wearing full equipment in the August heat, the men waved to the spectators from atop their trucks, hundreds of them, standing three deep along the parade route. Each truck stopped briefly at the judging stand, a platform of wooden risers stacked before the fire hall. Two or three men dropped down from the truck and opened all its doors. A voice over the loudspeaker gave its weight and dimensions and pumping capacity. For each engine, polite applause—for the fortieth truck, the fiftieth; to the untrained eye indistinguishable from the ones that came before. Shouts and whoops were reserved for the local boys, and in one unforgettable year, a standing ovation for Bakerton's brand-new Mack ladder truck, a slick red monster with bulging wheel wells and gleaming chrome. The truck cost $2,500, what a miner earned in a year. A sum raised through five years of fire-hall dances, ten thousand teenage nights walking the Bakerton Circle.

In the spring of 1954, defying all predictions, Sandy Novak graduated high school. A photo was taken at his commencement: Sandy in cap and gown, his mortarboard slightly askew; Sandy surrounded, as always, by women. Joyce in a summer suit and pearls, her lips pursed; Rose stout and white-haired, clutching her pocketbook. Lucy round-faced, suntanned, her black hair in braids. Dorothy's eyes closed, her hat askew. Only Sandy is smiling, showing beautiful teeth; the Hollywood version of a high school graduate.

The photo, like all photos, raises a question: Who took the picture? Who, in the family, even owned a camera? Georgie, Dorothy would later claim. Joyce disagreed: he hadn't even attended the ceremony. Lucy suspected one of Sandy's girlfriends. No one remembered that the photographer was Ed Hauser, the high school principal; that he and Joyce had started dating that spring. He was the sort of man whose actions are forgotten, a mild but capable man whose sins and virtues alike go unnoticed.

After graduation Sandy moved to Cleveland with his buddy Dick

Devlin, whose brother was a foreman at Fisher Body and got them jobs on the line, building chassis for Pontiacs and Chevies. For the first time since Dorothy was born, the house on Polish Hill had an empty bedroom. Joyce spent a Saturday painting the walls lavender, Lucy's favorite color. She bought a matching rug and a flowered spread for the bed, and at the age of eleven, nearly twelve, Lucy moved into her own room. Her parochial school jumpers were hung in the closet. Under the bed she stacked her board games—Monopoly, Parcheesi and Candy Land, which she had outgrown but secretly played when she was alone. She went to bed every night at nine-thirty and lay awake for hours, waiting for the house to quiet. Then, when her sister was asleep, she tiptoed across the hall and climbed into bed with her mother.

In later years, a number of people would ask Dorothy why she'd left Washington. If she responded at all, she would answer vaguely, airily—*I can't remember, exactly.* With a wave of the hand, an absent smile. Still a young woman, she had acquired a spinsterish charm.

Her mother and sister asked; her brother Georgie; a woman sitting beside her on the train back to Pennsylvania. Mag Spangler's mother—in the late fifties, when Dorothy went into the shop to buy a hat for Rose's funeral. Doctors, again and again, old men in dark suits, in white coats; men who wore spectacles or whiskers or vests and shirtsleeves. To all of them, but to the men especially, she would find the truth unspeakable: that she had left because of the bleeding.

If only it had come on schedule, the same time every month. Her sister's cycle was as brisk and efficient as Joyce herself. Her periods had begun when Dorothy was in high school, and for a brief time, as if by magic, Dorothy's bleeding became regular, too. The same thing happened while she lived with Patsy Sturgis. On its own, her body seemed uncertain what to do; she needed another girl close by to show her the way. She needed someone to follow. It was a sensation she had felt all her life.

She had learned to sense it coming: pain in her breasts, a certain taste in her mouth. Agitated, perspiring, she lay awake waiting. A day, two days would pass. Then something inside her would uncoil, and out of her a deep peace would flow.

HER LAST WINTER IN Washington she could not bleed. Months passed. A strange anxiety gnawed her stomach. She imagined a mass growing inside her, a soft cancer filled with blood.

It came furiously, as in her nightmares, a hot lick of blood trailing down her leg. It was a Monday afternoon in February, a crisp rain turning to sleet. She'd returned from lunch and was sitting at her desk. When she rose she felt wetness between her legs. She looked down and saw a dark pool on her chair. She sat down quickly, her mind racing, her face hot and full of blood.

Around her the office ticked away: thundering typewriters, a ringing telephone, a chirping voice answering *hello.* Finally she rose, taking her coat from the rack near her desk. She put it on quickly and hurried to the washroom.

She closed herself in a stall and sat there bleeding. Winter light grayed the frosted windowpanes. Women came in and out, and she thought about the stain on her chair. Someone would see it, perhaps already had. There was nothing she could do.

She listened to the hiss of the boiler, phones ringing in the office beyond. At last chairs scraped the linoleum; a hundred pairs of shoes shuffled down the hall. Behind the wall the elevators groaned. She counted the trips up and down, up and down: the office emptying out, the workers carried to the street below. At last the building quieted.

She cleaned herself with rough paper towels from the dispenser on the wall, then buttoned her coat as though she were simply leaving for the day. As though she would soon return.

YEARS LATER she would try to remember, to identify the precise moment she decided she would never go back. The next morning the alarm clock woke her as usual. She shut it off, rolled over, and went back to sleep. She slept for most of the day. In the evening she went downstairs to dinner.

She was surprised by how easy it was, simply to stop. The struggles of twelve years, the daily gauntlet of loneliness and anxiety—deciding what to wear each day, knowing from long experience that whatever she chose would be wrong; waiting for the bus in the rain; the elevator full of strangers' smells; stilted conversations with the new hires, impossibly young, who chattered in the powder room about dates and weekend plans. All that she had endured in those years, thinking she had no choice. Then one day she stopped, and no one even noticed.

She stopped setting the alarm. In the morning she heard noises overhead: footsteps on the stairs, the other boarders setting out into the world, to live another day in the city. She drifted back to sleep. She had surrendered everything. Her sleep was deep and peaceful as a child's.

For the first week she went downstairs each night to dinner. *I'm on vacation,* she said when Miss Straub inquired. Soon she was no longer hungry. She left her room only to use the toilet, to take a bath.

She bathed during the day when the house was empty, lying in the tub while the water slowly cooled. Afterward she crept downstairs to the kitchen and foraged through the cupboards, taking what she could find: crackers, bread, a piece of fruit.

Two weeks passed, then three. After that she lost count. Toward the end she heard knocking at the door. Once, Miss Straub's voice; later, Mag Spangler's. Finally her sister came. *For God's sake, what happened?* Joyce demanded, looking around the room. If she'd said something else, Dorothy might have responded; but that one unanswerable question had paralyzed her. And so began her time of quiet.

Joyce was astounded by how long her sister could sleep. She hadn't noticed at first; she had been preoccupied with details: getting Dorothy from boardinghouse to taxicab to train station, from train to automobile to her mother's house in Bakerton. Simple enough. But Dorothy was so weak she could barely stand; so confused or addled, so *something*, that she couldn't follow the simplest instructions. And now that the crisis was past, she would not stay awake. Joyce did the cleaning and shopping and laundry, paid the bills and helped Lucy with her homework. Now that Sandy was gone, she raked leaves and shoveled snow and cut the grass with the old reel mower. Every night, bone-tired, she banked the coal furnace and fired it again at dawn. All this in addition to her actual job at the high school. What reason *Dorothy* had to be tired, she could not imagine.

"Dorothy." Joyce gave her a gentle shake. "Dorothy, wake up."

Dorothy sighed. A moment later her eyes opened. They had put her in the lavender bedroom, which Lucy had surrendered without complaint.

Facing north, the room stayed dark all morning. Unless someone woke her, she'd stay in bed until suppertime.

Joyce sat on the edge of the bed, willing herself to be patient. "Dorothy, I have to leave now. Ed's brother is getting married. We're going to the wedding."

Dorothy sat up, dazed.

"I need you to put on some clothes and get Lucy her breakfast. Can you do that?" Joyce made an effort to keep the edge out of her voice. "I have to run. Ed is waiting in the car."

Dorothy blinked. "When will you be back?" she asked softly. Her speech had returned, but her mouth was clumsy, as though she'd forgotten how to form the words.

"Suppertime. Maybe sooner." Joyce rose and took a dress from the closet. "Here. Put this on."

Dorothy raised her arms like an obedient child.

"Lucy's in the kitchen," said Joyce. "Have some breakfast with her. Then you can take a bath."

She hurried downstairs and out the front door. Ed Hauser was waiting in the car.

"Sorry I'm late," said Joyce, a little breathless. "I had to wake Dorothy."

"That's okay." Ed kissed the cheek she offered. "We've got to get that girl an alarm clock."

WHEN EXACTLY it started—when her sister lost her footing—Joyce never knew. By the time the family was notified, it was too late. Dorothy had already begun to slide.

That year, like every year, she had visited at Christmas. Later Joyce would remember that she'd seemed distracted, her attention elsewhere, as though she were listening for sounds in the next room. "Too skinny," Rose added, as though that clinched it. To her, thinness was always a sign of trouble.

Later, after the thing happened, Joyce would blame herself for not noticing. She'd been preoccupied that Christmas. Baker Brothers had put its company houses—Rose's included—up for sale. Joyce couldn't afford the down payment. If another buyer came along, the family would lose the house. Rose was seeing a new doctor, a diabetes specialist several towns away. The laser treatments had failed to save her eyesight, but there was her heart to worry about, her kidneys, a sore on her foot that refused to heal. More, and still more, that she might lose.

The call came late on a Friday evening, after Lucy had gone to bed. In the parlor, Rose sat dozing in her chair. Joyce stood at the kitchen sink, drying the last of the supper dishes. The ringing startled her. Since Sandy had left, the phone seldom rang. Georgie had already made his monthly call.

"Joyce?" A female voice. "I don't know if you remember me. This is Mag Spangler."

It took her a moment to recognize the name. They'd met years before, when Joyce spent a weekend visiting Dorothy in Washington. They had toured nearly every monument and museum in the capital. Mag had led them around town like a drill sergeant.

"I hate to call so late," said Mag, "but this is an emergency. Something is terribly wrong with Dorothy."

"Is she sick?"

"Not exactly. I got a call this afternoon from the landlady at the boardinghouse. She said Dorothy hasn't come out of her room in weeks."

Joyce thought of the tiny room, cramped and dark, its one window facing an alley lined with trash cans.

"When I went over there, she wouldn't open the door. The landlady had to let me in with her key." Mag hesitated. "Joyce, I don't know what to say. I think she's had some kind of nervous breakdown. Someone really should come and get her."

JOYCE TOOK THE TRAIN the following day. At the boardinghouse she was greeted by Miss Straub, who'd inherited the place from her mother.

"Your sister's room is a disgrace," she said. "This is a respectable establishment. I can't allow this sort of thing." She was a pale, fleshy woman, tightly corseted. Her hair was teased in the elaborate style of ten years before.

"How long has she been in her room?"

"Honey, *I* don't know. A few weeks, maybe. I've got a dozen people living here. I don't keep tabs." She knocked briskly at the door. "Miss Novak. Your sister is here."

They waited. Miss Straub knocked again, then opened the door with her key. The room was dark, the shades drawn. It smelled dankly of mildew, an odor sweet and dark, like rotting fruit. Stiff towels covered the radiators. The mattress was bare. Dorothy lay curled on her side, facing the wall.

"Dorothy?" Joyce stepped around the piles on the floor—sheets, towels, dirty clothes.

"I tried talking to her. She acts like she doesn't hear." Miss Straub sounded annoyed.

Joyce sat on the bare mattress. Dorothy's forehead was cool to the touch.

"Has she seen a doctor?" she asked.

"How would I know?"

Joyce took a deep breath. "Well, could you call one, please?"

Miss Straub crossed her arms. "First things first. She hasn't paid rent in three weeks."

"Oh, for heaven's sake." Joyce reached for her pocketbook. "I'll pay whatever she owes, but she has to see a doctor."

Miss Straub took the money.

"Has she been eating?" Joyce asked.

The landlady shrugged elaborately.

"Well, I just paid you room and board," said Joyce. "So could you please bring her something to eat?"

Miss Straub's heels clicked away down the hall. Joyce took Dorothy's hand. It felt cool and very light, as though it were filled with air.

"Come on," she said softly. "We need to get you out of bed."

Dorothy frowned slightly, as though she had forgotten something. Her skin had a greasy shine.

Joyce rose. "Let's get some light in here."

She raised the shades. The disorder of the room astonished her. Clothes were piled on the floor. The wastebasket overflowed: blackened banana peels, an apple core astir with ants. Everywhere were piles of old magazines. *Silver Screen. Backstage Gossip. Screen Stars.*

Dorothy mumbled something, a single syllable. She covered her head with a pillow.

"Ready?" said Joyce. "We're going to get you cleaned up."

She slipped an arm around Dorothy's waist. Dorothy moaned softly but didn't resist. She wore an old cotton slip, decorated with stains. Through the thin fabric Joyce could feel her ribs. She picked a ratty plaid bathrobe off the floor and draped it over Dorothy's shoulders.

Slowly they made their way down the hall, Dorothy leaning heavily on Joyce's shoulder. The corridor was empty; so was the washroom. Joyce ran a bath and eased Dorothy into the tub. Her neck was ringed with grime. Her oily hair clung to her head like a cap.

"Sit and soak a while," she said. "I'll be right back." She closed the door behind her and hurried down the hall. *Straight ahead,* she thought. It was a phrase she'd picked up in boot camp and repeated in her head while she marched: in the mornings, half asleep; in the afternoons, in the heat.

She found a clean dress in Dorothy's closet, a comb and toothbrush in the bureau drawer. She laid them on the bed, then attacked the room with the broom and dust cloths Miss Straub had provided. She filled a trash bag with magazines, then a second. The clothing on the floor had a fungal smell, as though it had been dropped there soaking wet. The stiff towels smelled strongly of soap.

The doctor arrived an hour later. Dorothy sat waiting for him on the bed, bathed and dressed, her hair curling damply at her shoulders. He took a stethoscope from a leather bag and listened to her heartbeat. He took her blood pressure, then examined her ears and eyes and throat.

"She's a little weak," he told Joyce. "Underweight. Her blood pressure is low; she may be dehydrated. But she isn't running a temperature. Physically, there doesn't seem to be anything wrong with her."

"But why won't she talk?"

He closed his bag. "Has she experienced some kind of emotional trauma? Trouble with a boyfriend, that kind of thing?"

"I don't think so."

"Problems at work?"

"I don't know," said Joyce. Dorothy rarely phoned; lately her letters had been erratic. They hadn't heard from her in more than a month.

In the end they went home to Bakerton; there was nowhere else to go. They made it to the station in time for the last train—thanks to Mag Spangler, who'd promised to send the rest of Dorothy's things. Dorothy still hadn't spoken, but she ate the sandwich Miss Straub had packed and slept peacefully the whole way home.

Back in Bakerton, Joyce told her mother as little as possible. "Dorothy was sick," she said simply. "She needed to come home and rest."

LUCY WAITED in the kitchen. She was twelve and would have preferred to make her own breakfast—bacon and eggs, fried toast with syrup—but there were rules about what she could eat. Each morning she made the best of it, doctoring her oatmeal with butter and brown sugar. Still it went down slowly, the flavors bland and gray.

The pot of oatmeal simmered on the stove. Joyce had told her to wait for Dorothy, but there was no telling when she would get out of bed. Lucy would have been perfectly happy if she stayed there all day. Dorothy made her nervous. Once, at night, she'd come downstairs for a drink of water and found Dorothy sitting on the porch swing, humming softly to herself. She looked up, but didn't speak, when Lucy said hello.

She glanced at the clock. *Space Patrol* would begin at nine, followed by *Captain Midnight* and *Sheena, Queen of the Jungle.* She carried the Saturday-morning schedule in her head; it was the best television of the week. Having Joyce gone on a Saturday morning was a rare gift. She disapproved of television watching during the day. If she caught Lucy at it, she'd come up with a list of chores that needed doing immediately: sweeping, dusting, ironing a stack of pillowcases; though why a pillowcase had to be ironed, Lucy couldn't imagine. Her mother was more tolerant, although she sometimes told Lucy to go out and play. Lucy didn't know how to explain that girls of twelve did not play, that even if she'd wanted to, there was nobody to play *with.* The boys spent Saturday mornings at baseball practice; they'd all joined the town league that spring. What the girls did Saturday mornings, Lucy didn't know. The nicer ones simply ignored her. The mean ones called her Jumbo—almost, but not quite, behind her back.

She rose and scooped her own oatmeal from the pot. The last bite was the sweetest, caramel-flavored and slick with butter. In the parlor she turned on the television. The set was a gift from her brother Georgie; each Christmas he sent a wonderful present from Philadelphia. The television had arrived two years ago. It hadn't worked at first, until Sandy fiddled with the antenna and wrapped its branches in tinfoil. Then they watched television every evening, Lucy and Joyce and even Sandy, when he had nothing better to do. Her mother stayed in the kitchen, where the old radio now sat. She preferred it to television. Lucy suspected that for her there wasn't much difference.

She waited for the set to warm up, then adjusted the antenna. Her mother's eyesight was something they never talked about; it was hard to know what she could see and what she couldn't. She could still bake bread—every Friday she made four loaves. She moved from room to room with relative ease, but she seldom left the house. A few times Lucy had used this to her advantage, claiming the weather was bad when her mother sent her outside to play. Afterward shame overcame her. She vowed never to do it again.

It terrified her to think that her mother couldn't see her, a dreadful foretaste of the day she would leave them forever. Yet in one way—a horribly selfish way—it was a relief. Lucy's fatness was on display to the rest of the world, but her mother would never see her that way. She'd remember

Lucy small and perfect, as she'd been at her First Communion, the prettiest one in her dress and veil. And as long as her mother didn't know, Lucy could pretend it wasn't happening: the rapid fleshing of her thighs, the rolls at her middle, the new clothes that fit for a month or two and then never again.

She didn't eat all that much. An average amount, in her estimation. An average person would eat more than Joyce, who took tiny helpings and then pecked at her food like a bird. Lucy ate only oatmeal for breakfast, though she sometimes stopped at Bellavia's on the way to school. (Mrs. Bellavia baked bread every morning. With the leftover dough she made a special, tiny loaf for Lucy.) She ate lunch in the school cafeteria; the cook, an old Polish lady who liked her, gave her extra helpings of her favorites: mashed potatoes with gravy, thick noodles with buttered bread crumbs and cheese. After school she walked to McClanahan's for a bag of penny candy. Joyce kept a jar of change in the kitchen cupboard. Lucy had learned to fish out the coins without making a sound.

More, but not much more. It didn't seem fair.

The water pump chugged in the basement. Dorothy was running a bath. Lucy went into the kitchen and returned with a slice of buttered bread. Joyce had a strict rule about not eating in the parlor, but Joyce wasn't home. Lucy sat back and ate it, luxuriously, on the couch.

"Well, she looks all right," said George.

He and Joyce sat at the kitchen table drinking black coffee. Brown, really: he could almost discern the flowered pattern at the bottom of his cup. The family brew was famously weak, hot water faintly flavored with coffee. In truth he preferred it to Marion's espresso, to date the only thing she'd ever concocted in their kitchen.

"She's a little better," Joyce agreed. "A month ago she couldn't get out of bed on her own. Really, Georgie. She scared me half to death."

"What I can't figure out is why she won't talk." When he arrived from Philadelphia the night before, Dorothy had greeted him warmly, clinging and a little weepy; but that was nothing unusual. He'd tried talking to her at dinner, but she had simply smiled. When she did speak, her answers didn't make sense. *How nice,* she said when he asked how she was feeling.

"She's been alone a long time," he said. "Maybe she just got out of the habit."

"Don't be silly. There's more to it than that." Joyce rose and washed her cup at the sink.

"You're looking good." It was, he thought, different from *good-looking*. Joyce's hair was carefully set, her blouse tucked neatly at her waist. The kitchen, too, was immaculate. His sister ran a tight ship.

"I'm tired." She said it matter-of-factly, as though it were just a piece of information. "Mama had a doctor's appointment yesterday, and Lucy has parent-teacher conferences on Monday. It's always something."

"You need a vacation," he said automatically. Marion's friends went to France or Italy every summer, Palm Beach or Bermuda in the winter. The moment he said it, he realized it was a ridiculous suggestion. In Bakerton nobody took vacations.

"The front porch is starting to settle," said Joyce. "Would you mind taking a look?"

He shifted uncomfortably in his chair. "What about Baker? They're the landlords, after all. They're supposed to maintain the place."

"I've talked to them already. Daddy built the porch. They say it's not their problem."

"I forgot."

"Oh, Georgie."

His sister didn't waste words, George reflected; her tone said everything. Her weariness and disappointment, the countless ways he had failed the family, the deep sadness his selfishness would have caused their father, if only he had lived to see it.

He drained his cup. "I'll go take a look."

He went out to the porch. Joyce was right: the floor listed to one side. A few boards had been replaced recently, but most of the wood was original, the planks his father had cut nearly thirty years ago. A boy then, George had watched him cut the wood with a handsaw. His father had been proud of the porch, the first on Polish Hill. It had set their house apart: a company house, yes, but different from the others. He had painted the boards forest green, a handsome color. The paint was blistered now, peeling in strips.

Gingerly he tested the floorboards. A few gave slightly with his weight. He imagined driving across town to the lumberyard, buying nails and two-by-fours. There his vision faltered. No way could he fit the lumber into his Cadillac. He could bang a nail as well as the next guy, but the finer points of leveling and cornering were beyond him. He was as helpless a carpenter as Marion was a cook.

He glanced across the street. A truck had pulled up to the Stusicks' house, and two portly, balding men—Gene's older brothers, he realized—were struggling with a brown plaid sofa. The house had been empty since Gene's mother died. Now, apparently, someone was moving in.

"Hey there," he called. "Need a hand?" He jogged easily across the street, grabbed a corner of the sofa and helped heft it up the front steps. "Who's the new tenant?"

"No tenant." The taller brother—Fred—wedged his end through the front door. "You didn't know? Baker's has the whole hill up for sale."

"No kidding." George glanced over his shoulder, wondering who would buy a company house on Polish Hill. Cheap little cracker boxes, even when they were new; and the houses hadn't aged well. His mother's windows leaked cold air. One day soon the roof would have to be replaced.

"Gene bought it," Fred said, as if answering his question. "He's rolling in the dough now. He's a boss over at the Twelve."

They wedged the sofa through the front door. The house was as familiar to George as any he'd ever known; his whole childhood he'd traipsed through its rooms. Most of the old furniture had remained: the braided rug, the worn armchair where Mr. Stusick had read his Polish paper, the telephone table draped with a crocheted doily. On the wall, the same photographs found in every house on the Hill: Pope Pius and John L. Lewis, the legendary president of the Mineworkers, a face as familiar as family. Apparently Ev would inherit these items. George supposed she would keep them; how else would you furnish a house on Polish Hill? Marion's abstract art would look ridiculous here, as utterly misplaced as Marion herself.

They set down the sofa.

"Think that's where she wants it?" Fred asked.

The other brother shrugged. "That's Gene's problem."

"True enough." Fred wiped his hand on his trousers, then offered it to George. "Thanks for the hand, George. Stop over tomorrow, if you're around. Ev and Gene's girl is making her First Communion. They'd be glad to see you."

"I will," said George.

Again he crossed the street. His mother was sitting on the front porch. "Georgie?" she said as he climbed the stairs. A question in her voice. The realization hit him like a sucker punch: she couldn't see. At least, not well enough to recognize him.

"Hi, *bella.*" He called her this rarely, hadn't done so in years. He'd known her eyes were bad, but still.

"Where you been, Georgie?"

"Across the street. Looks like you've got some new neighbors. Gene and Ev bought the old homestead."

"Eee!" She clapped her hands. "I always love that Evelyn. That's a nice girl."

George waited.

"Georgie," she said. "How come you never marry her?"

He laughed uneasily. "That's ancient history, Ma."

"How come?" she persisted.

"It was Ev's decision. I was overseas, and somewhere along the line she decided she liked Gene better. Good choice, if you ask me."

"But how come? If he was here, I could understand. But he was in the war, too. How come she like him better?"

"Maybe he wrote better letters." Across the street Gene's brothers were moving a kitchen table. George lowered his voice, hoping his mother would take the hint.

"I guess it was my fault," he admitted. "I stopped writing."

"You *stop*?" She clapped a hand over her mouth, as outraged by his behavior as if it had happened yesterday. "Eee, how come?"

He shrugged. "Ev was all hot to get married. I had my doubts, but she couldn't wait. I had a furlough coming up, and without telling me, she went and talked to the priest. That burned me up." He paused. "Remember that time I was supposed to come home?"

"That furlough!" she cried. "And then they don't let you come."

"That's right," he said. "And you know what? I was *relieved*—that's how bad I didn't want to get married. After that I never wrote to her again. I guess she got the message, because the next time I came home, she and Gene were engaged."

His mother eyed him for a long moment. A flush crept over his cheeks. *What does she see when she looks at me?* he wondered.

"I'm not proud of it," he said. "It's just about the most cowardly thing I've ever done. But there you have it."

Still his mother said nothing.

"It worked out for the best, though. For both of us." He forced a cheerful tone. "Gene's a good man. And I've got Marion now."

Across the street Gene's brothers got into the truck.

"Georgie," she said, "are you happy?"

"Sure. Sure I'm happy." He rose, feeling his heart. "You don't know Marion; you haven't had the chance. But trust me, Mama." He bent and kissed her. "She's a wonderful girl."

THEY'D BEEN MARRIED seven years. Compared with other periods in his life—adolescence, the navy—his marriage seemed much longer, though in fact little had happened. The first year passed in a haze of sex and alcohol. He was working for Marion's father, at the flagship Quigley's store downtown. The old man had put him on the sales floor. *To learn the engine,* he'd explained to George. *If you want to know how a machine runs, you've got to watch the gears grind.* Quigley's own son was spared this indoctrination: Kip, when he showed up at all, spent his days behind a desk. Meanwhile George hawked furniture and appliances, menswear and ladies' shoes. No one told him so, but he understood that he would have to prove himself. A son-in-law was not a son.

He started in Men's Furnishings. Long days on his feet, a tape measure around his neck, fitting trousers to grumpy old codgers with balding legs and gin-blossom noses. The customers resembled his father-in-law; George had an unwelcome mental picture of how Arthur Quigley must look in his shorts. Yet he didn't mind the old coots; he'd have enjoyed their company, if not for the misery of his daily hangovers. Every evening, Marion waited for him with a pitcher of martinis. They drank for an hour or two, then tumbled into bed. Afterward they drank some more. Often they fought bitterly; though the reasons for the disputes, or how they resolved themselves, he rarely remembered in the morning. Sick, red-eyed, he struggled out of bed. Even in top form, he was not a natural salesman; with dry heaves and a splitting headache, even less so. Marion slept late and looked fresh and lovely when he returned in the evening; but George wondered how long he could sustain the pace. His marriage stretched eternally before him, fifty years of nausea and crippling migraines. Something would have to give.

Something did. Marion became pregnant. She blamed George—silently at first; later with streams of invective, acrimonious and profane. She spoke of traveling to Switzerland, "to have it taken care of"—a procedure she'd apparently undergone before. Then her father suffered a stroke, and for reasons George didn't wholly understand, Marion changed her mind. The baby was born a month premature, so small George might have held him in one hand, if he'd dared. They named him Arthur, for Marion's father.

The birth changed her. Once an insomniac, she now spent whole days in bed. She wept easily, an astonishing development: in all the time he'd known her, George had never seen her cry. At night he came home to the house they'd bought—a large colonial in Newtown Square, a few miles from his in-laws'—and mixed himself a drink. Upstairs his wife and baby cried, indifferent to each other and to any ministrations he might offer. He had hired a temporary nanny. Arthur was small and terrifyingly fragile. Until Marion was ready to look after him, George reasoned, his care was best left to a professional.

How to care for Marion, he had no idea. With increasing frequency, doctors came. Once she overdosed on sleeping pills—accidentally, she later claimed; though George had his doubts. Her obstetrician was no help, and neither was the Quigleys' family doctor. Marion dismissed them as idiots, and refused to see a psychiatrist. Then George found Ezra Gold.

Gold was an internist with offices on Park Avenue. George paid him extra to come to Philadelphia; later, when Marion was well enough, she took the train into New York for her checkups. She returned from each visit with a new prescription: for anxiety, insomnia, an underactive thyroid. Amber plastic bottles lined her bathroom shelf. She swallowed pills with breakfast, at bedtime. And in the space of just a few weeks, she got better.

The transformation was astounding. For the first time George could remember, she slept through the night. She rose when he did, dressed and smiled at him across the breakfast table. She did not paint—she'd stopped during her pregnancy when the turpentine nauseated her, and had no desire to resume. She didn't read, or play with Arthur, but her demeanor was sane and pleasant. In the afternoons she shopped or had lunch with old schoolmates from Miss Porter's and Bryn Mawr. That, too, was new: she'd never shown the slightest interest in girlfriends. Her oils and canvases gathered dust in the attic. The temporary nanny moved into a spare bedroom upstairs.

At first he was filled with relief. Only later, when the crisis was past, did he understand what he had lost. At night, with the new, changed Marion sleeping peacefully beside him, he remembered the mysterious, voracious woman he'd married, her unpredictable passions, the shocking detour his life had taken when they met. He wondered where she had gone.

He didn't miss her; not at first. The old Marion had fascinated him; but he couldn't remember being happy in her presence. His memories were tinted like an old photograph: yellow with anxiety, red with anger, green with drunkenness, blue with lust. But at least he had *known* her. The new Marion—a polite, remote woman, carefully coiffed, who stared absently at the television while he read the newspaper, who clutched his arm as they crossed the street, who poured herself a single drink at bedtime and fell dead asleep on the couch—was a stranger to him. A different woman had led him into this Philadelphia life with its invisible codes of behavior; a place where he would forever remain a stranger. She'd regarded Main Line society as an elaborate maze constructed for her amusement, and she'd enjoyed leading George through it, laughing at its provincialism and pretense.

Shortly after they'd bought the Newtown house, new neighbors moved in across the street, a pleasant young couple named Peter and Libby Hill. Peter was an attorney with a year-round suntan; he played golf every Saturday and had once asked George to come along. Though George didn't golf, he'd have liked to learn. But he had refused the invitation, because while Marion found Libby merely tedious, she *despised* Peter Hill. He was perfectly vacuous, she said; smug, venal and nearly illiterate—though how she'd gleaned all this from the occasional pleasantries they exchanged, George had no idea. The invitation had never been repeated; like the rest of his well-heeled neighbors, Peter Hill remained a stranger. Now, without Marion's ironic commentary, these people no longer struck George as ridiculous. He found them exotic and utterly intimidating, and felt himself completely alone.

He had loved to make her laugh. He was an excellent mimic, a fine physical comic. Working at Quigley's had provided him an abundance of material. At the end of the day, with a few drinks in him, he'd entertained her by impersonating the boozy customer who couldn't fasten his suspenders, the stout woman in the shoe department who refused to step on the fluoroscope because she thought it revealed her weight.

"It's an X-ray machine," George had explained. "It shows us the bones in your feet, so we can fit your shoes properly."

"Don't tell me, young man," the woman huffed. "I know ex*actly* what it shows."

Tipsy herself, Marion had shrieked with laughter; and somehow—who knew how these things happened—it had become a private joke. In bed, or at her parents' dinner table, or at First Presbyterian as Kip exchanged rings with a very pregnant bride, George had only to whisper the words into Marion's ear to send her into peals of laughter. *Don't tell me, young man. I know exactly what it shows.*

A few years later, toward the end of Marion's illness, they had attended an exhibition of abstract art at the Metropolitan. She had begun seeing Dr. Gold; for the first time since Arthur was born, she and George were spending an evening out in public. At one time she would have spent hours at such an event, but the new Marion moved quickly from canvas to canvas, clutching George's arm. Ahead of them, a scraggly bohemian type critiqued each painting, in exhaustive detail, to a suntanned old woman in a pink Chanel suit. Without thinking, George leaned close to Marion.

"Don't tell me, young man," he whispered. "I know ex*actly* what it shows."

She stared at him blankly.

"Remember, honey? The lady in the shoe department?" Thinking *Jesus, she's lost her memory, too.*

"Oh, yes," Marion said vaguely. "I remember. But I don't understand, George. What does it *mean*?"

By midmorning, the road was lined with cars, parked at odd angles on both sides of Polish Hill. The Stusicks' porch was crowded with neighbors and relatives. In the living room, card tables were loaded down with food: the usual Polish favorites, plus a hodgepodge of casseroles. A ceramic basket held ornate *psanky*—hand-painted Ukrainian Easter eggs. Children picked through a mountain of cookies—some store-bought, some homemade. There were cupcakes and Bundt cakes, a rhubarb pie, green and yellow gelatin salads studded with fruit.

"Beep beep," said Ev's sister Helen. George stepped aside, and she set down a plate of deviled eggs dusted with paprika. "Georgie. We didn't see you in church."

"Hi, Helen." George didn't know her married name; she lived at the top of the hill and was a notorious gossip. "We went to the first mass. Joyce is an early riser."

"How's your other sister? I heard she came back from Washington a little under the weather."

"Who told you that?"

"Ida Spangler, at the hat shop." Helen lowered her voice. "Nothing serious, I hope."

Goddamned small town, George thought. "Bronchitis," he said. "Turned into pneumonia. She's still recuperating." He spied Gene heading out the back door. "Excuse me. I want to say hi to Gene."

He wove his way through the crowded kitchen to the back porch. Gene stood at the kettle grill digging at the charcoals, a bottle of Iron City in his hand. He was still in his Sunday clothes, suit trousers and a short-sleeved shirt.

"Eugenius," George called.

"Georgie." He had thickened around the middle, but otherwise looked much as he had in childhood: fair hair standing up in a cowlick, glasses repaired at the temple with electrical tape. "Glad you could come."

They sat in folding chairs overlooking the small yard, which had been taken over by children playing a noisy game of tag. "So you're a homeowner now," said George. "Congratulations."

"Can you believe it?" Gene handed him a bottle from the cooler. "I wish my dad had lived to see it. He hated living in a company house. It about killed him, having that money taken out of his pay every month."

George nodded. *You pay rent, you never have nothing:* his own father had said it a thousand times.

"They're solid houses, Georgie. Nothing wrong with them a little elbow grease won't fix. It's hard to believe Baker's letting them go." Gene took a pull on his beer. "What about your mom? Any chance she'll buy her place?"

"She hasn't said anything. To tell you the truth, I didn't know it was for sale."

The screen door opened and Evelyn appeared, carrying a plate of snacks: celery stuffed with cream cheese, more deviled eggs. "Well, look who's here."

"How are you, Ev?" He embraced her quickly, avoiding Gene's eyes. The three of them had spent their adolescence at Keener's Diner: George and Ev on one side of the booth, hip to hip; Gene on the other side, alone. Ev had felt sorry for him, George remembered. A few times she'd offered to set him up with one of her girlfriends, but Gene wasn't interested. Always it had been the three of them.

Ev sat, smoothing her skirt. "How's life in the big city, Georgie?"

"Not bad. Good to be back here, though. There's no place like home."

"It must be hard, being so far away. You must worry about your mother."

"Joyce takes good care of her," said George. "But yeah, I do."

"If you're interested," said Gene, "we're hiring over at the Twelve."

"Oh, Georgie's not looking for a job." Ev pulled up a chair. "Aren't you about finished with medical school?"

"Oh, I gave up on that a long time ago." George took the beer Gene offered. "I work in retail. Marion's father has a department store."

"He sell Caddies at that store?" Gene asked, a twinkle in his eye.

George grinned. "Oh, *that.* My brother-in-law has a dealership." After a series of accounting missteps that would have landed anyone else—George included—in prison, old man Quigley had given up on teaching his son the family business. He'd bought Kip a Cadillac dealership, a business so foolproof that even a proven fool couldn't run it into the ground.

"Told you," Gene said to Ev. He grinned. "My wife here was ogling your Eldorado."

Ev blushed to the roots of her hair. "It's beautiful, Georgie. And so *clean.*"

"What do those go for new?" Gene asked. "Four grand?"

More like six, George thought but didn't say.

Ev gasped. "Four thousand *dollars*? For a *car*? That's more than we paid for this house!"

George shifted uncomfortably. He'd felt guilty about spending the money—his wife's money—on such a luxury; but on some level he felt entitled. The car made him happy. Except for his son—a clever, hyperactive five year old, sweet-natured and affectionate—it was the only thing in his life that did.

"Georgie's no fool," Gene said, laughing. "I told her you must have got it at cost."

"Gene!" Ev protested, her cheeks flushing. "Ignore him, Georgie. He's got no manners. Never has."

George watched her. Later—days, months, years later—he would replay the moment in his mind, the flush creeping up from her throat. He had always loved her skin, its utter transparency. She'd never been able to keep a secret; her feelings were written on her face, all over her body. There was no mystery to a redhead. A redhead was incapable of deceit.

"Sure," he lied. "I got a nice discount." He turned to Gene. "I hear you're doing well for yourself, Mr. Crew Boss."

Gene beamed. "It's a hell of an operation, Georgie. Right now we're bringing up eight thousand tons a day. That's enough to heat eight hundred homes for an entire winter."

He adjusted his glasses, which had slipped down his nose—a gesture George had seen him perform a thousand times. Despite his swagger, Gene hadn't changed at all. Underneath was still the same boy who had rattled off the list of presidents, who could multiply and divide in his head.

"Eugenius," George said, raising his glass. "It's good to be home."

AFTERNOON STRETCHED into evening. Cold bottles of Iron City appeared from the cooler; empty bottles were whisked away. George watched the children chase one another across the yard: red-haired Lipnics, blond-haired Stusicks, a few girls still in Communion dresses, like tiny brides. Adults crowded the living room—young couples, old women. Past a certain age the men seemed to disappear. The lucky ones, like Gene's uncles, hobbled around on canes, crippled by Miner's Knee, Miner's Hip, Miner's Back. The rest were at home breathing bottled oxygen, their lungs ruined from years of inhaling coal dust. You'd have to call them moderately lucky, George reflected. The unluckiest were like his own father, keeled over in his own basement. Dead at fifty-four.

He watched Gene flip hamburgers at the grill. *Smarter than me,* George thought, *and what is he doing? What is this life he's signed on for?* In his boozy state, his old buddy seemed to him a kind of bookmark, holding his place in a life he himself had started but decided not to finish. The company house, the redheaded children, the woman George could have (and maybe should have—probably, definitely should have) married. Eugenius would be the one who finished that book. Eugenius would let him know how it all turned out.

He watched Ev carry plates back and forth to the kitchen. She wore a yellow dress cinched at the middle. He was aware of breasts and arms, a round behind. She had been his first, and he'd been hers. One time only, the night before he left, but enough to qualify for the title. *I love you. In my heart we're already married.* At the time he'd meant it—at least he thought he did. And she had taken him at his word.

She pulled up a chair next to him. "Whew. I'm beat."

"Are they all yours, Ev?" George asked, pointing.

"Gosh, no. Leonard's in fourth grade." She pointed to a boy in striped trousers. George would have recognized him anywhere: his father's thick glasses, his mother's red curls. "You met him when he was a baby. Then the two girls. Gene wants to try for another boy, but I'm ready to retire." She laughed. "How old's your boy, Georgie? I don't even know his name."

"Arthur. He'll be six in July."

"Just the one, Georgie?" She smiled; again the hint of a blush. "You're not planning on more?"

"Marion's awfully busy. I'm not sure what she'd do with another one."

"Is she—a career girl?" She used the phrase hesitantly, as though she weren't sure it applied. *I could kiss her,* George thought.

"I guess," he said. And then, because an explanation seemed necessary: "She's a painter."

"A housepainter?"

"Oh, no. She's, you know, an artist."

Ev blushed a deep red. Again he felt his heart quicken. His own cheeks heated, as if warmed by hers. *I'm drunk,* he thought.

"Well, she sounds fascinating. I'd love to meet her someday."

He let himself imagine this: Marion in Ev's living room on Polish Hill, eating deviled eggs, swapping recipes for gelatin salad. Marion's recap afterward: *My picnic with Evelyn Picnic. Her progeny screaming in the next room. Her milkmaid's arms as big as my thighs.* The old Marion: skewering Ev with a few turns of her vast vocabulary, in the bored, flat tone that let you know how little she cared.

"Oh, sure," he said miserably. "You two would hit it off." He rose, a bit unsteady, and began clearing plates from the table.

"Georgie, sit! You don't have to do that."

"It's the least I can do."

She gave him an odd look: he'd said it with more feeling than was appropriate. He couldn't help himself. Picturing Ev at Marion's mercy unsettled him deeply. As though he himself were sadistic and cruel, as though he'd imagined her violent death.

THE STREET was dark by the time the party broke up. George crossed the street, feeling guilty. He'd spent the whole day—a third of his visit—at Gene and Ev's. Now his mother's windows were dark.

He climbed the porch stairs on tiptoe. The old floorboards creaked beneath his weight. *The porch,* he remembered: he had promised to help Joyce with the porch. But he was due at the store Monday afternoon. He would have to leave first thing in the morning.

He glanced over his shoulder at the Cadillac gleaming beneath the street lamp. He'd stopped along the highway and paid a dollar to have it washed. Now the small extravagance shamed him. He'd always been vain about his cars.

He closed the screen door quietly behind him; feeling along the wall, he climbed the stairs to his room. His suitcase sat at the foot of the bed; he hadn't even bothered to unpack it. Shame prickled his skin. Had his mother noticed? Did she know he was in such a hurry to leave?

He clicked open the suitcase. In the pocket of his trousers he found his checkbook. *Why not?* he thought. *For God's sake, what is money for?*

His hand shaking, he wrote a check for $5,814, the exact sticker price of a '55 Eldorado ragtop, payable to Joyce Novak. On the memo line he wrote, in wavy letters: *You pay rent, you never have nothing.*

He left the check on top of the bureau. By the time she found it, he would be halfway to Philadelphia.

Every year, in the third week of July, Mount Carmel Church held its annual festival and spaghetti dinner. Tents were raised on the church lawn. In the street, a bandstand and rides for the children: chair swings, a miniature carousel. Susquehanna Avenue was closed off with sawhorses, causing a tangle of traffic on the street below. Every year the local merchants grumbled. *Might as well shut down for the weekend. No one does business on Dago Day.* A few wrote letters to the mayor. But John Mastrantonio chaired the town council. Every year the requisite permits were issued, and Dago Day was celebrated as planned.

Every Italian in town worked at the festival. When Rose Novak was a girl, her aunts fried sausages and rolled meatballs in the church basement. Before he went away to war, her brother had helped build the gaming booths—darts, ringtoss, chuck-o-luck—and hammered the posts into the parish lawn. Her uncle Vincent had built the wooden platform used in the procession, to carry Our Lady of Mount Carmel through the streets of the town. Each year the platform was decorated with fresh-cut roses, the statue draped in a long cloak of sky blue velvet. Carried, always, by six young men, and followed by the Legion of Mary, the Knights of Columbus and the church choir. The procession wound its way through Little Italy, a slow-moving beast sluggish in the afternoon heat, easily caught by the small dark-eyed children who pursued it, carrying dollar bills punctured with safety pins. The bills were pinned to Our Lady's cloak. The sign of the cross was made.

The festival ended with a pyrotechnics display; for many years, Rose's father had driven his wagon to Punxsutawney to buy the firecrackers. All of Bakerton watched the fireworks, but the Italians had the best view, from the steep hill behind the church.

As a girl of eleven, Rose cleared tables at the spaghetti dinner. She had just come over with her mother. Starting fifth grade at the grammar school, she had learned, cruelly, that her English was poor; but at Mount Carmel that didn't matter. The patrons spoke to her in Italian. The women in the kitchen called her *bella,* gave her anisette cookies and exclaimed over her long hair. As a teenager, she helped decorate Our Lady's platform. During the procession she sang in the choir.

After her marriage, Rose stopped working at the festival. Her children were baptized at St. Casimir's, and she acquired a collection of dowdy hats, which the Polish women favored over mantillas. Her life was in all ways Polish except for one day each summer: on the third Saturday in July, Stanley stayed home alone; Rose and the children trekked across town to the festival. There, Georgie and Dorothy chased around the churchyard with their Scarponi cousins. Rose sat under an awning with her aunts, playing bingo and drinking Sambuca, speaking Italian and breaking out periodically in cawing laughter. Years later, her children would remember that Rose laughed more on Dago Day than on all the other days of the year combined.

THE THIRD SATURDAY in July was the hottest day of the year. At eleven in the morning the temperature reached a hundred degrees. "It's not so bad," Rose told the girls, in defiance of all evidence. She could still distinguish light from dark, could recognize certain shapes; but her feet were swollen, a sign her heart was failing. Still she would not miss the festival.

Joyce drove them into town and dropped them off at the church—the nearest parking space was blocks away. Dorothy led Rose to a chair under the canopy, where her aunts were playing bingo.

The aunts—in their seventies now—greeted them with hugs and shrieks. "You looking good, honey," said Aunt Marcella, kissing Dorothy loudly. "You hang in there, you be good as new."

Dorothy guided Rose to a folding chair. She *did* feel well. She had regained a little weight; her daily walks had improved her appetite. Little by little, her speech had returned. She'd set her hair and wore a new dress. Joyce had taken her shopping for her thirtieth birthday that spring.

"Dorothy," said Aunt Bruna. "Come here, *bella.* I got a job for you." The kitchen was shorthanded, she explained; the second seating had begun, and there weren't enough waitresses. "We need some girls to pour coffee. Pretty girls," she said, winking. "Keep the men occupied while they wait."

In this way Dorothy found herself in the church basement, an apron wrapped around her waist. Long tables stretched from wall to wall, set with folding chairs. Families sat close together: grandparents, young couples, children in Sunday clothes. There was no telling where one family ended and the next began. The same features repeated up and down every table: brown eyes, black hair, sharp noses, square chins. The overflow crowd waited in line at the door. The room seemed to Dorothy very full—

perfume, cigar smoke, laughter, all tightly contained by the cinder-block walls.

There was no room for shyness, no time. She hurried from table to table pouring coffee; the simplicity of the task reassured her, the impossibility of making conversation in the loud room. Men laughed and called to her. *Hey, coffee girl. Another refill here. Good thing you so skinny, get between them tables like that.* Old men, strongly perfumed, in pink shirts and pastel slacks. Some bald, with oiled scalps; others with low hairlines, graying pompadours beginning just above the eyebrows. Dorothy smiled back; it was impossible not to. She filled their cups and returned to the kitchen for a fresh pot.

For an hour or more she raced and poured. Packed full of bodies, the room grew close. The heat of the kitchen astonished her, the enormous pots of boiling macaroni, the steaming vats of tomato sauce. She wiped her brow. Around her the room began to spin.

"Whatsa matter?" someone called. The voice seemed very far away.

"She gonna pass out," said another.

"I got her." Someone took the coffeepot from her hands; she felt herself lifted, briefly, off the floor. A man's arms beneath her. *I'm swimming,* she thought.

"Hey, you okay? Lights still on in there?" He was her age, perhaps older. He looked like the others: the eyes, the hair.

"Poor girl, she need some air," a woman crowed. "Angie, be a good boy and take her outside."

THEY SAT on the back steps of the rectory, shaded at that hour by a gnarled cherry tree.

"That was a close call," he said. "You almost hit the deck."

"I don't know what happened."

"Hotter than hell in there." He fumbled in his pocket for a cigarette.

"I've been ill. I'm still getting my strength back." She leaned against the brick wall, slightly cooler than her skin. "Thank you for helping me. I'm sorry to take you away from your dinner."

"That's all right." He loosened his tie. His neck looked thick and powerful; his white shirt was damp under the arms. "I'd rather sit here with you."

"I should get back," she said, rising.

"Easy." He laid a hand on her leg. A large, handsome hand, the wrist covered with black hair. "Sit a minute. I'll get you some water."

He returned with a paper cup and a piece of garlic toast. "Here. Eat this."

She took the bread, warm and buttery. It left an oily film on her fingers. She realized she hadn't eaten all day.

"My mother says you're too skinny. I said I like you the way you are." He said it simply, as though it meant nothing.

"She asked me your name," he said.

"Dorothy Novak."

"Angelo Bernardi. They call me Angie."

"Angelo," she repeated. It was a beautiful name.

"BERNARDI," SAID JOYCE. "The undertakers?"

The sisters were sitting on the front porch, drinking glasses of lemonade. Up and down Polish Hill the neighbors were doing the same. The fireworks had finished; the children had been put to bed. It was too hot to sleep.

"There were three of them that I remember," said Joyce, ticking them off on her fingers. "Jerry was two years ahead of me. Plus there were two older boys, twins. They were all in the service."

"Victor and Sal," said Dorothy, who had graduated with them. "I remember Victor and Sal."

It was an exercise performed in small towns everywhere: the tracing back through generations, the connecting of in-laws and distant cousins, names familiar from church or school. Rose and her sisters were masters of the art; Joyce and Dorothy had grown up listening to their aunts exchange information over coffee and cake. It could not accurately be called gossip; there was nothing malicious in the talk. It was simply the female way of ordering the world, a universe where everyone was important and all activities worthy of notice.

"Angelo?" Joyce frowned. "There was another cousin, older, but he got married a few years ago. A Scalia girl. Her sister was at the factory with me."

"I know he said Bernardi." An exotic name, lovely in her mouth. Already she had said it a dozen times. He had asked for her phone number but hadn't written it down. *Right here,* he said, tapping his temple. *I got it right here.*

"Wasn't one of the Bernardis a ballplayer?" Joyce asked. "Do you remember this? He played for Baker, and then got drafted by one of the professional teams."

Dorothy frowned. "You're thinking of Ernie Tedesco. That was a long time ago."

"Could be," said Joyce. "I don't know why I thought Bernardi. Why don't you just ask Mama? She's an expert on the Italians."

Dorothy nodded. It would have been logical to ask Rose first, but something had stopped her.

"Don't say anything just yet," she said. "He might not even call."

HE DIDN'T CALL.

Weeks passed. In the afternoons she walked through Little Italy, glancing at parked cars, peering into shop windows. Above every store were two floors of apartments, their windows covered in lace. He might live anywhere. She might walk past his window every day. She would never know.

(On those long walks she did not think of her mother, the summer Rose spent looking for Stanley Novak, before he wandered into the seamstress's shop to order his wedding suit. The way she had hunted him, the nakedness of her need. Stanley himself had never known. Rose would carry the secret to her grave.)

One afternoon Dorothy bought a pastry at Bellavia's and sat there a long time eating it, at a tiny table facing the window. An old woman passed, dressed in black. At the end of the block the parochial school had let out for recess: shouts and squeals, the singsong voices of girls jumping rope. Across the street, cars idled in front of the funeral parlor; at the head of the line, an old-fashioned black hearse, chrome gleaming in the sun. Mourners filed out of the building, stopping to shake hands with the old man who stood at the door. The man was thin and very stooped. He looked a hundred years old.

The mourners got into their cars. One by one the doors slammed shut. The old man picked his way, roosterlike, across the sidewalk, and got into the passenger side of the hearse. The car rolled forward, its lights flashing. Dorothy squinted into the sun. A moment later she caught her breath.

The driver was Angelo Bernardi.

"Where are they going?" she asked Mrs. Bellavia.

"St. Brigid's," the old lady explained. "A McDonald died."

After that Dorothy passed the funeral home every day. Each morning she checked the obituaries; in the afternoon she walked the Catholic cemeteries: St. Brigid's, St. Casimir's, Our Mother of Sorrows, Mount Carmel. When she spotted the hearse, her heart quickened; but always the wrong cousin was driving. Most days the driver was Jerry; a few times, Victor or Sal.

She did not give up. And on a windy afternoon in early October, she saw Angelo Bernardi.

An Italian child was to be buried: a boy, Nicholas Annacone, crushed by a car as he chased a ball into the street. Dorothy set out at noon under a clear sky, the vibrant blue of early autumn. An hour later she climbed the hill to Mount Carmel. The service had ended; the mourners were returning to their cars. A canopy had been erected at the grave site. Two men in overalls struggled to refold it, the canvas flapping loudly in the wind. Cars cruised toward the cemetery gates. At the grave site a man stood leaning against the hearse.

For once she did not hesitate. She had missed too many chances already: Walter Parish, a young clerk at Treasury who'd spoken to her at the watercooler; men who'd tipped their hats or smiled at her on the bus. Chick Rowsey in the pool at Glen Echo: his arms around her on the train platform, his mouth on hers. Each disappointment had weakened her; losing hope was like losing blood. She could not survive another failure. Already she was hemorrhaging from regret.

She walked toward him. The wind blew petals and loose dirt. A car horn blared. Later she realized she hadn't even looked; she could have been run over like Nicholas Annacone. She had forgotten everything: her fears, her self-respect, what her sister called common sense. All she could remember was a name, Angelo Bernardi.

He reached into his pocket for a cigarette and lit it. Then he saw her.

"Hey," he said, tossing away the match. "I know you."

"Dorothy Novak," she said quickly, before he could ask.

"From the festival. What, you think I forgot? I'm kidding," he said, flashing her a smile. "What are you doing here?"

"Just walking."

"In the graveyard?"

"My grandmother is buried here. I put flowers on her grave." *I'm lying,* she reflected calmly. Just then it didn't seem to matter. She watched his hands.

"What a beautiful day. Makes you glad to be alive." A stream of smoke shot out his nostrils. "Did you hear about this kid?" He nodded toward the fresh grave. "Eight years old. Those parents, my God. You shoulda seen it. Out of their minds with grief."

"It's horrible."

"Makes you think. Beautiful day like this: How many of them are you gonna get? I haven't seen the sun in a week." He noticed her frown. "I work at the Twelve. It's my day off. I'm helping out my uncle for the day."

"That's nice of you."

"Tell me about it." He inhaled deeply. "Nah. Tell him. I'm tired of hearing how I never lift a finger. I been hearing that song my whole life."

He flicked a cigarette ash from his lapel.

"I'm sorry. I got no manners, running at the mouth like this. But I don't mind telling you, I got frustrations." He tossed away his cigarette. "I got the car all day. You feel like taking a ride?"

THEY TOOK THE BACK way out of town, a winding road that cut through cool acres of forest, connecting Bakerton to the neighboring towns: Coalport, Fallentree, Moss Creek, towns too small for even a post office. A hand-lettered sign—U.S. MAIL—hung above a walk-up window on somebody's front porch. Dorothy had seen these towns from a train window, the slow local. She'd imagined them much farther away.

He drove fast and expertly. Wind rushed through the open windows, ruffled the silky curtains, and Dorothy remembered she was riding in a hearse. At first the speed delighted her. Then her stomach churned. Closing her eyes made matters worse. She clutched helplessly at the seat.

"Whatsa matter? You carsick?"

"A little dizzy," she admitted. "Can we stop for a minute?"

He signaled and pulled off the road. "You okay? You look a little green." He leaned across her to roll down the window. For a moment his head was level with her breasts. His black hair looked dense as moss.

"My fault," he said. "I drive too fast. The old man is always on me about it. Good for the engine, though. Cleans out all the shit. Excuse my French." He looked at her closely. "You don't talk much, do you?"

Dorothy flushed.

"That's unusual in a girl. I got four sisters, they never shut up." He reached for her hand. "I thought about calling you. I could kick myself. Things got complicated. I don't know what to say."

His hand was broad and heavy in her lap, his skin warm to the touch.

"Kiss me," she said.

HE DROPPED HER OFF at the bottom of Polish Hill. "Bunch of busybodies in this town," he explained. "You can't take a crap without somebody knowing about it." She knew he was right. She'd be curious, too, if she saw one of her neighbors step out of a hearse.

At home her mother and sisters were sitting down to supper.

"Where have you been?" said Joyce. "We were starting to worry."

"I took a walk. I lost track of time." Dorothy tore into a hunk of Rose's bread. She was suddenly ravenous. "It was a beautiful day."

Joyce peered at her. "Looks like you got some sun."

Dorothy ate in silence. She often ate in silence, but that day it weighed on her. For the first time in months she was dying to speak. Instead she shoveled in chicken, potatoes, her mother's fried eggplant. It was the only way she could keep quiet, until she could be alone with the memory of him.

Her boldness had surprised him. *You're something, aren't you?* Then he pulled her close, wrapping her in his smell—cigarettes, garlic, cologne.

They had kissed a long time. His cheeks were rough as sandpaper. Later, in her bedroom mirror, she saw that Joyce was right: her mouth and cheeks looked sunburned; her neck, her ears, her throat. Even her chest was flushed, down to the top button of her blouse. She had stopped him there.

I should go, she said. *I have to be home for supper.*

His mouth had felt warm and alive. Eyes closed, she had imagined herself swimming. Now she wondered what would have happened if she hadn't stopped him. She wondered if she would be red all over.

"I ran into someone when I was walking," she blurted out. "That fellow from Mount Carmel Day. Angelo Bernardi."

Joyce set down her fork. "Wasn't he supposed to call you?"

"He lost my number," Dorothy lied.

"Bernardi?" said Rose. "Eeee, I know him! That one that got divorced."

"Divorced?" Dorothy repeated. "Oh, Mama. You must be thinking of someone else."

"No, it's him! He marry that Scalia girl. She living at her mother's now, with them kids."

"Children?" Dorothy's voice quavered; for a moment she thought she might cry. "Oh, that's impossible. It simply can't be."

"He don't tell you?" Rose's face darkened. "Bad enough he get divorced, but how come he lie about it?"

Dorothy rose, clearing the plates. She was unable to sit still.

"Mama, I'm sure you're mistaken," she said evenly. "He has so many cousins. You must be thinking of one of them."

THE THING WAS, it didn't matter.

They met four days a week in the municipal park on Indian Hill. The park was deserted in the fall; the swimming pool drained, the chain swings taken down from their frames. Late afternoon, the sky a deep blue; they walked a slow circle around the park as Angelo told her about his day. A new boss the men despised, jokes he'd heard—the clean ones only—from a fellow on his crew. She smiled and waited. She sensed he was waiting, too. Finally he led her to his car, parked discreetly behind the pool house. He smelled of soap and hair oil, his after-work shower. His shirts were freshly laundered, his hands clean as a priest's. Once, thinking of her father, she asked how he got his nails so white.

"Gloves," he said bashfully. "The guys have a good laugh over it, but goddamn if I'm going to go through life with black fingernails."

His mouth covered more of her. One day he led her to the backseat of his car. "More room back here," he said softly. He eased her backward onto the seat and stretched out on top of her. For a moment she panicked, but his weight reassured her. The world seemed very small, no wider than the confines of his car. For once it seemed a manageable size.

Afterward he dropped her at the bottom of Polish Hill. She noticed curtains moving in the windows—her neighbors wondering where the Novak girl was coming from. *Let them wonder,* Dorothy thought.

They didn't go out on dates. Her mother wouldn't have stood for it. Other girls might have minded, but Dorothy felt secret relief. She couldn't imagine sitting across from him in a restaurant, making conversation; or navigating the crowded dance floor at the Vets, surrounded by strangers. A date would mean wearing stockings, fixing her hair, inviting him inside to chat with her family. Joyce did these things every week, when she went to the movies with Ed Hauser; but to Dorothy they seemed impossible. She came to Angelo in her natural state. She wore no lipstick; she spoke only when she felt like it.

It seemed too good to be true.

The three girls crossed the railroad tracks and started up Polish Hill. Clare Ann Baran and Connie Kukla, with their look-alike pageboy haircuts, their skinny legs in navy blue kneesocks. Behind them, a head taller, was Lucy Novak. The girls had stayed after school to practice their presentations for the science fair. Clare Ann and Connie had done a project together, a complicated experiment involving bacteria and petri dishes. Lucy had worked alone, observing different types of cloud formations and sketching them in a journal. All scientific research, Sister had explained, began with a hypothesis. The hypothesis was tested by conducting experiments. The class had written out their hypotheses on index cards and handed them to Sister. Lucy's hypothesis was, *Different cloud formations predict the weather.* She had determined that her hypothesis was correct.

"He didn't do it himself," Clare Ann was saying. "I know for a fact that his dad made it for him." They were discussing a fifth grader, Leonard Stusick, who'd built a papier-mâché volcano. No one had been impressed until it exploded with foamy lava, a chemical reaction of vinegar and baking soda.

"I knew it!" Connie cried. "He never could have figured that out by himself. He's only in fifth grade."

"It isn't fair," said Clare Ann. "He isn't even supposed to compete until sixth. Those are the *rules.*"

Lucy said nothing. Leonard Stusick had moved into the house across the street from her, and the two sometimes played together, even though Lucy was two grades ahead. She would have been ashamed to admit this to Clare Ann and Connie, who weren't really her friends. They were the only other Science Club girls who lived on Polish Hill, and every Monday after practice they allowed her to walk home with them. This, too, was embarrassing, but not nearly so humiliating as walking alone.

The girls climbed the hill, their poster boards rattling in the wind. The sky had darkened. *Cumulus,* Lucy thought, eyeing the horizon. *Cumulus and nimbus.* Headlights flashed behind her: a hearse was climbing the hill. It passed the girls, then idled a moment. The driver stepped out. He was tall and handsome, with curly hair like Rock Hudson; he moved with an athlete's grace. He went around to open the passenger door. Out stepped Lucy's sister Dorothy.

Clare Ann and Connie seemed not to notice.

"He ought to be disqualified," said Clare Ann. "That's what happens when you break the rules."

LATER, AT SUPPER, Lucy watched her sister closely. Dorothy was her odd, distracted self, speaking little, staring vacantly out the window. After supper she skittered around the kitchen clearing plates, wiping counters, scraping leftovers into Tupperware containers. She did whatever Joyce told her to do, even though Joyce was five years younger. This struck Lucy as horribly wrong, a clear violation of the family hierarchy.

Now she studied her sister in a scientific way. Dorothy was round-shouldered and flat-chested, plain and dreary in her pilling sweaters and baggy skirts. She had a pretty face, though. Her eyes were beautiful, deep brown flecked with gold. Rock Hudson might have noticed her eyes. Maybe pretty eyes were enough.

Maybe so; what did Lucy know? She'd been raised by women, and her teachers were nuns. Her whole life her brothers had ignored her, and she had no memory of her father. Leonard Stusick didn't count; he was only ten, a little boy. The man Lucy knew best was Ed Hauser, who showed up every Friday night to take Joyce to the movies. Ed was tall and ungainly, nearly bald; his trousers an inch too short, as if a flood were coming. After supper Joyce would monopolize the bathroom for an hour. She'd emerge in one of her schoolmarmish dresses looking no different than before, except for the dash of red lipstick at her mouth. *For cripe's sake,* Lucy wanted to say. *It took you an hour to do that?*

When the doorbell rang, Joyce answered it in a sugary voice. She made a big show of inviting Ed into the kitchen, where he shook hands with Dorothy and Lucy, like the Fuller Brush salesman. Then Joyce took him into the parlor to say hello to Rose. For reasons Lucy didn't understand, her mother was crazy about Ed. He sat beside her on the couch and tried speaking to her in Italian, which he had learned in college. His Italian was so bad that it made Rose laugh. This, Lucy supposed, was Ed's best quality. As pitiful as he was, as awkward and unattractive, he could make her mother laugh.

When Joyce and Ed came back from the movies, Lucy was always awake. Lying in bed, she heard their footsteps on the porch, Ed's clumsy shuffle, the quick tick of Joyce's pumps. There was a pause before the door opened, and Lucy knew they were kissing good night. The very thought of it turned her stomach.

Now she watched Dorothy stack the plates in the sink. Her boyfriend was handsome. Lucy liked his dark hair, his big shoulders, the elegant way he'd opened the car door. She could imagine them dancing, even kissing. She didn't mind the thought of Dorothy being kissed. Dorothy wasn't mean like Joyce; she simply lacked a backbone. Now Lucy wondered if it were all an act, a way of deflecting attention so that she could do as she pleased.

AFTER SUPPER Lucy took her marbles across the street and knocked at the Stusicks' back door. The supper dishes were stacked in the drainer. Leonard sat at the table hunched over his homework, his glasses sliding down his nose.

"Whatcha doing?" Lucy asked.

He looked up from his book. For a second you could see how happy he was to see her. Then he rearranged his face into a more reasonable expression.

"How'd you like the volcano?" he asked.

Lucy wondered, for a moment, if he'd heard what Connie and Clare Ann had said. She'd been aware of him some distance behind them—walking alone, carrying his volcano in a shoe box. She hadn't dared to say hello.

"I liked the explosion," she said. "Wanna shoot some marbles?"

"Sure," said Leonard. "But you have all of mine from last time."

"That's okay. I'll let you win them back."

Leonard rose. "We could play on the front porch. The light is better out there."

Lucy thought about the picture they would make, sitting on the porch steps: the little boy with glasses, the fat girl twice his size.

"Nah," she said. "Let's go out back."

They went out the back door and crouched over the sidewalk. It hadn't rained all week; faint chalk lines were still visible from the last time they'd played. Carefully she redrew the lines.

"Was that your sister?" he asked.

Lucy nodded.

"Did somebody die?"

"Nope."

"Then why was she getting out of a hearse?"

She let him shoot first. "I don't know. I think he's her boyfriend."

"She has a boyfriend?" He looked dumbfounded, as though she'd told him Dorothy could fly.

Lucy gave him a dirty look. "Why shouldn't she?"

"How should I know?" He took another shot. He had small, careful hands, like a mouse's paws. "I just wouldn't have thought so, is all."

"Me neither," she admitted. "Anyway, I'm not even sure it's true. It's"—she captured one of Leonard's marbles—"a hypothesis."

She tested her hypothesis over the next few weeks. Dorothy came home from her walks in a shapeless wool coat, a plaid muffler wound around her throat. One night after supper, Lucy examined the coat pockets (empty); she sniffed the muffler for perfume (none). She studied Dorothy at breakfast, lumping out bowls of oatmeal; in church, her lips moving silently as she fingered her rosary. She waited for a knowing look, some hint of secrecy. None came.

In November, All Saints' Day fell on a Wednesday—a free day for the parochial students, although the public school was open. Joyce went to work as usual; Lucy spent the morning in front of the television. In the afternoon Dorothy left for her walk. Lucy waited a few minutes, then followed behind.

They walked through the center of town, past the fire hall and St. Brigid's, to where the road climbed Indian Hill. Dorothy moved briskly; Lucy, breathing heavily, could scarcely keep up. At the base of the hill were the coal-company offices; at the top, a custard stand and the municipal swimming pool, both closed for the season. The hill was steep; there was no sidewalk. Still they climbed.

At the top of the hill Dorothy stopped. She smoothed her hair and unbuttoned her coat. Lucy had fallen far behind; she was sure Dorothy hadn't seen her. Still she stepped back from the road, behind a clump of teaberry bushes. She heard deep rumbling in the distance, a car's engine. A moment later, a shiny Pontiac climbed the hill. Lucy blinked, confused. She had expected the hearse.

Dorothy turned at the car's approach. She smiled and gave the driver a wave. Lucy ducked lower, grateful for her hiding place. Her legs trembled weakly, exhausted from the climb, but now she didn't care. Things were getting interesting.

The car disappeared behind the pool house, shuttered for the season. A moment later the engine died. Lucy heard a car door open and close. Then Rock Hudson appeared. He wore dark trousers and an Eisenhower jacket. He ran a hand through his curly hair.

He said something in a low voice. "Oh, I think so!" Dorothy answered brightly. She fell into step beside him; they strolled the path that snaked through the park. They did not touch. *They're walking,* Lucy thought. *Big deal.*

She looked up at the sky. Cumulus clouds, gray underneath; rain was coming, or maybe snow. Her left foot hurt across the instep, blistered by the strap of her Mary Janes. She wished she had worn her tennis shoes. Who knew Dorothy would walk so far?

She breathed on her hands to warm them. The two figures strolled the perimeter of the park—the man talking, Dorothy nodding agreement. Finally he took her hand, and they disappeared behind the pool house.

Lucy rose from behind the bushes, her legs stiff from crouching. The grass was marshy. Her feet were silent as an Indian's.

She peered around the building, as she'd seen the Hardy Boys do on television. She watched Dorothy step daintily into the backseat of the Pontiac. The man followed, closing the door behind him.

Lucy squinted. The sky had darkened; she could barely see inside the car. Dorothy's head disappeared from sight. Then the man's. *They're lying down,* Lucy thought.

A raindrop struck her cheek. She stood in the rain, watching.

SIX

Fall froze into winter. The Monday after Thanksgiving, men donned their orange vests. The firemen held a 5 A.M. pancake breakfast. At the high school, Viola Peale taught Latin grammar as usual, despite the empty desks. All the boys, and a few girls, were absent on Opening Day. Some teachers gave up and held study hall. A few called in sick and went hunting themselves.

Deer appeared in the beds of pickups, trussed and hanging upside down from trees. Vic Bernardi bagged a ten-point buck; he was shown holding its antlers on the front page of the *Herald.* Leonard Stusick shot his first deer, a respectable six-pointer. Excitement gave way to boredom, his sisters' complaints: endless meals of deer sausage and venison stew. Taxidermists worked overtime the month of December, to mount all the heads in time for Christmas.

THAT WINTER, without fanfare, Baker Brothers closed its company store. A small notice appeared on the back page of the *Herald;* when Joyce read it aloud, Rose was astonished. She hadn't been inside the store—any store—in years, but Baker's remained clear in her memory: the green tiled floor, the window displays of pots and china, the fabric samples hanging from hooks on the wall. The dark wooden counter lined with spice jars and medicines, earthenware vats of pickled cucumbers and peppers and cabbage and beets. From childhood on, the store had seemed to her a complete universe, containing everything a person could want, however fanciful her tastes or exotic her interests. Baker's stocked the everyday things Rose needed—flour and soap powder, cooking oil and salt—plus other, more glamorous items—beef roasts, a trestle sewing machine, sugar cubes decorated with tiny rosettes—she coveted but couldn't afford. That left plenty—musical instruments, a typewriter, crystal figurines shaped like animals—she couldn't imagine finding a use for, even if she had a hundred dollars to spend.

Years before, the Pennsylvania Railroad had built a siding to Baker's back door, to accommodate shoppers arriving on the local. Now a few widows went to Baker's out of habit, but the miners' families hadn't shopped there in years. The union had done away with company scrip, and big grocery chains—Acme, Quaker, A&P—had moved into town. Joyce shopped at the A&P every Saturday; the new store was cool in summer, brightly lit. You could take your time browsing, she told Rose, and fill your cart with what you wanted. There were no officious McNeelys behind the counter, reminding you when you'd charged too much.

That year, the Novaks got rid of their coal burner. The new electric furnace was a Christmas gift from Georgie. Since Sandy had left for

Cleveland, the sisters had taken turns stoking the fire and hauling in the coal, chores nobody would miss. A few months later, Joyce replaced the coal cookstove. An electric one would heat faster, she explained. Dinner would be ready in half the time.

The old stove was hauled away. Sitting on the porch, Rose watched it go. Stanley had bought it from Friedman and Sons, the Jewish furniture dealers in town. Izzy Friedman had given him a special price and delivered the stove in the middle of the night. Rose had lain awake with a pounding heart, furious with Stanley for taking such a risk. Miners who lived in company houses had been told to buy their furnishings from Baker's. Shopping elsewhere was a firing offense.

The new electric model sat in the corner of the kitchen. Leaning close, squinting, Rose could make out letters on the dials: MED LO, MED HI. The words meant nothing to her. For the first time in her life she burned the polenta. Black bits of onion floated in her tomato sauce. Her meatballs came out of the oven raw in the middle. Bread rose too high; the slices resembled Swiss cheese, shot through with holes. It was as if she had forgotten everything she had ever known.

By springtime there were no more treats for Lucy: no popcorn balls stiff with molasses, no homemade macaroons. Her lunch bag contained apples and Fig Newtons, sandwiches made from store-bought bread.

The electric stove required no stoking, no nightly polishing with paraffin wax. Rose's life had been filled with work; now, absurdly, there was nothing to do. Her daughters took over the cooking, slipshod meals of casseroles, vegetables thawed from the freezer. She began to believe the doctors. For years she had ignored them; now she felt old and sickly.

She cursed the stove and waited to die.

The funeral was held at St. Casimir's, where Rose and Stanley had been married. If anyone had asked her, Rose would have chosen Mount Carmel, the church of her girlhood: its ceiling painted salmon pink, like a tropical sunrise; its profusion of Madonnas like a collection of dolls. Years ago, the parish had maintained a funerary band; when Rose's mother died, a uniformed trumpeter and drummer and accordionist had followed the hearse to the cemetery, serenading the casket with hymns. No one knew where the custom had originated. "In the old country," they all assumed. Rose had found the music comforting, a joyous wave of sound to carry her mother away.

It was George who remembered this, standing at his mother's grave. He was the only Novak old enough to remember his Nona, and the aged Italians who'd played music at her funeral. He wished he'd brought his clarinet along; he hadn't played in years but was sure he could muster up something. It would have seemed an absurd gesture to everyone but Rose. Rose, he knew, would have been delighted.

Afterward, walking back to his car, he watched his three sisters make a beeline for the hearse. They all seemed determined to ride in the front seat. The driver had graduated high school a few years ahead of George. A loudmouth, not too bright, the oldest of the Bernardi boys.

"What's that all about?" he asked Sandy, who was riding shotgun in the Cadillac. He was glad to have a passenger. Marion had declined to come, and there hadn't been time to fetch Arthur from his school in Connecticut. "I've got plenty of room, and they have to ride in the hearse?"

"Beats me," said Sandy. He'd come in from Cleveland on the Greyhound bus; he was between jobs and didn't have a car. He'd gotten rid of his teenage pompadour, and his suit cost more than George's. He looked like a million bucks.

That fall Lucy started at St. Joseph's, the parochial high school, a long walk from the center of town. Walking to school, she sometimes spoke to herself in her mother's voice: *Lucy, it getting cold out. Bella Lucy, you got to wear your gloves.* She supposed this was how it began, how crazy people first went crazy. She didn't care. Going crazy was better than forgetting. She would not forget her mother's voice.

St. Joe's was larger than her grammar school, larger even than Bakerton High. Parochial students were bused there from all over the county. Lucy had been the oldest in her eighth-grade class, but at St. Joe's she felt like a child. The upperclassmen seemed to inhabit another world entirely. The girls wore lipstick; some, engagement rings. The senior boys drove cars to school.

In the crowded hallways she felt invisible. Strange faces everywhere, girls from Kinport, Coalport, Fallentree. They paid her no attention, a nameless fat girl. Lucy didn't mind; in fact, she preferred them to the Bakerton girls—Clare Ann Baran, Connie Kukla, the prissy blondes who'd tormented her childhood. They watched her now with silent pity, as though they knew everything about her: the fat girl whose mother had died.

The house felt empty when she came home from school: no Rosemary Clooney on the radio, no heavy footsteps on the stairs. Sometimes Dorothy was home, but to Lucy it made no difference. Dorothy seldom spoke; her presence was insubstantial. Her footfalls barely made a sound.

After the final bell, Lucy sat on the back steps of the school, bare-legged in her uniform, shivering in the cold. She looked often at her watch: three o'clock, three-thirty. At four o'clock Joyce would come home from work; Lucy would sit in the kitchen and watch her prepare supper. She still disliked Joyce intensely; that had not changed, would not change. The unchangingness comforted her; that, at least, could be counted on. Sturdy, unlikable Joyce could be counted on.

For the first time in her life, she slept alone. She understood that this was normal, that everybody else—her classmates, her sisters—had slept alone their whole lives. Still her sleep was shallow and anxious. She dreamed often of being lost. Always in these dreams she was looking for her mother.

The days were quiet and sad. Only Fridays were different. When Lucy came home from school, Angelo Bernardi would be sitting at the kitchen table. Knowing this, she did not linger on the school steps. She walked briskly, resisting the urge to run.

He sat at the table across from Dorothy, a glass of beer at one elbow, an ashtray at the other. He wore a black shirt, open at the throat, showing dark hair. The house filled with his generous laugh, the smoky buzz of his voice.

"Hey, Miss America," he'd call when she came in. "Staying out of trouble there at St. Joe's?"

His attention made her shy, a sensation she'd rarely felt. Seldom could she think of anything to say, but it didn't seem to matter. It was enough to be in the room with him. Like Dorothy she was dumbstruck, a silent moon in his orbit.

Only one thing could break the spell. Joyce came home on Fridays with a great commotion. "Hello, all," she'd call, plunking down a bag of groceries in the middle of the table, blocking their view of one another. She turned on the overhead light and made a big, noisy show of starting dinner: chopping celery, opening soup cans, putting water on to boil. After a few minutes of this Angelo rose and excused himself. Dorothy walked him to the door.

"What's the hurry?" Lucy asked Joyce once, after Angelo had left. "You're running around like a chicken with its head cut off."

"Ed's picking me up at six. We're seeing the early show."

This ended the conversation. Joyce must have known it would. Nobody, Lucy reflected, wanted to hear about stupid Ed.

Ed Hauser was waiting for Joyce in the car. As they did every Friday, they would see the early show at the Rivoli. Joyce liked to be in bed by ten. On Saturday morning she had an eight o'clock class at the Penn State branch campus, an hour's drive away. Ed had urged her to complete the paperwork, and to her surprise, he was right: her military service entitled her to the same educational allowance as any other veteran, a hundred and ten dollars a month. After Rose's death, she had enrolled in summer school. She hoped to become a teacher. She was six semesters away from a bachelor's degree.

"Dorothy has company," she fumed, slamming the car door. "He was sitting there when I got home."

"He must have Fridays off."

"Ed, that's not the *point.*"

He shrugged. "I saw Dorothy uptown the other day. She seemed relaxed and, well, normal. Maybe it's good for her. You know, having someone."

"Good for her?" Joyce stared at him. "He's a married man."

"Divorced."

"That's even worse."

"You sound like your mother," he joked.

Joyce didn't laugh.

Ed started the car. It wasn't like her to be so narrow-minded. Then again, he tended to underestimate the Catholic craziness on the subject of divorce. Though he attended St. Casimir's each Sunday with Joyce, he'd been raised a Methodist. Divorce struck him as unfortunate and disheartening—not evil or tragic, and certainly not sinful. It was, he thought, an odd wrinkle in Joyce's character: for all her intelligence, she was as Catholic as they came, susceptible to the same superstitions and ancient prejudices as the rest of her tribe.

"Let me get this straight," he said. "If Bernardi were married and cheating on his wife, that would be better than being divorced?"

"He's got four children."

She hadn't answered his question. He was tempted to point this out, but he understood they weren't having a rational discussion. On most days, and nearly all subjects, Joyce was as logical as a man; but when it came to Bernardi she couldn't think straight. He thought of her behavior at Rose's funeral, piling into the hearse with Bernardi and Dorothy and Lucy as though she'd temporarily lost her mind. Ed knew Joyce as he knew himself; he'd understood, then, that she was making a point. It would have been inappropriate for Dorothy to ride alone with Bernardi. He was merely the driver, paid by the mortuary. Joyce wanted everyone—Dorothy especially—to remember that.

Bernardi. The mention of his name brought an edge to her voice. She referred to him alternately as a womanizer, an ignorant lout and once, memorably, a jackass. Memorably because Joyce never cursed; her speech was prim as a Sunday school teacher's. Ed found the transformation astonishing. And, he had to admit, rather attractive.

"My mother had his number," Joyce said. "If she were alive, Dorothy wouldn't be carrying on like this. I hate to think of her looking down from heaven, watching him hold court in her kitchen like some kind of sultan. Drinking and smoking in her own house."

Ed sighed. This was another problem with Catholics: nobody ever *died.* Joyce often spoke of her parents looking down from heaven—sometimes with pride or amusement, but usually with disapproval or downright horror. This struck Ed as a terrible burden, this sense of being watched by all your dead relatives, by numberless saints who'd been dead a thousand years but still kept a hand in things, interceding for the sick, finding lost objects, looking out for coal miners and whoever else had a dangerous job. Ed believed in God, but he also believed in death. He'd been fond of Rose Novak and saddened by her passing, but the poor woman, God love her, was dead. And that was the end of that.

"Look," he said, "you don't like Bernardi, and your mom wasn't crazy about him either. But Dorothy is a grown woman. If she wants to date a divorced guy, that's her decision. There's nothing you can do about it."

"But what about Lucy? What kind of example is this setting? She looks up to him, heaven knows why."

"He pays attention to her," Ed said. "Girls her age are starved for that." It was a phenomenon he witnessed daily at school. Once or twice each term, a particular girl would hang around his office for no good reason, and the secretaries would tease him about it: *She has a crush on you.* Always he denied it, in equal parts flattered and uncomfortable.

Joyce stared at him. "She's a child," she said, clearly appalled.

Ed didn't respond. Lucy was fifteen, a young woman. She certainly didn't *look* like a child.

"Anyway," said Joyce, "it bothers me that he and Dorothy are alone in the house all afternoon. Who knows what she might walk in on."

Aha, Hauser thought. *Here's the real issue.* Joyce didn't really care that Bernardi was divorced—or if she did, it was a secondary concern.

"Why?" he said slyly. "What do you think they're doing?"

"Never mind," said Joyce, her cheeks scarlet.

He'd never known a woman so easily embarrassed.

THEY HAD DATED for years—steadily, eventlessly, with few arguments and none of the petty squabbles he'd suffered with other girls. Early on they'd even worked together, a potentially awkward situation that Joyce, being Joyce, had handled with professional grace. After Helen Bligh returned from maternity leave, Joyce had taken a clerical job at the junior high. Now Ed saw her mainly on weekends, years of movies and dinners and dances at the Vets. He looked forward to these evenings, the hours spent in her company; he'd never felt so comfortable with a woman, so accepted and understood. He admired her strength and intelligence, the fierce way she tended her family. She was in every respect the woman he wanted to spend his life with. In every way, perhaps, but one.

He wondered if they'd simply waited too long. In the beginning he'd been cautious, tentative. She was a resolute creature, with firm views on everything; he feared there would be no second chances, that one false move would alienate her forever. She'd had bad experiences with men in the air force. She didn't elaborate, and Ed didn't press, but the knowledge made him even more careful. When he kissed her, she didn't pull away;

but neither did she warm to him. Her response was oddly neutral. She did not object to his touch; she might possibly have found it pleasant. Sometimes she smiled at him in a friendly way. Her attitude—he hated even to think it—was *cordial.*

For her thirtieth birthday he'd given her a ring, but Ed was in no hurry. He wanted to wait and see.

AFTER THE MOVIE he suggested a drive. The night was clear, the moon full. He drove westward out of town, the Towers glowing in the distance.

At the top of Saxon Mountain he rolled down his window. A few snowflakes had begun to fly. There was a rich, leafy smell, dark and fecund. He parked the car and flicked on the radio.

"It's cold," said Joyce, hugging her arms.

"Come here." He loved the smallness of her, the tiny bones of her shoulders and neck. She nearly disappeared in his embrace, but he could feel her, birdlike, a delicate warmth against his heart.

He kissed her, softly at first. Her eyes closed; he felt her relax in his arms. Deeper then, pressing her to him. Fingers splayed, his hand was nearly as wide as her back.

At one time or another he had touched her everywhere, always outside her clothes. She had not touched him at all. Lately he'd felt keenly the inequity of this, but it had been their unspoken agreement, as far as they would let themselves go.

Still kissing, he took her hand and placed it on his groin. She stiffened in his arms.

"Shh," he said, pressing her hand to him.

"Ed!" She pulled her hand away as though something had burned it. "What's the matter with you?"

"Joyce, come on. We're not schoolkids."

She retreated to her corner of the seat. "Can you take me home, please?"

"Fine," he said, hating himself. He wasn't sorry, not for a minute. He thought of Bernardi and Dorothy, who spent Friday afternoons alone in the house, doing things Lucy might walk in on. Angelo Bernardi would not have taken her home. He'd have thrown her over his shoulder and carried her into the woods.

"Let's not argue. You know how I feel about this," Joyce said, fumbling with the buttons of her coat.

"I know." He started the car. "Don't tell me again. I think we've covered it."

AT HER DOORSTEP they said a stiff good-bye. Later he regretted being cross with her. She would spend all Saturday in class; in the evening he'd call and apologize, take her to dinner as though nothing had happened. More and more, their weekends followed this pattern. They had reached an impasse. Nothing would free them, it seemed, but marriage; and that posed its own set of dangers. He feared marrying a cold woman, as his brother had. The term, *frigid,* Ed knew from his reading. Apparently there was no telling beforehand. His sister-in-law was an attractive girl, charming and vivacious. There was simply no way to know.

He had dated loose girls, but not often and not for long. For love he had chosen a girl of admirable character; he hadn't wanted any other kind. Now, with marriage looming, he wished for a change—no, nothing so drastic; just a slight moderation of her temperament. Joyce had proven her virtue. Now he wanted her to relax, to metamorphose into the passionate creature she would be in their married life.

But Joyce didn't relax. She didn't change in the slightest. Engagement wasn't the same as marriage, she insisted. Certain things would have to wait.

He'd tried reasoning with her. "You see the problem, don't you? It's like buying a car without a test drive."

"I did that," she said, without a trace of irony. "My Rambler. It runs fine."

"But, honey. How are we supposed to know if we're compatible?"

"Of course we're compatible. If we had any more in common we'd be the same person."

This was true. They were both churchgoers, Democrats; on bank holidays they flew the flag. They believed in education and personal responsibility, fair trade and equality for Negroes. Senator McCarthy, they felt, had taken leave of his senses. On books and movies they had lively discussions, but their deepest values were utterly the same.

"I mean sexually compatible."

Joyce blushed violently. "Oh, Ed. I don't know what you're talking about."

She meant it sincerely; he could see that she did. She was a thirty-year-old virgin, her sexual experience limited to kissing in his front seat. The rest—things they would do at some vague time in the future when the ban had been lifted, the danger removed—had been set apart in her organized mind. For now it was a murky abstraction, impossible to think about. That the act could unfold smoothly or awkwardly, rapturously or disastrously, hadn't occurred to her. She was like a dispatcher of trains whose entire attention is directed toward scheduling arrivals and departures. The actual driving of the locomotives she had never even pondered.

In the spring Lucy began to disappear.

She was still a big girl, but no longer a fat one. Food tasted wrong now, or didn't taste at all: Dorothy's oatmeal, the cafeteria slop, Joyce's bland casseroles. The daily trek to St. Joe's was a brisk half hour each way. Lucy walked in all weather, in rainstorms, in snow. It was better than riding with Joyce.

The weather warmed, and she returned to her spot on the school steps, joined, now, by a junior named Marcia Dickey, a freckled girl who smoked menthol cigarettes. Marcia talked, and the two girls smoked.

Marcia was a farm girl. Her father raised dairy cows on a tract west of Moss Creek. Lucy had seen the name stamped on neat aluminum boxes on porches all over town—DICKEY'S DAIRY—and felt as though she were meeting a celebrity. The Dickeys' farm was so remote the school bus didn't come near it, so every morning Marcia rode into town on one of the milk trucks. For two hours she sat in the cafeteria with the other farm kids, waiting for the classrooms to open. After school she rode home with her boyfriend Davis, in his father's car. Davis played on teams: baseball in the spring, football in the fall. While the teams practiced, Marcia waited on the steps.

Lucy had seen Davis around school, a lanky boy with hair like an Irish setter. He was as quiet as Marcia was talkative; they looked so alike they appeared to be related. Once he'd walked by the steps when the girls were smoking, and Marcia had introduced him to Lucy. It was as close as she had come all year to talking with a boy. At St. Joe's the classes were segregated by gender. Boys and girls saw one another only in the halls. They were permitted to sit together in the cafeteria, though only the steady couples did. Couples like Connie Kukla and Steven Fleck, a senior with comically large shoulders. Connie wore his class ring on her engagement finger, heavy as a penance on her tiny hand.

The cafeteria was as large as a train station. Girls filled the tables at the front of the room, while the boys gravitated toward the back. Lucy liked the noise of it, the bustling anonymity. She and Marcia Dickey sat with their backs to the wall, watching. One by one the students filed through the line, holding their trays, looking for a place to sit. In that moment, they all wore a panicked, baffled expression. In that moment they were all the same.

Sometimes boys stared at Lucy. She had not noticed this herself; Marcia had pointed it out one day in the cafeteria line. The school uniform, a plaid jumper, was designed for petite girls like Connie Kukla. The snug fit, the busy pattern, made Lucy's chest look enormous.

"It's not my fault," Lucy said, her cheeks reddening.

"Who said fault?" Marcia smiled. "I'd kill for a figure like yours." For a moment Lucy heard her mother's voice. *Lucy is beautiful. She'll always be beautiful.*

"This lunch is disgusting," she said, covering her meat loaf with a napkin. She busied herself with not eating, afraid she was about to cry.

THEY WERE SITTING on the steps when Davis pulled up in his car. Music on the radio, a song Lucy recognized.

"Ready?" Davis called out the window.

Marcia looked up at the sky. "It looks like rain. Can we give Lucy a ride?"

"Oh, don't worry about me," she said quickly. Two boys were already sitting in the backseat. "I don't want to take you out of your way."

"You won't," said Davis. "I'm already taking these jokers into town. Hop in."

The back passenger door opened and a tall boy stepped out, wearing gym shorts and a damp white T-shirt. Lucy recognized his broad shoulders, his shiny black hair. He was Connie Kukla's boyfriend, Steven Fleck.

He nodded toward the car, and Lucy slid over to the middle of the seat, next to a small, blond boy she didn't know. Marcia got into the front seat, leaned in close to Davis, and kissed him on the mouth.

They peeled away from the curb, and Davis turned up the radio. Frankie Avalon backed by hushed female voices, a song Lucy heard everywhere that spring: *Venus, make her fair/A lovely girl with sunlight in her hair.*

Oh, brother, Lucy thought. Even Frankie Avalon was in love with Connie Kukla.

"Whew. It stinks in here." Marcia rolled down her window. "Carful of sweaty guys. Ew."

Steven Fleck laughed, so Lucy did, too. His face and neck and arms looked moist and flushed, as though he had been running hard. In the gym shorts his legs looked thick and muscular. She was relieved to see that his thighs were wider than hers.

Davis drove fast and carelessly, like her brother Sandy. The first time he made a left turn, Lucy lurched to the right, directly into Steven Fleck's lap.

"Sorry," she said.

"That's okay," he said, laughing.

It was amazing what you could learn about a person without talking, just by sitting close. His hands were large, the nails bitten low. (She bit her nails, too.) His legs were dirty, the skin scraped raw and bleeding a little at the knees. You had to take a game seriously to slide that hard at practice. Lucy had played the same way: kickball, dodgeball, she had always wanted to win. Baby games, she knew; that was a long time ago. She hadn't played anything in years.

Davis stopped at a traffic light. "Where to, Lucy?"

"Polish Hill," she said.

The blond boy piped up. "Fleck's girlfriend lives up there."

Lucy had forgotten he was there; she looked at him now with intense dislike. She often felt this way toward small, blond people: Connie Kukla, her sister Joyce. Steven Fleck was big and dark—like her mother, like Angelo Bernardi, like Lucy herself.

Davis looked over his shoulder. "Fleck, you want me to let you off at Connie's?"

"Nah, that's okay." He glanced sideways at Lucy. "I just saw her at school. That's enough for one day."

In the front seat Marcia burst out laughing. Lucy, too, started to laugh. They were still laughing when Davis pulled in front of her house. Steven Fleck stepped out of the car and Lucy slid out, holding down her skirt with her hand. The seat was warm where he had sat. The vinyl stuck to her bare thighs.

"See you in school," said Steven Fleck.

"Sure," said Lucy. "See you."

She stood in front of her house a moment, watching the car drive away. Then Leonard Stusick rode up on his bike, his book bag and lunch box tied to the rear fender. He wore his navy blue pants and sweater, the grammar school uniform. He was twelve but looked ten. "Who was that?" he asked.

"You wouldn't know them."

"How do you know?" Leonard squinted, shielding his eyes from the sun peeking through the clouds. "The big one is Steven Fleck. He plays in the Pony League, for Reilly Trucking."

"He does?"

"Watch this." Leonard spun a fast circle in the road, wheeling up on his back tire.

Lucy ignored him. "How'd you know that?"

"You didn't even watch." Leonard stopped suddenly, spraying gravel. "What? Is he your boyfriend now?"

"Don't be stupid."

"That's guy's an idiot," said Leonard. "Don't say I didn't warn you."

"What do you mean?"

"Trust me." Leonard popped a wheelie and pedaled into his driveway. "I know what I'm talking about."

IN THE KITCHEN Joyce stood at the sink, rinsing lettuce for salad. "You beat the storm," she said. "I was about to come and get you."

"I got a ride home."

"I see that." Joyce shut off the water. "Who are your friends? I didn't recognize the car."

Lucy's cheeks heated. "Nobody. Just some kids from school."

"Well, I figured that much."

Joyce waited.

"Marcia Dickey," Lucy said finally.

"What about all those boys?"

"You were *watching*?"

"I heard a car come up the hill." Joyce dried her hands on a towel. "The radio was playing full blast. I'm sure the whole neighborhood heard it."

"It wasn't that loud."

"Lucy, who were the boys?"

Am I under arrest? Lucy thought. She wished she had the nerve to say it.

"Davis somebody," she said instead. "He's Marcia's boyfriend. And Steven Fleck. The other boy I didn't know."

"You don't *know* him?" Joyce crossed her arms. "Lucy, do you think that's wise? Getting into a car with a boy you don't know?"

It was just like Joyce: asking questions when she didn't really want to hear the answers. *Obviously,* Lucy thought. *Obviously I think it's wise.*

"I know the others," she said. Her face felt hot.

"David *somebody*?"

"Davis. He's Marcia's *boyfriend,*" Lucy said, exasperated. "She's my *best friend.*"

"Well, excuse me, Lucy, but I've never met this Marcia, or heard a word about her, as far as I can remember. And I'll thank you not to take that tone with me."

Lucy dropped her books loudly on the table. Without another word, she went upstairs to her room.

JOYCE LISTENED to her go, her tread heavy on the stairs. *If I'd stomped around that way when I was fifteen,* she thought, *Daddy would have had my head.* She often had such thoughts about her sister, who balked at even the gentlest sort of correction. The older Novaks—Georgie, Dorothy, and Joyce—had been scolded, lectured and worse; Georgie in particular had been slapped and swatted and, on one memorable occasion, chased around the backyard with their father's belt. Lucy had never had so much as a spanking, as far as Joyce knew. She'd never been sent to pick scrap coal at the Number One tipple, never slipped a coat over her nightgown on a winter night and trudged through the snow to the outhouse. It was as if she and Sandy had been raised in another family entirely.

Joyce dried the lettuce and shredded it for salad. Her questions, she knew, had been perfectly reasonable. She tried to picture herself at fifteen, riding home from school in a car full of boys. It was hard to imagine. Few families had had cars back then, and those who did would never have entrusted them to teenagers. Even at school she had seldom spoken to a boy. Her nervousness had made her timid—a problem Lucy seemed not to have.

She stood over the sink peeling a cucumber, thinking of a Saturday afternoon a few weeks ago, when she'd taken Lucy shopping for an Easter dress. Since her weight loss, none of her old clothes fit properly; twice her school uniform had been taken in at the waist. The day had been unseasonably warm, a blast of summer in late March. They'd left their coats in the car and walked a few blocks to the store, the sun warm on their bare arms. Joyce wore a crisp white blouse, Lucy a cotton sweater borrowed from Dorothy; later Joyce noticed that it fit her snugly across the chest. As they walked past a building under construction, a chorus of wolf whistles followed them down the block. The realization had hit Joyce like a physical blow: the men were whistling at her little sister.

"Ignore them," she said, her cheeks flaming.

Lucy said nothing, but a tiny smile pulled at her lips. Later, as she waited outside the changing room, Joyce remembered that smile. Lucy wasn't embarrassed by the crude attention. She had actually enjoyed it.

That summer, men campaigned for president. Joyce and Ed scrambled to register voters. They canvassed Polish Hill and Little Italy, the new developments of West Branch and East Branch, nearby Coalport and Fallentree. From house to house, Ed expressed his enthusiasm for Kennedy's Peace Corps. Joyce's approach had more success: Elect the first Catholic president.

Another presidency was also at stake: Bakerton Local 1450, United Mineworkers of America. For twelve years the incumbent, Regis Devlin, had run unopposed. Regis was silver-haired and silver-tongued, ready with a joke, trusted by the Bakers and well liked by the men. On his watch the union had demanded little of management. His few requests were promptly granted: bonuses at Christmas, hot coffee at the tipple, an on-site shower room at the Twelve. The men felt appreciated; their jobs were secure. For the first time in their working lives, they went home clean.

Everyone was surprised when Gene Stusick declared himself a

candidate—sheepishly at first, with apologies to Regis; then with increasing confidence. Gene was a poor politician; he lacked Regis's quick wit, his Irish charm. What he did have were numbers.

He outlined his position in a mimeographed letter, as blunt and unappealing, as thorough and informative, as Gene himself. The miners' contract was up for renewal that spring. Except for an annual cost-of-living adjustment, the men hadn't had a raise in six years. In the same period, profits had grown 40 percent. The Twelve was the largest bituminous mine in the state, and the company still hadn't touched the ten thousand acres to its north. If, as planned, the reserves were tapped the following year, Baker would make money hand over fist. Meanwhile the miners would be locked into another meager contract, the same sweetheart deal Regis Devlin had given Baker Brothers for years.

NEITHER OF THESE elections interested Lucy. All summer she brooded over another race, the contest for Fire Queen.

She hadn't entered, herself; she was too aware of the potential for humiliation. Years of name-calling, of Joyce taking her shopping in the Chubbette Department, had taught her that much.

Dozens of girls competed for Fire Queen. The contest happened behind closed doors; the firemen themselves judged. From a window booth at Keener's Diner, Lucy and Marcia Dickey watched the girls arrive at the hall. Clare Ann Baran and Connie Kukla in pale pink gowns, their blond hair teased into identical flips. Girls in strapless shifts, in satin, in tulle.

"Look at that one," said Marcia Dickey. Two streams of smoke shot out her nostrils. "The strapless. A padded bra would have been a good idea."

Lucy giggled. "Her dress is going to fall down."

"That's the only way she's going to win."

It helped to have someone to watch with. Marcia was as unlikely to be Fire Queen as Lucy was. Both treated the whole thing as ridiculous, but Lucy wondered if Marcia secretly felt the same way she did. She would have done anything to be Fire Queen. Anything in the world.

The girls said good-bye on the sidewalk. Davis's car idled at the curb; he was taking Marcia to see *Please Don't Eat the Daisies.* "Have a good time," said Lucy, with something like longing, knowing that no boy would ever ask her to the drive-in.

A moment later, crossing the street, she heard a voice behind her— "Hey, Miss America! Wait up." She turned to see Angelo Bernardi coming out of the hall.

"I thought that was you." He fell into step beside her, a little out of breath. "We had the contest tonight. Where were you? I was saving my vote for you."

Lucy flushed with pleasure. "Me? Oh, I don't think so."

"What, you don't think you're pretty enough? Trust me. That girl we gave it to, she couldn't hold a candle next to you."

Lucy smiled. It was enough that he'd said so. It didn't need to be true.

"Who won?" she asked.

"Connie something. Pretty little blonde. Said she knows you from school."

Two calamities competed for her attention: Connie Kukla winning Fire Queen. Angelo and Connie talking behind her back.

"You *talked* about me?"

"She said she went to St. Joe's. I said I knew you."

Lucy's stomach lurched. She thought of Connie Kukla leading the parade in her pink dress, waving to the crowd with her saccharine smile. *No,* she thought. *It isn't possible.*

"But she's only a junior," she said. "They always pick a senior."

Angelo shrugged. "She's cute. The guys liked her. She looks like Sandra Dee."

Lucy couldn't speak. Hate bubbled up inside her, the grilled cheese she'd eaten at Keener's turning sour and liquid in her stomach. Connie Kukla with her skinny legs, her perfect flip, her saddle shoes as tiny as a doll's. She was as different from Lucy as any girl could possibly be. If Angelo thought she was cute, then he must find Lucy hideously ugly. She must be an absolute monster.

"Whatsa matter?" said Angelo. "You don't look so good."

It was the last thing she needed to hear.

"I have to go," she said.

SHE RAN THROUGH THE TOWN, past the pool hall and the five-and-ten. On Baker Street, she heard hammering noises: men were building the concessions booths. In the lot behind the Quaker, carnival trucks were parked. A crew was assembling the Ferris wheel. Normally Lucy would have stopped to watch. Now anything to do with the festival—Connie's festival—was repulsive to her.

She crossed the railroad tracks. The sun had set along the river; the windows of the dress factory glowed orange pink. Drums in the distance, the high school marching band practicing for the parade. Connie would be everywhere this week—inescapable, infectious, like a sneeze during flu season, spraying deadly germs. Her picture in the paper; then the street dance, the parade on Saturday night. By then Lucy would be dead from envy. It seemed impossible that she could survive that long.

She ran over the footbridge. Water bubbled deep beneath it, a hollow sound. A few cars were parked at the ball field. An occasional *thwack* in the distance, the brittle crack of bat and ball. The late summer evening hummed with bugs.

Lucy slowed. Her side ached; she had not run in a long time. She bent at the waist, gulping air. At the ball field a small crowd had gathered. Boys stood behind home plate drinking from cans. The other team was spread across the outfield, socks and sneakers glowing in the twilight. The white letters on their T-shirts spelled REILLY TRUCKING.

Dusk was falling; in half an hour the sky would be dark. Lucy shooed a mosquito away from her ear. She thought of her silent house: Dorothy holed up in her room. Joyce at the movies with Ed. The empty chair where her mother used to sit.

She climbed the bleachers and sat on the top row. She had never played at this park; girls' games like dodgeball were not allowed. The ball field was reserved for the municipal leagues: Little League, Ponies, all boys.

"What are you doing here?"

She looked up. Steven Fleck stood on the bottom bleacher, a can of Iron City in his hand.

"Nothing. Just sitting." For a moment she remembered what she was wearing: Bermuda shorts, a sleeveless blouse stained gray under the arms. She fumbled with a stray bra strap.

"We won tonight," he said. "We beat Nicastro's Tavern. I had three hits."

"Congratulations."

"There was a guy in the stands. I think he was a recruiter for Baker."

"Really?" said Lucy. "How could you tell?"

He shrugged mysteriously. "Well, he could have been. There are three seniors on the team." His older brother had been recruited right out of high school, he explained. He played third base and worked at the Number Eight tipple.

He sat down beside her. "Were you over at the fire hall?"

"Yeah," she said. "Connie won."

"Good for her. It's a big deal, right?"

"Sure," Lucy said miserably. She swatted at a mosquito. A giant welt was rising on her thigh, between her kneesock and the hem of her shorts.

"I figured. She's been talking about it for months. Between you and me, I'm glad it's finally over." A soft hiss as he opened his beer. "What about you? You didn't enter?"

She shook her head.

"Why not?"

"I wasn't interested."

The words just sat there. She sounded like a bad actress on television.

"That's not why," she said. "I knew I wouldn't win."

"Why not? You're pretty."

He said it so easily, the thing he would say a thousand times in her memory. Each time Lucy would ask herself the same question: *Was he stupid, that Steven Fleck? Or was he just so sweet?*

"Not like Connie," she said, smiling a little.

"Well, no. You're a different type."

She waited for him to elaborate.

"Some girls aren't pretty at all, and that's too bad," he mused. "But the rest are. Connie, and Clare Ann, and you, and so on. So in a way, from a boy's perspective, one girl is just as good as another."

He chewed thoughtfully at a thumbnail.

"That's where it gets complicated. That's where other things start to matter."

"Like how nice a girl is?"

"Sure," said Steven Fleck. "And—other things."

Lucy nodded. These were questions she had long pondered, questions she would have asked years ago if she actually knew any boys. She understood that something remarkable was happening: Steven Fleck talking to her like this, the two of them sitting on the bleachers, night falling softly around them. An hour ago, eating sandwiches at Keener's with Marcia Dickey, she never would have imagined it possible.

He had moved closer to her; their thighs were touching. When she looked up she saw the other boys were gone.

"It's late," she said. "I should go home."

Steven Fleck stood and offered his hand. "I'll walk with you."

They didn't walk far. Under the bleachers, grassy and damp, a place that hadn't seen the sun. Trash around them: pop bottles, newspaper. A phone number was carved into the wood of the bleachers. The last two numbers were the same as hers.

"You're tall," he said when he kissed her. She didn't ask if that was good or bad. She felt the raised letters on his back: REILLY TRUCKING. His mouth was wet and beery, somehow familiar. He tasted the way Angelo smelled.

Her hair was loose; she had lost her barrette. She held her breath when he unbuttoned her shirt. His mouth pulled gently at her breasts. Did he do this with Connie Kukla? She looked down at his bent head, his shiny hair, and thought, *Mine.*

He put her hand on him, taught her the motion. It was like petting an exotic animal: she was scared, then delighted, then a little bored. After a while his eyes closed. She wished he would kiss her some more.

Hand in hand they walked through the town. Her other hand was sticky, as though she'd been eating candy. He walked her to the bottom of Polish Hill, then stopped. He lived across town, he explained, and it was almost midnight. She walked the rest of the way alone.

That week the *Herald* was full of news. The lead story on page one: TOWN HOSTS FIREMEN'S FESTIVAL. In smaller type, below the fold: *New Fire Queen Is Crowned.* On the social page: *Hauser, Miss Novak Announce Engagement.* A winter ceremony was planned.

It would be a small wedding, Joyce explained at the breakfast table. After five years, Ed was suddenly in a hurry. Fine by her: weddings were a waste of money, and she didn't like a fuss. Still, she couldn't imagine what had gotten into him.

She eyed the front page. There was a large photo of the Fire Queen and her court. The girl wore a satin sash and a rhinestone tiara. Joyce sighed.

"Fire Queen! That poor child. It's disgraceful, making those young girls parade themselves in front of the whole town. And those cavemen gawking and cheering. They're grown men, for heaven's sake. It ought to be illegal."

Dorothy rose and poured more coffee. She saw no point in defending the cavemen. It was a Friday morning. In a few hours Angelo would arrive.

"I suppose the girls don't know any better, but what are their parents thinking?" Joyce folded the paper and tossed it into the trash. "Someone should put a stop to it."

For once Lucy might have agreed with her, but she wasn't listening. She stared out the window, lost in thought. Beneath her elbow was the sports page. Reilly Trucking had won its final game, the top-ranked team in the Pony League. Lucy wondered if Connie Kukla had cheered from the bleachers. She wondered if Steven Fleck had scored.

In November, elections were held. Joyce and Ed's efforts paid off: a record number of voters came to the polls. Nationally, it was a close race; in Saxon County, a landslide. Levers were pulled at the VFW, at Bakerton High School, at the Grange hall in Fallentree. Down Susquehanna Avenue and halfway around the block, voters waited in line to elect the first Catholic president.

A week later, Gene Stusick was voted president of the local. He'd spent election day at the Legion with his son Leonard, handing out hundreds of mimeographs.

At the Baker offices on Indian Hill, the company lawyers prepared for a fight.

JUST AFTER CHRISTMAS, in the middle of a snowstorm, Joyce and Ed Hauser were married. The altar at St. Casimir's was laden with poinsettias. Georgie drove in alone from Philadelphia to give the bride away. Sandy had promised to come, but begged off with a late phone call, claiming his flight was grounded. He was living in Los Angeles, a fact the family had learned secondhand, from Dick Devlin's brother. His Cleveland number, when they tried it, had been disconnected. They hadn't heard from him in months.

A reception was held in the church hall. Most of Polish Hill attended, plus the bride's Italian cousins, the groom's few relatives and his colleagues from the high school. Without Sandy to insist upon it, nobody danced in a trough. His absence from the reception was remarked upon.

"North Hollywood, California," Joyce said when anyone asked.

"My goodness," said Evelyn Stusick.

Ted Poblocki grinned broadly. "That figures, don't it?"

Joyce never lied, but it was her wedding day; she permitted herself this one dance with the truth. Her whole life she had been convinced of Sandy's specialness, the unique promise that he, growing older, had failed to demonstrate in any tangible way. She'd worried for years what would become of him, watched with dismay as he wandered from job to job: salesman, bartender, taxicab driver. She only wanted the neighbors to think well of him, and now they did.

California.

She never claimed he was a movie actor. Nobody could say she'd lied on purpose. She had simply told them where he lived.

SEVEN

Just before Christmastime, Gene Stusick presented a new contract to Baker. Free eyeglasses for miners and their families. New washhouses at the Three and the Nine. A modest cost-of-living raise for all.

Baker Brothers communicated its displeasure. As Gene had predicted, the company had tapped its reserve lands north of the Twelve. New hires, new equipment: Baker had overextended itself. The new agreement was the best they could do.

The old contract ran out on December 31. Late that afternoon Gene called an emergency meeting of the local. The men sat at long tables at the American Legion. The room was already decorated for the evening's festivities. A plastic banner hung across one wall: RING IN 1963 WITH IRON CITY BEER. Gene stood before it, hair still wet from his after-work shower. His glasses were mended with electrical tape. On the table beside him was an old-fashioned dinner bucket.

"The same old contract," said Gene.

A murmur of assent, nods of agreement.

"Baker's got money for everything else," he pointed out, raising his voice over the din. Just recently the company had bought a new longwall machine and shipped it over from England, at the outrageous price of a hundred thousand dollars. It was as if management thought they could mine the coal themselves.

He opened the dinner bucket. "Let's show them how well that longwall works with no one down there to run it."

He withdrew a thermos bottle, unscrewed its cap, and poured its contents onto the floor.

IT WORKED, he told Ev later that night. She'd discouraged him from dumping the bucket—he wasn't going to make any friends over at the Legion, dirtying their floor on New Year's Eve. Gene had decided otherwise. Dumping the bucket was as old as the union itself, the way a miner of his father's generation would have started a walkout. The act wasn't just symbolic: a man underground without a supply of drinking water was taking his life in his hands. Dumping Coca-Cola on the floor of the Legion was pure showmanship, Gene knew; but the gesture had served its purpose.

Local 1450 voted to strike.

They lay in the lavender room, the radiators hissing, the early dark gathering around them. It was late January; outside, the snow radiated blue twilight. Slowly, almost imperceptibly, the days were getting longer.

Angie lit a cigarette. His body was still magnificent. Naked, he was sleek and heavy as a lion. A few silver hairs sprouted among the black thicket on his chest.

"Cut them out," he told Dorothy, laughing.

Kneeling beside him, her tiny nail scissors poised, she did. His laughter caused a spastic rumbling deep in his chest. He was forty-six that August, and his lungs were bad.

Angie examined one of the white hairs she'd clipped. "Old grayback," he marveled. "How the hell did that happen?" He reached for her. "What's a nice girl like you doing with an old bastard like me?"

"I missed you," she said. That morning Lucy had taken the bus back to Pittsburgh; for three weeks she'd been home from college on Christmas break. At first Dorothy had been happy to see her, but three weeks was a long time without Angie. Over the years they had settled into a routine. Every Friday she had lunch waiting for him—pots of minestrone and tomato sauce, the dishes her mother had cooked. They spent a long time eating, talking and listening to the radio. Afterward they retired to the lavender room.

"Lucy has another vacation coming up in March," said Dorothy. "Maybe she can stay with Joyce and Ed."

"Sure," said Angie. "Have a talk with your sister." Joyce was a married woman, he pointed out. She would understand about these things.

"I will," Dorothy said, knowing she wouldn't. Married or not, Joyce was still Joyce. The morning after the wedding, Dorothy had studied her for some sign of transformation, some evidence that Joyce and Ed had done the things she and Angie did. She'd watched her sister carrying armloads of wedding gifts out to the car—a toaster, a stockpot, stacks of dish towels and bed linens and embroidered dresser scarves. *Did you?* she wanted to ask. *Were you? Truly, Joyce, wasn't it?* But the words had not come.

Angie rose and stepped into his trousers. Beneath him the bed creaked.

"I won't see you tomorrow. The rehearsal dinner, remember?" His oldest daughter, Shirley, was getting married that weekend.

"Isn't that in the evening?" Dorothy curled into the warm spot he'd left. She wasn't ready to move.

"Six o'clock. But I should stick around in case Shirl needs anything." He pulled on an undershirt.

Dorothy had never met Shirley, but she had her own opinions about the kind of girl who'd accept an expensive wedding from a father she barely spoke to, a father who hadn't drawn a paycheck in a month. The rehearsal dinner was a Friday, the wedding Saturday afternoon. Angie always ate Sunday dinner with his ex-wife and the children, so Dorothy wouldn't see him until the following week.

She sat up in bed and slipped on a housecoat. "Let me go put on some coffee. Warm you up before I send you outside."

Downstairs, she busied herself in the kitchen, distracting herself from the knowledge that he would soon leave her—a thought that, if she dwelled on it, could make her physically ill. She understood that leaving was normal, that husbands left their wives every day to go to work. The difference, she knew, was that Angie left her in secret. She could not, like her neighbor Madge Yurkovich, spend the morning washing his miners and hanging them out to dry. Lately Angie kept a few things at her house—a comb and toothbrush, an extra shirt and trousers. She found their presence reassuring; they were all she had. She couldn't comfort herself with the sound of his name, dropping it into casual conversation. She never mentioned him to her sisters, so that even in their company she felt horribly alone.

"Whatsa matter?" Angie came up behind her and wrapped her in his arms. "Did I say something?"

"Oh, no." She leaned into him—a head taller, his shoulders broad. She wanted to disappear inside him. "I'll miss you this weekend. That's all. I'm being selfish."

"You? Never."

They stood there a long moment, his breath warm on her cheek.

"I never gave you a wedding," he said. "Here I am marrying off my kids, and you haven't had your turn yet. That doesn't seem right."

"I don't care about a wedding," she whispered, and that much was true. The thought of walking down the aisle in front of all her neighbors and relatives was enough to make her sweat.

"I'll stop by on Sunday morning," Angie said. "Bring you some bread from Bellavia's before church."

HE'D BEEN DIVORCED for eight years, nearly as long as he'd been married. His ex-wife, Julia, lived with their four children in West Branch, in a house Dorothy had walked past many times. Angie had bought the house when they married, and he still made the payments every month. His two younger daughters were in high school, his son in seventh grade.

Once, at the beginning, she had asked: *Why did you get divorced?*

Oil and water, he explained. *Every stinking day there was something to butt heads about.* Julia had fought like a cat with his mother and sisters. She resented the time he spent playing baseball; in ten years of marriage she hadn't come to a single game. She complained bitterly about how his uncle ran the business, said Angie helped out too much and got nothing in return. *She's a person who thinks everyone is robbing her,* he said. *You give her the world, it's still less than she deserves.*

The rest of his family had witnessed these struggles. His own mother told him, in so many words, that his marriage had been a mistake. But all that changed the day he got divorced. Now Julia came to his mother's each year at Christmas. Wherever Bernardis gathered—at weddings, baptisms, First Communions—she was invited. She was treated like a saint in the family, while his own presence was merely tolerated. It had been that way for years.

Dorothy had never met his children, but she had seen pictures. On Sunday afternoons she pictured them sitting around a dinner table, eating the meal Julia had prepared. Every Sunday morning they attended mass at Mount Carmel: Angie and Julia at either end of the long pew, the four children placed between them. Both continued to take Communion; according to the priest it was allowed. Divorce itself was no impediment to grace. As long as neither remarried, there was no sin.

A month into the miners' strike, Sandy Novak came back to town. In recent years his appearances had been rare and brief, like a comet shooting across the sky. He hadn't been seen in Bakerton since Rose's funeral.

He arrived on a Sunday night in a lemon yellow convertible, causing a stir in Joyce and Ed's quiet subdivision. At Polish Hill he might not have been noticed, among all the crying babies, the barking of hunting dogs, the screen doors slamming late into the night. During the strike there was no need to whisper, no miner upstairs sleeping off his shift. East Branch was different: strike or no strike, its modest ranch houses contained their noises. Pets and children were kept indoors. On hot days, air conditioners hummed quietly in bedroom windows. In summer, in winter, East Branch was quiet as the grave.

Joyce answered the door in her housecoat. In the den, Ed was watching *The Ed Sullivan Show.*

"I'm home," Sandy announced, lifting her into his arms. His face was deeply tanned; he wore a wrinkled linen suit. He had driven for six days, nearly two thousand miles.

Across the street, the neighbor's porch light came on.

"Well, aren't you something?" Joyce's face was flushed with pleasure. "I'll bet Dorothy had a bird."

He set her down. "I haven't been over there yet."

She blinked, oddly touched: he had come to see her first. "Then how'd you know where to find me?"

"I asked some smart-aleck kid hanging out at the Esso." He grinned. "Every juvenile delinquent in town knows where the principal lives."

"You should have called to tell us you were coming."

"I wanted to surprise you."

Bad idea, pal, thought Ed, joining them on the porch. His wife hated surprises, a lesson he'd learned repeatedly in their first year of marriage.

Joyce clapped delightedly. "Let me put on some clothes. We'll go surprise Dorothy. She'll have a *bird*."

HE TOOK OVER Joyce's old room, pressed his own shirts on the ironing board she'd kept in the closet. The shirts were fine cotton, expensively monogrammed. Dorothy offered to launder them, but the old wringer washer made him nervous. Finally he took them to the dry cleaner in town.

In the evenings he ate the meals Dorothy prepared; afterward he washed their two plates. Lucy had gone away to college that fall. The house was emptier than it had ever been.

He rarely used the telephone. "If anyone calls for me, I'm not here," he told Dorothy. "Got it? You never heard of Sandy Novak. There's no one here by that name."

He was vague when Joyce asked how long he could stay. "A week or so. Maybe two."

"That's wonderful," she said, "but don't you have to get back to work?"

Where and when he worked was a subject that puzzled her. When he called (infrequently, at odd hours), he was usually between jobs. This time he was a fry cook in a diner. A few months ago, he'd been a valet parking attendant at the Biltmore Hotel.

You've always liked cars, she'd told him once. *Have you considered a trade school? You could study automotive repair.*

I don't care what's under the hood, he'd answered, laughing. *Just put me behind the wheel.*

"That's quite a ride you've got there," Ed said, pointing out the obvious: How did a fry cook afford a car like that?

Anyone else would have felt the need to explain, but Sandy only smiled.

"Thanks, Ed," he said.

EACH MORNING he shaved and put on a suit. He wore no winter coat, despite the January freeze. Smartly dressed, he drove uptown. Ed saw him there several times a week: standing beside his car on Susquehanna Avenue, shooting the breeze with the firemen; at Keener's Diner, reading the paper over a plate of ham and eggs. Every evening the convertible was parked outside the Legion or the Vets, though Sandy was no veteran. Asking around, Ed heard he'd been drinking with the Bernardi boys.

"What's he doing for cash?" Ed asked Joyce. "I don't know what kind of savings a fry cook has, but he must have drunk it away by now."

"I have no idea," Joyce said crisply. "I haven't loaned him any more, if that's what you're asking."

So far it had been the only argument in their young marriage. Once, twice, he'd caught Joyce writing checks to Sandy—fifty dollars here, a hundred there. "It's a loan," she'd explained. "He's between jobs." The money was never repaid, which didn't surprise Ed. The surprise was his thrifty wife—she'd worn the same winter coat for six years—buying sharp suits for the best-dressed fry cook in Los Angeles.

"I saw him uptown this morning," Ed said. "If he's got time on his hands, Dorothy ought to put him to work. Her porch could use a coat of paint." He spent his own summer vacations doing repairs on Polish Hill; he was the only one who gave the old place any attention. Left to Rose's sons, the house would have fallen to pieces long ago.

THE STRIKE DRAGGED ON. The union offered a month of strike pay, enough to buy a few groceries. Wives put in applications at the dress factory.

A bitter cold settled in the valley. Good news for the union, Gene Stusick said: heating coal was in demand. How much money was Baker willing to lose? It was just a matter of time.

Businesses shut down for the winter: the shoe store, Spangler's hat shop. No one was buying, and until the strike ended, nobody would.

Friedman's Furniture closed its doors for good. Izzy Friedman, who'd delivered Stanley Novak's coal stove in the middle of the night, held a gigantic sidewalk sale. After that the store stood empty. In the dark window hung a hand-lettered sign: FOR SALE NOW.

A few businesses did prosper: the Vets and the Legion, the Sons of Italy and the Slovak Club. On snowy afternoons, the taverns were full. Men congregated at the fire hall, the pool hall. The bowling alley opened at eleven in the morning. They did a brisk trade in games, sandwiches and beer.

In February, strike pay ran out. Still Baker Brothers wouldn't budge.

Angie Bernardi grew tired of the fire hall. More and more, he spent the afternoons on Polish Hill. He didn't mind the presence of Dorothy's brother. Sandy was good company; he laughed at Angie's jokes, and he knew when to make himself scarce for an hour or two. When he returned, he'd join Angie for a beer while Dorothy cooked their supper.

On one of these afternoons, Sandy suggested a game of cards.

"Sure," Angie said. His free time weighed on him. His lungs kept him from hunting, and he'd never been much for reading or television. He could spend just so much time in his apartment, two cramped rooms above Travaglini's barbershop.

Fridays became their regular game. Angie invited his brother Jerry; Sal, too, when his wife would let him out of the house. Sandy asked his old buddy Dick Devlin, who'd moved back from Cleveland to marry and mine coal and who was now out of work like everyone else. It being Polish Hill, there were always some Poblockis knocking around. The kitchen filled with cigarette smoke, cursing and men.

Dorothy didn't seem to mind, though she told Angie, once, that she missed what they usually did on Fridays. He laughed and kissed her; he liked how she never complained. At the beginning she had watched them play, but it bothered Angie, her hearing that language. "Go over to your sister's," he suggested. And Dorothy did.

Money was lost, money was won. It was a friendly game. If Angie lost more than he won, he figured that was the price of entertainment: movies, show tickets, nothing was free. If he wanted to win back some of his losings, Sandy pointed out, they could always pick up the game later, at the Vets.

And they did.

NOTICES APPEARED on church bulletin boards: available for babysitting, for housecleaning, to paint or repair or plow snow. Women peddled Tupperware and Avon cosmetics. The cold snap continued, and coal prices soared. Most of Bakerton had kept its coal stoves. They bought their house coal from Baker—they had to—at triple the usual cost.

"The bastards are gouging us blind," Gene said, when Ev showed him the bill.

Ev kept her mouth shut. She was tired of hearing how the strike was almost over, how the cold weather would bring management to its knees. For two months she'd paid bills and bought groceries from Leonard's college fund. He had skipped the eleventh grade and was now a senior in high school. Even if Gene went back to work tomorrow, there wouldn't be time to recoup what she'd spent.

"Goddamn Baker," said Gene. "They screwed us coming and going."

No, Ev wanted to say. *You did that to yourself.*

AT FIRST Ed didn't notice. After a few weeks it dawned on him: Dorothy spent every weekend at their house.

"What's going on?" he asked Joyce. "What's your brother up to?" Sandy had been in town for more than a month. What had brought him to Bakerton, Ed couldn't imagine, but it certainly wasn't Dorothy's company.

Joyce hesitated. "They play cards," she said. "Poker, I guess. He and Angelo."

"Bernardi?" Ed howled. "Let me get this straight. Dorothy gets kicked out of her own house so the boys can play poker, and you haven't raised hell about it? That's not the Joyce I know. What gives?"

"It's Sandy's house, too," she said meekly.

That, at least, made sense. Bernardi couldn't take a breath without drawing Joyce's fire. Her devotion to Sandy was equally blind.

"Let me go over there," Ed said. "I'll drive Dorothy home. Find out what's going on."

He came home that night reeking of cigar smoke. "A friendly game," he explained. He was slightly drunk and had lost twenty dollars. He didn't tell Joyce.

In late March, Baker Brothers came through with a new contract. The hourly raise was exactly what the union had asked.

"We did it!" Gene Stusick exclaimed from the podium. "We hung in there, and we got them by the short hairs."

A vote was taken. Gene ordered a celebratory round of beers. But by now the men were sick of meeting, sick of drinking. They were sick to death of Gene Stusick.

The strike had lasted a hundred days, the longest in Bakerton's history. Now the bowling alley resumed its regular hours. Women quit their jobs at the Quaker. Easter came and went. This year nobody cared much for celebrating. Everyone went back to work.

The snow melted. Sandy Novak wandered the town in his summer suits. There was no more Friday poker. The Bernardis and Poblockis were back on day shift. Dick Devlin worked Hoot Owl. Once or twice he and Sandy played pool, after Dick had slept off his shift.

One night the telephone rang. Dozing in front of the television, Sandy heard Dorothy's soft "hello."

A brief pause as she listened.

"I'm sorry," she said. "There's no one here by that name."

When she woke the next morning, Sandy was gone.

EIGHT

Forever after, when the story is told—in newspapers and on the radio, by public figures in commemorative addresses, by aged grandparents years later, when the world seems a safer place—the telling begins, rightly, with the weather. So: that December was the warmest on record. On Polish Hill, Evelyn Stusick's crocuses bloomed. Hunters rushed their kills to basement freezers. Christmas trees cut too early lost their needles in the heat.

At the diamond behind the junior high, jackets and sweaters were piled on bleachers. Boys ran the bases in their undershirts. The Knights of Columbus held a car wash in the Quaker parking lot. Tinsel Santas looked garish in the bright sun.

"June is bustin' out all over," said the weekend weatherman on KBKR. The barometric pressure stood at thirty and a half inches. It was a piece of information nobody registered: thirty inches of what? A week later, a generation of schoolchildren would know what it meant.

The false summer lasted through the weekend. Then, on Sunday night, a cold wind blew down from Canada. Monday morning the windows were crusted with ice. Coats were dug out of closets; hats and mufflers, boots and gloves. Winter came overnight for everyone but the miners. For them there was only one season. It was always fifty degrees underground.

THEY SAT IN THEIR USUAL SPOTS—Mrs. Hauser at her desk, Susan Jevic at her smaller one in the front row—eating the lunches they had brought from home. Outside the snow had begun to fall. Joyce was relieved at the change in the weather: the balmy afternoons had made her pupils squirrelly. The last hour of each day had seemed interminable. Only Susan seemed interested in discussing *The Red Pony,* taking notes in her careful hand.

Joyce had taught eighth grade for just more than a year, taking over the classroom Viola Peale had surrendered when she retired. A few changes had been made since then: new desks, a filmstrip projector on a wheeled cart at the back of the room. Above the chalkboard hung a color portrait of the young president, which Joyce had placed there herself. For weeks, now, she had avoided looking at it: the handsome face, the unbearable hopefulness of his intent blue gaze. Soon another photo would arrive, a framed portrait of President Johnson. Joyce would hide it in the bottom drawer of her desk.

She'd been married three years, the exact length of Kennedy's presidency. Married life suited her: the quiet evenings alone with Ed, watching television or reading before the fire. Their small house was pleasant and orderly, a silent sanctuary after the noisy corridors of the high school. To her relief, the marriage had produced no children, though Ed reached for her every Saturday night without fail. She did not tell him that childlessness suited her, that after years of caring for her mother, Sandy, Lucy and Dorothy, she felt entitled to this freedom. Her husband was a capable man, reasonable and self-sufficient. She had no one to worry about but herself.

The truth was that she had raised a child already. She had loved Lucy like her own daughter, admired and disciplined and protected her, even sent her away to college—a fact Joyce still found incredible. A good student, Lucy had won a small scholarship to the nursing program at the University of Pittsburgh, enough to pay her living expenses. Joyce's savings—from her air-force pay, then the dress factory, then her school secretary's job—had covered the rest. It was a moment she would never forget, writing the check to cover Lucy's first-semester tuition: more memorable than her wedding, her own college graduation. It was the best thing she had ever done.

Susan finished her lunch, then rose to wipe the chalkboards. Afterward she would take the erasers outside to dust. She performed these tasks without being asked, a child used to doing what needed to be done. She was a serious, pretty girl, with a long straight nose and somber brown eyes, more at ease with adults than with children her own age. Watching her, Joyce wondered if her stillness was innate or acquired, a reaction to growing up in the chaos of the Jevic household. She spoke often of her brother and sister—the youngest Jevics, now in high school. Joyce had taught each of them in the eighth grade. Susan was as different from the chatty, effervescent Monica, the boisterous, high-spirited Billy, as a child could possibly be.

How's your sister doing? Joyce had asked her once. *Still working at the factory?*

Susan seemed surprised. *You know Irene?*

Of course, Joyce said. *We were in school together. We were very good friends.*

I didn't know, Susan said. *She never mentioned it to me.*

The bus was nearly empty that evening. Two hours before, in Pittsburgh, Lucy had secured a seat up front. The bus had stopped a half-dozen times since then, in towns so small they had no stations: Temperance, Buckhorn, Salt Lick. Passengers debarked at churches and gas stations, at lunch counters with signs in their windows: BUS TICKETS SOLD HERE. By four-thirty night had fallen. The dark window reflected her face back at her.

She looked the same, or nearly so—a bit thinner, her hair cut shorter and teased into a flip. Her eyes were circled with black liner, a look Joyce detested. Lucy read the disapproval in her tight smile, but for reasons she didn't understand, Joyce did not criticize. Her sister had changed. Never affectionate, she now embraced Lucy each time she saw her. Instead of giving orders, she asked a million questions about classes and professors, and listened intently to the answers. To her own surprise, Lucy didn't mind the questions. She preferred Joyce's tidy house to Dorothy's messy one, her sincere interest to Dorothy's moody silence. Her first night back they would talk for hours at the kitchen table, long after Ed had gone to bed.

The bus climbed Saxon Mountain: lights in the valley, rooftops covered with snow. Lucy made the journey four times a year—Christmas and early summer, at midsemester breaks in spring and fall. Each time she rode into Bakerton one person—her confident adult self, fast moving and fast thinking—and rode out someone smaller and softer, crippled by tenderness. Her visits unfolded according to a pattern. Her first day in Bakerton she felt displaced and restless, preoccupied with the life she'd left behind: friends and classes, a boy who'd hurt or disappointed her, another who'd asked for her phone number, who seemed different from the rest. But in a few days the friends and classes, even the boys, would seem distant and imaginary. Exams and term papers, her job at the campus pub, walking back to her dorm at night, the dark, noisy streets—her entire college life would seem hopelessly beyond her, like something she'd dreamed. She'd begin to dread leaving Bakerton: the interminable good-byes, the long bus ride alone.

Leonard Stusick was waiting for her when she stepped off the bus.

"Hi there," she said, surprised. "What are you doing here?" She hadn't seen him since summertime: he'd started at Penn State that fall, and their midsemester breaks hadn't coincided. Occasionally—late at night, after her shift—she considered writing him a letter, but rejected the idea as corny.

"Waiting for you." He was taller than she remembered, his plaid hunting jacket too short in the sleeves. *He's still growing,* she thought, amazed. He had started college a year early; he was only seventeen.

"Ed's coming to pick me up," she said.

"No, he's not." Leonard grinned. "I saw him uptown this morning. I told him I'd come and get you." He took the suitcase from her hand. "Come on."

He led her to a pickup truck parked at the curb.

"Your dad has a new truck?"

"It's mine," he said proudly. "I got it secondhand, but it runs like new."

Lucy blinked. At school she traveled on foot, or took the trolley. She had never considered owning a car, herself. It struck her as very adult.

They drove to Keener's and ordered sandwiches. Lucy had eaten dozens of meals there—with Marcia Dickey, or Marcia and Davis—but never with Leonard. Cookies and milk at her house, or peanut-butter sandwiches made by his mother, that was more their speed. She watched him study the menu, the careful way he laid his napkin across his lap. She felt suddenly shy.

He talked about his classes—biology, organic chemistry, calculus and statistics—his part-time job at the student union, a second job he would start next term, working in a lab with his biology professor. They had taken a booth in the corner. Over his shoulder she stared out the plate-glass windows, watching the snow fall.

She'd spent many evenings like this, listening to a boy in a diner, her mind and eyes wandering. Boys she'd met on campus, at parties, in the pub; confident boys who joked and flirted, who smiled down at her as she served their drinks. Leonard did not joke. He was describing, now, the research being done by his professor, something to do with the Krebs cycle. A familiar feeling washed over her, an odd mix of irritation and tenderness. *Oh, Leonard,* she thought. So sweet and so hopeless. His sincerity was both touching and tedious.

"It sounds like you're very busy," she said politely. "What do you do for fun? You know—on the weekends."

"Well, I come home," he said, as though the answer were obvious. "That's why I bought the truck."

"You come back every weekend?"

"Sure." He looked puzzled. "Wouldn't you, if you had a car?"

Lucy considered this. She was happy at school, and happy at home; what pained her was the transition between the two. She could not imagine so much leaving: every Sunday, more good-byes.

"Maybe," she said. "I don't know."

He gave her a searching look. "Don't you miss anybody? Dorothy? Joyce?"

The waitress arrived with their sandwiches.

"Sure," Lucy said. "I miss them all."

They ate fast and silently. She was hungrier than she'd imagined. Outside, a boy and girl crossed the street, their hands joined. Someone had put money in the jukebox: Brenda Lee singing "Break It to Me Gently." Lucy ate half her hamburger, then lit a cigarette.

"You're *smoking*?" Leonard said.

At that moment the door opened and the young couple came in, stamping snow from their shoes. In the distance the fire whistle squealed, as though someone were in danger. Lucy's heart quickened. She would have known them anywhere: Steven Fleck and Connie Kukla.

"Oh, brother," she said in a low voice, sliding down in her seat. "Don't look now."

He turned his head toward the door.

"Leonard!" she whispered. But it was too late: Connie had already spotted them.

"Lucy?" she called in a high, clear voice. "Is that you?" She wore fuzzy earmuffs. Her blond hair was flocked with snow.

"Hi, Connie," she said miserably. The fire whistle rose in pitch. She felt Steven Fleck's eyes rest on her a moment. She smiled uncertainly, her cheeks heating. His eyes darted away.

"There's an open table in the back," he mumbled, his hand at Connie's waist. "Come on. Let's go."

"It's nice to see you," Connie called, giving Lucy a little finger wave. "Merry Christmas."

Lucy watched them go. Steven sat first, his back to Lucy. His broad shoulders were dusted with snow.

"What gives?" said Leonard. "Aren't they friends of yours?"

"Sort of." After the night under the bleachers, Steven had never spoken to her again. She'd passed him often in the school corridors, hand in hand with Connie. When the two girls exchanged hellos, he'd kept his eyes on the floor.

"Not really," she said. "It's hard to explain."

Later that evening, she would remember the fire whistle. At the time it had barely registered, so distracting was the noise of her heart.

The music on the radio had changed. It was the first difference George noticed that year, the Christmas he brought Arthur home to visit. Driving over Saxon Mountain, he dialed through the usual riot of AM stations: polkas, Christmas carols, a cowboy singer's crackling baritone. In the valley they faded into static. On the local station, the DJ played the most requested tune of the week, a sweet ballad called "My Blue Heaven." George hummed along softly—a strolling rhythm, the breathy moan of a tenor sax. He broke into a smile. Negro music in Bakerton! A town that had never seen a black face, now clamoring for Fats Domino.

He reached to turn up the volume, then stopped himself. Arthur was slumped down in the backseat, eyes closed, hands hidden in the sleeves of the winter jacket he hadn't quite grown into. His dungarees looked stiff and new; he would outgrow them before they could fade in the wash. He had little need for casual clothes. At the Wollaston School he wore white shirts and crested blazers, a maroon cardigan after hours in the dorms.

He was thirteen but small for his age. At Parents' Weekend, George had been stunned by the maturity of the other eighth graders: the broad shoulders, the deep voices. Next to them Arthur still looked like a child. Undersized, with Marion's long thin face, blue-veined at the temples; her intelligent gray eyes, alert, a little alarmed. He resembled George in invisible ways: the delicate constitution, the measles and ear infections, the periodic bouts with the flu. His sickness was nearly a year-round affair. In spring and fall, allergies aggravated his asthma. Every winter, from infancy on, he'd developed a stubborn chest cold and a resounding cough, a remarkable imitation of a coal miner's guttural hack. Night after night, his coughing shook the house awake. *For God's sake, can't we give him something?* Marion had whispered to George in the dark—in those days, long ago, when they still shared a bed. She was a steadfast believer in *somethings.* But Arthur's colds were impervious to treatment. He coughed for weeks on end.

He was ten when Marion proposed sending him to Wollaston—her father's school, and Kip's; the *alma mater* of all the Quigley men. *Arthur's not a Quigley,* George had pointed out, but Marion had merely shrugged. Wollaston was the best of the best, she informed him; no local school could offer a comparable education. Arthur would come home for summers and holidays, and George could drive up to Connecticut to visit him. *Whenever you have time,* she said pointedly. He worked at the store six or seven days a week. Even when Arthur had lived at home, George had scarcely seen him at all.

The song ended and another began, a lively dance tune George recognized. Unconsciously his fingers found the notes, lightly pressing the steering wheel. He hadn't played in years, but the impulse had never left him; whenever he heard music, he hammered out the notes with his fingers. Early in their courtship Marion had found this fascinating, him tapping on the small of her back as they danced. Now it drove her crazy. She had not danced with him in years.

He wondered if Ev and Gene still danced together. George thought of her often lately. Redheads reminded him, and pregnant women and the fall weather. Her birthday was in September; on her sixteenth they'd had their first date. Before that her father hadn't allowed it, so George had waited. He'd been patient then, sure in his devotion. A better man at sixteen than he'd been since.

The fire whistle squealed in the distance, a sound George hadn't heard in years. The noise sent a chill up his spine. In the backseat Arthur stirred.

"That's the fire whistle," said George. "We're almost there."

Arthur sat up. "What's that smell?"

"Over there." George pointed. "They're called the Towers. They're bony piles."

"Why do they smell like that?" His voice nasal, as though he were holding his breath.

"Sulfur gases. From the scrap coal."

Arthur considered this. "But why do they leave it there? Why don't they throw it in the garbage?"

"They're landmarks." George peered through the windshield. "When the wind blows they turn sort of orange. It's something to see."

"They stink, though."

"I know," said George.

Abruptly the whistle stopped. Arthur settled back into his seat. Again his eyes closed. He'd spent the previous day on a train from Connecticut; now he seemed perfectly content to be driven into this town he'd never seen before, for reasons George had found difficult to articulate.

Marion, for her part, had been dumbfounded. *You're taking him to Bakerton? For heaven's sake, whatever for?*

Later, alone, George had pondered the question. Bakerton had been calling to him lately. Rose's death, he supposed, though it was his father's that haunted him—the funeral he'd missed nearly twenty years ago, a young soldier at sea.

I grew up there, he said simply. *I want my son to see it.*

In the end they compromised: he and Arthur would spend Christmas Eve in Bakerton, then drive back early the next morning. They would arrive in Haverford in time to eat Christmas dinner at the Quigleys'. At one time a battle would have ensued, but the years had drained the struggle out of his marriage. They had both stopped caring long ago.

THE PORCH FURNITURE was shrouded in plastic, the floor covered with artificial turf. A wooden sign hung above the door: THE STUSICKS, fancy script burned into a flat pine board. In the front yard stood a statue of the Virgin Mary, up to her knees in snow.

Ev's eyes widened when she came to the door. "Georgie! This is a surprise."

"Merry Christmas." He leaned in and kissed her cheek. "Ev, this is my son, Arthur."

"How do you do." Arthur stood up straight, removed his hat, and offered his hand. The Wollaston manners. For once they seemed worth the thousand dollars a year.

"What a gentleman," Ev said, beaming. "My son will be home in a little while. Can you teach him that?" She gave Arthur's shoulder a squeeze. "It's freezing out there. Come on in."

She led them through the living room. A new pope hung on the wall; beside him, a portrait of the dead president. In the center was still John L.

Lewis. "My girls are down in the rec room," she told Arthur. "Go say hello, like you did just now. They won't believe it."

At the kitchen table she poured coffee. "Well, this is a first. Having you home at Christmas." She sat. "How's Dorothy?"

"I haven't seen her yet. She was upstairs taking a bath. You're our first stop."

She smiled. "Still no wife, Georgie? I'm starting to think you made her up."

"She's in New York for a few days." Lately Marion spent most of her time there, buying clothes or art, seeing Dr. Gold in one capacity or another. Occasionally George wondered if they were lovers. He didn't care enough to find out.

"I've always wanted to see New York," Ev said.

"You've never been?"

She laughed. "Oh, Georgie. I've never been anywhere."

"I'll take you someday. You and Gene," he added hastily.

"Oh, sure. Gene wouldn't be caught dead in New York. He won't even drive to Pittsburgh." She rose and stirred something in a pot on the stove.

"What's that? It smells familiar."

"*Pasta e fagioli.* Your mother showed me how to make it. It's not as good as hers, but the kids like it." Ev wiped her hands on a tea towel. "I still miss her, Georgie. It was nice having her across the street."

"I miss her, too." He thought of Rose sitting on the front porch the last time he'd visited, her blind eyes seeing right through him. *Georgie, are you happy?*

"She was crazy about you," he said. "She couldn't understand why we didn't get married. Sometimes I wonder about that myself." It was his memory of Rose that brought the words out in a rush. His loneliness, his regrets; the recurrent, haunting dreams of his mother. His life with Marion, the life he had chosen for himself.

Ev flushed a deep red, nearly purple. She sat a long time without speaking.

"Why did you stop writing?" she asked finally.

"I was a kid," said George. "I didn't know what was good for me. I got cold feet."

"You broke my heart." She said it calmly, as though the injury were not emotional but anatomical: a working part damaged, then successfully replaced. "You stopped loving me. I didn't know that was possible. I didn't know anything then."

"You knew more than I did. I was so anxious to get out of here, I couldn't think straight." He looked down into his cup. "I never stopped, Ev. I just—forgot."

"You forgot." She laughed, then stifled it, covering her mouth. For a moment he thought she might cry.

"Oh, this is silly," she said, recovering herself. "Why even talk about it? We're forty years old, Georgie. It's all water under the bridge."

"I guess so," he said.

Ev cocked her head to one side. "Georgie, are you happy?"

"I married the wrong woman," he said. "I made a terrible mistake."

Then the telephone rang.

THEY DROVE TO THE TIPPLE in George's car. They had sent Arthur across the street to Dorothy's, Ev's daughters to their grandparents' up the hill. A heavy snow coated the roads. Beneath it, a slick of ice.

"When did it happen?" George asked.

"Around lunchtime." Ev stared straight ahead. "At least, that's when the power went out. They think it was an explosion." Her chin quivered violently. "Georgie, they've already been trapped down there half a day."

George tried to imagine it: the cold, the damp. He knew little about mine work; he tried to remember what his father had told him. How the mine walls weren't black but gray, from the crushed limestone the men spread there to keep the dust down. How he'd once seen a locust mine prop sprout green leaves underground.

They made their way through the town, past store windows bright with holiday shopping hours. The wind lifted snow from the rooftops. Under the street lamps, silver flurries fell like shards of metal, bright and industrial.

"I'm worried about Leonard," Ev said. "He should have been back by now. I'd hate for him to hear it from somebody else."

"He's still at school?"

"He came home last night," said Ev. "He went to the bus station to pick up Lucy."

Up ahead, the traffic light turned from yellow to red. The car ahead of him slammed on its brakes. A moment later it went into a spin.

"Hang on," said George, pumping the brakes. The Cadillac slid, then recovered. "Whoops." He reached out a hand to brace her. She stiffened at his touch.

"Sorry," he said. "I do that when Arthur rides with me."

"That's okay," she said.

They crossed the bridge and joined the procession, a long line of cars barely moving in the snow. Engine noise, smoking tailpipes; a string of red taillights. It seemed that the whole town was driving to the Twelve. Here and there, cars had slid off the road. An old Plymouth had nosed into a ditch.

Finally they approached the tipple. A man in a hunting vest stood inside the yard, directing traffic. George rolled down his window. "Any word from down there?" he asked.

The man studied him. "Are you relatives?"

"This is Evelyn Stusick. Her husband is down there."

"Gene's wife?" The man pointed out a narrow road that led into a forest. "Deer Run is thataway."

They followed the road, bumpy with red dog but cleared of snow, as though many cars had come before them.

"I should have packed him more food. I just put the one sandwich in his bucket. He's on a diet." Ev laughed, a choking sound. There was a tremor in her voice. "He put on some weight during the strike."

The road ended in a clearing, where a long construction trailer was parked. Lights on inside; outside, people milled about. George wondered how long it had been there, if it was kept at the ready for just this purpose.

They parked the car and went inside. Someone had set up folding chairs and card tables. Only a few people sat waiting. Gene was the assistant foreman of the crew. Ev had been one of the first called.

George sat and removed his coat. The Salvation Army had set up urns of coffee. It was going to be a long night.

They were longwall miners, a crew of ten. A few had come over from the Two, mined out that summer; the rest from other sections of the Twelve. The strike had sapped their bank accounts, their confidence. A year ago they'd bought hunting rifles for Christmas, fishing gear, power tools. Now they watched every penny. They were grateful to be back at work.

All through autumn they had worked in low coal. At Deer Run the seam was three feet high. On their hands and knees they set the chock line, to lock the longwall in place. A deafening roar, a flash of lights: coal and rock clawed from the face. Behind the chock line, the earth crumbled; fast, crab-legged, the roof bolters crawled into place. Coal was loaded onto the conveyor. On their knees the men moved the chocks. Noisily the longwall was reset. Another block of coal was cut.

The machine was an old one, brought over from the Two. New longwalls were coming, machines that protected the miners under a shield; but at Deer Run, the roof still required bolting. Old-timers sang the praises of the old Lee Norse miner; but there was no arguing with the longwall's efficiency. The machine made cuts a thousand feet long.

The men were named Yurkovich, Yurkovich and Sullivan, Kukla, Randazzo and Quinn. Kelly and Kovacs were the roof bolters. The foremen were Bernardi and Stusick. A young crew, like a bone newly set, not yet fused. Their grievances were small. Stusick's humor grated on them. As a foreman, he was a stickler for details. Twenty minutes exactly for chow break, and at quarter past he started tapping at his watch. *Jesus, I hate that tapping,* Pat Randazzo complained once to Kovacs. *Just yell for me, why don't you? Or beat me like my wife does.*

Angie Bernardi did not tap. He clapped his hands in their yellow gloves; he shouted, he whistled, he called the men special names. Filthy names, some of them, but pronounced with such affection, such ringing admiration, you felt you'd done something remarkable to earn them. One day Joe Kukla had taken an enormous crap in the hole, and after that Bernardi called the guy Footlong. The men hooted with laughter; Kukla beamed with pride. Coming from Angie it seemed like the highest praise.

Aboveground, wives and mothers murmured prayers to Saint Anne. The Salvation Army distributed sandwiches and sugar cookies. Cots were unfolded against the corrugated wall.

George smoked and paced. Periodically he brought Ev sandwiches she didn't eat. He drank Salvation Army coffee until his stomach ached.

After a few hours they stepped outside for a breath. The snow had stopped; the sky was flat and starless. George marveled at the absolute darkness, so unlike his suburban neighborhood, where street lamps glowed every fifty feet. The cold hit his brain like a drug. Years ago, as a student, he'd worked nights; he remembered the jangly rush of energy that came at midnight, the body, shaken from its usual routines, primed for crisis.

Ev leaned against the corrugated wall. Her skin looked ghostly under the floodlight. "I should have waited for Leonard before we left. The house is never empty when he comes home. He'll know something's wrong."

"I'm sure he went right to his grandparents'," George said. "He's a bright kid. He'll know what to do."

A man approached them, a silver-haired man in a plaid lumberman's jacket. "Mrs. Stusick?"

"Yes?"

"Oh, don't be frightened, dear. I'm nobody." He chuckled. "Actually, I'm Regis Devlin. I know your husband."

She smiled. "Mr. Devlin used to be the president of the local," she told George.

"Your Gene is a clever boy," said Devlin, patting her arm. "Don't worry, dear. Those men are in good hands. Gene'll bring them up safe." He smiled warmly, but George saw his eyes flicker.

"This is Georgie Novak," Ev said. "We went to high school together."

"Novak?" Devlin offered his hand. "Sure, sure. Your brother Sandy was out in Cleveland with my boys. I hear he's in California now. Good-looking kid. He should be in the pictures." Gently he touched Ev's shoulder. "You look exhausted, dear. Go and have yourself a nap."

Ev watched him go. "I'm surprised he has a kind word, after that horrible election," she said. "You know how Gene can be."

George nodded.

"But he's right. Gene *is* clever." Ev hugged her coat around her. "I'm going to see if any of those cots are free. It might do me good to close my eyes."

George stared into the distance, at the lights of town on the other side of the river. This was Ev's whole world: Polish Hill, the Twelve, the eight blocks of downtown. Just a few hours ago he'd imagined taking her to New York. By then the explosion had already happened. Gene was already trapped underground.

He glanced across the parking lot. A man in a topcoat stood beneath the single floodlight. Beside him stood Regis Devlin, head bowed, listening intently. George thought of the way his eyes had flickered.

They're dead, he thought. *He knows they're all dead.*

HOURS PASSED. Slowly the room began to fill. Old women in babushkas, in mantillas; young women in high heels, in pantsuits, holding babies. Men in Sunday clothes, fathers and brothers; wet-haired men from the Six, the Eight, just finished with their shifts.

Sometime after midnight a man entered the room. He wore a dark coat and hat. George recognized him from outside, the man he'd seen talking to Regis Devlin.

"Who's that?" Ev whispered.

Someone answered, "The secretary of mines."

The secretary stood at the front of the room. In an instant the crowd quieted.

"Thanks for your patience, folks. I know some of you have been waiting for hours." His voice was grave. "Here's the situation. At twelve-thirty this afternoon there was an explosion in the Deer Run section of the mine. We know that because the brattices have collapsed. They're solid concrete, and they've buckled under the impact."

Gasps, a stifled cry. Ev's eyes widened. She placed a hand over her mouth.

"At twelve forty-six, as best as we can figure, there was a second explosion. That's when the backup generator kicked in and restored power to the mine. What exactly caused that second impact, we don't know for certain."

A male voice mumbled something at the front of the room.

"Could have been a spark," the secretary answered. "Or an electrical fire. There's no sense in speculating on that now."

"Methane," said a deep voice. George turned to see who was speaking. A man had risen from his chair—an old miner, by the looks of him, stooped and unshaven. He wore a dirty red cap. "A spark isn't going to explode unless there's methane down there." He spoke gruffly, his breath short. His lower lip held a pinch of snuff.

"That's one explanation," said the secretary.

The man sat, shaking his head. "Jesus Christ, I hope you shut the power off."

"We're aware of the methane issue." The secretary had raised his voice slightly, to recapture the crowd's attention. "Ventilation is our primary concern." He spoke quickly, bluntly, a man used to giving orders. "We don't know what kind of air is flowing down there. The men have portable ventilation devices, and they're trained to use them in an emergency. That's standard equipment.

"Two rescue teams are down there right now, one from Iselin Collieries and one from Eastern Coal and Coke. We'll know more in the morning," he said.

"Morning?" George murmured. "Why is it taking so long?"

Ev sat silent, her hand still clamped over her mouth. Her other hand clutched George's arm.

THE MINE SECRETARY knew why. So did Regis Devlin, and the old miner in the red cap. Blame the long success, the legendary profit and glory of the mighty Baker Twelve.

A mine is made by mining, and for seventeen years the Twelve had been mined hard. The Deer Run shaft was seven hundred feet deep. From it, tunnels extended for miles in all directions. Viewed from above, the Twelve resembled a snow-covered pasture, thousands of acres of rolling meadow. But beneath the surface, the layout was as elaborate as a honeycomb, an intricate network of rooms and corridors running parallel to the ground.

Even with their antiquated longwall, the Deer Run crew had progressed far from the shaft. Shift after shift, they cut a narrow corridor through solid coal. The corridor was now two miles long. How much of it had collapsed—behind them, around them—was impossible to say.

A little boy told her. Dorothy would remember it later like a dream. The implausibility of it did not trouble her; her life had been filled with strange totems. Birds. Nuns walking. There had been a Chinese woman in a mink coat, stepping out of a car long ago.

"Where did you come from?" she asked the boy. He was standing on her porch.

"Connecticut, ma'am. Before that, Philadelphia." He was very polite. His voice was clear and sweet as an altar boy's.

There had been an accident at a coal mine, he told her. Men were trapped. His father had taken the lady from across the street.

"Trapped?" she repeated. The connections eluded her at first, the series of deductions, like the solution to a math problem. Gene Stusick lived across the street. Gene worked with Angelo at the Twelve.

"Do you have a car?" she asked the boy.

"I'm only thirteen," he said.

FIRST SHE CALLED JOYCE, who had heard about it on the radio.

"I tried to call you earlier," she said. "Where were you?"

"Taking a bath." Dorothy hugged her housecoat around her. Goose-flesh rose on her bare legs.

"Angelo is down there," she said. "Can you come and get me? I need to get out there right away."

"Oh, honey, I'm sorry. Ed has the car this evening. He had a meeting after school." Joyce paused. "Are you sure you want to go out there? The roads are terrible, and the bridge traffic is jammed. They're telling every-one to stay at home. All but the immediate families."

Dorothy hesitated. It was true: he was not her family. He was some-thing else to her, something she had no word for.

"Sit tight," Joyce said. "I'll call you in a few hours."

Dorothy hung up the phone.

She walked up and down Polish Hill in her old raincoat, looking for cars. None in front of the Poblockis', the Klezeks'—Ted and Bud were working Hoot Owl at the Six. Dan Wojick had sold his Chevy during the strike. Across the street the Stusicks' windows were dark.

Inside, the boy was sitting at the kitchen table, his hands folded in his lap.

"Your hair is frozen," he observed.

Her hand went to her head. Spiky tendrils at the nape of her neck, where her hair had gotten wet in the bath. She wasn't thinking clearly. She needed to compose herself.

She went upstairs and collected a wool sweater, a hat and gloves. Angie had left three pairs of trousers for her to alter; he had gained a little weight, and she'd offered to let out the waist. For a moment she considered wearing them—she'd never owned slacks, herself—but Angie's trousers would be far too big. She combed through the closet in Joyce's room and slipped on a pair of old corduroys Sandy had left behind.

In the hall closet she found her galoshes, her long coat. She looked a sight, she knew, but that hardly mattered. It would be a long walk.

"Where are you going?" the boy asked.

"To the mine." She wound a scarf around her neck.

He eyed her a moment in her strange getup. "I'll come with you," he said.

They set out into the cold. Down the hill and across the tracks. Snow was falling nearly sideways. They walked in the middle of the road; it was impossible to find the sidewalk. All around them the snow swirled. Parked cars were shrouded in it, the white shapes looming like humpbacked beasts.

The boy walked a few paces ahead. A fierce wind smacked his left cheek. In the hall closet he'd found a red stocking cap Lucy had knitted. The tail blew out to the side like a wind sock. Dorothy hunched along behind him, her hands in her pockets.

"Georgie!"

He'd begun to doze off in his chair when his name roused him. His sister Dorothy stood in the doorway, her eyes wide with panic. Her coat was crusted with snow. Beside her stood Arthur in a red Santa hat.

"What are you doing here?" George took her arm and helped her off with her coat. He felt the tremor in her back, in her shoulders. "Arthur, are you all right?" The hat gave him an elfin appearance. His left cheek was bright red.

George guided his sister to a chair.

"Angelo is down there. Georgie, why didn't you call me?"

"The phones are out," George said. "Knocked out in the explosion. There's no way to reach anybody."

"I've been trying to get here for hours." Her voice rose indignantly. Again the heads turned. "I couldn't find a ride anywhere. None of the neighbors were home."

"So how'd you get here?"

"We walked."

"You're joking." The route was six miles, maybe seven, including a steep hike up Saxon Mountain. In good weather the trek would be rigorous. In the wind and snow, it seemed nearly impossible. "All the way from Polish Hill?"

"Halfway," said Arthur. "Then we hitched a ride in a hearse." His eyes went to the door. Jerry Bernardi stood there stamping snow from his boots.

Other people noticed, too. A hush settled over the room.

"Relax," Jerry said, to no one in particular. "It ain't business."

A few laughs; again people started talking.

"That's Angelo's cousin," Dorothy whispered. "The whole family is here." The Bernardis had taken over a corner of the room: his brothers and sisters, his father and cousins. A small, pretty woman Dorothy didn't recognize, her curly hair tinged with gray. *Julia,* she realized.

"Lucy's around here somewhere," George told her. "She and Leonard showed up about an hour ago."

"What do we do now?" Arthur asked, removing his hat.

No one answered. There was nothing to do but wait.

LUCY STOOD BEHIND THE TRAILER, shivering. Her frozen fingers curled around a cigarette. The other hand fingered a silver crucifix that hung at her throat. The cross was no bigger than a thumbnail, the Christ figure surprisingly detailed. Its hands and feet were sharp as tacks.

Angelo had given her the necklace the day she left for college. Joyce had bought her sheets and towels, a portable typewriter; but only Angelo had thought to give her a real gift. He'd wrapped the box himself, using too much Scotch tape. *I should have left it to the professionals,* he told her, grinning. She lifted her hair, and he clasped the delicate chain around her neck. She'd kept, but never used, the velvety box from Schoenberg's Jewelers. She wore the necklace to bed, in the shower, everywhere. In two years she'd never taken it off.

What the hell is that? she'd been asked more than once. Always by Catholic boys, she'd noticed, Italians and Irish, who found it dangling between her breasts when they unbuttoned her blouse.

Leonard emerged from the corrugated shack and handed her a foam cup. "Drink this. It'll warm you up."

She butted her cigarette.

"Where are your gloves?" he asked.

"I left them in the truck." The cup warmed her right hand. She shoved the left into his coat pocket. Inside she felt keys, a slip of paper. "What's this? Some girl's phone number?"

"Not likely," said Leonard.

She withdrew the paper: a tiny comic from Bazooka bubblegum. A smile tugged at her lips.

"There's another rescue crew coming," he said. "From West Virginia. They have better equipment, I guess." The floodlight cast a glare on his glasses. She could not see his eyes.

The waitress at Keener's had told them. They had sat in the booth a long time, Lucy smoking, waiting for Connie and Steven Fleck to leave. There had been an awkward moment at the cash register as they both reached for their wallets. Then the thought occurred to her: *He thinks we're on a date.* She'd stared at him dumbly, her face frozen in shock. Then the waitress asked him: *Aren't you Gene Stusick's boy?*

"Dad was sick this week," said Leonard. "Mom told him to stay home, but he wouldn't listen. He hasn't missed a day of work in twenty years."

Lucy fingered the crucifix at her throat.

"He gets a cold every winter. Then he gives it to the rest of the crew. Mom says he should stay home and keep his germs to himself." Leonard jammed his hands into his pockets. "I can drive you to Joyce's, if you want. You don't have to stay here all night."

Lucy slid her hand back into his pocket, curling her fingers around his.

"That's okay," she said. "I don't mind."

Through the long snowy night, the silent morning, rescuers dug. Another crew was bused in from Kentucky. A supply chain was started. Power lines were handed down, hydraulic drills, hardware, wooden roof supports.

They dug six men to a crew, air supplies strapped to their backs. On eight-hour shifts they inched forward, hammering in roof posts, rebuilding the corridor as they went. Periodically they tested the air. Carbon monoxide; methane gas. The rescuers sweated in the damp. They feared another explosion. A single spark would be enough.

The first man, Patrice Randazzo, was found four thousand feet from the mine face—nearly a mile from where the crew had been working, from where he should have been. He was carried that far by the impact. To the other families waiting aboveground, this was the worst news yet.

The men had been killed instantly. That's what the mine secretary said. No one had a reason to doubt it, though you had to wonder how he knew.

Found at the mine face, two miles from the Deer Run shaft, Baker Brothers Number Twelve:

One Lancashire longwall machine, circa 1951. Its back end had been hit by rockfall, but the chassis wasn't even dented. The longwall was perfectly intact.

Four mismatched mining boots. The force of the blast had blown them a hundred feet. Four men had died in their socks.

A pair of horn-rimmed glasses, mended at the temple with electrical tape.

Ten dinner buckets, firmly closed and tied with twine. In recent weeks, someone on the Deer Run crew had been stealing snuff from the other men's buckets. The wives had responded with security measures. The buckets were airtight. Two massive explosions hadn't blown them open.

Tip Kelly and Ab Kovacs, who had bolted roofs in the One, the Three and the Four. They were the oldest miners on the crew. They had each been married for forty years. They'd been partners for forty-one.

John Terence Sullivan, who'd once studied for the priesthood, and John Patrick Quinn. Joe Kukla, known as Footlong. Father of six blond daughters, one of them a Fire Queen.

One Yurkovich twin, Peter or Paul, whose mother had baked a hazelnut torte for their third birthday and sent it to Rose Novak's house instead. The other twin was found five hundred feet down the corridor, his body deposited there by the blast.

Eugene Stusick, once known as Eugenius. Husband of Evelyn, father of four. Past president of Bakerton Local 1450, United Mineworkers of America. Old friend and bookmark of George Novak, who now knows how it all turned out.

Angelo Bernardi, father of four, Friday companion of Dorothy Novak. An autopsy would show his lungs black with pneumoconiosis. He was found wearing bright yellow gloves. Underneath them, his hands were perfectly clean.

NINE

Everything froze.

Christmas came and went. A federal injunction halted mining at the Twelve. You didn't speak of what would happen next. You knew Randazzo from the Knights, Kukla and Stusick from St. Casimir's. You'd seen Quinn and Kelly playing cards at the Vets, the Yurkovich twins at the fire-hall dances, walking the Bakerton Circle. Kovacs's wife ran a press iron at the dress factory. Angie's uncle had buried yours. You knew them from the Legion, the ball field. There was no escaping all the ways you knew them. The ways they were just like you.

Funerals were held all over town. Stoner and Bernardi drove their hearses back and forth, back and forth. Classes were canceled at the high school. Some people attended three masses in one day.

The explosion had happened four days before Christmas, a fact the newspapers would emphasize. As though March or July would have been preferable, the timing a comfort: at least it didn't happen at Christmas.

For months afterward, mine investigators toured the Twelve. They interviewed employees and conducted tests. Reports were filed. Then public hearings were held.

Methane gas was a fact of miners' lives. Most days it escaped from coal seams at a minute trickle; the levels were influenced by atmospheric pressure, which fluctuated with the change of seasons. The pressure had dropped sharply that December, after four days of freakish summer temperatures. A flood of methane had been released.

Ten months of investigations, and that was the size of it: you couldn't blame Baker for the weather. Meanwhile the Twelve had been closed for a year. Production was off by eighty thousand tons. Enough to heat all of Bakerton that winter, as Gene Stusick might have said.

His widow attended the hearings, her son at her side. She remembered the crocuses blooming in her front yard that December. For the rest of her life, the sight of yellow flowers would make her sick inside.

EVERY FRIDAY AFTERNOON, Dorothy Novak walked to the cemetery. She visited Angie first. Then Nicholas Annacone, the boy crushed by a car as he chased a ball into the street. Buried seven years that October, the day Angie had first taken her for a ride.

Every week she left flowers on Angie's grave. His headstone was large and handsome, the name engraved in bold block letters: ANGELO FRANCESCO, 1916–1963. SOLDIER, HUSBAND AND FATHER. The family had refused the army's free headstone, believing Angie deserved something more impressive. His uncle had chosen the best his suppliers had to offer, a massive slab of pinkish granite. In the bottom corner a design had been added, the crude outline of a bat and baseball.

Angie had been recruited out of high school to pitch for the Bombers.

It runs in the family, he'd told Dorothy: the famous Ernie Tedesco was a distant cousin of his father's. The team went undefeated, and Angie was spotted by a scout for the New York Giants, signed to play for their minor-league club in St. Cloud, Minnesota. He spent a season with the team, traveling the flat states of Minnesota and Wisconsin and Illinois. *We were on a bus every night,* he told Dorothy. *Getting paid to play baseball. I couldn't believe it. I felt like I robbed a bank.* The money was lousy, half what he'd earned in the coal mines; but he'd have played for nothing. *Are you kidding?* he told her. *I would have paid* them *to let me play.* Finally Julia had laid down the law. She was jealous; she didn't trust him out on the road, drinking and carousing. They were engaged to be married. It was time he grew up.

Don't you wish you'd kept playing? Dorothy had asked him. *Don't you wonder what could have happened?*

Angie shrugged. Maybe later, after his lungs got bad, he had some regrets; but what was the use in thinking like that? The war would have put a stop to it anyway. In those years nobody played ball.

Now, standing at his grave, Dorothy couldn't shake the thought: If he'd kept playing baseball, he would have stayed out of the mines. There would still be an Angie in the world.

Some Fridays, she found another bouquet at his grave. She laid her own flowers beside it. The other half of his headstone was engraved with a name: JULIA MARIA, 1920–   , the date to be filled in later. The place where his wife would someday lie.

Dorothy had recognized them at the funeral, sitting in the front pew: the son and three daughters who'd broken his heart, the wife, weeping, who had poisoned them against him. They'd pretended not to notice Dorothy, which suited her. None of that mattered anymore.

Walking home from the graveyard, she thought often of Nicholas Annacone. A weeping angel had been cut into his gravestone. An Italianate angel, with dark eyes and curly hair, how Nicholas himself must have looked. How Angie might have looked as a boy.

For a month, two months, she thought she might be pregnant. Her body allowed her to believe this. Since Joyce had moved out of the house, Dorothy bled only rarely. Angie had been careful, but mistakes happened. Lying in bed at night, she massaged her flat belly, and hoped.

TWICE A WEEK Joyce brought her a few bags of groceries, a casserole or a pot of homemade soup. *You've got to eat,* she pointed out. Dorothy's dresses hung on her. She seemed to be wasting away.

They sat outside in the long summer evenings, on the new porch swing Ed had hung. Behind them the house was dark. Dorothy used electricity sparingly, aware that Joyce still paid the utility bills. They never spoke of Angelo Bernardi. The subject made Dorothy weepy, Joyce uncomfortable and a little ashamed. She understood, too late, that her sister had lost the only thing she'd ever valued. That her own response to that thing, the disdainful way she'd treated it, had been obstinate and heartless.

Dorothy, always frail, now seemed broken. When Joyce telephoned her each morning, she answered in a hoarse whisper, sounding slightly panicked, as if she expected bad news. She wore ragged housedresses in summer; in winter, baggy men's trousers cinched at the waist with a belt. (*They're warm,* she explained when Joyce inquired. She liked to keep the furnace turned low.) Joyce offered to give her a home permanent, but Dorothy couldn't be bothered. Her hair was wound into a bun at the nape of her neck. In the past year, gray had choked out the brown.

The house, too, had fallen into disarray. The place wasn't dirty, just overrun with clutter. Magazines—*Silver Screen, TV Guide, Screen Stars*—were stacked in every corner of the parlor, arranged by size and date. The kitchen counters were covered with empty margarine tubs, or soup cans, or mayonnaise jars, which Dorothy had washed and arranged on towels to dry. In a cupboard Joyce discovered two large grocery sacks filled with empty prescription bottles. *ROSE NOVAK,* one of the labels read. *OCTOBER 1, 1955.*

"She doesn't throw anything away," she told Ed afterward. "She must spend the whole day organizing and sorting this stuff."

"Well, why not?" he countered. "It gives her something to do."

At one time the clutter would have driven Joyce crazy. Now she understood how little it mattered, and held her tongue. She entertained Dorothy with the latest town gossip—births and marriages, illnesses and deaths. Acquaintances or strangers, it didn't matter: Dorothy's memory was encyclopedic. She could always conjure forth the name of the groom's uncle, the bride's cousin, connecting each new event to someone they both knew.

You're alone too much, Joyce sometimes told her.

I keep busy, Dorothy said. She had the television; every afternoon she took a long walk. Sunday mornings she went to church. Joyce had offered a dozen times to teach her, but she would not learn to drive. She had always been a homebody. There was no place she wanted to go.

OFTEN, IN THE SUMMER, Evelyn Stusick crossed the street with a basket of Early Girl tomatoes, a bag of the cucumbers that grew faster than she could pickle them. Every spring she planted too much, more than one person could possibly use. Her daughters were married now, with houses of their own. Leonard was in medical school and visited only on holidays. Like Dorothy Novak, Ev was all alone.

She sliced the vegetables in Dorothy's kitchen and sprinkled the tomatoes with sugar, the way Rose had liked them—a sweetly grainy, acidic treat.

"How is Nicholas doing in school?" Dorothy asked. "Isn't he almost finished by now?"

"Leonard," Ev corrected. "He has another year of medical school." She couldn't keep the pride out of her voice. In four years her son would be a doctor. It was as if she had raised a president, or a pope. Gene, if he had lived, would have felt the same way.

"I'll have to tell Georgie," Dorothy said. "He called this morning. He asked after you."

"He did?" Ev rose and arranged the extra Early Girls on the windowsill.

"He always does," said Dorothy. "You should write him a letter. Or call him sometime."

"I'll leave these green ones here to ripen," Ev said. "They'll be ready in a day or two. Don't let them wait too long."

She crossed the street to her empty house. She'd deny it if anyone asked, but the silence wore on her. *You don't have to stay there, Mom,* her daughters told her periodically. And she'd had offers. Some she'd talk about—Rebecca, her oldest, had invited her to come live in Maryland—and at least one she'd never mentioned to anyone.

The spring after the Twelve collapse, George Novak had asked her to marry him. Like his proposal—by her watch, twenty-eight years too late—Ev's answer was slow in coming. She was simply too stunned to speak.

There was the disrespect to Gene, dead just four months; a death so sudden and violent that no one—not Ev or his children or anyone who knew him—would ever recover from it. *He thought the world of you,* she told Georgie—after the initial shock, when she'd regained the power of speech. *He still called you his best friend.* Then there was the fact that Georgie, for all his talk, was still legally married. *Where are we, Utah?* she asked. *Excuse me if I don't know the proper etiquette. I've never been proposed to by a married man.*

Later, she realized that none of this was surprising, that the proposal was perfectly in Georgie's character. He had always followed his heart, in whatever foolish direction that organ led him. Oblivious to the other hearts—hers, Gene's, his mother's—he broke along the way.

I love you, he told her. *Ev, I've always loved you.*

Oh, Georgie, she said, pitying them both. *The years go. You can't have them back.*

The Twelve did not reopen. In its heyday, most of its coal had been barged to Pittsburgh, processed into coke to feed the blast furnaces of American Steel. Now AmSteel had its own troubles. Its Pittsburgh plant had closed that summer. More and more, houses were heated with oil, with gas. The world could survive without Bakerton coal.

The changes spread outward, like an epidemic. Ten families had lost fathers, husbands. Nine hundred lost paychecks, and more would follow. Baker Two was mined out; the Four and the Seven nearly so. Out-of-work miners sat on front porches. There was nowhere for them to go.

Susquehanna Avenue had one empty storefront, then two. In a year, the whole block was dark.

PEOPLE KEPT THEIR HEADS DOWN. They pretended not to notice. To Lucy, who had been away, the changes were astounding. It was as if a blight had settled, a deadly fungus passed from tree to tree.

She'd been gone four years, nearly five. Nursing school, then a bachelor's degree—school and more school, until the original purpose of her studies had been forgotten. Studies funded by Joyce, a savings account she'd fed for years with tens and twenties from her small paycheck. Started early, when she was still in the air force; still a young woman herself. In the selfishness of adolescence, Lucy had accepted this gift without question. Only later did she see how remarkable it was. At twenty, Joyce had already traded away her own future, invested everything she had in someone else.

The savings covered her first year's tuition. Then, scholarships and fellowships; somehow the money had always come. On school breaks, she worked—in the Student Union, in Pittsburgh restaurants and hotels. Summer jobs didn't exist in Bakerton. Waitresses, cashiers at the Quaker—they were grown people who needed the paycheck, adults with families to support.

It seemed to Lucy that she'd always been expected to leave—like her brothers, who'd roared out of Bakerton the first chance they got. It was the sisters who stayed: Joyce to care for their mother, Dorothy because she could not care for herself. They'd assumed Lucy would have no such limitations. The family's slim resources had been lavished upon her, with no other expectation than that she would succeed in life. That she would *go.*

She did her best to oblige, to do what was expected. She found a job the day before her graduation, at Presbyterian Hospital in Pittsburgh; she shared an apartment with two of her classmates. For nearly two years she worked. She had herself fitted with an IUD, a small copper device no bigger than a quarter. She bought a car, a '65 Ford Mustang, and every month or two she drove out to Saxon County for a visit. A boyfriend disappeared; another took his place. She grew older. Nothing changed.

She might have gone on that way for years. Instead she went back to Bakerton, the one Novak who truly wanted to stay. For a long time she'd fought the desire, through all her years of schooling, that extraordinary privilege that felt to her like a kind of exile. When she broke the news to Joyce, she did it apologetically: *There's something I have to tell you. I hope you'll understand.*

She found a job easily enough; she seemed to be the only one in Saxon County who could. After the war, during the coal boom, a new wing had been added to Miners' Hospital. The annex overlooked the Number Twelve, the rusting iron skeleton of its abandoned tipple. The top floor was devoted entirely to pulmonary care. The only thing, she told her college friends—late at night, by phone, after a long, exhausting shift—that Bakerton was still producing: old men who couldn't breathe.

Except they weren't old. Most were in their fifties or early sixties. A few saw seventy; invariably, they were the ones who hadn't smoked. Black Lung could take ten or twenty of a miner's healthy years. Black Lung plus cigarettes would cut them in half.

The lungs died by degrees, silently, inexorably, a slow erosion of tissue. In the end they collapsed completely; the men died gasping for breath, their eyes wide with terror. After a few months on the unit, Lucy was familiar with the process; she understood just how little she could do. She gave the men steroids and lectured them about smoking. The acute cases she placed in oxygen tents. More and more, she helped them with their paperwork. A law had been passed: if you were persistent, if you hadn't smoked, if you were smart enough to make sense of the forms and patient enough to spend hours filling them out, your widow might be awarded a small monthly check. The men wouldn't see a dime, themselves. They would all be dead before the money came through.

The men slept six to a ward, loud with the rush of oxygen tanks. The tanks breathed in unison, a sound like the rhythmic roll of the ocean. Weaving in between the beds, checking the men's vitals, Lucy imagined herself aboard a battleship, ministering to wounded soldiers at sea. Her patients were all veterans; she knew it from their stories, their bearing, the greenish marks tattooed on their withering biceps. Listening to them, she thought of the father she couldn't remember, the face she knew from a single photograph, taken on his wedding day. She recalled Angelo Bernardi's deep laugh, his cigarette kiss on her cheek, his breathing audible from the next room. The two men who'd loved her had disappeared from the world, without ever knowing the person she had become.

At the end of her shift she drove across the bridge, barely used since the explosion at the Twelve. She passed the abandoned tipple, the weathered outbuildings, the Towers still glowing in the distance, as though nothing had changed. Sometimes, driving into town, she passed Connie Kukla and Clare Ann Baran, still inseparable, walking home from their shift at the dress factory. Connie had married Steven Fleck, who worked for a strip-mining company in West Virginia and came home only on weekends. They shared a house with Connie's widowed mother, which made sense to Lucy. She couldn't imagine Connie being alone.

Of all the differences between them, it was perhaps the most profound: Lucy's life was solitary. She couldn't imagine it any other way. She'd tried living on Polish Hill with Dorothy, but the memories paralyzed her, and Dorothy's silence only amplified the emptiness of the house. Finally she'd rented a small apartment above a flower shop, in what used to be called Little Italy. The neighborhood distinctions had disappeared; now people lived wherever they pleased. More and more, that meant leaving Bakerton entirely, for steady work in Maryland or Virginia or the eastern part of the state. Next door to Lucy was the building that had housed Bellavia's Bakery, its windows now dark. Across the street, the Sons of

Italy and Rizzo's Tavern still did a brisk business. Above Rizzo's was the apartment where her mother had lived as a girl. At the end of the block was Nudo's Pennzoil station, its concrete wall stenciled with large letters: TOUGH TIMES NEVER LAST. TOUGH PEOPLE DO.

On warm nights, in summertime, the neighborhood was still lively. Music spilled through the open windows; voices and laughter in the street. Infrequently, on a Friday or Saturday, Lucy had a drink at one of the bars. When a man approached her, she flirted out of habit; but always she went home alone. The need that had once possessed her—to be watched and listened to, noticed and approved—had simply vanished. She still felt hollow inside, cored like an apple; she still hated sleeping alone. Yet she no longer believed that love would fill her. Each night she ate supper at the window, listening to the radio. And sometimes, after a particularly long shift at the hospital, she smoked a single cigarette.

It was summer when the motorcycle came. Dorothy heard it from her porch swing. She had visited the graves that morning, to avoid the heat. The afternoon stretched long before her. The late August sun was warm on her skin. Her eyelids fluttered, opened, fluttered again.

She heard a gentle buzzing in the distance, like the drone of a bumblebee. At the top of the hill, a hunting dog bayed. The buzzing became a great roar, the sound rising in pitch. Then the Poblockis' beagles joined in.

A motorcycle shot up the hill at a speed that seemed impossible, chrome blinding in the sunlight. It roared past Dorothy's house, then made a sharp U-turn, spraying gravel. She shaded her eyes with her hand.

The bike skidded to a stop. Tied to its sides were saddlebags and a scruffy bedroll. The rider was a young man in a denim jacket.

"My word," Dorothy said.

The rider stepped off the bike. He wore a scruffy beard and dirty blue jeans, torn at the knees. His helmet was decorated with the Stars and Stripes. He glanced around as if he were lost.

He climbed the porch steps and took off his helmet. "Aunt Dorothy," he said, offering his hand. "How do you do?"

ARTHUR MOVED INTO Joyce's old room. The room where his mother had slept, tranquilized, during her one visit to Bakerton, where Sandy had ironed his monogrammed shirts the winter of the strike. The mattress sagged, but compared to the places he'd slept recently, Arthur found it exquisitely comfortable. After dropping out of Swarthmore, he'd spent several months riding: as far west as Nevada, he told his aunt; then south and eastward across Texas. His aunt fed him and listened to his stories. She seemed to enjoy them, although she sometimes looked at him strangely, as though she weren't quite sure who he was.

For his part, he remembered her vividly—the aunt who'd followed him through a snowstorm, her face wrapped in a scarf, her eyes tearing in the wind. His father's sister who had never married, who'd lived in a boardinghouse in Washington, D.C., until she went crazy and came back to Bakerton to live with her mother. She didn't seem crazy now, just extremely quiet. Her house was messy, in a way that comforted him. He felt strangely at home.

She asked no questions, which pleased him. He got enough of those from his father: *When are you coming back? What will become of you? For*

God's sake, have you lost your mind? Except for a couple of phone calls from the road, Arthur hadn't spoken to him in months. He'd tried to make the old man understand that college was a dead issue. There was nothing he wanted to study, and he didn't need the deferment. He'd failed his Selective Service physical. His asthma had bought him freedom, and possibly saved his life.

Away from school, the world opened to him. There was plenty he could do. He knew everything about motorcycles, and he could fake his way around a lawnmower, a snowmobile, any kind of small engine. In Allerton, Texas, he'd stopped to help a biker broken down on the highway. They had shared a joint; then the biker, a wild-haired, Injun-looking guy named Grif, had offered him a place to sleep. There was plenty of floor space in his trailer. A buddy of his needed help in his garage.

Arthur set up his bedroll in Grif's trailer. Each day he changed oil and rotated tires. At night he and Grif shared joints, road stories and, oddly, books. *On the Road, Siddartha* and *Doors of Perception,* which Grif referred to, not unseriously, as The Oracle. Arthur read them all, glad his father couldn't see him. The old man would have been entirely too pleased, which would have ruined Arthur's enjoyment. That reading could be pleasurable was an astonishing discovery. He'd never voluntarily read a book in his life.

One night, a little stoned, he telephoned his father. He didn't mention reading, just rambled on about Grif, the desert heat, his job in the garage.

The old man had nearly dropped the phone. "A grease monkey?" he said.

"Don't knock it," Arthur told him. Cars, trucks, everything broke down eventually. A mechanic was like a doctor, or an undertaker. A steady stream of business was guaranteed.

He stayed in Allerton a full month, until Grif decided to drive the trailer down to Mexico. "You're welcome to come," he said, but Arthur was already safe from the draft. They said their good-byes and Arthur hit the road, with Grif's tattered copy of The Oracle stowed in his saddle-bag. He crossed Texas in two days; then Louisiana and Mississippi, stopping to camp along the Natchez Trace. By August he was riding into Bakerton.

HE EXPLORED THE TOWN. On hot days he climbed the hill to the municipal swimming pool, an old bath towel looped around his neck, The Oracle tucked under his arm. He borrowed other books from the public library—*Great Expectations, The Last of the Mohicans*, books he'd been assigned in high school but had never actually read. "How's this one?" he'd ask the pretty dark-haired girl who stamped them at the front desk.

"I liked it," she'd answer each time, but that was the most he could get out of her. Her reticence baffled him. He'd never had a problem talking to girls.

Finally he figured it out. "Will you cut my hair?" he asked his aunt. She sat him on the back stoop, an old bedsheet over his shoulders, and went crazy with a pair of kitchen scissors. His ponytail lay on the grass like a dead animal.

"Can you get it any shorter?" he asked, and she kept cutting. Finally, she handed him a mirror.

"You look handsome," she observed, and Arthur had to agree. His head felt curiously light, an agreeable sensation. He thought: *Now my brain can breathe.*

He liked talking to people. In the pool hall, the post office, the sidewalk in front of the fire hall, nobody was in a hurry. He was surprised when strangers recognized his name. *Georgie's boy,* they said, their faces lighting with recognition. *Mrs. Hauser's nephew.* Afterward they greeted him like a relative, these people he'd never seen before in his life. It was because of his father that he belonged here. The realization filled him with a strange gratitude. He found himself missing the old man—a feeling that had haunted his childhood, the long winters at school. He hadn't missed his father in years.

"Stay as long as you like," his aunt told him. She wasn't crazy, he decided; she just had trouble remembering his name. Depending on the day, she might call him Angie, Nicholas, Sandy or Chick.

In the evenings they ate together at the big table in the kitchen. She cooked piles of noodles, fried eggplant, an Italian soup he couldn't get enough of. "Have some more, Angie," she said, refilling his bowl. He had never eaten so well in his life.

She asked him, once, about his mother.

"She's fine," he said automatically. A moment passed before he understood the question. She hadn't asked how his mother was doing. She'd asked *what is she like.*

"You never met her?" he asked.

"Oh, no. She came once to visit, but I was living in Washington then. Joyce said she was a beautiful girl."

Arthur frowned. He would never have called his mother *a beautiful girl.* In recent years she had grown fragile and desiccated, her thin shoulders slightly stooped. It seemed incredible that they were talking about the same person.

"They've been married, like, fifty years," he said. "Maybe not fifty, but a long time. It's weird that you never met her."

"Georgie has been gone for so long," his aunt said. "And so far away."

Arthur considered this. Philadelphia wasn't that far, maybe four hundred miles. He'd ridden twice that in a single day.

"She's a regular mother," he said. "She likes nice things. Like all mothers, I guess." As he said it, he realized it wasn't right. There were other kinds of mothers. In Bakerton, mothers—like everything else—were probably different.

"She likes art," he said. "She collects antiques. And she likes to travel."

"Like you," his aunt said.

"I guess." Arthur couldn't imagine his mother riding a motorcycle across the country. She spent every spring at a spa in Switzerland, breathing mountain air.

"You should phone her," his aunt said. "Let her know where you are. She must be worried about you."

"She's in Europe. She probably doesn't even know I left home."

His aunt refilled his soup bowl. He cut them each a slice of bread. They ate the rest of the meal in silence, as they usually did. Then Arthur got up to clear their plates from the table. "They're getting divorced," he said.

His aunt colored.

"They should have done it years ago, if you ask me. I think they were waiting for me to grow up." He rinsed the plates at the sink, his back to her. Still she didn't speak.

"They think I'm upset about it, but I'm not. He's always working, and she's always gone. I don't think they even like each other. I can't figure out why they ever got married in the first place." He filled the sink with water. "They both changed. That's what my dad says."

"That happens sometimes," his aunt said.

TEN

The town wore away like a bar of soap. Each year, smaller and less distinct, the letters of its name fading. The thing it had been became harder to discern.

Whole neighborhoods went up for sale. School enrollment dropped. Every sort of job disappeared. There were fewer cars to service, fewer teeth to fill, no houses whatsoever to build.

The landscape softened. One by one the tipples fell. The conveyors were dismantled. Aging machinery was carted away: longwalls, mantrips, shuttlecars. Outbuildings were demolished and sold for scrap, or left to rust in the weather. Black scars were left behind, as though the earth had been burned.

In springtime a fleet of trucks climbed Saxon Mountain, dieseling loudly: a low convoy of blunt shapes, their purpose unknown. Gary Poblocki saw them and spread the word on his CB radio. His brother Bernie, back from Vietnam, suspected the army. Bernie always suspected the army, but this time no one had a better theory.

The trucks funneled into the valley, their empty beds clattering. They circled the Towers and slowed.

The morning was still; there was no breeze to ignite the bony piles. In the April sunlight they looked like what they were: two eighty-foot heaps of mine dirt, brought over by the truckload from the Three, the Five and the Twelve. Dug by pick and shovel, by longwall, by Lee Norse and Wilcox machines; hauled by donkey, by conveyor, by shuttlecar. By English and Irish, Italian and Slavish, the hands and backs and lungs of four generations of men.

The Towers had proved that Bakerton was working. Their absence would prove the opposite. The piles would be leveled in three days and the dirt carted westward, to backfill a thousand acres of wetlands on the outskirts of Cleveland.

A crew was already waiting. The driver signaled. Gears grinding, the machine opened its jaws.

LUCY HAD BEEN WORKING at Miners' for three years when Leonard Stusick came home. She was trimming Dorothy's hedges on Polish Hill when he drove up to his mother's house in a U-Haul truck. The sight of the truck moved her in a way she couldn't have predicted. She was like a shipwreck survivor clinging to her raft; overhead, the rhythmic chop of helicopter blades. Crossing the street to greet him, she felt her eyes tearing. They both wondered what was wrong with her.

He had finished his residency that spring. Like Lucy, he could have gone anywhere; yet he, too, had chosen Bakerton. Months would pass before they spoke of why. First they would work together on the pulmonary ward at Miners'; dance together at the fire hall and watch the fireworks at

Dago Day; then drink too much and wake up together, awkwardly, in Lucy's bed.

Later it would seem as if she'd always known it. The others had been mere filler: the college boys, the men in Pittsburgh, the long series of thrilling disappointments, from Steven Fleck onward. All those years she'd been passing time, waiting for Leonard to grow up.

The wedding was held at St. Casimir's, where the bride had been baptized, where both sets of grandparents had been married. Joyce Hauser, visibly pregnant, was the matron of honor. Her husband gave the bride away.

George Novak paid for the wedding: the polka band, the hall rental, the three elderly cooks at the Polish Legion, who spent the morning stuffing cabbage at lightning speed. The whole affair cost half what he'd paid for his new Cadillac, and it brought him greater pleasure. It was the hometown wedding he'd never had.

The news had shocked him at first. Arthur was twenty-two, barely old enough to vote. *You're just a kid,* George had told him. *What's the rush?*

Come meet Susan, Arthur said bashfully. *Then you'll understand.*

And he had. Susan Jevic was lovely in ways George found achingly familiar: her intelligence and kindness, her sincerity and warmth. *Don't worry,* he reassured Marion, who had boycotted the whole affair. *Arthur will be fine.* Any boy would be fine, married to such a girl. George thought of himself at that age, the summer he had come home on furlough. The summer he should have married Ev.

They hadn't spoken in years, not since his foolish proposal. She had told him not to phone her; sick with shame, he had obeyed. Instead he made weekly calls to his sisters, angling for news of her. It was Joyce who'd told him about Leonard, that he'd been accepted into the medical school at Penn.

George tracked down the boy easily enough, took him out for a couple of steak dinners. Leonard was bright and earnest, serious and polite, without the stubborn streak George saw in his own son. For his part, he was grateful for the company. Since his divorce he dined alone at lunch counters or ate sandwiches standing over the kitchen sink.

He'd offered the boy a job at Quigley's, stocking shelves on Sunday afternoons, unloading trucks late at night. When the hours became too much for him, George had simply mailed in the tuition checks, a thousand dollars here and there, from the college fund Arthur would never spend. *It's nothing to me,* he told Leonard, and this was true. He could drive his Cadillacs for four years instead of three. The money meant nothing at all.

He did it for Ev, for Gene and for himself—the young man he'd once been, full of ambition, hungry to learn. *Your dad was my friend,* he told Leonard, who'd agreed not to tell his mother. *He would want me to help.*

A HUNDRED GUESTS attended the wedding. After dinner, they lined up for the bridal dance. The band launched into a joyful mazurka. The bride sat on a chair in the middle of the dance floor, and Joyce removed the bridal veil. The crowd clapped and whooped as Joyce replaced the veil with a babushka. She tied a lacy white apron at Susan's waist.

They danced together first, the teacher and her student. The guests waited, clapping in time with the music. The line wrapped twice around the dance floor.

Susan danced next with her sister Irene, grown gray and stout; then a long series of blue-eyed Jevics. She danced with George Novak, then Dorothy, then Arthur's handsome uncle Sandy in his white leisure suit. She danced with Lucy Stusick, with Leonard, some Scarponi cousins she couldn't name. Her co-workers from the library, then Jerry Bernardi, who'd driven there in his hearse. The Poblockis took their turns, the Wojicks and Klezeks and Yurkoviches. She danced with every man, woman and child on Polish Hill.

Each guest slipped a dollar into her lacy apron, then joined the circle around the floor. Spinning round and round, Susan didn't notice the commotion, the decorated monstrosity her brothers had brought in through the back door.

Her sister Irene danced first in the trough—her second-eldest sister, old enough to be her mother, as a few guests pointed out. She was joined by Sandy Novak. A slight bending of tradition—Arthur was his nephew, not his brother—but Sandy felt entitled. When Lucy and Leonard had eloped, he'd lost his rightful chance.

In the spring the wagons came. Black wagons, small and square, their looping wheels delicately webbed. The men driving were paler than the Irish, quieter than the Polish. The women wore dark dresses. After the English and Irish, the Italians and Hungarians, the Poles and Slovaks and Ukrainians and Croats—after all these, came the plain.

Wagons on the back roads, to Coalport, to Fallentree. Horses were tied outside the A&P. Boys in dark pants chased one another through the parking lot. The plain weren't given to chatting, but if you were friendly and persistent—like Arthur Novak, in his plain-style beard, who made a good living repairing their farm equipment—you could sometimes have a word. Land was cheap in Saxon County; industry had moved into Lancaster, forcing the prices up. Back east, environmentalists had raised a fuss about farm runoff into the Chesapeake. Here, plain farmers would not be bothered. After a hundred years of bony dumps and streams running red, no one minded a little manure.

The plain built houses, or fixed what was there. In town they bought lumber and hardware, shingles and paint. Wheat grew, feed corn, acres of soybeans. The land grew over, softened and greened.

Each year the scarred places shrank a little. The green spread slowly, planted and harvested by the plain. The green covered, but did not fill, the dark world that lay beneath.

Insights,
Interviews
& More . . .

About the author

Meet Jennifer Haigh

Marion Ettlinger

JENNIFER HAIGH is the author of the critically acclaimed *Mrs. Kimble*, which won the PEN/Hemingway Award for outstanding first fiction, and the national bestseller *Baker Towers.* Born and raised in Barnesboro, Pennsylvania, she is a graduate of Dickinson College and the Iowa Writers' Workshop. Her short stories have appeared in *Good Housekeeping*, the *Hartford Courant*, *Alaska Quarterly Review*, *Virginia Quarterly Review*, and elsewhere. She lives on Boston's South Shore.

For more information on Jennifer Haigh and her books, please visit www.jenniferhaigh.com.

A Conversation with Jennifer Haigh

Was* Baker Towers *inspired by your own family history?

Yes and no. The characters themselves are inventions; they don't resemble anybody in my family. But the details about the town itself and what life was like in the postwar years, definitely came from my parents and other relatives. *Baker Towers* ends in the Vietnam era, right around the time I was born, so I couldn't rely on my own memories of the period I was writing about. By the time I was living the coal mines were already in decline. The era of the company town was past and the region was on its way to become something else. But I grew up hearing about how things used to be, and when I set out to write this book I had a wonderful time interviewing family members about what life was like when coal was king.

The novel is packed with details that re-create a vanished world. What were some of your best research sources?

I do my best research by talking to people. These conversations yield more than simple facts; they give me a feel for how people talk, what they remember, and which events in their lives hold the greatest significance. Beyond that, I spend a lot of time looking at old newspapers and magazines—not just ▸

“I spend a lot of time looking at old newspapers and magazines—not just the headlines, but also the advertisements. I care what people were wearing, what kinds of cars they drove, what groceries cost.”

A Conversation with Jennifer Haigh
(continued)

the headlines, but also the advertisements. I care what people were wearing, what kinds of cars they drove, what groceries cost, and what was playing on the radio. Some of this information finds its way onto the page; most of it doesn't. It's my way of creating a world in my imagination, of making it real and vivid for myself.

Did you ever consider writing* Baker Towers *in the first person, from Joyce's perspective?

Writing in the first person is difficult for me. I sometimes approach short stories that way, but I find it too restrictive for a novel. Part of what intrigued me about writing *Baker Towers* was the chance to show the reader a time and place through several different sets of eyes: Joyce's, Dorothy's, Georgie's, and Lucy's. Without those different perspectives—male and female, soldier and civilian—*Baker Towers* would be an entirely different story and, I think, a less interesting one.

“Part of what intrigued me about writing *Baker Towers* was the chance to show the reader a time and place through several different sets of eyes.”

How do men and women experience Bakerton differently?

The obvious difference was work. A man mined coal; a woman almost never did. Her economic security depended completely on finding a husband. That reality shaped her life in all sorts of ways. A bachelor could make a living, but an unmarried woman had a rough time of it. She might work in the dress factory, or do housework for wealthy families, or care for her elderly parents, but her livelihood was tenuous and probably a source of worry for her family.

A man was also more likely to see some of the world beyond Bakerton, or to leave the town completely. Going away to college was a luxury almost no one could afford. If you were a young man in the forties or fifties you probably served in the military, which took you across the country or even overseas, and much increased the likelihood that you would settle somewhere else. Young women stuck close to home. After World War II, the GI Bill allowed some people to get an education—mostly men, since they were far more likely to have served.

What are some of the themes and motifs present in the novel that resonate with you?

Well, it's a book about first-generation Americans, those of a certain place and time. Today's first-generation families have different stories to tell. The small-town way of life no longer exists as it once did. We still have small towns, but with television and the internet they're not the islands that they once were. They're much more connected to the culture as a whole. We have lost much of our regionalism—that quality that gave one part of the country a different texture from the others. And there's no getting it back.

Those are the first thoughts that come to ▸

“We have lost much of our regionalism—that quality that gave one part of the country a different texture from the others. And there's no getting it back.”

mind. I don't think about any of this stuff when I'm actually writing. It occurs to me later, when I'm looking at a printed page and the words no longer seem like mine. A kind of separation occurs, and it's as if I'm reading a book written by someone else. And the book appears to have a theme.

***What was the writing process like for you? How long did it take you to write* Baker Towers?**

For a first draft I write every morning at my kitchen table, by hand. I do later drafts at the computer, but I can't imagine composing on one. It's too easy; the words are too cheap. There is something about the act of forming letters with a pen that makes me conscious of each word, and I write better sentences.

Baker Towers took three years to write, with occasional interruptions. I had been thinking about the characters for much longer. The idea occurred to me even before I wrote *Mrs. Kimble.* I knew back then that I wasn't ready to tackle it, that I didn't yet have the skills to write it. I'm glad I waited as long as I did.

Writing full-time is monotonous and lonely, but it works for me. When I'm deep into a novel, the characters are much more real to me than anybody in my own life, and that's necessary for me as a writer. Years ago, when I was writing mostly short stories, I could get by writing in the evenings or on weekends. But when I'm working on a novel, I really benefit from being able to work in

“When I'm deep into a novel, the characters are much more real to me than anybody in my own life, and that's necessary for me as a writer.”

long stretches. I write at home, in a quiet room with the curtains drawn. It sounds boring, and it is. I can't write unless the world in my head is more vivid than my surroundings. I'm amazed by writers who can compose on airplanes or in coffee shops. Writing is hard for me, and it only works in a place where nothing can distract me.

"Address Unknown"

EVERY SUNDAY AFTERNOON of my childhood my mother took us to visit our grandmother. I rode in the backseat of our Dodge Dart Swinger. My brother Jimmy sat up front. We returned at dusk, the country road high and winding. At each bend in the road a lovely vista opened. At the final turn our town, Barnesboro, lay spread out before us—six church steeples, neat rows of houses, the main street steeped in Sunday quiet. Each time we turned that corner, Jimmy repeated the same baffling phrase: *Mama broke Barnesboro.* My mother was mystified, but I understood his toddler logic. Our town lay in a cleft between dark mountains. From our vantage point, it seemed a mountain had been broken off. The lights in the valley were its glimmering innards, sharp in the twilight.

"At the final turn our town, Barnesboro, lay spread out before us—six church steeples, neat rows of houses, the main street steeped in Sunday quiet."

Barnesboro, Pennsylvania, is the town where I was raised. It was a mining town, named for the man who bought up the farmland and found bituminous coal underneath. For a century the Barnes and Tucker mines employed much of the town. Its company store did such a booming business that the Pennsylvania Railroad built a siding to its back door. The streets bustled; in the days before automobiles, miners spent their entire paychecks downtown. On union wages they built houses and sent their kids to college. Miners played in the wildly competitive local baseball league. They fished in springtime and hunted in fall. They became Elks and Moose and Knights of Columbus. They socialized at the Polish Legion, the Sons of Italy, and the Slovak Club.

Then, in the late 1970s, the mines faltered. In the eighties they began to close. Miners could stay and scrape by on lower-paying service jobs, when work could be found at all. Or they could move their families out of state, leaving behind parents and grandparents, schools and churches, beloved landscapes, and lifelong friends.

Some stayed. But others, hundreds and then thousands, decided to leave. In a matter of fifteen years the town's population shrank dramatically. Retirees, with their pensions and Social Security and black-lung checks, were unaffected. It was the young families who sold their houses and left. Property values fell. The tax base shrank. And before long, Barnesboro was struggling for survival. Not just individual families, but the town itself.

Around this time, some local businessmen proposed merging the town with nearby Spangler, which was also struggling. Why pay for two police chiefs, two sewage authorities, and two parks departments when neither town alone could afford such services? The new borough, with a brand-new name, would have a population of less than 5,000, but it would have an easier time attracting federal and state funding. Most important, local taxpayers would save thousands.

The merger was put to a vote and defeated. But five years later, when it reappeared on the ballot, voters in Barnesboro and Spangler said yes and effectively voted their towns out of existence.

IN A WAY, all names are arbitrary. Before it was Barnesboro, my town was called McAnnulty, after a farmer who owned a sawmill there. An infant's name (always with the middle name attached: James Harry) sounds ▶

“Before it was Barnesboro, my town was called McAnnulty, after a farmer who owned a sawmill there.”

"Address Unknown" ***(continued)***

cumbersome and oddly hollow until the child grows into it, or until a deeply suitable nickname—often with a story behind it—can emerge. Imagine changing that child's name in adolescence. Family stories would be interrupted by footnotes: We called him *Jimmy* then. The child wouldn't disappear, but wouldn't he see himself differently? Wouldn't something be lost?

Names matter. Years ago, some friends of mine moved to the ever-expanding suburbs of Washington, D.C., to a planned community called South Riding, Virginia. The name fascinated me. Virginia has no North, East, or West Riding, and if there ever was a Riding family, nobody seems to know about it. It seemed to me a name that meant nothing, chosen because somebody liked the horsy, aristocratic sound of it.

"Except for a few signs at the town limits my town looks the same. . . . Call it what you want, Barnesboro has not been broken."

As a fair-weather fan, I have always gravitated toward the older sports teams: the Steelers, the Oilers, the Packers. Those names are relics of a different time, when players actually came from the cities they played for and those cities were defined by their industries. A meatpacker might have become a star athlete, or a Pittsburgh player might have worked, even briefly, for Beth Steel.

My father died in 2003, nearly four years after Barnesboro disappeared. It is strange that the town where he lived most of his life no longer shows up on a map. Yet he was a practical man. He'd served some years in local government and was in favor of the merger. It won't change anything, he said, just before the towns merged. People won't forget.

In some ways, he was right. Except for a few signs at the town limits ("Borough of

Northern Cambria") my town looks the same. Ask anyone for directions, and Barnesboro and Spangler remain the points of reference. Call it what you want, Barnesboro has not been broken. But for how long?

People don't forget. They simply go. My Ukrainian grandparents, who pronounced "Barnesboro" with a hard rolling of the Rs, died years ago. My father's generation, graduates of Barnesboro High School, are passing too. Boys Jimmy's age, who played Little League in Barnes and Tucker jerseys, are raising their families elsewhere. We remember Barnesboro and in that way it will live—but only as long as we do.

"We remember Barnesboro and in that way it will live—but only as long as we do."

"Address Unknown" first appeared in the Pittsburgh Post-Gazette

An Excerpt from Jennifer Haigh's *Mrs. Kimble*

In her PEN/Hemingway Award–winning novel Mrs. Kimble, *Jennifer Haigh delivers the riveting story of three women who marry the same man.* Mrs. Kimble *is now available in trade paperback from Harper Perennial.*

“Kimble is a chameleon, a man able to become, at least for a while, all things to all women—a hero to whom powerful needs and nameless longings may be attached.”

KEN KIMBLE IS REVEALED through the eyes of the women he seduces: his first wife, Birdie, who struggles to hold herself together following his desertion; his second wife, Joan, a lonely heiress shaken by personal tragedy, who sees in Kimble her last chance at happiness; and finally Dinah, a beautiful but damaged woman half his age. Woven throughout is the story of Kimble's son, Charlie, whose life is forever affected by the father he barely remembers. Kimble is a chameleon, a man able to become, at least for a while, all things to all women—a hero to whom powerful needs and nameless longings may be attached. Only later do they glimpse the truth about this enigmatic, unknowable man.

BIRDIE

Virginia
1969

CHARLIE'S MOTHER sat cross-legged on the living room floor, her nightgown pulled over her knees, a spill of photographs scattered across the faded carpet. Years later he would remember the sound of the scissors' blades gnawing into the glossy paper, his little sister Jody wailing in the background, the determined look on their mother's face.

She had been drinking; her teeth were stained blue from the wine. She worked methodically, the tip of her tongue peeping out the corner of her mouth. The defaced photos she stacked in a neat pile: Christmases, family picnics, Fourths of July, each with a jagged oval where his father's face had been. One by one she slid the photos back into their frames. She climbed unsteadily to her feet and placed the frames back on the mantelpiece, the sideboard table, the naked hooks dotting the cracked plaster wall.

"Better," she said under her breath. She took Jody by the hand and led her into the kitchen. Charlie dropped to his knees and picked through the pile of trash on the floor. He made a pile of his father's heads, some smiling, some wearing a cap or sunglasses. He filled his pockets with the tiny heads and scrabbled out the back door.

His father was there and then he wasn't. A long time ago he'd taken them to church. Charlie could remember being lifted onto the hard pew, the large freckled hand covering his entire back. He remembered playing with the gold watchband peeking out from under his father's sleeve, and the red imprint it left on the skin underneath.

His father had a special way of eating. He rolled back the cuffs of his shirt, then buttered two slices of bread and placed them on either side of the plate. Finally he mixed all his food into a big pile—peas, roast, mashed potatoes—and ate loudly, the whole meal in a few minutes. Charlie had tried mixing his own food together, but found himself unable to eat it; the foods disgusted him once they ▶

"The defaced photos she stacked in a neat pile: Christmases, family picnics, Fourths of July, each with a jagged oval where his father's face had been."

An Excerpt from Jennifer Haigh's *Mrs. Kimble* ***(continued)***

touched, and his mother got mad at the mess on his plate.

His father made pancakes, and sucked peppermints, and whistled when he drove them in the car. On the floor of his closet, he kept a coffee can full of change. Each night lying in bed, Charlie would wait for the sound of his father emptying his pockets into the can, nickels and dimes landing with recognizable sounds, some tinny, some dry and dusty. It was always the last thing that happened. Once he heard the coins fall, Charlie would go to sleep.

BIRDIE WAS UNWELL. It was mid-morning when she opened her eyes, the room filled with sunlight. She rolled over and felt a sharp pain over her right eye. The other side of the bed was still made, the pillow tucked neatly under the chenille spread. She had remained a considerate sleeper, as if her sleeping self hadn't yet figured out that the whole bed was hers alone.

She lay there a moment, blinking. She had been dreaming of her childhood. In the dream she was small, younger than Charlie; she and Curtis Mabry, the housekeeper's son, had hidden in the laundry hampers. "You nearly give me a heart attack," said the housekeeper when she discovered them. "You're lucky I don't tell your mother."

Through the thin walls she heard movement, the bright tinkling music of morning cartoons. She lifted herself out of bed, her nylon nightgown clinging to her back. In the living room the children looked up from the television.

"She had remained a considerate sleeper, as if her sleeping self hadn't yet figured out that the whole bed was hers alone."

"Mummy," Jody squealed, springing off the couch and running to hug her leg. She wore shortie pajamas, printed with blue daisies.

Birdie wondered for a moment who'd dressed the child for bed. She couldn't remember doing it herself.

"Can I go outside?" said Charlie. He lay sprawled on the rug, too close to the television.

"May I go outside please," she corrected him. "Yes, you may."

He scrambled to his feet, already in socks and sneakers. The screen door spanked shut behind him. Birdie unwrapped Jody's small arms from her leg. "Let me get you some breakfast," she said. The children seemed to lie in wait for her, to ambush her the moment she crawled out of bed, full of energy and raging needs. At such times it could be altogether too much—her stomach squeezed, the sign of a rough morning ahead—for one person.

She took Jody into the kitchen. It was a point of pride for Birdie: her kitchen was always immaculate. The room simply wasn't used. She hadn't cooked in weeks, hadn't shopped except for brief trips to Beckwith's corner store, to buy wine and overpriced loaves of bread.

She found the box in the cupboard and poured the cereal into Jody's plastic bowl, decorated with pictures of a cartoon cat. She opened the refrigerator and a sour smell floated into the kitchen. The milk had spoiled.

"Oops," she said, smiling brightly. She ought to pour it down the drain, but the ▸

"The children seemed to lie in wait for her, to ambush her the moment she crawled out of bed."

[An Exce]rpt from Jennifer Haigh's *Mrs. Kimble* *(continued)*

very thought of sour milk turned her stomach; she left the carton where it was. She eyed the wine bottle corked with a paper napkin. Beside it an unopened bottle, the one she hadn't got to last night. She closed the door.

"Looks like it's toast for us," she said. She put two slices of bread in the toaster. She hadn't finished the bottle, so why did she feel so wretched? On Sunday night she'd had two full bottles, and not so much as a headache when she woke the next morning.

The toast popped, the sound a jolt to her heart. Perhaps she hadn't overindulged, just consumed unwisely. She'd already learned that red wine hit her hardest, that a small meal—toast or crackers—cushioned the stomach and allowed her to drink more. Beyond that, the workings of alcohol were still a mystery. It seemed to hit her harder at certain times in her monthly cycle; why, she couldn't imagine. She wondered if this were true for other women. She had no one to ask. Her mother was dead, and anyway had never touched anything stronger than lemonade. Her father's new wife probably did drink, but Birdie couldn't imagine talking to Helen about this or anything else.

"Butter?" Jody asked.

"Sorry, button." Birdie spread the bread with grape jelly and thought of the wine.

She would have been married eight years that Tuesday.

"She'd already learned that red wine hit her hardest, that a small meal—toast or crackers—cushioned the stomach and allowed her to drink more. Beyond that, the workings of alcohol were still a mystery."